Introduction à l'étude du travail

Introduction
à l'étude du travail

Deuxième édition française
(augmentée et mise à jour)

Bureau international du Travail   Genève

ISBN 92-2-201939-3

Première édition 1957
Deuxième édition 1981
Troisième impression 1989

Original anglais publié sous le titre:
Introduction to work study, Third (revised) edition (ISBN 92-2-101939-X), Genève, 1979

Publié aussi en espagnol:
Introducción al estudio del trabajo, Tercera edición (revisada), (ISBN 92-2-301939-7), Genève, 1980

Imprimé en République démocratique allemande   ZIM

Préface

de la deuxième édition française (augmentée et mise à jour)

Il n'est pas facile d'écrire un ouvrage sur l'étude du travail utilisable dans le monde entier par des personnes qui ont reçu des formations différentes et qui emploient des terminologies variées. Pour assurer à cet ouvrage un cercle de lecteurs aussi large que possible, on a pensé qu'il convenait de présenter le sujet sous une forme raisonnablement simplifiée et d'enrichir le texte en apportant de nombreux exemples de la pratique de l'étude du travail, dont beaucoup se fondent sur l'expérience des conseillers du BIT en matière de perfectionnement des cadres dirigeants, qui, dans maints pays, se consacrent à cette étude.

Publiée en 1957, la version originale du présent ouvrage s'adressait surtout aux personnes suivant les cours d'étude du travail organisés par les centres de perfectionnement des cadres dirigeants et de productivité dans les nombreux pays en voie de développement auprès desquels étaient détachées des missions de coopération technique du BIT; elle visait également à fournir un matériel d'enseignement de base aux membres du personnel de ces centres. Depuis 1957, le livre connaît un succès considérable et figure largement en tête des publications à gros tirage du BIT. A ce jour, plus de deux cent mille exemplaires ont été vendus en français, en anglais et en espagnol, trois des langues de travail de l'OIT, et l'ouvrage a été traduit dans plusieurs langues, y compris l'arabe, le coréen et le japonais. Bien qu'à l'origine il ait été destiné aux pays en voie de développement, il sert également de manuel d'introduction dans de nombreuses institutions des pays développés.

Une vingtaine d'années après la publication de la première édition, voici que paraît, en français, la deuxième, complètement revue et augmentée. Les objectifs fondamentaux de la révision étaient de mettre le contenu à jour, de modifier l'aspect de pure initiation et de faire de l'ouvrage un instrument aussi utile pour le praticien de l'étude du travail que pour l'enseignant et l'étudiant, tout en conservant l'approche simplifiée de l'explication des problèmes complexes. Le chapitre consacré aux conditions de travail a été complètement récrit afin de tenir compte des progrès de la connaissance dans ce domaine; la partie qui traite de la mesure du travail a été radicalement modifiée pour faire une place aux idées nouvelles, et on a ajouté trois chapitres sur la mesure du travail par sondage, les normes de temps prédéterminées et les données de référence. Enfin, conséquence de cette approche nouvelle, l'étude du travail a été examinée à la lumière des tendances actuelles de l'organisation du travail, qui sont de concilier la productivité avec la satisfaction au travail, ce qui infirme l'idée que le seul but de l'étude du travail est d'augmenter la productivité. Un chapitre sur les nouvelles formes d'organisation du travail a été ajouté à l'ouvrage, démontrant — et c'est une chose inédite dans un tel ouvrage — que l'étude du travail contribue non seulement à accroître la productivité, mais aussi à rendre le travail plus humain.

La version originale de l'ouvrage a été élaborée par feu C. R. Wynne-Roberts, alors chef du Service du perfectionnement des cadres dirigeants du BIT, en collaboration avec M. E. J. Riches, ancien trésorier et contrôleur des finances du Bureau. On doit à divers membres des équipes de perfectionnement des cadres dirigeants du BIT, parmi lesquels MM. H. Fahlström, L. P. Ferney, H. Fish, C. L. M. Kerkhoven, J. B. Shearer et S. Tilles, des observations détaillées et de grande valeur. D'autres encore, en particulier MM. F. de P. Hanika, W. Rogers et feu T. U. Matthew, ont apporté une contribution précieuse sous forme de critiques et de commentaires.

La version présentée ici a été conçue par M. George Kanawaty, chef du Département de la formation du BIT, et préparée sous sa direction; M. Kanawaty est aussi l'auteur de plusieurs des parties nouvelles. Il convient de remercier MM. J. Burbidge, F. Evans, R. Lindholm, L. Parmeggiani et P. Steele pour leur précieux concours. Pour la mise au point finale de la version française, le BIT a pu bénéficier de la collaboration du BTE Formation-Promotion (Bureau des temps élémentaires), à Paris; il tient à exprimer ses remerciements à M. Luc Boyer, administrateur délégué du BTE, à Mlle C. Gambier et à M. E. Salin, qui ont revu le texte, ainsi qu'à Mlle L. Duboys-Fresney, du Service Documentation, qui a établi la bibliographie française.

Le BIT se félicite de pouvoir ainsi présenter, avec la publication de cette deuxième édition augmentée et mise à jour, un ouvrage qui, tout en conservant son caractère de manuel de base sur les principes et les techniques de l'étude du travail, a été considérablement enrichi.

Table des matières

QUATRIÈME PARTIE: DE L'ANALYSE À LA SYNTHÈSE: LES NOUVELLES FORMES D'ORGANISATION DU TRAVAIL

CINQUIÈME PARTIE. ANNEXES

FIGURES

TABLEAUX

Première partie

Productivité
et étude du travail

Chapitre I
Productivité et niveau de vie

1. Le niveau de vie

On entend par **niveau de vie** le degré de bien-être matériel dont jouit une personne, une classe ou une communauté et qui lui est nécessaire pour assurer sa subsistance et vivre convenablement.

Le niveau de vie d'une personne ou d'une famille représentative dans les différents pays du monde varie considérablement d'un pays à un autre et même, à l'intérieur de chaque pays, d'une communauté à une autre. Aujourd'hui, malgré les efforts considérables qui ont été déployés tant au niveau national qu'au plan international, une partie importante de l'humanité continue de subsister difficilement dans des conditions de misère extrême. Dans trop de régions du monde, l'homme moyen arrive à peine à satisfaire ses besoins essentiels.

2. Les éléments d'un niveau de vie minimum acceptable

Les besoins essentiels qu'il faut satisfaire pour atteindre un niveau de vie minimum sont principalement les suivants:

☐ *ALIMENTATION*
Une alimentation quotidienne suffisant à remplacer l'énergie dépensée pour vivre et travailler.

☐ *HABILLEMENT*
Assez de vêtements pour permettre la propreté corporelle et protéger l'individu contre les intempéries.

☐ *LOGEMENT*
Un logement qui soit d'un niveau suffisant pour constituer un abri sain et hygiénique et qui soit pourvu de certains articles ménagers et de mobilier.

☐ *SÉCURITÉ*
Protection contre le vol ou la violence, contre la perte de la possibilité de travailler, contre l'indigence due à la maladie ou à la vieillesse.

☐ *SERVICES DE BASE*
Comme l'eau potable, un système sanitaire, les soins médicaux, des moyens de transport publics et des possibilités d'instruction et d'activité culturelle

permettant à chaque homme, femme ou enfant, de développer au maximum ses dons et aptitudes.

L'alimentation, l'habillement et le logement sont généralement des éléments que chaque individu doit se procurer lui-même en les payant, soit en argent, soit en travail. Quant à la sécurité et aux services de base, il incombe généralement au gouvernement et aux autres autorités publiques de les assurer. Mais les services des autorités publiques doivent, en général, être payés par tous les citoyens, de sorte que chacun doit gagner assez pour payer sa contribution aux services communs et subvenir à ses propres besoins et à ceux de sa famille.

Chaque nation ou collectivité doit en fin de compte subvenir à ses propres besoins. Le niveau de vie moyen est celui que le citoyen moyen sera capable d'atteindre par ses propres efforts et ceux de tous ses concitoyens.

Plus la quantité de biens et services produits dans un pays sera grande, plus le niveau de vie moyen sera élevé.

On peut accroître la quantité des biens et services produits par deux moyens principaux. Le premier consiste à augmenter le nombre des travailleurs occupés, le deuxième à élever la productivité.

S'il existe dans une collectivité quelconque des hommes et des femmes aptes au travail et désireux de travailler, mais dans l'impossibilité de trouver du travail, ou s'ils ne peuvent trouver qu'à s'occuper partiellement, on peut augmenter la production totale de biens et services en procurant à ces personnes un emploi productif à temps complet, c'est-à-dire en élevant le niveau de l'emploi. Partout où sévit le chômage ou le sous-emploi, la lutte pour l'élévation du niveau de l'emploi revêt une importance très considérable et doit aller de pair avec les efforts tendant à élever la production des travailleurs déjà occupés. Toutefois nous ne nous occuperons ici que de ce dernier aspect de la question.

On peut obtenir:

☐ une **alimentation** plus abondante et moins chère en élevant la productivité de **l'agriculture**;

☐ des **vêtements** et des **logements** en plus grande quantité et à moindre prix en élevant la productivité de **l'industrie**;

☐ plus de **sécurité** et de **services de base** en élevant la productivité dans tous les secteurs d'activité et le pouvoir d'achat global, ce qui laissera un reliquat plus important pour payer ces services.

3. Qu'est-ce que la productivité?

On peut définir la productivité de la façon suivante:

> **La productivité est le rapport du produit obtenu aux ressources utilisées pour l'obtenir**

Cette définition peut s'appliquer, selon les cas, à une entreprise, à une industrie ou à l'ensemble de l'économie.

Donc la productivité, au sens donné ici à ce terme, n'est rien d'autre qu'un rapport arithmétique entre la quantité de produit et la quantité d'une des ressources quelconques ayant servi à l'obtenir.

Ces ressources peuvent être :

☐ la *TERRE*

☐ des *MATIÈRES*

☐ des *INSTALLATIONS*, des *MACHINES* et des *OUTILS*

☐ l'*ACTIVITÉ HUMAINE*

Généralement, ces quatre ressources sont combinées dans des proportions variables.

Constater que la productivité de la main-d'œuvre, de la terre, des matières ou des machines dans un établissement, une industrie ou un pays a augmenté ne nous dit rien quant aux raisons de cette augmentation. L'augmentation de la productivité de la main-d'œuvre, par exemple, peut être due à une meilleure organisation du travail par la direction ou à l'installation de machines modernes. Une augmentation de la productivité des matières peut avoir pour origine une plus grande habileté des ouvriers ou une meilleure conception des produits fabriqués, etc.

Quelques exemples aideront à préciser le sens du terme productivité :

☐ *PRODUCTIVITÉ DE LA TERRE*

Si l'emploi de meilleures semences, de meilleures méthodes de culture et d'une plus grande quantité d'engrais permet d'obtenir d'un hectare de terre trois quintaux de blé au lieu de deux, la productivité de la terre à des fins **agricoles** aura augmenté de 50 pour cent. On peut parler d'augmentation de la productivité de la terre utilisée à des fins **industrielles** si la production de biens ou services, réalisée sur la superficie en question, a pu être augmentée par un moyen quelconque.

☐ *PRODUCTIVITÉ DES MATIÈRES*

Lorsqu'un tailleur habile arrive à tirer onze complets d'une pièce de tissu où un tailleur moins expérimenté n'en peut couper que dix, on peut dire que le premier tailleur obtient de la pièce une productivité supérieure de 10 pour cent.

☐ *PRODUCTIVITÉ DES MACHINES*

Si une machine-outil qui produisait cent pièces par jour arrive à en produire cent vingt grâce à l'emploi d'outils de coupe améliorés, sa productivité aura augmenté de 20 pour cent.

☐ *PRODUCTIVITÉ DE LA MAIN-D'ŒUVRE*

Si un potier, adoptant une nouvelle méthode de travail, porte sa production horaire de trente à quarante assiettes, sa productivité aura augmenté de 33,3 pour cent.

5

Dans chacun de ces exemples volontairement simples, le produit — ou la production — a également augmenté, et chaque fois d'un pourcentage identique à celui de la productivité. Mais une augmentation de la production n'implique pas en soi une augmentation de la productivité. Si le volume des ressources utilisées augmente d'une façon directement proportionnelle à l'accroissement de la production, la productivité reste inchangée. Si le volume des ressources utilisées augmente d'un pourcentage supérieur à celui de la production, une augmentation de la production entraînera obligatoirement une baisse de la productivité.

En un mot, élever la productivité signifie produire davantage avec une même quantité de ressources — terre, matières, temps de machine, ou main-d'œuvre — ou, inversement, produire une même quantité de biens en utilisant moins de terre, de matières, de temps de machine ou de main-d'œuvre, ce qui revient à libérer une partie de ces ressources pour la production d'autres biens.

4. Relation entre l'augmentation de la productivité et l'élévation du niveau de vie

On voit maintenant plus clairement comment l'augmentation de la productivité peut contribuer à élever le niveau de vie. Si l'on produit davantage pour un même coût en ressources, ou une même quantité de produits à un coût inférieur, l'ensemble de la communauté fait un gain, qui peut être utilisé par ses membres pour acquérir des biens et services meilleurs et plus nombreux et pour améliorer leur niveau de vie.

5. La productivité dans l'industrie

L'augmentation de la productivité de la terre et du bétail est du domaine de l'ingénieur agronome et sort du cadre de la présente étude, qui a trait principalement à l'élévation de la productivité dans l'industrie, et en particulier dans les industries de transformation. Néanmoins, les techniques de l'étude du travail qui y sont exposées peuvent être utilement appliquées partout où s'effectue un travail quelconque, qu'il s'agisse d'usines, de bureaux, de magasins, d'administrations publiques, ou même d'exploitations agricoles.

Tissus, installations sanitaires, matériel de drainage et de canalisation, médicaments et fournitures médicales, matériel hospitalier, nombre d'objets utilisés dans la construction de maisons, matériel servant à la défense nationale, tout cela est produit par l'industrie. C'est encore de l'industrie que provient une bonne partie des biens qui permettent à l'homme d'avoir un niveau de vie supérieur à celui de la simple subsistance. Les ustensiles de ménage, les meubles, les appareils d'éclairage, les fourneaux sont généralement fabriqués dans des ateliers, grands ou petits. Une bonne partie des produits nécessaires à la vie normale des communautés modernes sont trop complexes et trop lourds pour pouvoir être fabriqués dans des ateliers de village ou des échoppes d'artisan. La fabrication de locomotives et de wagons de chemin de fer, de camions, de générateurs d'électricité, d'appareils téléphoniques, d'ordinateurs, par exemple, exige l'emploi de machines coûteuses, un matériel de manutention spécial et une armée de travailleurs de diverses professions. Plus les établissements qui les fabriquent auront une productivité élevée, plus il sera possible de produire ces articles en grande quantité et à bon marché et de satisfaire, du point de vue tant de la qualité que des prix, les besoins de tous les membres de la communauté.

Dans chaque entreprise, la productivité dépend de facteurs nombreux et variés, tous plus ou moins interdépendants. L'importance qu'il convient d'attacher à la productivité de tel ou tel facteur de production (terre, matières, machines ou main-d'œuvre) dépend de la situation particulière de l'entreprise, de l'industrie ou même parfois du pays en question. Ainsi, dans les industries où le coût de la main-d'œuvre est faible par rapport à celui des matières ou à celui des capitaux immobilisés sous forme d'installations et de matériel (comme dans les grandes usines chimiques, les centrales électriques ou les papeteries), c'est l'amélioration des conditions d'utilisation des matières ou des installations qui peut faire réaliser les plus grandes économies. Dans les pays n'ayant ni assez de capitaux ni assez de travailleurs qualifiés, mais où la main-d'œuvre non spécialisée est abondante et à bon marché, il est particulièrement utile de chercher à élever la productivité en augmentant le rendement par machine ou par pièce d'équipement, ou par travailleur qualifié. Il vaut souvent la peine d'augmenter le nombre des manœuvres employés, si on peut de la sorte accroître la production d'une machine coûteuse ou d'un groupe d'ouvriers qualifiés. C'est là un fait bien connu de la plupart des chefs d'entreprise expérimentés; mais nombre de personnes en sont venues à n'envisager la productivité que sous la forme de productivité de la main-d'œuvre, surtout parce que c'est cette forme de productivité qui fait l'objet des statistiques les plus largement diffusées. Dans le présent ouvrage, nous recherchons les moyens de tirer le plus grand parti possible de toutes les ressources disponibles, et nous signalerons toujours les cas où la productivité des matières ou des installations est améliorée.

6. Conditions générales de l'élévation de la productivité

Pour que les mesures en faveur de l'élévation de la productivité aient le plus grand effet possible, elles doivent bénéficier de l'appui actif de tous les secteurs de la communauté: pouvoirs publics, employeurs et travailleurs.

C'est à l'Etat qu'incombe le soin de créer des conditions favorables aux efforts des employeurs et des travailleurs dans ce domaine. Il doit notamment, à cette fin:

établir des programmes équilibrés de développement économique;

prendre toutes mesures utiles pour maintenir le niveau de l'emploi;

s'efforcer de procurer des emplois aux chômeurs et aux travailleurs sous-employés, ainsi qu'aux travailleurs mis en chômage à la suite de l'application de programmes de productivité dans leur entreprise.

Ces mesures sont tout particulièrement nécessaires dans les pays en voie de développement où le chômage est un problème angoissant.

Les employeurs et les travailleurs ont aussi un rôle capital à jouer. C'est évidemment à la **direction** de chaque entreprise qu'incombe au premier chef la responsabilité d'élever la productivité. Elle seule peut créer dans l'entreprise un climat favorable à l'exécution d'un programme de productivité et obtenir la coopération loyale des travailleurs, sans laquelle il n'y a pas de véritable succès possible. Certes, les travailleurs doivent, de leur côté, faire preuve de bonne volonté, et les syndicats peuvent jouer à cet égard un rôle important en encourageant leurs membres à apporter leur concours aux campagnes de productivité, une fois qu'ils ont été convaincus que ces campagnes sont conformes à l'intérêt bien compris des travailleurs et de l'ensemble du pays.

7. Attitude des travailleurs

Lorsqu'on essaie d'obtenir le concours actif des travailleurs au relèvement de la productivité, on se heurte généralement à un obstacle fondamental, qui est leur crainte que l'élévation de la productivité n'entraîne des licenciements et ne leur fasse perdre leur travail. Cette crainte est particulièrement forte lorsque sévit un certain chômage et que le travailleur qui perd son emploi a des difficultés à en trouver un autre. Même dans les pays économiquement développés où, depuis des années, le niveau de l'emploi est très élevé, cette crainte est encore très vivace parmi les travailleurs qui ont, dans le passé, connu le chômage.

Dans ces conditions, les travailleurs s'opposeront à toute mesure dont ils craindront, à tort ou à raison, qu'elle ne les mette en chômage, même pendant la brève période exigée par le changement d'emploi, et leur résistance ne tombera que s'ils obtiennent l'assurance qu'ils recevront toute l'assistance nécessaire dans cette éventualité.

Même entourées de garanties écrites, les mesures adoptées en vue d'élever la productivité rencontreront vraisemblablement une certaine résistance de la part des travailleurs. Cette résistance peut cependant, en général, être sensiblement réduite lorsque tous les intéressés comprennent la nature et la raison de chaque mesure adoptée et peuvent exprimer leur avis sur ses modalités d'application. Il importe de former les représentants des travailleurs aux techniques de la productivité, afin qu'ils soient en mesure à la fois de les expliquer à leurs camarades de travail et de veiller à ce qu'aucune des mesures adoptées ne leur soit directement préjudiciable. Il y a d'ailleurs avantage à faire appliquer une bonne partie des garanties énumérées plus haut par des comités mixtes de productivité ou par les comités d'entreprise.

Chapitre 2
La productivité dans l'entreprise

Nous avons dit au chapitre premier que la productivité dans chaque entreprise dépend de facteurs multiples et divers, dont certains échappent au contrôle du chef d'entreprise, par exemple: le niveau général de la demande, la politique fiscale, le taux de l'intérêt, l'état du marché des matières premières, les facilités d'approvisionnement en machines et matériel, l'abondance ou la pénurie de main-d'œuvre qualifiée, etc. En revanche, les chefs d'entreprise peuvent agir sur certains facteurs de productivité; c'est de ceux-là que nous allons parler maintenant.

1. Ressources dont dispose l'entreprise

Nous avons défini la productivité comme le «rapport du produit obtenu aux ressources utilisées pour l'obtenir» dans une entreprise, une industrie ou l'ensemble de l'économie.

La productivité d'une catégorie donnée de ressources se mesure donc à la quantité de biens et services qu'elle sert à produire. Quelles sont donc les ressources dont dispose une entreprise de production[1]? Ce sont:

☐ *TERRAIN ET BÂTIMENTS*

Un terrain bien situé, pour la construction des bâtiments nécessaires à l'entreprise, et les bâtiments eux-mêmes.

☐ *MATIÈRES*

Les matières qui seront transformées en produits destinés à la vente, y compris le combustible, les produits chimiques utilisés dans le processus de fabrication et les matières d'emballage.

☐ *MACHINES*

L'usine, le matériel et les outils nécessaires à la fabrication, à la manutention et au transport des matières; le système de chauffage, de ventilation et de production d'énergie; le matériel et les meubles de bureau.

---

[1] Les observations qui vont suivre s'appliquent aussi aux activités autres que celles des entreprises de production. L'emploi judicieux de la main-d'œuvre, de l'équipement et des autres ressources est aussi important pour la gestion d'une ligne de chemin de fer, d'une ligne de transports aériens ou de services municipaux que pour celle d'une usine.

☐ *MAIN-D'ŒUVRE*

Les hommes et les femmes chargés des opérations de fabrication, de l'organisation et du contrôle, des travaux de bureau, des études et des recherches, des achats et de la vente.

Les conditions dans lesquelles toutes ces ressources sont utilisées déterminent la **productivité** de l'entreprise.

Ces ressources sont constituées par des objets et des services «réels». Lorsqu'elles sont consommées dans le processus de production, des dépenses «réelles» sont effectuées, dont le montant peut aussi être calculé. Lorsque l'élévation de la productivité permet de produire davantage avec la même quantité de ressources, elle réduit les prix de revient et accroît le bénéfice net par unité de production.

2. Le rôle de la direction

A qui revient la responsabilité de veiller à ce que le meilleur usage soit fait de toutes les ressources de production et de s'assurer qu'elles sont combinées de façon à obtenir la plus haute productivité possible? A la **direction** de l'entreprise.

Dans toute entreprise occupant plus d'une personne (et même, jusqu'à un certain point, dans celle qui se compose d'une seule personne), c'est le rôle de la direction d'équilibrer l'utilisation des diverses ressources et de coordonner les efforts de chacun afin d'obtenir le maximum de résultats. Faute d'une telle direction, l'entreprise est vouée à l'échec, car les quatre facteurs de production entrent alors en jeu de façon désordonnée — comme un attelage à quatre chevaux sans conducteur. L'entreprise avancera par à-coups, bloquée ici par le manque de matières, là par le manque de matériel, handicapée par le choix peu judicieux des machines ou par leur mauvais entretien, ou parce que les employés sont incapables ou dénués de bonne volonté. La figure 1 montre la situation clé occupée par la direction dans l'entreprise.

Nous n'allons pas, ici, analyser en détail les diverses activités (énumérées dans la figure 1) qui permettent à la direction d'obtenir la transformation des ressources dont elle dispose en produits finis. (On trouvera dans la liste d'ouvrages donnée à la fin de ce volume, annexe 5, le titre de quelques études sur la direction des entreprises). Il n'est pas sans intérêt, néanmoins, d'expliquer le terme «stimuler», qui pourra paraître étrange à certains lecteurs.

Par «stimuler» nous entendons: donner à autrui un motif ou une raison de faire quelque chose. Quand nous parlons des tâches de direction, «stimuler» c'est faire en sorte que les employés **veuillent** agir. Il ne servira à rien que la direction exerce ses autres activités (se renseigne, organise, etc.) si les personnes dont le rôle est d'exécuter ne veulent pas le faire de leur plein gré, encore qu'elles puissent y être forcées. La contrainte ne peut, en effet, remplacer la bonne volonté. C'est une des tâches de la direction, peut-être la plus difficile, de faire en sorte que les employés soient désireux de coopérer; la direction ne peut réussir complètement qu'en obtenant le concours actif et volontaire des travailleurs à tous les niveaux.

Figure 1. Le rôle de la direction dans la coördination des ressources d'une entreprise

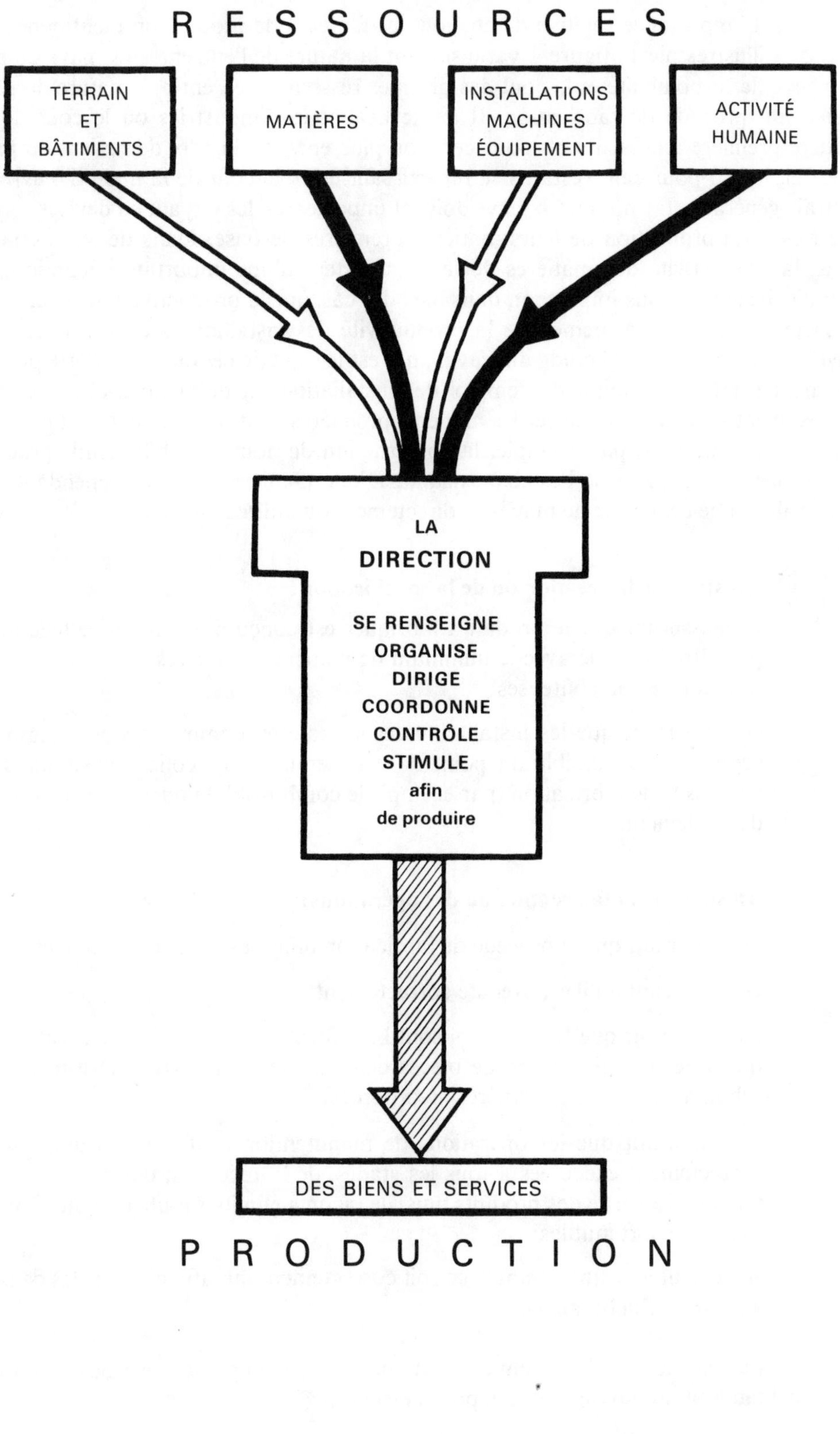

3. La productivité des matières

L'importance relative de chacun des facteurs de production mentionnés ci-dessus et illustrés par la figure 1 varie suivant la nature de l'entreprise, le pays où elle se trouve, la disponibilité et le coût des diverses ressources et, enfin, la nature du produit et du procédé de fabrication. Il existe beaucoup d'industries où le coût de la matière première représente 60 pour cent, ou plus encore, du prix de revient du produit fini, les 40 pour cent restants se répartissant entre le coût de la main-d'œuvre et les frais généraux. De nombreux pays doivent importer, en les payant en devises rares, une très forte proportion de leurs matières premières de base. Dans de telles conditions, la productivité des matières devient un facteur d'une importance économique capitale, beaucoup plus important, dans bien des cas, que la productivité de la terre ou de la main-d'œuvre ou même que la productivité des installations et des machines. Bien que la technique de l'étude du travail, qui est le sujet de cet ouvrage, porte principalement sur l'amélioration de l'emploi des installations et de la main-d'œuvre, elle peut souvent servir à économiser les matières premières, soit directement, soit indirectement, en épargnant, par exemple, la construction de nouveaux bâtiments, grâce à une meilleure utilisation de l'espace existant. D'une manière générale, cependant, on peut réaliser une économie de matières, directement ou indirectement:

☐ **Au stade de la création ou de la spécification:**

en s'assurant que le produit à fabriquer est conçu d'une manière telle qu'il peut être fabriqué avec le minimum de matières premières, surtout si celles-ci sont rares ou coûteuses;

en s'assurant que les installations et le matériel commandés sont les plus économiques possible du point de vue des matières consommées dans le processus de fabrication (par exemple le combustible) pour un niveau donné de rendement.

☐ **Au stade de la fabrication ou des opérations:**

en s'assurant que le procédé de fabrication utilisé est celui qui convient;

en s'assurant qu'il est exécuté correctement;

en s'assurant que les ouvriers sont bien formés et «stimulés» de telle sorte qu'ils ne produiront pas de pièces défectueuses qui devront être mises au rebut, avec perte des matières incorporées;

en s'assurant que les opérations de manutention et d'emmagasinage sont correctement exécutées à tous les stades, de la réception des matières premières à la sortie des produits finis, de façon à éliminer toute manutention et tout transport inutiles;

en veillant à ce que l'emballage soit correctement fait afin d'éviter des dégâts au cours de la livraison.

La question de l'économie des matières est si capitale pour beaucoup de pays qu'il faudrait un ouvrage spécial pour la traiter.

4. La productivité des terrains et bâtiments, des machines et de la main-d'œuvre

L'utilisation efficace du terrain et des bâtiments, de façon à en tirer la productivité maximum, est une source importante d'économies, surtout lorsque l'entreprise en expansion a besoin d'agrandir sa surface utile. Toute réduction des besoins initialement envisagés qui peut être réalisée avant l'achat du terrain ou la construction des bâtiments représente une économie considérable en dépenses de capital (terrain et bâtiments) ou en loyer, en matériaux (tout particulièrement en installations, qu'il faudra peut-être importer), et probablement aussi en impôts et en frais d'entretien futurs. On trouvera aux chapitres 9 et 10 des exemples d'économie de place, avec les techniques d'étude du travail employées pour les réaliser.

Nous en arrivons maintenant à la productivité des installations, des machines, du matériel et du personnel. Examinons de plus près la notion de productivité, que nous avons définie simplement comme la «production de biens et services obtenue avec une certaine quantité de ressources». Cette définition fait intervenir la notion de **temps,** puisque c'est la production utile d'une machine ou d'un travailleur en un temps donné qui sert à calculer la productivité. On utilise souvent comme unité de mesure la production de biens ou de services en un nombre donné d'«heures-homme» ou d'«heures-machine».

5. Comment se décompose la durée totale d'un travail

☐ Une **heure-homme** représente le travail d'un homme pendant une heure.

☐ Une **heure-machine** représente le travail d'une machine ou d'un appareil pendant une heure.

On peut considérer que le temps pris par un homme ou par une machine pour exécuter une opération donnée ou pour fabriquer une quantité donnée de produits se décompose, comme le montre la figure 2, de la manière suivante.

Le contenu de travail fondamental du produit ou de l'opération [1]

Par «contenu de travail», nous entendons évidemment la quantité de travail «contenue» dans un produit ou une opération donnés, mesurée en heures-homme ou en heures-machine. Le contenu de travail fondamental est le temps de travail qu'exigerait la fabrication du produit ou l'opération à accomplir, si la conception du produit ou de l'opération était parfaite, si le procédé de fabrication ou la méthode d'opération était parfaitement exécuté et s'il n'y avait aucune perte de temps de travail, quelle qu'en soit la raison, pendant la période d'exécution (en dehors des pauses normales de repos). **Le contenu de travail fondamental est le «minimum irréductible» du temps nécessaire pour fabriquer une unité de produit.**

Ce sont évidemment là des conditions théoriques parfaites, qui ne se rencontrent jamais dans la pratique, encore qu'elles soient parfois près d'être réalisées, surtout dans les industries à processus de fabrication continu. En général, cependant,

---

[1] Nous avons partout ajouté «ou de l'opération», parce que cette analyse s'applique aussi bien à des activités de service comme les transports ou la vente au détail.

Figure 2. Comment se décompose la durée totale d'une fabrication ou d'une opération

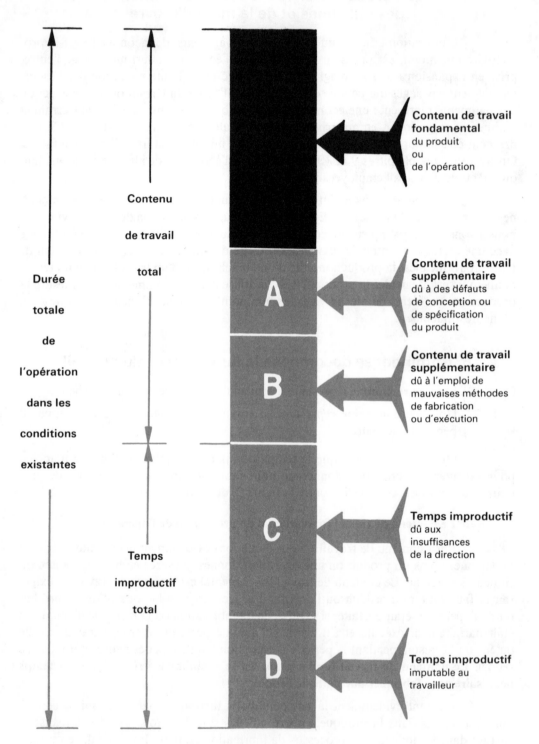

Figure 3. Contenu de travail imputable au produit ou aux méthodes d'exécution

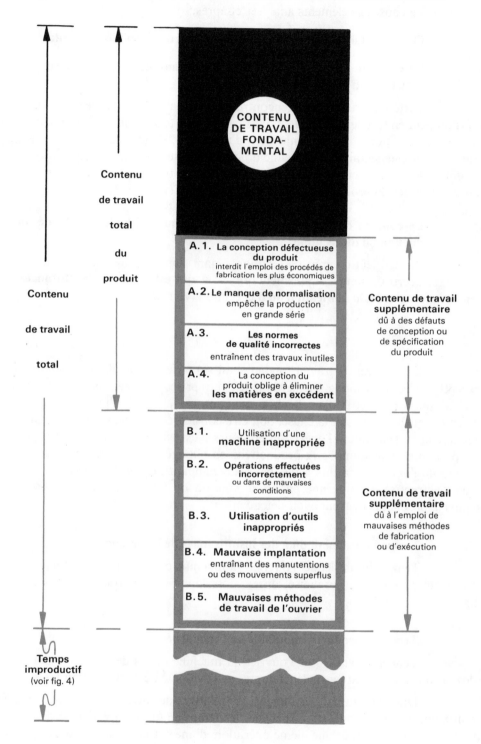

les temps effectifs de fabrication ou d'exécution sont très supérieurs à ce temps théorique, et cela à cause des éléments analysés ci-après.

Eléments qui viennent s'ajouter au contenu de travail fondamental

A.   **Le contenu de travail supplémentaire dû aux défauts de conception ou de spécification du produit**

Cette circonstance se rencontre surtout dans les industries de production, mais on peut en trouver l'équivalent dans les services tels que les transports, par exemple, si les conditions de fonctionnement d'un service d'autobus exigent un temps de transport supplémentaire sans aucune utilité. Ce contenu de travail supplémentaire est le temps de travail venant s'ajouter au contenu de travail fondamental et dû à des **caractéristiques du produit** qui peuvent être éliminées (voir fig. 3).

B.   **Le contenu de travail supplémentaire dû aux méthodes inefficaces de production ou d'exécution**

Il s'agit ici du temps d'exécution venant s'ajouter au contenu de travail fondamental accru du temps supplémentaire A, et qui est dû à **des insuffisances inhérentes au processus de fabrication ou d'exécution** (voir fig. 3).

* *   *

Le contenu de travail fondamental suppose un travail ininterrompu, chose exceptionnelle en pratique, même dans les entreprises très bien dirigées. Toute interruption qui a pour effet d'arrêter la production ou le travail d'un employé ou d'une machine, quelle qu'en soit la cause, doit être considérée comme **un temps improductif,** car aucun travail utile à l'opération en cours n'est effectué durant l'interruption. Le temps improductif diminue la productivité en allongeant la durée de l'opération. En dehors de l'interruption due à des causes échappant au contrôle de qui que ce soit dans l'entreprise, comme une panne de courant ou une soudaine pluie d'orage, les temps improductifs peuvent avoir deux causes :

C.   **Temps improductif dû à des insuffisances de la direction**

Temps durant lequel l'ouvrier, la machine ou les deux restent inactifs parce que la direction a mal organisé, dirigé, coordonné ou contrôlé la production (voir fig. 4).

D.   **Temps improductif imputable au travailleur**

Temps durant lequel l'ouvrier, la machine ou les deux restent inactifs pour des raisons qui ne sont pas indépendantes de la volonté de l'ouvrier (voir fig. 4).

Dans la figure 2, les dimensions relatives des diverses sections de l'illustration n'ont aucune signification spéciale : les temps en question varieront d'une opération à une autre et, pour une même opération, d'une entreprise à une autre. L'application de l'étude du travail a souvent permis de réduire les temps d'exécution à la moitié ou même au tiers des temps initiaux, sans épuiser pour autant toutes les possibilités dans ce domaine.

Examinons maintenant tour à tour ces diverses sources de temps additionnels (contenu de travail supplémentaire ou temps improductifs) et recherchons-en l'origine.

6. Facteurs tendant à diminuer la productivité

A.   **Contenu de travail supplémentaire dû au produit lui-même (fig. 3)**

Comment les caractéristiques du produit peuvent-elles modifier le contenu de travail d'une opération donnée? Un tel effet peut se produire de diverses manières:

1. Le produit ou ses différentes parties peuvent être conçus de telle sorte qu'il est impossible d'employer les procédés de fabrication les plus économiques. Ce cas se produit surtout dans les industries métallurgiques, en particulier lorsque la production s'effectue en grande série. La conception des pièces peut ne pas se prêter à l'emploi de machines à grand rendement (exemple: une pièce en tôle est conçue de telle sorte qu'elle doit être découpée et rivée ou soudée, au lieu d'être moulée à la presse en une seule opération).

2. Une trop grande diversité des produits ou l'absence de **normalisation** des pièces peut obliger à faire des séries trop faibles et à utiliser par conséquent des machines universelles relativement lentes au lieu de machines spéciales à grand rendement (voir également C 2, fig. 4).

3. La fixation de normes de qualité incorrectes, trop élevées ou trop basses, peut augmenter le contenu de travail. En mécanique, on fixe souvent des tolérances trop serrées dans des cas où une telle précision est inutile, ce qui requiert des usinages supplémentaires et risque, en augmentant le nombre des «loupés», de faire gaspiller la matière. D'un autre côté, des normes de qualité trop basses risquent de provoquer des ennuis lors de la finition ou d'obliger à des travaux de préparation supplémentaires (nettoyages spéciaux par exemple) pour que le produit soit utilisable. Le développement de l'automatisation donne une importance accrue aux normes de qualité.

4. Les diverses pièces d'un produit peuvent être conçues de telle manière qu'il faille éliminer une grande quantité de matière pour leur donner leur forme définitive, ce qui accroît le contenu de travail de l'opération et fait gaspiller la matière (exemple: arbre d'une seule pièce comportant des sections de diamètres très différents).

L'élévation de la productivité et l'abaissement des prix de revient exigent par conséquent en premier lieu l'élimination, dans toute la mesure possible, de toutes les caractéristiques des dessins et des spécifications de nature à augmenter les temps de travail. Il faut s'efforcer également d'éliminer les pièces et produits non normalisés demandés par la clientèle, quand des pièces ou produits standards feraient l'affaire.

B.   **Contenu de travail supplémentaire dû au processus de fabrication ou à la méthode d'exécution (fig. 3)**

Dans quels cas l'emploi d'un processus de fabrication ou d'une méthode de fabrication inefficace peut-il modifier le contenu de travail d'une opération?

1. Lorsqu'on utilise une machine d'un type ou d'une dimension inadaptés au travail à accomplir et dont le rendement est ainsi diminué (exemple: petit travail de tournage exécuté sur un tour revolver ou un tour à pointes; tissage d'un tissu de faible largeur sur un métier trop large).

2. Lorsqu'une opération n'est pas exécutée correctement, c'est-à-dire avec l'avance, la vitesse, le débit, la température, la densité de solution, etc., voulus, ou lorsque les installations ou la machine sont en mauvais état.

3. Lorsque l'ouvrier utilise des outils à main inappropriés.

4. Lorsque l'implantation de l'usine, de l'atelier ou du poste de travail entraîne des gaspillages de manutentions, de mouvements, de temps ou d'efforts.

5. Lorsque les méthodes de travail de l'ouvrier entraînent un gaspillage de mouvements, de temps ou d'efforts.

L'analyse du contenu de travail en fonction du temps de travail est fondée naturellement sur l'hypothèse que l'opération est exécutée à un rythme de travail moyen régulier. Le temps de travail supplémentaire qui résulte du ralentissement du rythme de travail peut être considéré comme un temps improductif, mais cette considération est ici secondaire.

On ne peut exécuter une opération avec le maximum de productivité qu'en l'accomplissant avec le minimum de mouvements inutiles, de temps et d'efforts perdus, et dans les conditions d'efficacité maximum. Tout ce qui peut obliger le travailleur à faire des mouvements inutiles dans l'atelier ou au poste de travail doit être supprimé.

On verra plus loin que **tous** les éléments qui constituent le contenu de travail supplémentaire peuvent être imputés à des lacunes ou à des erreurs de la direction, même les mauvaises méthodes de travail des ouvriers, si celles-ci sont dues au fait que la direction n'a pas pris soin de former et de faire contrôler convenablement son personnel.

C. Temps improductifs imputables à la direction (fig. 4)

Examinons maintenant les temps improductifs relevés au cours du processus de fabrication ou de l'opération. Les insuffisances de la direction peuvent en être la cause lorsque celle-ci:

1) pratique une **politique de commercialisation** qui met en circulation un nombre inutilement élevé de produits de types variés, donc fabriqués en petite série. Conséquence: les machines restent inactives pendant qu'on les modifie pour fabriquer une nouvelle série de produits, et les travailleurs n'ont pas le temps d'acquérir, dans chaque opération, l'habileté et la vitesse voulues;

2) néglige de normaliser au maximum les différentes pièces d'un même produit ou les diverses fabrications. Les conséquences sont les mêmes: séries trop courtes et temps d'arrêt des machines;

3) ne parvient pas à faire établir des modèles bien conçus correspondant dès l'origine aux désirs de la clientèle. Elle est alors obligée de procéder à des modifications de modèles, qui entraînent des arrêts de travail, des pertes d'heures-homme et d'heures-machines et des pertes de matière;

Figure 4.   Temps improductifs imputables à la direction ou aux travailleurs

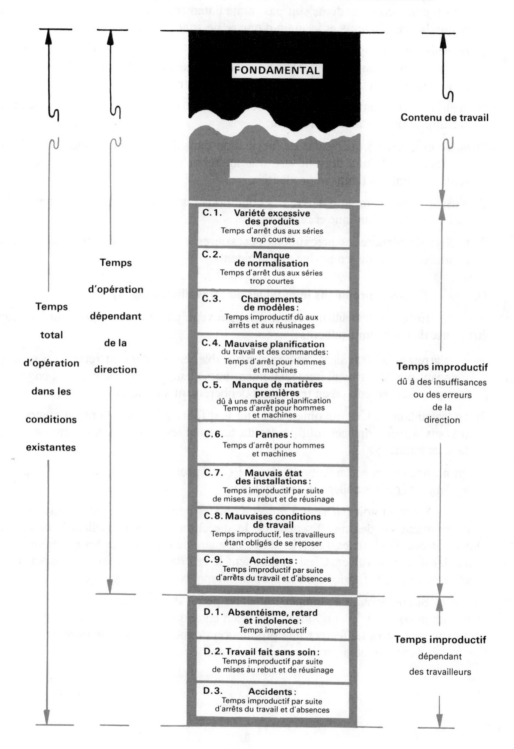

4) est incapable d'assurer un flux de commandes et de travail; il en résulte que l'exécution d'une commande ne suit pas immédiatement l'achèvement de la précédente et que les installations et la main-d'œuvre ne sont pas utilisées de façon continue;

5) ne veille pas à l'approvisionnement régulier de la main-d'œuvre en matières premières, outils et autres éléments nécessaires à l'exécution du travail; les hommes et les machines sont inactifs pendant ces temps d'attente;

6) néglige de faire entretenir convenablement les installations et les machines, ce qui entraîne pannes et arrêts du travail;

7) laisse exécuter les opérations de fabrication dans de mauvaises conditions. Conséquence: les produits doivent être mis au rebut ou être retouchés. Les temps de retouche sont des temps improductifs;

8) n'assure pas à la main-d'œuvre des conditions matérielles qui lui permettent de travailler de façon continue et régulière;

9) néglige de prendre les précautions nécessaires à la sécurité des travailleurs. Il en résulte une perte de temps due aux accidents.

D.   Temps improductifs imputables aux travailleurs (fig. 4)

Enfin, les travailleurs eux-mêmes peuvent, par leur action (ou leur inaction), être cause de temps improductifs:

1) en s'arrêtant de travailler sans raison valable, en arrivant en retard, en ne commençant pas leur travail immédiatement après leur arrivée à leur poste, en travaillant paresseusement, ou en travaillant délibérément au ralenti;

2) en travaillant mal, ce qui oblige à rejeter leur fabrication ou à la recommencer. Les travaux à recommencer font perdre du temps et les rebuts représentent un gaspillage de matière;

3) en négligeant les règlements de sécurité et en provoquant ainsi des accidents dont eux-mêmes ou des collègues sont victimes.

On peut voir par ce qui précède que les pertes de temps sont bien plus souvent imputables à des insuffisances de la direction qu'aux travailleurs eux-mêmes. Dans nombre d'industries, l'ouvrier n'exerce guère de contrôle sur les conditions dans lesquelles il doit travailler. C'est notamment le cas dans les industries utilisant beaucoup de machines et fabriquant des produits complexes (voir chap. 3).

Si l'on arrivait à éliminer toutes les pertes de temps classées dans les quatre rubriques indiquées (situation idéale qui, bien entendu, ne se rencontre jamais dans la pratique), on pourrait effectuer une production donnée dans le **minimum** de temps, et l'on aurait donc atteint la productivité **maximum.**

Chapitre 3
Diminution du contenu de travail et réduction des temps improductifs

Comment peut-on se rapprocher de la productivité **maximum** en utilisant les ressources existantes? Action systématique de la direction, concours de la main-d'œuvre et, dans certains cas, participation d'experts techniques ou scientifiques sont de toute façon nécessaires. Cette action devrait viser à diminuer le contenu de travail et à réduire les temps improductifs.

1. Diminution du contenu de travail inhérent au produit

Lorsque la conception d'un objet est telle qu'il n'est pas possible d'employer les procédés et méthodes de fabrication les plus économiques, la raison en est généralement que les techniciens d'étude ne sont pas suffisamment au courant de ces procédés. Cette difficulté risque tout particulièrement de se produire dans les industries métallurgiques et dans les industries de l'ameublement et du vêtement. Elle peut être surmontée si, dès le début, le bureau d'étude et le service de la production travaillent en étroite coopération. Si le produit doit être fabriqué en grandes quantités ou s'il fait partie d'une gamme de produits analogues fabriqués par l'entreprise, son amélioration, du point de vue de la facilité de fabrication, peut s'effectuer au stade de la **mise au point du produit.** C'est le moment où les techniciens de la production peuvent étudier les différentes pièces et les assemblages du produit et y faire apporter des modifications avant que des frais aient été engagés en outillage et en matériel de production. C'est aussi à ce stade qu'il est possible de modifier le dessin de l'objet afin d'éviter d'avoir à enlever trop de matière en cours d'usinage, et de faire des essais de production pour vérifier si le produit correspond bien aux spécifications techniques demandées. Dans les industries chimiques, l'équivalent de cette phase de mise au point du produit est **l'usine pilote.** Dans le secteur des transports (où rien n'est fabriqué), on en trouve l'équivalent dans les services d'expérimentation ou les vols d'essai du genre de ceux auxquels on soumet les avions de ligne.

La spécialisation et la normalisation, dont il sera question en détail un peu plus loin, dans la section 4, permettent de réduire la variété des produits et des pièces et d'accroître l'importance des séries de production, de façon à pouvoir utiliser les procédés de fabrication en grande série.

Si l'on fixe des normes de qualité qui dépassent celles que nécessite le fonctionnement efficace du produit, on allonge généralement le temps de fabrication en obligeant les ouvriers à prendre des précautions supplémentaires, et l'on aboutit au rejet de produits parfaitement utilisables. La clientèle exige parfois des tolérances ou une finition trop poussées. En revanche, une qualité insuffisante, surtout s'il s'agit des matières premières, risque de prolonger indûment les temps de fabrication parce que les matières seront difficiles à ouvrer. Les normes de qualité, d'autre part, doivent être établies en fonction des exigences. Elles ne devraient être fixées ni trop haut ni trop bas et elles devraient être uniformes. La direction doit s'assurer des exigences du marché et de la clientèle, grâce à l'**étude du marché** et à l'**étude des besoins de la clientèle,** ainsi que des exigences techniques du produit lui-même. Ce dernier point peut être établi par l'**étude des produits.** Il incombe ensuite au service de **contrôle de la qualité** ou service d'**inspection** de s'assurer que les normes de qualité ainsi fixées sont respectées au stade de la fabrication. Les agents de ces services doivent parfaitement connaître le niveau de qualité désiré et être à même de suggérer aux ingénieurs les modifications des normes de qualité susceptibles d'augmenter la productivité.

La figure 5 montre comment ces diverses techniques peuvent être utilisées pour diminuer le contenu de travail du produit. (Dans les figures de ce chapitre, comme d'ailleurs dans celles du précédent chapitre, la dimension des rectangles n'a aucune signification particulière, ces figures n'ayant qu'une valeur d'illustration.) En outre, une autre technique est également utilisée pour diminuer le contenu de travail dû à la conception du produit, au mode opératoire ou à la méthode: c'est l'**analyse de la valeur,** qui consiste à étudier systématiquement le produit et sa fabrication pour en réduire le coût et en améliorer la valeur.

2. Diminution du contenu de travail dû au procédé ou à la méthode employés

Si l'on a pris soin d'éliminer les causes de travail superflu inhérentes au produit lui-même **avant** la mise en route de la fabrication, on peut ensuite s'attacher à réduire le contenu de travail dû au procédé de fabrication lui-même.

Dans les industries qui ont emprunté leurs méthodes de travail à l'industrie mécanique, on confie habituellement aujourd'hui au service de **préparation du travail** la tâche d'indiquer les machines et les outils à utiliser, ainsi que la vitesse, l'avance et les autres conditions de marche de ces machines. Dans les industries chimiques, ces conditions sont généralement établies par les techniciens du service des recherches. Dans toutes les entreprises de production, il pourra être nécessaire d'effectuer une **étude des procédés** de fabrication pour trouver les meilleures techniques de fabrication. L'**entretien** correct des installations et des machines assure leur fonctionnement normal et prolonge leur durée, d'où économie de dépenses de capital. La préparation du travail et l'**étude des méthodes** permettront de choisir les outils les mieux appropriés.

L'implantation de l'usine, de l'atelier ou du poste de travail, et le choix des méthodes de travail des ouvriers relèvent du domaine de l'étude des méthodes, l'une des deux branches de l'**étude du travail,** qui constitue le sujet principal de cet ouvrage. L'étude des méthodes sera examinée en détail du chapitre 7 au chapitre 12. La **formation de la main-d'œuvre** est, avec l'étude des méthodes, un moyen d'améliorer les méthodes de travail des ouvriers.

*Figure 5.   Elimination du contenu de travail excédentaire
par l'application des techniques de gestion*

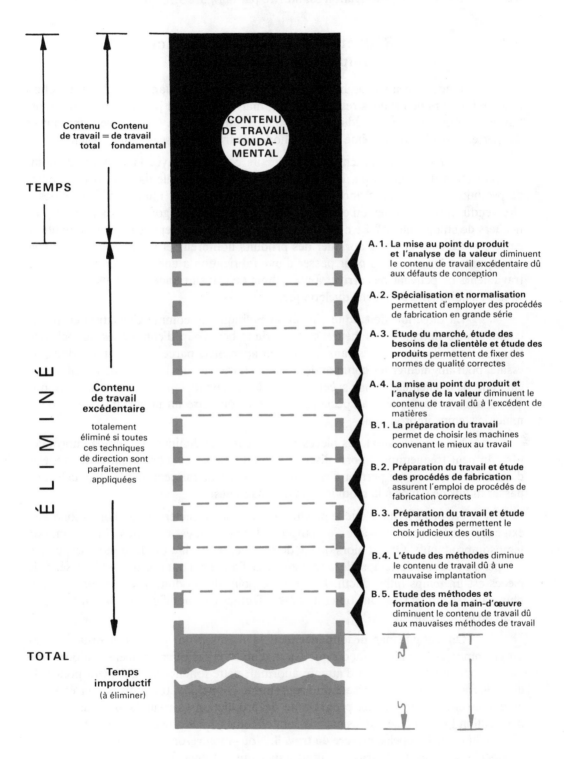

Le rôle que jouent ces diverses techniques dans la réduction du contenu de travail du processus de fabrication est illustré par la figure 5.

3. Réduction des temps improductifs imputables à la direction

L'accroissement de la productivité est une tâche dans laquelle la direction assume toujours de grandes responsabilités, mais son rôle est particulièrement important en ce qui concerne la réduction des temps improductifs. Ceux-ci peuvent causer des pertes considérables, même si les méthodes de travail utilisées sont excellentes.

La réduction des temps improductifs commence avec la politique de commercialisation de la direction. L'entreprise se spécialisera-t-elle dans un petit nombre de produits fabriqués en grande quantité, au prix de revient minimum, et destinés à être vendus à bon marché, ou essaiera-t-elle de répondre aux goûts et aux besoins particuliers de chaque client? Le niveau de productivité de l'entreprise dépendra du choix entre ces deux politiques. Fabriquer des produits nombreux et variés oblige à stopper fréquemment les machines pour passer d'une fabrication à une autre; dans ce cas, les travailleurs ne peuvent pas arriver à un rythme de travail rapide, car il leur est impossible de s'habituer à une tâche quelconque.

La direction doit donc choisir sa politique de commercialisation en pleine connaissance de cause. Malheureusement, dans beaucoup d'entreprises, les fabrications se diversifient à l'excès sans qu'on s'en aperçoive, parce que le service de vente essaie, pour augmenter les commandes, de satisfaire chaque demande de modification émanant de la clientèle, même si cette demande ne répond, comme c'est très souvent le cas, à aucune nécessité. La spécialisation peut donc être un important moyen d'éliminer les temps improductifs.

La normalisation des pièces permet aussi de diminuer les temps improductifs. On peut fréquemment normaliser la plupart des pièces d'une gamme de modèles d'un même type, ce qui permet d'effectuer des séries de fabrication plus longues et de passer moins de temps à la modification des machines.

Ne pas s'assurer que le produit fonctionne correctement ou correspond aux exigences de la clientèle avant d'en lancer la fabrication est une cause importante de temps improductifs. On est alors obligé de réusiner le produit ou de le modifier, ce qui fait perdre à la fois du temps, de la matière et de l'argent. Tout réusinage d'une série de pièces est un temps improductif. La mise au point du produit, dont il a été question plus haut (section 1), a pour objet de faire effectuer ces modifications **avant** le lancement de la fabrication.

On désigne par **ordonnancement** la fonction qui consiste à organiser les programmes de travail de façon que les machines et les ouvriers aient toujours une tâche à accomplir sans délai d'attente anormal; cette fonction a également pour rôle de veiller à l'application correcte du programme. On ne peut toutefois établir et appliquer convenablement un tel programme de production que sur la base de normes d'exécution bien calculées. Ces calculs sont effectués grâce à la deuxième technique de l'étude du travail, appelée **mesure du travail.** Nous montrerons plus loin, dans la partie consacrée à la mesure du travail, l'importance qui s'attache à connaître exactement la durée de chaque travail ou opération (chap. 13 à 23).

Hommes et machines peuvent être contraints à l'inactivité si les matières et les outils dont ils ont besoin ne sont pas à leur disposition au moment voulu. C'est le rôle du service d'**approvisionnement-matières** de veiller à ce que ces besoins soient prévus et satisfaits en temps utile; ce service a également pour tâche de veiller à ce que les stocks ne dépassent pas un niveau raisonnable, de façon à épargner des frais inutiles. Les achats eux-mêmes sont en général faits par un service spécialisé, aux conditions les plus économiques possible.

Les pannes de machines et d'appareils entraînent des arrêts du travail qui diminuent la productivité et augmentent les coûts de fabrication. Il faut donc les réduire au minimum grâce à un bon entretien; d'autre part, des machines et installations en mauvais état font du mauvais travail, dont une partie doit quelquefois être mise au rebut; encore une source de temps improductifs.

Enfin, si la direction néglige de créer de bonnes conditions de travail pour les ouvriers, ceux-ci devront multiplier les pauses pour réparer l'excès de fatigue ou surmonter les effets de la chaleur, des fumées, du froid ou du mauvais éclairage; par conséquent, les temps improductifs augmenteront. Il en sera de même si, par suite de la négligence de la direction et de l'insuffisance des précautions de sécurité, les travailleurs sont victimes d'accidents et si l'entreprise souffre d'absentéisme.

On voit donc qu'il subsiste, même si l'on a réussi à réduire au minimum le contenu de travail inhérent au produit ou au procédé de fabrication, de nombreuses causes de pertes de temps, donc de faible productivité, que la direction pourrait éliminer par une gestion judicieuse.

Les techniques de direction propres à réduire ces pertes de temps sont illustrées par la figure 6.

4. Réduction des temps improductifs dus aux travailleurs eux-mêmes

Il dépend aussi des travailleurs que le temps de travail soit ou non pleinement utilisé. On croit communément que les travailleurs peuvent toujours, à leur choix, travailler plus ou moins vite. Cela n'est vrai que dans une certaine mesure. En général, un ouvrier bien formé et habitué à sa tâche observe une certaine cadence, à laquelle il produit le meilleur travail. Il ne peut généralement pas **travailler** plus vite, sauf pour de courtes périodes, et il se sentira également peu à l'aise s'il doit ralentir sa cadence habituelle. Toute tentative d'accélérer la cadence de travail, à moins qu'elle ne repose sur une formation adéquate, ne fera qu'augmenter le nombre des erreurs. L'ouvrier peut, certes, gagner du temps, mais c'est surtout en réduisant les périodes pendant lesquelles il **ne travaille pas,** c'est-à-dire pendant lesquelles il converse avec ses camarades, fume, attend le signal du départ, est en retard ou absent.

Il faut que le travailleur **ait le désir** de réduire ces temps improductifs, et c'est le rôle de la direction de créer les conditions qui le mettront dans un tel état d'esprit.

Tout d'abord, si les conditions de travail sont défectueuses, l'ouvrier pourra difficilement accomplir de longues périodes de travail sans se reposer fréquemment; il sera d'ailleurs peu disposé à essayer de le faire.

Figure 6. Elimination des temps improductifs par l'application des techniques de gestion

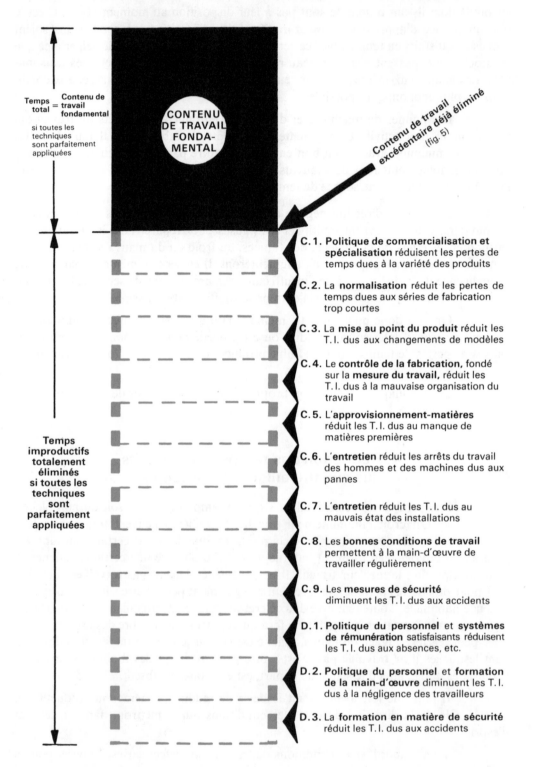

Temps total = Contenu de travail fondamental

si toutes les techniques sont parfaitement appliquées

CONTENU DE TRAVAIL FONDA-MENTAL

Contenu de travail excédentaire déjà éliminé *(fig. 5)*

C.1. **Politique de commercialisation et spécialisation** réduisent les pertes de temps dues à la variété des produits

C.2. La **normalisation** réduit les pertes de temps dues aux séries de fabrication trop courtes

C.3. La **mise au point du produit** réduit les T.I. dus aux changements de modèles

C.4. Le **contrôle de la fabrication,** fondé sur la **mesure du travail,** réduit les T.I. dus à la mauvaise organisation du travail

C.5. L'**approvisionnement-matières** réduit les T.I. dus au manque de matières premières

C.6. L'**entretien** réduit les arrêts du travail des hommes et des machines dus aux pannes

C.7. L'**entretien** réduit les T.I. dus au mauvais état des installations

C.8. Les **bonnes conditions de travail** permettent à la main-d'œuvre de travailler régulièrement

C.9. Les **mesures de sécurité** diminuent les T.I. dus aux accidents

D.1. **Politique du personnel** et **systèmes de rémunération** satisfaisants réduisent les T.I. dus aux absences, etc.

D.2. **Politique du personnel** et **formation de la main-d'œuvre** diminuent les T.I. dus à la négligence des travailleurs

D.3. La **formation en matière de sécurité** réduit les T.I. dus aux accidents

Temps improductifs totalement éliminés si toutes les techniques sont parfaitement appliquées

En deuxième lieu, si le travailleur a le sentiment que la direction ne voit en lui qu'un simple outil de production, sans tenir compte de sa qualité et de ses réactions d'être humain, il ne fera que le minimum d'efforts nécessaire pour ne pas perdre son emploi.

En troisième lieu, si le travailleur ne comprend pas exactement ce qu'il fait ni pourquoi il le fait, s'il ne sait rien du travail de l'entreprise dans son ensemble, on ne peut guère s'attendre qu'il se donne de tout cœur à son travail.

Enfin, s'il a le sentiment d'être inéquitablement traité par la direction, il sera peu enclin à faire de son mieux.

La bonne volonté avec laquelle le travailleur exécutera sa tâche et s'efforcera de réduire les temps improductifs sur lesquels il exerce un certain contrôle dépend donc, dans une grande mesure, de la **politique du personnel** de la direction et de l'attitude de cette dernière à l'égard du travailleur. La politique du personnel englobe tout le climat des relations entre la direction et l'ensemble de ses employés; lorsque ce climat n'est pas bon, il est extrêmement difficile de faire appliquer avec succès une technique quelconque de direction. Une part importante de l'art de diriger consiste à savoir créer un bon climat de relations professionnelles. Une bonne politique du personnel exige d'ailleurs aussi une formation à tous les niveaux de la hiérarchie, de façon que les cadres apprennent à adopter l'attitude qui convient à l'égard des travailleurs et à entretenir avec eux de bonnes relations.

D'autre part, les travailleurs seront incités à éviter les pertes de temps, donc à élever leur productivité, s'ils sont stimulés par l'ambiance de travail, si leurs activités échappent à la monotonie et si l'entreprise a adopté une structure de salaires équitable comprenant, lorsque c'est possible, des systèmes de **rémunération au rendement.**

Si l'on constate dans une entreprise l'indifférence et la mauvaise volonté, qui sont à l'origine à la fois du travail mal fait et des accidents, c'est le résultat d'un état d'esprit chez les travailleurs. Cet état d'esprit, seule une bonne politique du personnel peut le changer. On voit donc que la direction peut faire beaucoup pour réduire les temps improductifs dus à l'action ou à l'inaction des travailleurs.

La figure 6 illustre ces possibilités sous forme de diagramme.

5. Interdépendance des diverses méthodes utilisées pour réduire les temps improductifs

Aucune des méthodes examinées jusqu'ici n'agit de façon indépendante, chacune exerce une influence sur les autres. Il est impossible d'établir un bon planning de travail sans disposer des normes que fournit la mesure du travail. L'étude des méthodes peut servir à simplifier la conception d'un produit afin de faciliter à la fois son utilisation et sa fabrication. Le planning sera plus aisé à établir si une bonne politique du personnel et un bon système de rémunération au rendement encouragent la main-d'œuvre à bien travailler. La normalisation facilitera le travail du service d'approvisionnement-matières en réduisant la variété des matières à acheter et à stocker. L'étude des procédés de fabrication, en permettant d'éliminer les sources de pannes, facilitera l'entretien des installations.

Une gestion moderne de la production vise à accroître l'efficacité d'une opération de production. Pour ce faire, plusieurs aspects de la production sont examinés, tels la conception du produit, l'utilisation des matières, le contrôle de qualité, l'implantation, la manutention des matières, le planning et le contrôle de la production, l'organisation de l'entretien et l'étude du travail. Une gestion moderne de la production s'intéresse aussi aux systèmes permettant de rationaliser toutes ces activités, prises séparément ou combinées, dans l'entreprise. Dans ce processus, l'étude du travail est un instrument puissant.

* * *

Le présent chapitre nous a fait passer peu à peu de l'étude de la productivité de l'ensemble de l'entreprise à la productivité de deux facteurs de production seulement: la main-d'œuvre et les installations, c'est-à-dire les hommes et les machines. Nous avons ensuite rapidement passé en revue diverses méthodes de nature à élever la productivité, afin de montrer que ce problème peut être abordé de différentes manières. Nous allons désormais nous occuper d'une seule de ces méthodes, l'étude du travail.

Chapitre 4
L'étude du travail

1. Qu'est-ce que l'étude du travail?

Pourquoi, parmi les nombreuses techniques examinées dans le précédent chapitre, choisissons-nous l'**étude du travail** comme le principal moyen d'élever la productivité et pourquoi en faisons-nous le sujet central du présent ouvrage?

> L'étude du travail est un terme générique désignant les techniques, en particulier l'*étude des méthodes* et la *mesure du travail*, qui sont utilisées lors de l'examen du travail effectué par l'homme, quel qu'en soit le contexte, et qui impliquent systématiquement l'analyse de tous les facteurs affectant l'efficacité et l'économie de la situation étudiée, afin d'obtenir une amélioration

L'étude du travail est donc directement liée à la productivité. On l'utilise le plus souvent pour accroître la production tirée d'une quantité donnée de ressources, sans ou presque sans nouvelles dépenses d'investissement.

L'étude du travail était connue depuis longtemps sous le nom d'«étude des temps et de mouvements» *(time and motion study)*, mais avec l'évolution de la technique et son application à une vaste gamme d'activités, nombreux sont ceux qui ont estimé que l'ancien titre était à la fois trop étroit et trop peu descriptif.

2. L'étude du travail: moyen direct d'élever la productivité

Nous avons déjà vu que la productivité d'une entreprise est soumise à l'influence de nombreux facteurs interdépendants, dont l'importance individuelle varie suivant la nature des activités de l'établissement.

Examinons maintenant le problème sous un autre angle. Jusqu'ici, en étudiant l'emploi des diverses techniques pour élever la productivité, il n'a pas été fait mention de dépenses de capital importantes en installations ou en outillage, et on a supposé qu'il s'agissait d'élever la productivité en utilisant les ressources **existantes.** Il est presque toujours possible d'élever considérablement la productivité en affectant de grosses sommes à l'achat de machines et de matériel modernes. Comment peut-on comparer les progrès qu'on pourrait réaliser en améliorant l'utilisation des ressources existantes, grâce à des méthodes comme l'étude du travail, à ceux que permettrait l'achat de nouvelles installations? Une comparaison générale ne peut évidemment donner que des indications approximatives. Nous choisirons, pour faire cette comparaison, la forme commode d'un tableau (tableau 1).

On constatera que l'un des moyens efficaces d'élever la productivité, à longue échéance, consiste dans la mise au point de nouveaux procédés et dans l'installation de machines et d'équipement modernes. Cependant, cette méthode nécessite en général des dépenses d'investissement importantes et peut entraîner des ponctions sur les réserves en devises, lorsqu'il n'est pas possible de produire l'équipement principal dans le pays. En outre, le fait d'aborder le problème de l'amélioration de la productivité en recourant essentiellement et de façon continue à une technique avancée peut entraver les efforts visant à créer de nouvelles possibilités d'emploi. L'étude du travail, d'autre part, vise à aborder le problème de l'augmentation de la productivité en procédant à une **analyse systématique** des opérations, des procédés et des méthodes de travail existants afin d'en accroître l'efficacité. C'est pourquoi l'étude du travail contribue en règle générale à augmenter la productivité sans ou presque sans dépenses supplémentaires en capital.

3. Pourquoi l'étude du travail est-elle utile?

Etudier les tâches effectuées sur le lieu de travail, en vue de les améliorer, n'a rien de révolutionnaire. Depuis les premiers essais d'organisation en grand du travail humain, les chefs avisés se sont consacrés à l'étude des opérations et aux efforts d'amélioration. Les organisations de capacité exceptionnelle, les génies dans cet art, peuvent toujours, et ont toujours pu, réaliser des progrès sensationnels. Malheureusement, aucun pays ne semble avoir suffisamment d'organisateurs compétents. La valeur principale de l'étude du travail réside dans le fait qu'en appliquant ses procédés systématiques, un organisateur peut obtenir des résultats aussi bons ou meilleurs encore que les génies moins systématiques du passé.

L'étude du travail est efficace parce qu'elle est systématique tant dans sa manière d'analyser le problème que dans la recherche de sa solution. L'analyse systématique demande du temps; aussi est-il nécessaire, sauf dans les très petites entreprises, de séparer l'exécution des études du travail des responsabilités de la direction. Le chef d'entreprise ou le chef d'atelier a trop de problèmes humains et matériels à résoudre dans son travail quotidien pour pouvoir se livrer à ce travail sans être constamment interrompu. Quelles que soient ses capacités, celui qui dirige peut rarement consacrer une longue période d'attention continue à l'étude d'une activité unique de l'entreprise. Cela signifie qu'il lui sera presque toujours impossible de rassembler tous les renseignements utiles sur ce qui se passe au cours de cette activité. Or, si l'on n'a pas une connaissance totale de l'activité en question, on ne peut être certain que les modifications de méthodes que l'on proposera reposeront sur des données de base exactes et seront tout à fait efficaces. Seules une observation et une étude continues, réalisées sur place, permettent de rassembler les données nécessaires. Il s'ensuit que

Tableau 1.   Moyens directs d'élever la productivité

Méthode	Type d'amélioration	Moyens employés	Coût	Délai d'obtention des résultats	Amélioration possible de la productivité	Rôle de l'étude du travail
Investissements	1. **Mise au point de nouveaux procédés de base** ou perfectionnement important des procédés existants	Recherche fondamentale Recherche appliquée Usine pilote	Important	Généralement plusieurs années	Pas de limite évidente	**Etude des méthodes** visant, au stade des plans d'installation, à faciliter l'exécution et l'entretien
	2. **Installation de machines ou d'outillage plus modernes ou à rendement plus élevé** ou modernisation des installations existantes	Achat Etude des procédés	Important	Immédiatement après l'installation	Pas de limite évidente	**Etude des méthodes,** au stade de la modernisation, visant à améliorer l'implantation de l'usine et à faciliter l'exécution
Amélioration de la gestion	3. **Diminution du contenu de travail du produit**	Etude des produits Mise au point des produits Amélioration des méthodes de gestion **Etudes des méthodes** Analyse de la valeur	Peu important par rapport à 1 et 2	Généralement plusieurs mois	Limitée – sensiblement du même ordre que celle que l'on peut attendre de l'application des mesures 4 et 5. Doit **précéder** l'application de ces mesures	**Etude des méthodes** (et son prolongement, l'analyse de la valeur) à améliorer les modèles en vue de faciliter la fabrication
	4. **Diminution du contenu de travail du procédé de fabrication**	Etude des procédés Usine pilote Planning **Etude des méthodes** Formation de la main-d'œuvre Analyse de la valeur	Faible	Immédiatement	Limitée, mais souvent importante	**Etude des méthodes** visant à réduire le gaspillage de temps et d'efforts lors de l'exécution en éliminant les mouvements inutiles
	5. **Réduction des temps improductifs** (quelle que soit leur origine: direction ou ouvriers)	**Mesure du travail** Politique de commercialisation Normalisation Mise au point des procédés Planning et contrôle de la fabrication Approvisionnement-matières Entretien systématique Politique du personnel Amélioration des conditions de travail Formation de la main-d'œuvre Systèmes de rémunération au rendement	Faible	Progrès lents au début puis de plus en plus rapides	Limitée, mais souvent importante	**Mesure de travail** visant à étudier les méthodes de travail en usage, à découvrir les temps improductifs et à fixer les normes de rendement qui serviront de base: a) au planning et au contrôle de la fabrication b) à l'utilisation des installations c) au contrôle des frais de main-d'œuvre d) à la détermination des systèmes de rémunération au rendement

l'étude du travail doit toujours être confiée à une personne qui soit à même de s'en occuper exclusivement, sans autre responsabilité de direction, c'est-à-dire à un expert, et non à un membre de la hiérarchie[1]. L'étude du travail est un service à la disposition de la direction et de la maîtrise.

Nous avons examiné très rapidement quelques aspects de la nature de l'étude du travail et nous avons vu pourquoi elle constituait un «outil» extrêmement utile pour la direction. On peut énumérer encore nombre d'autres raisons:

1. L'étude du travail permet de relever la productivité d'une usine ou d'un atelier par la réorganisation du travail, méthode qui n'implique normalement que peu ou pas d'investissements en installations et en matériel.

2. Elle est systématique. On peut donc être assuré qu'aucun facteur influant sur l'efficacité d'une opération n'est négligé dans l'analyse des anciennes méthodes ou dans la mise au point des nouvelles, et que **toutes** les données concernant l'opération sont rassemblées et connues.

3. C'est, à l'heure actuelle, le moyen le plus exact de fixer les normes de rendement sur lesquelles reposent tout planning et tout contrôle efficaces de la production.

4. L'économie que permet de réaliser l'étude du travail est immédiate et continue, aussi longtemps que l'opération est effectuée suivant la méthode améliorée.

5. C'est un «outil» d'application universelle. Il peut être employé avec succès partout où s'effectue un travail manuel et partout où fonctionne un établissement, non seulement dans les ateliers, mais aussi dans les bureaux, les magasins, les laboratoires, dans les services (distribution en gros ou en détail, restaurants, etc.) et dans les exploitations agricoles.

6. **C'est l'un des moyens d'enquête les plus pénétrants dont dispose la direction.** C'est donc un instrument excellent pour s'attaquer à l'inefficacité d'une organisation quelconque, car, en l'appliquant à la solution d'un problème donné, on mettra graduellement au jour les défaillances de toutes les autres fonctions qui lui sont liées.

Ce dernier point mérite qu'on s'y arrête. L'étude du travail, étant systématique et impliquant l'analyse par observation directe de tous les facteurs qui agissent sur l'efficacité d'une opération donnée, révélera les défaillances de toutes les activités dont dépend cette opération. Supposons, par exemple, qu'une observation montre qu'un ouvrier affecté à une fabrication perd du temps à attendre d'être approvisionné en matière ou à attendre la réparation de sa machine. On peut immédiatement remonter à une défaillance de l'approvisionnement-matières ou du service d'entretien. On peut également s'apercevoir que l'exécution de séries trop courtes fait perdre du temps — dans une mesure qui n'apparaîtra parfois qu'après une longue étude — en obligeant à modifier constamment le réglage des machines. On sera alors amené à rechercher l'origine de cette erreur, soit dans un mauvais planning, soit dans une mauvaise politique de marketing.

L'étude du travail agit un peu comme le bistouri du chirurgien; elle met au jour les diverses activités d'une entreprise et leur fonctionnement, bon ou mauvais.

---

[1] Un «membre de la hiérarchie» exerce une surveillance et une autorité sur ses subordonnés. Un «expert» a une fonction strictement consultative et n'a ni le pouvoir ni l'autorité de mettre en pratique ses recommandations; il apporte une information spécialisée.

Elle met en lumière le comportement de chacun. C'est pourquoi elle doit, comme le bistouri du chirurgien, être maniée avec habileté et prudence. Personne n'aime être ainsi «mis sur la sellette», et si le spécialiste de l'étude du travail ne fait pas preuve de beaucoup de tact dans ses rapports avec autrui, il risque de s'attirer l'animosité de tous, cadres et ouvriers, ce qui l'empêchera d'accomplir son travail convenablement.

Si les cadres de direction et de maîtrise ne réussissent pas à réaliser les économies et les améliorations que l'étude du travail permet d'obtenir, c'est généralement parce qu'ils ne peuvent pas se consacrer entièrement à la solution de ces problèmes, même s'ils possèdent la formation nécessaire. Il ne suffit pas que l'étude du travail soit systématique. Pour obtenir des résultats vraiment importants, elle doit être appliquée **avec continuité** et dans toute l'entreprise. Il ne servirait à rien que le spécialiste de l'étude du travail, après avoir réussi une étude, se repose sur ses lauriers ou soit transféré ailleurs par la direction. L'économie réalisée dans une opération particulière, même si elle est importante en elle-même, est généralement faible par rapport à l'activité de l'ensemble de l'entreprise. On ne ressent, dans une entreprise, le plein effet de l'étude du travail que lorsque celle-ci est appliquée partout et que chacun est pénétré de l'état d'esprit qui conditionne le succès de l'étude du travail: **le refus absolu de tout gaspillage, qu'il s'agisse de matières, de temps, d'efforts ou de capacités humaines,** et le refus d'accepter passivement telle ou telle manière de faire les choses, sous prétexte que «ça s'est toujours fait comme ça».

4. Les techniques de l'étude du travail et leurs rapports

Nous avons dit au début de ce chapitre que l'étude du travail embrassait plusieurs techniques, mais en particulier l'étude des méthodes et la mesure du travail. Que sont ces deux techniques et quels sont leurs rapports réciproques?

> **L'étude des méthodes consiste à enregistrer et à examiner, de façon critique et systématique, les méthodes existantes et envisagées d'exécution d'un travail, afin de mettre au point et de faire appliquer des méthodes d'exécution plus commodes et plus efficaces et de réduire les coûts**

> **La mesure du travail est l'application de certaines techniques visant à déterminer le temps que demande à un ouvrier qualifié l'exécution d'une tâche donnée, à un niveau de rendement bien défini**

Figure 7. *L'étude du travail*

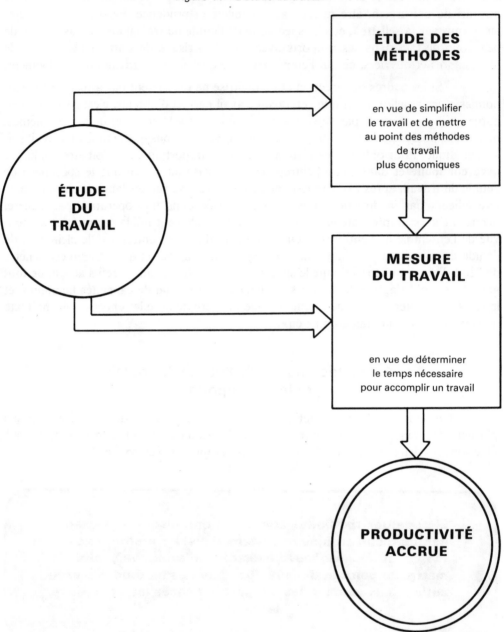

ÉTUDE DES
MÉTHODES

en vue de simplifier
le travail et de mettre
au point des méthodes
de travail
plus économiques

ÉTUDE
DU
TRAVAIL

MESURE
DU TRAVAIL

en vue de déterminer
le temps nécessaire
pour accomplir un travail

PRODUCTIVITÉ
ACCRUE

L'étude des méthodes et la mesure du travail sont donc étroitement liées. L'étude des méthodes s'attache à diminuer le contenu de travail d'un poste ou d'une opération, tandis que la mesure du travail a surtout pour objet la recherche et la réduction des temps improductifs, et la fixation de normes de temps pour l'opération en question, celle-ci étant exécutée selon des modalités améliorées, dictées par l'étude des méthodes. Les rapports de ces deux techniques dans l'application de l'étude du travail sont illustrés de façon simple par la figure 7.

34

Comme il ressort des chapitres qui suivent, l'étude des méthodes et la mesure du travail se décomposent elles-mêmes en un certain nombre de techniques différentes: l'étude des méthodes doit normalement précéder la mesure du travail lorsqu'il s'agit de fixer les normes de temps pour la production; néanmoins, on doit parfois utiliser l'une des techniques de la mesure du travail, par exemple la mesure par sondage, appelée aussi méthode des observations instantanées (voir chap. 14), pour découvrir les causes et l'importance des temps improductifs, et permettre ainsi à la direction de prendre des mesures pour les réduire avant de commencer l'étude des méthodes. De même, on peut avoir à utiliser l'étude des temps (chap. 15 et suivants) pour comparer l'efficacité relative de deux méthodes.

Nous examinerons en détail toutes ces techniques dans les chapitres qui leur sont consacrés. Pour l'instant, il nous faut examiner la technique fondamentale de l'étude du travail, qui doit être appliquée chaque fois qu'une étude est entreprise, quels que soient l'opération ou le processus examinés et quelle que soit l'industrie. Cette technique est l'essence de l'étude du travail. **Il n'existe pas de raccourcis dans ce domaine.**

5. La technique fondamentale de l'étude du travail

Une étude complète du travail comporte huit opérations. Ces opérations consistent à:

1. **Choisir** le travail ou le processus à étudier.

2. **Enregistrer** par **observation directe** tout ce qui se passe, à l'aide des techniques d'enregistrement les mieux appropriées (voir plus loin), afin que les données se présentent sous la forme convenant le mieux à l'analyse.

3. **Examiner** les faits enregistrés d'un œil critique et mettre tout en question, en considérant tour à tour le but du travail, l'endroit où il est exécuté, l'ordre dans lequel il l'est, la personne qui l'exécute et le moyen par lequel il est exécuté.

4. **Mettre au point** la méthode la plus économique, compte tenu de toutes les circonstances.

5. **Mesurer** la quantité de travail que demande la méthode choisie et calculer un temps normal, ou temps de référence, pour son exécution.

6. **Définir** la nouvelle méthode et le temps correspondant, de façon à pouvoir toujours les identifier.

7. **Mettre en application** la nouvelle méthode, qui sera désormais la méthode normale, avec les temps alloués.

8. **Surveiller l'application** de la nouvelle norme par un contrôle approprié.

Les opérations 1, 2 et 3 interviennent dans chaque étude, que la technique utilisée soit l'étude des méthodes de travail ou la mesure du travail. L'opération 4 intervient lorsqu'on applique l'étude des méthodes, tandis que l'opération 5 implique l'utilisation de la mesure du travail.

Ces huit opérations seront examinées en détail dans les chapitres consacrés à l'étude des méthodes de travail et à la mesure du travail. Toutefois, avant d'aborder cette étude détaillée, nous allons examiner dans les deux prochains chapitres les conditions générales qui doivent exister pour que l'étude du travail puisse être appliquée avec succès.

Chapitre 5
Le facteur humain dans l'application de l'étude du travail

1. Un bon climat de relations professionnelles doit exister avant toute application de l'étude du travail

Sollicités par des problèmes pressants et importants, certains de ceux qui dirigent les entreprises oublient trop souvent que leurs collaborateurs, et surtout leurs subordonnés, sont des êtres humains comme eux, capables des mêmes sentiments, encore qu'ils ne puissent pas toujours les exprimer ouvertement. Le travailleur situé au bas de l'échelle hiérarchique, le plus humble manœuvre, est, autant que tout autre homme, blessé par une injustice, réelle ou imaginaire. Il redoute l'inconnu et, s'il croit y voir une menace à la sécurité de son emploi ou à sa dignité, ou bien il résistera ouvertement, ou bien sa résistance prendra la forme d'une non-coopération plus ou moins dissimulée.

L'étude du travail ne peut et ne pourra jamais remplacer une bonne administration. Ce n'est qu'un «outil» de direction, l'un des outils que le chef d'entreprise possède. L'étude du travail seule ne peut pas instaurer de bonnes relations professionnelles là où elles sont mauvaises, encore que, prudemment appliquée, elle puisse souvent les améliorer, comme l'a montré l'expérience de toutes les missions de perfectionnement des cadres dirigeants ou de conseils envoyées dans divers pays par le Bureau international du Travail. Pour que l'étude puisse contribuer sérieusement à l'amélioration de la productivité, les relations entre la main-d'œuvre et la direction doivent être relativement bonnes avant que celle-ci essaie de la mettre en application, et les travailleurs doivent être convaincus de la sincérité des intentions de la direction à leur égard; sinon, ils considéreront l'étude du travail comme un autre «truc» destiné à les faire travailler davantage sans qu'ils en tirent un bénéfice personnel. Bien entendu, dans certaines conditions, et notamment lorsque le chômage sévit gravement dans un pays ou dans une industrie, il est parfois possible d'imposer l'application de l'étude du travail, mais ce qui est imposé n'est accepté qu'à contrecœur et, si les circonstances changent, le système imposé a toutes les chances de s'écrouler.

2. L'étude du travail et la direction des entreprises

Nous avons déjà dit au chapitre précédent que, si nous avons choisi l'étude du travail comme sujet de cet ouvrage, c'est parce qu'elle constitue un moyen d'enquête très pénétrant. En raison de son caractère systématique, l'étude du travail met impitoyablement au jour, l'un après l'autre, les cas où se produisent des gaspillages de temps et d'efforts. Lorsqu'on recherche la source de ces gaspillages, afin de les éliminer, on la trouve généralement dans un défaut de planning, une mauvaise organisation, un contrôle insuffisant ou un manque de formation de la main-d'œuvre. Comme ces fonctions sont exercées par des cadres de direction ou de maîtrise, on pensera qu'ils ont mal rempli leur rôle. Bien plus, l'élévation soudaine de la productivité, qui résulte habituellement d'une bonne application de l'étude du travail, risque de souligner encore cette apparence d'échec. L'application de l'étude du travail dans un atelier peut entraîner une réaction en chaîne d'enquêtes et d'améliorations dans toutes les directions, des services techniques à la comptabilité, du bureau d'études au service de vente. Le travailleur chevronné risque de se sentir novice lorsqu'il s'apercevra que les méthodes de travail qu'il pratique depuis si longtemps sont un gaspillage de temps et d'efforts et que, rapidement, les ouvriers fraîchement recrutés et formés aux nouvelles méthodes font mieux que lui du point de vue du rendement et de la qualité du travail.

Il est dès lors évident qu'une technique qui peut avoir de si vastes effets doit être maniée avec une prudence et un tact infinis. Nul n'aime qu'on lui fasse sentir qu'il a échoué, surtout aux yeux de ses supérieurs. Toute personne mise dans ce cas perd sa confiance en soi et commence à se demander avec crainte si elle ne va pas être remplacée. Elle sent sa sécurité menacée.

A première vue, ce résultat de l'étude du travail peut paraître injuste. Directeurs, contremaîtres et ouvriers sont, d'une façon générale, des travailleurs honnêtes et assidus, qui accomplissent leur travail du mieux qu'ils peuvent. Ils ne sont certainement pas moins intelligents que les spécialistes de l'étude du travail et ils ont fréquemment l'avantage d'avoir une longue expérience et une grande connaissance pratique de leur travail. Si, néanmoins, ils ne réussissaient pas à tirer le meilleur parti possible des ressources mises à leur disposition, c'est généralement parce qu'ils n'avaient pas été formés aux méthodes systématiques avec lesquelles l'étude du travail aborde les problèmes d'organisation et d'exécution du travail, et qu'ils n'en connaissaient pas la valeur.

Cela doit être expliqué dès le début à chaque intéressé. Si le spécialiste de l'étude du travail ne prend pas cette précaution et s'il manque de tact dans ses rapports avec les autres employés de l'entreprise, quelle que soit leur situation dans la hiérarchie, il verra vite se former contre lui une coalition qui s'opposera à ses efforts au point, peut-être, de lui rendre la tâche impossible.

Pour que l'application de l'étude du travail réussisse, il est indispensable que les cadres de direction, à tous les niveaux, à commencer par le sommet, lui donnent leur appui compréhensif et leur soutien. Si le principal responsable, directeur ou administrateur principal de la société, ne comprend pas ce que le spécialiste de l'étude du travail essaie de faire, et s'il ne lui accorde pas son appui total, on ne peut s'attendre que les autres membres de la hiérarchie l'acceptent et le soutiennent; et si le spécialiste entre en conflit avec eux, comme cela peut se produire dans de telles circonstances, il risque de s'apercevoir que le directeur, consulté pour trancher le différend, lui donnera tort, même si ses arguments sont fondés. Il ne faut pas oublier que, dans toute organisation, **le personnel aux différents échelons de la hiérarchie tend à modeler son attitude sur celle du chef principal.**

Par conséquent, le premier groupe de personnes auxquelles il importe d'expliquer l'objet et les techniques de l'étude du travail est le groupe de direction, le directeur général ou l'administrateur délégué et, dans les grandes sociétés ou organisations, les chefs de service et leurs adjoints. On organise habituellement, dans la plupart des pays, des conférences d'«initiation» destinées aux cadres supérieurs, avant de commencer à appliquer l'étude du travail. La plupart des écoles spécialisées dans l'étude du travail, des instituts de perfectionnement des cadres dirigeants, des collèges techniques et des organismes qui se consacrent à l'étude du travail organisent des cours de brève durée à l'intention des cadres des entreprises qui envoient des membres de leur personnel pour leur faire donner une formation d'agent d'étude du travail.

Qu'on nous permette ici de faire une mise en garde. Il n'est pas facile d'organiser un cours même très élémentaire et très bref sur l'étude du travail, et on ne saurait trop déconseiller aux agents d'étude du travail nouvellement formés à cette discipline d'organiser eux-mêmes un cours de ce genre. Il est préférable qu'ils demandent conseils et assistance. Néanmoins, il est important que les agents d'étude du travail d'une entreprise prennent une part active à ce cours, **mais ils doivent connaître à fond leur sujet et être capables de l'enseigner.**

En tout cas, lorsqu'un cours d'étude du travail est organisé à l'intention des cadres de direction, le conférencier doit faire tous ses efforts pour que le «grand patron» y assiste et, si possible, ouvre lui-même le cours. Il y a à cela deux raisons: la présence du directeur général montrera à chacun que le spécialiste de l'étude du travail a son appui; d'autre part, les cadres des divers échelons s'efforceront d'être présents, s'ils savent que le patron sera là.

3. L'étude du travail et la maîtrise

Bien souvent, le problème le plus difficile qui se pose à l'agent d'étude du travail tient à l'attitude des contremaîtres et des agents de maîtrise. Il est pourtant indispensable qu'il obtienne leur adhésion s'il veut aboutir à de bons résultats; en fait, leur hostilité peut le mettre dans l'impossibilité absolue de faire un travail efficace. Les contremaîtres et leurs assistants représentent la direction auprès des ouvriers et, de même que les chefs de service modèleront leur attitude sur celle des directeurs, de même les ouvriers adapteront la leur à celle de leurs chefs immédiats. S'il apparaît à l'évidence qu'aux yeux du contremaître «cette histoire d'étude du travail n'a pas de sens», les travailleurs ne respecteront pas le spécialiste et ne feront aucun effort pour exécuter ses suggestions, qui, de toute façon, devront leur parvenir par l'intermédiaire de leur contremaître.

Si l'on n'a pas pris garde d'expliquer soigneusement au contremaître, **avant** que l'agent vienne s'installer dans son atelier, l'objet de l'étude du travail et sa méthode, afin qu'il comprenne exactement ce que ce dernier va faire et pourquoi, il est fort probable qu'il fera des difficultés, sinon de l'obstruction, et ce pour plusieurs raisons, notamment:

1. Le contremaître est la personne le plus directement touchée par l'étude du travail. La marche du travail, qu'il dirige et organise peut-être depuis des années, est mise en question; si l'étude du travail réussit à améliorer sensiblement le rendement des

opérations dont il a la responsabilité, il peut craindre que son prestige aux yeux de ses supérieurs et de ses subordonnés n'en soit diminué.

2. Dans la plupart des entreprises qui n'utilisent pas à cet effet des spécialistes, toute la marche d'une fabrication — l'organisation des programmes de travail, la mise au point des méthodes de travail, l'établissement des feuilles de temps, la fixation des taux aux pièces, l'embauchage et le débauchage de la main-d'œuvre — peut avoir été assurée et décidée par le contremaître. Le seul fait qu'une partie de ses responsabilités lui aura été retirée risque de lui faire croire que son importance a diminué. Or nul n'aime à penser qu'on lui enlève de son importance.

3. Si l'application de l'étude du travail donne lieu à des conflits ou inquiète les ouvriers, le contremaître sera la première personne qui sera chargée d'arranger les choses, et il lui sera difficile de le faire équitablement s'il ne comprend pas bien le problème.

L'origine du recrutement des contremaîtres et des agents de maîtrise varie considérablement d'une région du monde à une autre. Dans certains pays, le contremaître est souvent choisi à l'ancienneté parmi les meilleurs ouvriers qualifiés de l'atelier. Il s'ensuit que nombre de contremaîtres sont arrivés à l'âge mûr et ont déjà acquis des habitudes solidement ancrées. Ayant pratiqué leur métier pendant des années, la plupart des contremaîtres ne sont guère portés à croire qu'ils ont quelque chose à apprendre d'une personne qui n'a pas une très longue expérience de leur profession.

Par conséquent, le contremaître peut voir d'un mauvais œil l'introduction dans son service d'un spécialiste de l'étude du travail, s'il n'a pas été préparé à son arrivée. Comme les contremaîtres sont plus proches de la réalité des opérations que les cadres de direction, et, par conséquent, plus directement intéressés à l'étude du travail, le cours d'initiation qu'ils suivront devra être plus long et plus détaillé que celui des cadres de direction. Les contremaîtres devront être capables d'aider au choix des travaux à étudier, et de comprendre tous les facteurs en jeu, au cas où un conflit surgirait au sujet des méthodes ou des normes de temps. Ils devront donc être mis au courant des principales techniques de l'étude des méthodes et de la mesure du travail, ainsi que des cas particuliers dans lesquels ces techniques doivent être appliquées. En règle générale, les cours destinés aux contremaîtres devront être à temps complet et durer au moins une semaine. Les participants devront avoir l'occasion de faire une ou deux études de méthodes simples et de mesurer le temps d'exécution d'une opération. **On ne saurait surestimer** l'aide que peut apporter à l'agent d'étude du travail un contremaître qui comprend la tâche dont il est chargé et l'apprécie à sa juste valeur. Un tel contremaître est un puissant allié.

L'agent d'étude du travail ne pourra garder l'amitié et la considération du contremaître que s'il montre bien, dès le début, qu'il n'essaie pas de prendre sa place. Il est **essentiel** qu'il se conforme strictement aux recommandations suivantes :

1. L'agent d'étude du travail ne doit **jamais** donner directement un ordre à un ouvrier. Toutes les instructions doivent être données par l'intermédiaire du contremaître. Une seule exception à cette règle peut être admise lorsque, en matière d'amélioration des méthodes, l'ouvrier a reçu **du contremaître** l'ordre d'exécuter les instructions de l'agent d'étude du travail.

2. Lorsque des ouvriers posent des questions demandant une décision qui ne relève pas du·domaine technique de l'étude du travail, ils doivent **toujours** être renvoyés au contremaître.

3. L'agent d'étude du travail ne doit **jamais** se laisser aller à exprimer à un ouvrier une opinion qui puisse être considérée comme une critique à l'égard du contremaître (même s'il brûle de le faire). Si l'ouvrier, par la suite, déclare au contremaître: «Mais M. X*** a dit...», cela risque de provoquer de sérieuses difficultés.

4. L'agent d'étude du travail ne doit **jamais** laisser les ouvriers utiliser sa position pour contrebalancer l'autorité du contremaître, ou pour obtenir une modification de décisions du contremaître qu'ils jugent trop dures.

5. L'agent d'étude du travail doit solliciter l'avis du contremaître sur le choix des travaux à étudier et sur toute question technique ayant trait à la fabrication (cela même s'il est très au courant de celle-ci). Il ne faut jamais oublier que c'est le contremaître qui a, jour après jour, la responsabilité de l'exécution.

6. Au début de chaque étude, l'agent doit être présenté aux ouvriers intéressés **par le contremaître.** Il ne doit jamais commencer tout seul son activité.

Cette liste d'impératifs et d'interdictions peut paraître inquiétante, mais elle ne fait en somme que donner des règles de bon sens et de tact. Les travailleurs d'un atelier ne doivent avoir qu'un **seul** chef, leur contremaître, et tout doit être fait pour renforcer son autorité. Naturellement, une fois que le contremaître et le spécialiste de l'étude du travail auront collaboré assez longtemps pour bien s'entendre, l'application de ces règles pourra s'assouplir un peu, mais c'est là une question qui demande un jugement sûr; c'est d'ailleurs du contremaître que devraient venir les suggestions dans ce sens.

Si nous avons consacré un long passage aux relations entre le spécialiste de l'étude du travail et le contremaître, c'est parce que ce sont ces relations qui posent les problèmes les plus délicats et qu'elles doivent absolument être bonnes. Le meilleur moyen de faire en sorte qu'elles le soient est de donner aux deux parties une formation appropriée.

4. L'étude du travail et l'ouvrier

Lorsque, au début du siècle, on entreprit les premières études systématiques du travail, on connaissait fort peu de choses sur le comportement de l'homme au travail. C'est sans doute pour cette raison que les travailleurs se montraient souvent opposés, voire hostiles à l'étude du travail. Mais, au cours des quarante dernières années, de nombreuses recherches ont été effectuées pour mieux connaître le comportement de l'homme. Il s'agissait non seulement d'expliquer ce comportement, mais aussi de prévoir, si possible, les réactions des individus face à une situation nouvelle. Pour un spécialiste de l'étude du travail, c'est là une considération importante, puisque ses interventions créent sans cesse de nouvelles situations.

Selon les spécialistes du comportement, si les individus agissent d'une certaine façon, c'est qu'ils sont motivés par le désir de satisfaire certains besoins. Sur ce point, l'une des théories le plus communément admises a été élaborée par Abraham Maslow, qui considérait comme établi que chaque individu a certains besoins fondamentaux et que ces besoins s'ordonnent selon une structure hiérarchique. D'après Maslow, c'est seulement lorsqu'un besoin est amplement satisfait que le besoin qui vient ensuite dans l'ordre hiérarchique commence à exercer sa motivation.

Au bas de la hiérarchie figurent les **besoins physiologiques.** Ce sont les besoins essentiels, qu'il faut satisfaire pour que la vie continue. Satisfaire ses besoins physiologiques constitue la préoccupation première de tout individu, et il ne se préoccupera de rien d'autre tant qu'il n'y sera pas parvenu. Cependant, dès lors que le travailleur est à peu près assuré de pouvoir satisfaire ses besoins physiologiques, il cherche à satisfaire le besoin suivant dans l'ordre hiérarchique, c'est-à-dire le besoin de **sécurité.** On entend par sécurité le sentiment que l'on est progégé contre les périls physiques et psychiques, ainsi que la sécurité de l'emploi. Pour un travailleur qui a déjà satisfait ses besoins physiologiques et son besoin de sécurité, le facteur suivant de motivation sera le désir d'**appartenance,** c'est-à-dire le désir de faire partie d'un groupe ou d'une organisation et de s'associer à d'autres personnes. Vient ensuite dans la hiérarchie le **besoin de considération,** suivi du **besoin d'accomplissement.** Ce dernier besoin correspond au désir d'une personne ou d'un travailleur d'avoir la possibilité de montrer ses talents particuliers.

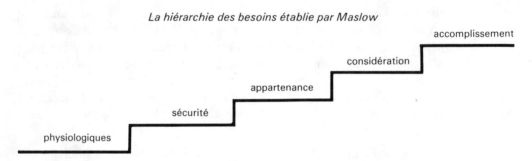

La hiérarchie des besoins établie par Maslow

Dans la pratique, la plupart des gens satisfont partiellement certains besoins et en ont d'autres qui restent insatisfaits. Dans les pays en voie de développement, les gens sont probablement plus soucieux de satisfaire les besoins qui figurent au bas de l'échelle hiérarchique et se comportent en conséquence. Par contre, dans les pays développés, où les besoins physiologiques et le besoin de sécurité sont en général satisfaits pour l'essentiel, les gens seront plus motivés par les besoins qui figurent dans la partie supérieure de l'échelle hiérarchique.

L'un des résultats intéressants de la recherche effectuée dans ce domaine, et qui devrait retenir ici notre attention, c'est que l'on a découvert que, pour satisfaire leur besoin d'appartenance, les travailleurs s'associent pour former des groupes informels de types variés. Ainsi, un travailleur est habituellement membre d'un groupe de travail, c'est-à-dire d'un groupe composé de travailleurs exécutant une tâche en commun. Il peut aussi être membre de divers autres groupes, par exemple d'un groupe d'amis composé de camarades de travail avec lesquels il a des points communs ou avec lesquels il souhaite se retrouver.

Il en résulte que, dans chaque organisation, on trouve une structure officielle et une structure informelle. La structure officielle est définie par la direction en termes de rapports d'autorité. Mais il existe aussi, parallèlement à cette structure, une organisation informelle composée d'un grand nombre de groupes non officiels, dont chacun a ses buts et ses activités propres et reflète les sentiments de ses membres. On a constaté que chaque groupe attend de la part de ses membres qu'ils se conforment à un certain modèle de comportement, sans quoi le groupe ne pourrait atteindre son but, qu'il s'agisse d'accomplir une tâche ou de constituer un moyen d'action amicale conjuguée. On s'est rendu compte, par exemple, qu'un groupe de travail a tendance à fixer pour ses membres un certain contingent de production qui peut concorder ou non avec les désirs d'un contremaître ou d'un directeur. Dans une situation typique, un travailleur produira plus ou moins selon le niveau de ce contingent officieux. Ceux qui produisent énormément, ou au contraire très peu, et qui, de ce fait, s'écartent considérablement de ce contingent, seront soumis à une pression de la part du groupe afin qu'ils se conforment à la norme.

La méconnaissance de ces notions essentielles et élémentaires de comportement a souvent été à l'origine du ressentiment ou de l'hostilité déclarée. Il est maintenant aisé de comprendre que l'agent d'étude du travail qui prend sans consultation préalable la décision de supprimer une opération, causant ainsi une perte d'emploi pour un ou plusieurs travailleurs, porte en fait atteinte au besoin essentiel de sécurité; on peut donc s'attendre à une réaction négative. De même, si l'on impose un contingent de production à un travailleur ou à un groupe de travailleurs sans consultation préalable ou sans s'être assuré de leur coopération, on peut provoquer le ressentiment et une attitude de résistance.

Comment l'agent d'étude du travail doit-il donc agir? Voici, à cet égard, quelques suggestions utiles:

1. Le problème de l'augmentation de la productivité doit être abordé de façon équilibrée, sans donner trop d'importance à la productivité du travail. Dans la plupart des entreprises des pays en voie de développement, et même des pays industrialisés, on peut en général augmenter considérablement la productivité en appliquant l'étude du travail pour mieux utiliser les installations, améliorer les opérations, utiliser l'espace de façon optimale et assurer une plus grande économie de matières avant d'avoir à soulever la question de l'augmentation de la productivité des travailleurs. On ne saurait surestimer l'importance de l'étude de la productivité de toutes les ressources de l'entreprise et souligner assez la nécessité de ne pas limiter l'application de l'étude du travail à la seule productivité de la main-d'œuvre. Il est bien naturel que les travailleurs ne voient pas d'un bon œil les efforts déployés par la direction en vue d'améliorer leur efficacité quand ils constatent eux-mêmes les insuffisances criantes de la direction. A quoi bon réduire de moitié le temps d'exécution d'un certain travail par l'ouvrier ou lui imposer un contingent de production en appliquant rigoureusement l'étude du travail si l'ouvrier est arrêté par le manque de matières ou par de fréquentes pannes de machine dues à la mauvaise planification de ses supérieurs?

2. Il importe que l'agent d'étude du travail soit ouvert et franc en ce qui concerne l'objet de son étude. Rien ne suscite plus la méfiance que de tenter de dissimuler ce que l'on fait et rien ne la dissipe mieux que la franchise dans les réponses aux questions ou dans la divulgation des informations recueillies au cours de l'étude. L'étude du travail honnêtement appliquée n'a rien à cacher.

3. Les représentants des travailleurs devraient être amplement informés de l'objet et de la raison de l'étude. Ils devraient suivre un cours d'initiation à l'étude du travail

43

afin de pouvoir bien saisir l'objectif que l'on cherche à atteindre. De même, en permettant aux travailleurs de participer à l'élaboration d'une meilleure méthode d'exécution, on peut les gagner à la nouvelle méthode et obtenir parfois des résultats inattendus. Ainsi, en posant aux travailleurs les questions qu'il fallait et en les invitant à présenter des explications ou des propositions, de nombreux spécialistes de l'étude du travail ont été récompensés par des indications ou des idées auxquelles ils n'auraient jamais pensé. Après tout, un ouvrier connaît parfaitement son propre travail et des détails qui peuvent échapper à l'agent d'étude du travail. Une pratique éprouvée consiste à inviter les travailleurs du service que l'on doit étudier à désigner l'un d'eux, qui aidera le spécialiste de l'étude du travail, et à former avec le contremaître une équipe qui pourra examiner le travail à accomplir, discuter des résultats obtenus et se mettre d'accord sur les mesures d'application à prendre.

4. Bien que le fait d'inviter un ouvrier à présenter des suggestions et des idées contribue implicitement à satisfaire son besoin de considération, cela peut se faire de façon plus directe en reconnaissant le mérite de celui à qui il revient. Très souvent, un contremaître, un travailleur ou un spécialiste peut apporter des idées utiles, propres à aider l'agent d'étude du travail à mettre au point une meilleure méthode de travail. Il faut savoir le reconnaître volontiers, et l'agent d'étude du travail ne doit pas céder à la tentation de s'attribuer tout le mérite.

5. Il importe que l'agent d'étude du travail se souvienne que son objectif n'est pas simplement d'augmenter la productivité, mais qu'il est aussi d'accroître la satisfaction au travail, et qu'il doit porter suffisamment d'attention à ce dernier problème en recherchant les moyens de réduire la fatigue au minimum et de rendre le travail plus intéressant et plus satisfaisant. Ces dernières années, plusieurs entreprises ont élaboré de nouvelles notions et de nouvelles idées pour organiser le travail dans ce sens et pour essayer de satisfaire le besoin de réalisation des travailleurs. Ces notions et ces idées sont examinées brièvement dans le dernier chapitre.

5. L'agent d'étude du travail

Nous avons beaucoup parlé, dans les sections qui précèdent, des aptitudes requises de l'agent d'étude du travail: l'homme qui les rassemblerait toutes serait presque un phénomène. Effectivement, l'homme idéal pour ce genre de travail est très rare, et lorsque, par chance, il a été trouvé, il quitte rapidement les rangs des spécialistes de l'étude du travail pour s'élever dans la hiérarchie industrielle. Néanmoins, certaines qualifications et certaines qualités sont essentielles au succès dans ce domaine.

INSTRUCTION

Une bonne formation secondaire, couronnée par le baccalauréat ou un brevet de technicien supérieur, constitue le niveau d'instruction minimum pour quiconque veut s'occuper de l'étude du travail dans une entreprise. Une formation scolaire inférieure à ce niveau ne permettrait probablement pas de tirer tout le parti possible d'un cours complet d'étude du travail, encore qu'il puisse y avoir quelques exceptions. Cependant, si un agent d'étude du travail est appelé à étudier d'autres problèmes d'organisation de la production, il dispose d'un atout important s'il est titulaire d'un diplôme d'ingénieur ou d'un diplôme universitaire approprié.

EXPÉRIENCE PRATIQUE

Il est souhaitable que les candidats aux postes de spécialistes de l'étude du travail aient une expérience pratique de l'industrie dans laquelle ils opéreront. Il faut notamment qu'ils aient effectivement mis, pendant quelque temps, «la main à la pâte» dans un ou plusieurs des processus de production de l'industrie. Cela leur permettra de mieux comprendre ce que signifie une journée de travail, effectuée dans les conditions où se trouvent les ouvriers auxquels ils auront affaire. En outre, une bonne expérience pratique vaudra à l'agent la considération des contremaîtres et des ouvriers. Une formation d'ingénieur permettra l'adaptation à presque toutes les industries.

QUALITÉS PERSONNELLES

Il faut, pour s'attaquer à l'amélioration des méthodes de travail, posséder un esprit inventif, être capable de concevoir des mécanismes et des procédés simples de nature à faire gagner du temps et à éviter des efforts, et savoir obtenir la collaboration des ingénieurs et des techniciens pour leur mise au point. Le type d'homme doué en cette matière n'est pas toujours aussi doué en matière de relations humaines; aussi, dans certaines grandes entreprises, le bureau des méthodes est-il distinct du bureau de la mesure du travail, les deux bureaux étant cependant coordonnés et dirigés par un même chef.

Les qualités suivantes sont essentielles:

☐ **La sincérité et l'honnêteté**

L'agent, sans ces qualités, ne pourra pas gagner la confiance et le respect de ceux auxquels il aura affaire.

☐ **L'enthousiasme**

L'agent doit aimer son travail, être convaincu de sa grande importance et être capable de communiquer cet enthousiasme à son entourage.

☐ **L'intérêt humain**

L'agent d'étude du travail doit être capable de s'entendre avec des gens de tous les niveaux; pour s'entendre avec quelqu'un, il faut s'intéresser à lui, savoir regarder les choses de son point de vue et comprendre les motifs de son comportement.

☐ **Le tact**

Le tact est la qualité dont fait preuve l'agent d'étude du travail s'il s'intéresse sincèrement aux autres personnes et évite de les froisser par des paroles brutales ou inconsidérées, même si elles sont amplement justifiées. Aucun spécialiste de l'étude du travail dénué de tact ne pourra aller bien loin dans sa spécialité.

☐ **Une bonne présentation**

L'agent d'étude du travail doit être correctement mis et donner une impression d'efficacité, dans son allure même, afin d'inspirer confiance aux personnes avec lesquelles il devra travailler.

45

☐ **La confiance en soi**

Cette dernière qualité ne peut venir que d'une bonne formation et d'une certaine expérience de l'application fructueuse de l'étude du travail. L'agent d'étude du travail doit savoir soutenir ses opinions et ses conclusions auprès de la direction, des contremaîtres, des syndicats et des travailleurs. Il doit savoir le faire de manière à gagner le respect de ses interlocuteurs sans les offenser.

Toutes ces qualités, notamment l'aptitude à manier les hommes, peuvent être développées par une formation adéquate. On néglige bien trop souvent cet aspect de la formation de l'agent d'étude du travail en se disant qu'il suffit de savoir choisir l'homme qui convient pour ce genre de travail. Dans la plupart des cours d'étude du travail, il conviendrait de consacrer plus de temps au côté humain de l'application de cette technique.

Cette énumération des qualités du spécialiste de l'étude du travail montre que les résultats de l'étude du travail — si « scientifique » que soit la méthode qui permet de les obtenir — doivent être appliqués avec « art », comme d'ailleurs toute autre technique de direction. En fait, il est à remarquer que les qualités qui font un bon spécialiste de l'étude du travail sont les mêmes que celles qui font un bon chef. L'étude du travail est une excellente formation pour les jeunes hommes destinés à de plus hautes responsabilités. Il n'est pas facile de trouver des personnes dotées de ces qualités, mais le directeur qui aura pris la peine de choisir soigneusement les hommes auxquels il fera donner une formation de spécialistes de l'étude du travail se verra largement récompensé par les résultats obtenus sous forme d'accroissement de la productivité et d'amélioration des relations humaines dans son entreprise.

Après avoir ainsi brossé la toile de fond sur laquelle vient s'inscrire l'étude du travail, nous allons maintenant pouvoir examiner les modalités de son application, en commençant par l'étude des méthodes. Toutefois, il convient d'abord d'accorder quelque attention à certains facteurs d'ordre général qui ont une influence considérable sur les effets possibles de l'étude du travail. Il s'agit des conditions dans lesquelles le travail s'accomplit dans la région, l'usine ou l'atelier considérés.

Chapitre 6
Conditions et milieu de travail

1. Considérations générales

Il a fallu beaucoup de temps pour que l'on comprenne à quel point les conditions de travail et la productivité sont liées. En un premier temps, on s'est aperçu de l'incidence économique des accidents du travail, dont on ne considérait d'ailleurs au début que les coûts directs (frais médicaux et réparation). Par la suite, on s'est penché également sur les maladies professionnelles. Finalement, on a compris que les coûts indirects des accidents du travail (perte d'heures de travail de la victime, des témoins et des personnes chargées de l'enquête, arrêt de production, dégâts matériels, retard dans l'exécution du travail, frais inhérents aux expertises et actions légales éventuelles, diminution de rendement lors du remplacement et lors de la reprise du travail par la victime, etc.) sont, en général, bien plus importants, et parfois même quatre fois plus élevés, que les coûts directs.

La baisse de productivité et l'accroissement du nombre de rebuts et du gaspillage de matière imputable à la fatigue qu'entraînent une trop longue durée du travail et de mauvaises conditions de travail, notamment pour l'éclairage et la ventilation, ont démontré que le corps humain, malgré son immense capacité d'adaptation, fournit des prestations bien plus productives lorsque le travail se déroule dans des conditions optimales. En fait, on a constaté dans certains pays en voie de développement que la productivité pouvait être accrue par une simple amélioration des conditions de travail.

D'une façon générale, les techniques de direction ne tiennent pas suffisamment compte de l'hygiène et de la sécurité du travail ni de l'ergonomie, bien que, de nos jours, on ait tendance à concevoir l'entreprise industrielle comme un système en soi ou comme un ensemble de sous-systèmes.

Ces problèmes sont perçus différemment depuis que l'opinion publique et, en particulier, les syndicats en ont pris conscience. On a pu identifier dans les contraintes de la technologie industrielle moderne la source de formes d'insatisfaction qui se manifestent surtout chez les travailleurs affectés aux tâches les plus élémentaires, dépourvues de toute forme d'intérêt et à caractère répétitif et monotone.

Ainsi, non seulement un milieu de travail exposant les travailleurs à des risques professionnels graves peut être la cause directe d'accidents du travail et de maladies professionnelles, mais encore l'insatisfaction des travailleurs face à des conditions de travail qui ne sont pas en harmonie avec leur niveau social et culturel du moment peut aussi entraîner une baisse quantitative et qualitative de la production, une rotation excessive du personnel et un absentéisme élevé. Certes, les conséquences d'une telle situation varient selon les milieux socio-économiques. Ce que l'on appelle aujourd'hui dans les pays industrialisés le «coût social du travail» a été parfois aggravé par des attitudes agressives (gaspillage délibéré, menaces de violence, conflits) alors que, dans d'autres cas, on n'a pas rencontré ce genre de réactions. Néanmoins, partout où il y a demande de main-d'œuvre, il serait illusoire de croire que les entreprises dont les conditions de travail n'ont pas évolué parallèlement au progrès technique et à la croissance économique pourront compter avoir un personnel stable et atteindre des niveaux rentables de productivité.

Dans les pays en voie de développement, l'absence fréquente de données statistiques sur les lésions professionnelles et sur l'absentéisme rend impossible toute étude en profondeur des conditions de travail; en outre, pour les travailleurs de ces pays, les conditions de travail ne sont peut-être qu'une considération secondaire qui passe après leur préoccupation première, laquelle est d'avoir un emploi et de toucher un salaire. Toutefois, si l'on veut éviter à court terme un gaspillage de ressources humaines et matérielles — qui est encore plus grave lorsqu'il s'agit d'un pays en voie de développement — et à long terme des tensions sociopolitiques, il faut accorder beaucoup d'attention aux conditions de travail, et reconnaître que, de nos jours, l'entreprise a un rôle social important à jouer en plus de sa fonction technique et économique.

2. L'organisation de la sécurité et de l'hygiène du travail

La méthode la plus efficace pour obtenir de bons résultats dans la prévention des accidents du travail est de bien organiser la sécurité dans l'entreprise. La structure d'organisation peut parfaitement ne pas être formalisée et ne nécessite pas automatiquement l'emploi de spécialistes. Elle doit se caractériser essentiellement par une attribution précise des responsabilités dans le cadre d'une structure capable d'assurer une action soutenue et un effort collectif déployé par les employeurs et les travailleurs pour «porter le milieu de travail à un niveau satisfaisant de qualité dans ses aspects techniques, d'organisation et psychologiques»[1]. Cela implique la mise en place d'un programme efficace d'éducation et de formation en matière de sécurité et d'hygiène du travail, ainsi que l'organisation des premiers secours et services médicaux nécessaires. En France, les entreprises industrielles sont tenues par la loi d'avoir un comité d'hygiène et de sécurité lorsqu'elles comptent plus de cinquante salariés. Il en va de même pour les autres entreprises à partir d'un effectif de trois cents salariés.

3. Critères de sécurité

Les études sur les risques professionnels dans l'industrie moderne ont fait apparaître l'extrême complexité des causes éventuelles d'accidents du travail ou de maladies professionnelles.

---

[1] Conseil de l'Europe, Comité des ministres: *Résolution 76(1) sur les services de sécurité dans les entreprises,* 20 janvier 1976.

ACCIDENTS DU TRAVAIL

Les causes des accidents du travail ne sont jamais simples, même lorsqu'il s'agit d'un accident apparemment banal, d'où le grand nombre et la variété des classifications des accidents. Les statistiques montrent que les causes d'accident les plus fréquentes ne sont pas les machines les plus dangereuses (scies circulaires, toupies, presses mécaniques, etc.), ni les substances présentant les risques les plus grands (explosifs ou liquides volatils inflammables), mais sont bien plutôt des actes très ordinaires, comme un faux pas, une chute, une erreur dans la manutention des marchandises ou l'utilisation d'un outil à main, la chute d'un objet, etc.[1]. De même, ce ne sont pas les handicapés qui sont le plus souvent victimes d'accidents, mais, au contraire, les individus les plus doués du point de vue physique et psychosensoriel, c'est-à-dire les jeunes travailleurs.

Le progrès technique a fait apparaître de nouveaux risques pour la santé tout en réduisant considérablement, par ailleurs, la gravité des risques traditionnels et en améliorant sensiblement la protection des machines (bien que les accidents n'aient pas cessé, même avec les machines les mieux protégées). En outre, depuis que, dans nombre de pays, les accidents de trajet sont considérés comme des accidents du travail, la distinction entre risques professionnels et risques non professionnels s'estompe et le rôle du facteur humain ainsi que l'importance des circonstances de l'accident apparaissent de plus en plus nettement. L'accident est souvent le résultat d'une combinaison de facteurs techniques, physiologiques et psychologiques: il tient à la fois à la machine, au milieu de travail (éclairage, bruit, vibrations, produits volatils, manque d'oxygène), à la posture de l'ouvrier et à la fatigue due au travail; les causes d'un accident peuvent également être liées aux circonstances dans lesquelles s'effectue le trajet et aux activités menées en dehors de l'usine, à la mauvaise humeur ou au sentiment de frustration, à l'exubérance de la jeunesse ou à tout autre état physique ou mental particulier. Dans les pays en voie de développement, il y a en outre la malnutrition, les maladies endémiques, le manque d'adaptation au travail industriel et les immenses changements que l'industrie a apportés dans la vie et les habitudes individuelles et familiales des travailleurs. Il n'est donc pas surprenant que l'on se préoccupe de plus en plus aujourd'hui des risques d'accident inhérents au comportement humain, que ce soit dans l'usine ou ailleurs, et que l'on examine maintenant les problèmes de la protection de la santé et du bien-être du travailleur d'un point de vue global excluant tout fractionnement pour des raisons purement administratives.

La première précaution à prendre pour éviter les accidents consiste à supprimer leurs causes potentielles, qu'elles soient techniques ou humaines. Les moyens pour y parvenir sont trop nombreux et trop variés pour être énumérés ici. Contentons-nous d'en citer quelques-uns: respect des règlements et normes techniques, surveillance et entretien soigneux, formation de tous les travailleurs à la sécurité, établissement de bonnes relations professionnelles.

Les principaux critères techniques de prévention sont classés en ordre décroissant d'efficacité dans le schéma de Gniza (voir fig. 8).

Environ 30 pour cent des accidents se produisent lors d'opérations de manutention non mécanisées; l'étude des méthodes peut contribuer à réduire la fré-

---

[1] BIT: *La prévention des accidents,* Cours d'éducation ouvrière (Genève, 3e impression, 1967).

Figure 8. *Les quatre méthodes fondamentales de prévention des risques professionnels,*
classées en ordre décroissant d'efficacité

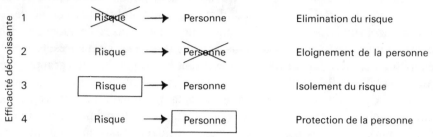

1	Risque ⟶ Personne	Elimination du risque
2	Risque ⟶ Personne	Eloignement de la personne
3	[Risque] ⟶ Personne	Isolement du risque
4	Risque ⟶ [Personne]	Protection de la personne

Efficacité décroissante (axe vertical)

Source: D'après E. Gniza: «Zur Theorie der Wege der Unfallverhütung», *Arbeitsökonomik und Arbeitsschutz* (Berlin), vol. 1, 1957, n° 1.

quence de ces accidents tout simplement en diminuant le nombre des opérations de manutention et la distance sur laquelle les produits doivent être déplacés. Un pourcentage significatif d'autres accidents pourrait être évité en supprimant des opérations dangereuses grâce à l'étude préalable des méthodes, à l'analyse des processus, à l'emploi de graphiques de déroulement et, d'une façon générale, en procédant à l'examen critique de l'organisation du travail en vue de la prévention des accidents.

MALADIES PROFESSIONNELLES

La situation est tout aussi complexe en ce qui concerne les causes des maladies professionnelles et les méthodes de prévention. Le progrès technique a été si rapide qu'il a souvent fait apparaître des risques nouveaux et totalement inconnus, qui ont engendré des maladies professionnelles avant même que celles-ci aient été reconnues comme telles. Et cependant ce même progrès a fourni des armes très efficaces pour le dépistage précoce des manifestations morbides d'origine professionnelle ainsi que des tests d'exposition permettant d'évaluer le risque avant que celui-ci ait un effet biologique. L'étude et le contrôle du milieu de travail ont ainsi acquis une importance fondamentale dans la prévention des maladies professionnelles.

L'approche traditionnelle qui établissait une distinction très nette entre maladies professionnelles et maladies non professionnelles en se fondant sur des critères d'assurance a peu à peu fait place à une attitude beaucoup plus réaliste face à la gravité des risques auxquels l'individu est exposé en dehors de l'usine; citons, par exemple, les accidents domestiques et les accidents de la circulation (beaucoup plus fréquents que les accidents du travail), ainsi que le bruit, la pollution de l'air dans les zones résidentielles, les tensions nerveuses de la vie quotidienne, etc. En outre, l'exposition aux risques professionnels est beaucoup plus dangereuse lorsqu'il s'agit de personnes qui sont déjà atteintes d'une maladie et qui, dans les pays les plus développés, sont de plus en plus nombreuses à s'insérer dans le monde du travail industriel. Ainsi, l'hygiène industrielle a pris un essor extraordinaire, et la véritable tâche du médecin du travail a acquis une dimension nouvelle. Bon nombre des maladies dont souffrent les travailleurs sont d'origine neuropsychique ou psychosomatique, domaine où toute distinction entre les causes professionnelles et non professionnelles de la maladie est illusoire. La fonction du médecin d'entreprise s'étend donc à la protection de l'individu contre les contraintes psychiques et nerveuses dont l'origine première est souvent impossible à déterminer.

Les mesures à prendre dans le domaine de l'hygiène industrielle ne diffèrent pas de celles que nous avons déjà mentionnées pour la prévention des accidents. Une particularité importante doit cependant être signalée. L'hygiène industrielle est un sujet que l'on étudie depuis beaucoup moins longtemps que la sécurité du travail. C'est une discipline qui fait intervenir à la fois la technique et la médecine, ce qui peut expliquer qu'elle soit négligée encore aujourd'hui par les services de médecine du travail et par les services de sécurité. C'est le risque que court toute activité interdisciplinaire, et l'ergonomie ne fait pas exception. Il faut donc que la direction d'entreprise s'attaque au problème et adopte les formules les plus appropriées pour le résoudre; ces dernières ne sont cependant pas d'application universelle car elles doivent être adaptées aux circonstances particulières de l'entreprise et de ses travailleurs.

On peut néanmoins articuler quelques critères fondamentaux en matière d'hygiène industrielle. Tout d'abord, comme on l'a constaté dans le domaine de la sécurité mécanique, la prévention la plus efficace en matière d'hygiène industrielle s'exerce aussi au stade de la conception, du bâtiment, des installations ou des processus de travail, car toute amélioration ou modification ultérieure interviendra peut-être trop tard pour protéger la santé des travailleurs et sera certainement plus coûteuse. Les opérations dangereuses (celles, par exemple, qui entraînent la pollution de l'environnement ou causent du bruit ou des vibrations) et les substances nocives, susceptibles de contaminer l'atmosphère du lieu de travail, devraient être remplacées par des opérations et des substances inoffensives ou moins nocives. Lorsqu'il est impossible d'installer un équipement de sécurité collective, il faut recourir à des mesures complémentaires d'organisation du travail, qui, dans certains cas, peuvent comporter la réduction des temps d'exposition au risque. Lorsque les mesures techniques collectives et les mesures administratives ne suffisent pas pour ramener l'exposition à un niveau acceptable, on devra fournir aux travailleurs un équipement de protection individuelle approprié. Toutefois, sauf cas exceptionnels ou types de travail particuliers, il ne faut pas considérer l'équipement de protection individuelle comme la méthode de sécurité fondamentale, cela non seulement pour des raisons physiologiques mais aussi par principe, car le travailleur peut, pour les raisons les plus diverses, omettre d'utiliser son équipement.

4. Prévention du feu et lutte contre les incendies

La prévention des incendies et, dans certains cas, des explosions, ainsi que les mesures de protection appropriées doivent faire l'objet d'une attention particulière, notamment dans les pays chauds et secs et surtout dans certaines industries où un incendie peut entraîner des dégâts matériels très étendus et, s'il éclate pendant les heures de travail, des lésions corporelles et même la mort de travailleurs.

La prévention est avant tout un problème de conception et de construction des bâtiments, qui doivent pouvoir opposer au feu une résistance proportionnée aux risques encourus. Le deuxième principe à observer consiste à donner à tous les travailleurs une formation adéquate et à faire appliquer les mesures de sécurité telles que l'interdiction de fumer et d'utiliser des flammes nues dans les zones à risque élevé. Il est essentiel que, partout où un incendie peut se déclarer, on maintienne en bon état de fonctionnement un nombre suffisant d'extincteurs qui ne doivent pas constituer par eux-mêmes des facteurs de risque supplémentaire (d'explosion ou d'intoxication, par exemple), que les systèmes d'alarme fonctionnent correctement et que leurs signaux puissent être entendus dans toute l'entreprise et, enfin, que les sorties de secours soient toujours bien dégagées. Là où les risques sont élevés, comme dans l'industrie textile, on devra installer des extincteurs par aspersion (sprinklers) ou des appareils automatiques antifeu équivalents. Il est également important que les cadres et les contremaîtres connaissent parfaitement le rôle qu'ils auraient à jouer en cas d'incendie et que les travailleurs sachent exactement ce qu'ils devraient faire, car la panique provoquée par un incendie, surtout dans un immeuble à plusieurs étages, peut être plus meurtrière que l'incendie lui-même. Là où le risque est important, la protection contre les incendies exige:

☐ une équipe entraînée à la lutte contre les incendies qui se livre à des exercices réguliers;

☐ un système d'inspection périodique, assuré éventuellement par des inspecteurs à plein temps;

☐ une liaison appropriée avec les sapeurs-pompiers;

☐ dans les grandes entreprises, et compte tenu du coût de telles opérations, l'organisation périodique d'exercices d'alerte et d'évacuation de tout le personnel.

5. Locaux de travail

Il n'y a pas lieu d'entrer ici dans les détails techniques de l'emplacement et de la construction des usines, mais certains principes fondamentaux doivent être connus et respectés si l'on veut que la gestion soit rentable par la suite. Le spécialiste de l'étude du travail devra en tenir compte, notamment lorsqu'il étudiera l'implantation d'une usine.

Aujourd'hui la protection du voisinage et de l'environnement revêt dans la plupart des pays une telle importance et est si étroitement liée à la prévention de la pollution et à la suppression du bruit et des vibrations, même à l'intérieur de l'usine, que chaque entreprise est pour ainsi dire obligée de faire une étude **globale** de ces problèmes lorsqu'elle projette l'implantation et l'installation d'une usine. L'étude globale est en fait la formule la plus économique, compte tenu des multiples exigences auxquelles il faut satisfaire. D'autre part, dans de nombreux pays, il est obligatoire de soumettre à l'autorité compétente — qui peut parfois relever de nombreux ministères — tout projet de nouveau bâtiment industriel, pour assurer au moins le respect des normes existantes.

Pour ce qui est de l'agencement des locaux de travail, rappelons le principe de l'isolation de toute opération qui peut présenter un danger ou constituer une nuisance. Dans toute la mesure possible, les locaux doivent être situés au-dessus du niveau du sol et pourvus de fenêtres dont la superficie doit représenter au moins 17 pour cent de la superficie du sol. La hauteur minimum sous plafond ne doit pas être inférieure à 3 mètres et chaque travailleur doit avoir au moins 10 m^3 d'air (ou davantage si l'air est très pollué ou si les températures sont élevées). Pour prévenir les accidents, il est important que chaque travailleur dispose d'un espace libre au sol qui ne soit pas inférieur à 2 m^2.

Les parois et les plafonds doivent être traités de façon à empêcher l'accumulation de la saleté, à éviter l'absorption de l'humidité et à réduire, le cas échéant, la transmission des bruits; les revêtements de sols (tableau 2) doivent être antidérapants et antipoussière, et faciles à nettoyer. En outre, ils doivent, là où il le faut, assurer une bonne isolation thermique et électrique.

Les couloirs de circulation doivent être assez larges pour permettre au besoin le passage simultané des véhicules et du personnel aux heures de pointe (sortie, repas) ainsi qu'une évacuation rapide en cas d'urgence. Nous avons déjà souligné, à propos de la protection contre l'incendie, que les issues de secours doivent toujours être dégagées; il faut donc qu'elles ne soient jamais utilisées à d'autres fins. Dans certains pays, la réglementation nationale spécifie qu'aucun poste de travail ne doit se trouver à plus de 35 mètres de l'issue ou de l'escalier de secours le plus proche.

6. Ordre et propreté

Il ne suffit pas que la construction des locaux de travail soit conforme aux règles de sécurité et d'hygiène; il faut aussi que l'ordre et la propreté règnent dans l'usine ou l'atelier. Une usine ou un lieu de travail «bien tenus», c'est-à-dire où tout est rangé de façon ordonnée et où tout est en bon état, facilitent la prévention des accidents et favorisent la productivité. Si les allées et les passages sont encombrés de piles de produits et d'autres obstacles, les travailleurs perdent du temps à les dégager lorsqu'ils transportent des matières premières ou des produits finis; on peut perdre des heures entières à chercher un lot de produits semi-finis égaré dans le désordre général. En outre, les piles de matières premières ou de produits semi-finis ainsi que des outils et des appareils que l'on peut avoir abandonnés il y a longtemps immobilisent des capitaux, sans parler de l'espace perdu qui pourrait servir à des fins productives. Les outils, les montages, les supports et autres matériels ne doivent pas traîner n'importe où dans l'atelier mais doivent être renvoyés au magasin ou rangés sur des étagères, des râteliers, dans des casiers ou dans des caisses convenablement disposés. Sur le sol, les passages doivent être marqués par des lignes blanches ou jaunes d'au moins 5 cm de largeur, et il doit être interdit de laisser des objets entre ces lignes. Les aires de dépôt et de stockage devraient être marquées de la même manière, et les produits soigneusement empilés.

La propreté des locaux n'est pas moins importante, surtout en ce qui concerne la protection de la santé des travailleurs contre les infections, les infestations, les accidents du travail et les maladies professionnelles. Lorsqu'il le faut, des mesures spéciales doivent être prises pour exterminer les rongeurs, insectes et autre vermine, qui peuvent être des vecteurs de maladies épidémiques. Pour éviter l'apparition de ces risques, il faut nettoyer soigneusement chaque jour les ateliers, les passages, les escaliers et tout autre endroit où des déchets ou des dépôts peuvent attirer des animaux. Les récipients destinés à recevoir les déchets ne doivent pas fuir; ils doivent pouvoir être nettoyés facilement et ils doivent être maintenus très propres.

Les résidus susceptibles d'émettre des vapeurs, des poussières ou des gaz dangereux (tels que les liquides toxiques, les matières réfractaires, l'amiante, l'oxyde de plomb) devront être enlevés de la façon appropriée: à l'aide d'aspirateurs ou par voie humide pour les poussières, et au moyen de neutralisants ou de diluants pour les produits chimiques. Pour déceler plus facilement la présence de résidus de certaines

53

Tableau 2. Propriétés de différents revêtements de sols industriels[1]

Propriétés	Genre de revêtement								
	Béton dur	Carreaux céramiques (clinkers)	Matière plastique (résines réactives)	Matière plastique (plaques et bandes)	Xylolithe	Pavés de bois	Parquet	Asphalte coulé	Revêtements bitumineux roulés
Résistance à l'usure par abrasion	très bonne	très bonne	très bonne[3]	moyenne à bonne	faible	bonne	moyenne à bonne	bonne	bonne
Résistance à la compression	très bonne	très bonne	très bonne[3]	moyenne	moyenne	bonne	moyenne à bonne	moyenne	bonne
Résistance au choc	moyenne	moyenne	selon l'exécution	bonne	bonne	très bonne	bonne à très bonne	bonne	bonne à très bonne
Isolation thermique (par contact)	mauvaise	mauvaise	mauvaise[3]	mauvaise à moyenne	moyenne	très bonne	très bonne	moyenne	moyenne
Retrait, gonflement	selon l'exécution	non	faible	faible	dépendant de l'humidité	dépendant de l'humidité	dépendant de l'humidité	non	non
Résistance aux acides	mauvaise	très bonne[2]	bonne	en général bonne	mauvaise	bonne	bonne	faible[4]	moyenne à mauvaise
Résistance aux alcalis	bonne	très bonne	faible à très bonne selon les qualités	en général bonne	mauvaise	moyenne à bonne	moyenne à bonne	bonne	bonne
Résistance à l'eau	bonne	très bonne	bonne	bonne	mauvaise	mauvaise	mauvaise	très bonne	bonne
Résistance aux huiles et aux carburants	impropre sans traitement spécial	très bonne[2]	bonne	moyenne à bonne	impropre	bonne	bonne	impropre	bonne
Résistance aux solvants	bonne	très bonne	résistante pour certaines catégories	bonne	impropre	bonne	bonne	mauvaise	moyenne
Risque de formation de poussière	oui	non	non	non	oui	oui	non	non	non
Possiblités de nettoyage	satisfaisantes	bonnes	très bonnes	bonnes	satisfaisantes	relativement mauvaises	satisfaisantes à bonnes	bonnes	moyennes à bonnes
Résistance au feu	très bonne	très bonne	mauvaise	moyenne	bonne	mauvaise	mauvaise	moyenne	assez bonne
Pouvoir d'isolation électrique	mauvais	bon	bon	bon	dépendant de l'humidité de l'air	bon (si sec)	bon (si sec)	bon	assez bon
Risque d'étincelles par frottement	oui	oui	non	non	non	non	non	non	oui

[1] Etabli par le Laboratoire fédéral d'essai des matériaux et Institut de recherche (LFEM), Dübendorf (Suisse), août 1969. Une appréciation plus détaillée d'un revêtement de sol peut être donnée sur la base d'un examen au LFEM.   [2] Sauf éventuellement les joints.   [3] Dans ces cas surtout, le comportement dépend des matières de charge.   [4] La qualité dite «résistante aux acides» est stable aux acides inorganiques non oxydants.

Source: Office fédéral de l'industrie, des arts et métiers et du travail (Suisse): *Hygiène et prévention des accidents dans les entreprises industrielles,* ordonnance 3 relative à la loi sur le travail (Berne, 1975).

substances toxiques, on pourra peindre le sol, les parois et au besoin les plans de travail de couleurs qui contrastent avec celle de la substance en question.

La propreté des vêtements de travail est essentielle pour réduire le risque d'absorption percutanée de certaines substances toxiques (aniline et dérivés, benzène, ses homologues et dérivés, composés organophosphorés, plomb tétraéthyle et autres composés organométalliques, tétrachlorure de carbone et autres solvants, nicotine, etc.), et le risque de sensibilisation cutanée et d'irritation aiguë ou chronique des tissus. Le contact prolongé de la peau avec certaines substances (notamment les huiles minérales et les hydrocarbures aromatiques) peut engendrer des dermatites chroniques suivies parfois de cancers. Les travailleurs exposés à des substances toxiques doivent disposer dans les vestiaires d'armoires doubles afin de bien séparer leurs vêtements de travail de leurs autres vêtements. Ils éviteront ainsi d'exposer les membres de leur famille à des substances industrielles toxiques. Dans ce même but, il est utile d'avoir une buanderie centrale pour le lavage des vêtements de travail dans les entreprises où l'on utilise des substances à haute toxicité.

Les travailleurs affectés à des travaux salissants ou exposés à des substances toxiques ou dangereuses devraient disposer dans les vestiaires d'un robinet par groupe de trois ou quatre personnes et de douches dont le nombre (jamais moins d'une pour huit travailleurs) devrait être d'une pour trois personnes afin d'éviter que les travailleurs ne renoncent à se doucher parce qu'il leur faudrait attendre trop longtemps.

Il est important, pour la santé des travailleurs, de fournir dans l'usine de l'eau potable, abondante et, si possible, fraîche. Cette eau devrait être agréée par l'autorité sanitaire et sa pureté devrait être contrôlée périodiquement. Lorsque cela est possible, l'eau courante devrait être installée.

7. Eclairage

On estime que c'est l'œil qui perçoit 80 pour cent des informations nécessaires à l'exécution d'un travail. Il est donc indispensable que le matériel, le produit et les informations concernant le travail soient parfaitement visibles si l'on veut accélérer la production, diminuer le nombre de pièces défectueuses et éviter la fatigue des yeux et les maux de tête chez les travailleurs. Ajoutons qu'une visibilité insuffisante et l'éblouissement sont des causes fréquentes d'accident.

La visibilité dépend de plusieurs facteurs: les dimensions de la pièce à travailler, la distance qui la sépare de l'œil, la persistance de l'image, l'intensité de la lumière, la couleur de la pièce à travailler et les contrastes de couleurs et de niveaux d'éclairement entre la pièce et l'arrière-plan. Une étude de tous ces éléments est souhaitable pour tout travail de précision, pour tout travail qui doit se dérouler dans des conditions dangereuses ou lorsqu'il y a d'autres motifs d'insatisfaction ou de plainte. L'éclairage est souvent l'élément le plus important et le plus facile à corriger.

L'éclairage doit être avant tout adapté à la nature du travail; toutefois, le niveau d'éclairement devra augmenter non seulement en fonction du degré de précision ou de miniaturisation de la production (tableau 3), mais aussi de l'âge des travailleurs, car les personnes âgées ont besoin, pour reconnaître le détail et garder un temps de réaction visuelle satisfaisant, d'un niveau d'éclairement beaucoup plus élevé que les

55

*Tableau 3. Niveaux minima d'éclairement recommandés
pour diverses catégories de locaux ou de travaux*

Nature du travail (prestation visuelle)	Niveau minimum d'éclairement (lux)[1]	Exemples de travaux correspondants
Perception générale seulement	20	Circulation dans les corridors; dégagement, passage
	100	Chaufferies (manutention du charbon et des cendres); stockage de matériaux grossiers en vrac; vestiaires
Perception grossière des détails	150	Travail grossier et intermittent à l'établi ou à la machine; inspection et comptage de pièces en stock; montage de grosses machines
Perception modérée des détails	300	Travail de pièces moyennes à l'établi ou à la machine; montage et vérification de pièces moyennes; travaux courants de bureau (lecture, écriture, classement)
Perception assez poussée des détails	700	Travaux fins à l'établi ou à la machine; montage et vérification de petites pièces; peinture et vernissage extra-fins; couture de tissus foncés
Perception très poussée des détails	1 500	Montage et vérification de pièces de précision; fabrication d'outils et de matrices; lecture d'instruments de mesure; rectification de pièces de précision
Perception extrêmement poussée des détails, travaux très délicats	3 000 ou davantage	Horlogerie de précision (fabrication et réparation)

[1] Ces valeurs se rapportent au niveau moyen d'éclairement pendant toute la durée de service de l'installation et sur toute la surface utile de l'ouvrage ou de la zone de travail; c'est l'éclairement «en service».

Source: BIT, Centre international d'informations de sécurité et d'hygiène du travail (CIS): *L'éclairage artificiel dans les ateliers et les bureaux,* Note documentaire n° 11 (Genève, 1965).

Tableau 4. Rapports maxima d'intensité recommandés

Points pris en considération	Rapport
Entre le travail à exécuter et l'environnement immédiat	5 à 1
Entre le travail à exécuter et les surfaces plus lointaines	20 à 1
Entre la source de lumière ou le ciel et les surfaces adjacentes	40 à 1
Tous les endroits entourant immédiatement le travailleur	80 à 1

jeunes; en outre, elles sont très sensibles à l'éblouissement parce que leur temps de récupération est plus long. Il ne suffit pas de prévoir un niveau optimal d'éclairement lorsqu'on établit les plans d'aménagement des lieux de travail car, après l'installation, l'intensité de l'éclairage diminue rapidement de 10 à 25 pour cent puis décroît plus lentement pour tomber à 50 pour cent au moins du niveau initial. Cela est dû à l'empoussiérage et à l'usure des filaments. Il faut donc vérifier périodiquement l'intensité de l'éclairage au niveau du plan de travail et maintenir en bon état de propreté toutes les surfaces servant à l'éclairage. D'une manière générale, la diffusion de la lumière doit être uniforme (fig. 9, 10 et 11); les ombres légères aident à distinguer les objets, mais il y a lieu d'éviter les ombres trop fortes. On devrait aussi éviter les contrastes de brillance excessifs entre la pièce à travailler et ce qui l'entoure. Le tableau 4 indique les rapports maxima d'intensité qu'il convient de respecter pour éviter l'apparition de la fatigue visuelle et de troubles comme la conjonctivite et les maux de tête.

Figure 9. Montage des sources d'éclairage général

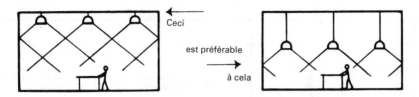

Il vaut mieux monter les luminaires d'éclairage général le plus haut possible.

Source: BIT, CIS: *L'éclairage artificiel..., op. cit.*

Figure 10. Nécessité d'un éclairage général

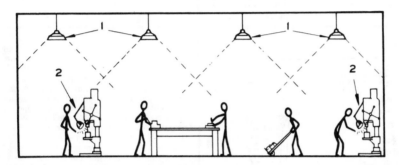

Même lorsque le plan de travail est éclairé localement, un éclairage général est toujours nécessaire. 1. Eclairage général uniforme. 2. Eclairage localisé d'appoint.

Source: BIT, CIS: *L'éclairage artificiel..., op. cit.*

Figure 11. Ecartement maximum recommandé pour les luminaires destinés à l'éclairage des ateliers

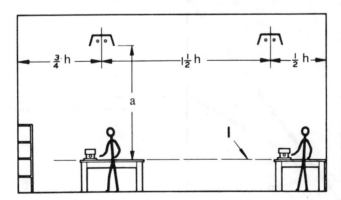

Les distances sont comptées, dans tous les cas, à partir du centre du luminaire et exprimées en multiples de la hauteur h de la source au-dessus du plan utile (I). On prend la valeur ¾ h lorsqu'il existe un passage près de la paroi, et la valeur ½ h lorsque le personnel travaille à proximité de la paroi. Dans le cas de luminaires à paralumes, l'espacement maximum doit être réduit à 1¼ h.

Source: BIT, CIS: *L'éclairage artificiel..., op. cit.*

Figure 12. Facteurs influant sur le degré d'éblouissement produit par un luminaire diffusant ou un luminaire à lampes fluorescentes nues

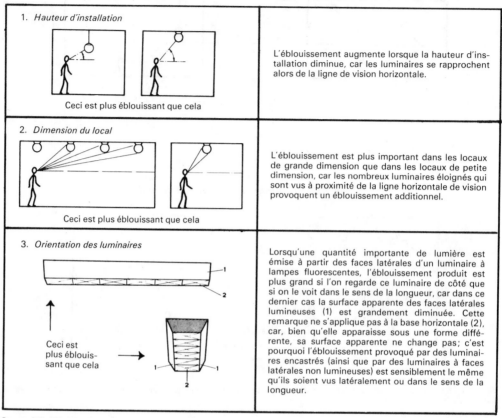

1. *Hauteur d'installation*	L'éblouissement augmente lorsque la hauteur d'installation diminue, car les luminaires se rapprochent alors de la ligne de vision horizontale.
Ceci est plus éblouissant que cela	
2. *Dimension du local*	L'éblouissement est plus important dans les locaux de grande dimension que dans les locaux de petite dimension, car les nombreux luminaires éloignés qui sont vus à proximité de la ligne horizontale de vision provoquent un éblouissement additionnel.
Ceci est plus éblouissant que cela	
3. *Orientation des luminaires*	Lorsqu'une quantité importante de lumière est émise à partir des faces latérales d'un luminaire à lampes fluorescentes, l'éblouissement produit est plus grand si l'on regarde ce luminaire de côté que si on le voit dans le sens de la longueur, car dans ce dernier cas la surface apparente des faces latérales lumineuses (1) est grandement diminuée. Cette remarque ne s'applique pas à la base horizontale (2), car, bien qu'elle apparaisse sous une forme différente, sa surface apparente ne change pas; c'est pourquoi l'éblouissement provoqué par des luminaires encastrés (ainsi que par des luminaires à faces latérales non lumineuses) est sensiblement le même qu'ils soient vus latéralement ou dans le sens de la longueur.
Ceci est plus éblouissant que cela	

Source: BIT, CIS: *L'éclairage artificiel..., op. cit.*

Figure 13. Coûts relatifs des lampes à incandescence et des lampes fluorescentes

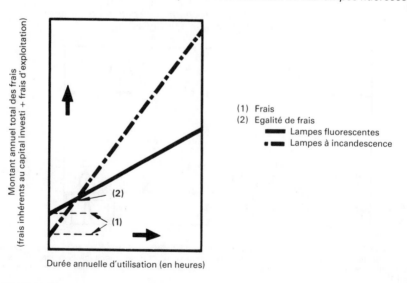

(1) Frais
(2) Egalité de frais

━━━━ Lampes fluorescentes
■ ■ ■ Lampes à incandescence

Montant annuel total des frais
(frais inhérents au capital investi + frais d'exploitation)

Durée annuelle d'utilisation (en heures)

Source: BIT, CIS: *L'éclairage artificiel..., op. cit.*

Figure 14.   Facteurs de réflexion recommandés pour les surfaces intérieures principales

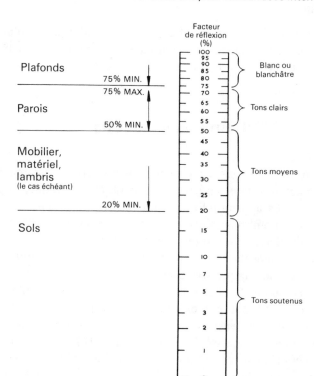

Source: BIT, CIS: *L'éclairage artificiel...*, op. cit.

On devrait autant que possible utiliser l'éclairage naturel, essentiellement au moyen de fenêtres, dont la surface totale devrait représenter au moins le sixième de la surface au sol. Toutefois, comme l'intensité de l'éclairage naturel est extrêmement variable (même en réglant l'entrée de la lumière à l'aide de contrevents, de volets à enroulement ou de stores), qu'il diminue rapidement à mesure que l'on s'éloigne des fenêtres et que la réflexion des rayons solaires peut être une source d'éblouissement, c'est par l'éclairage artificiel qu'on assurera une bonne visibilité en toute saison, à toute heure et quelles que soient les conditions météorologiques. Les luminaires à fluorescence sont un moyen excellent pour assurer un éclairage rationnel, à la condition d'éviter l'éblouissement (fig. 12), car ils ont l'avantage de bien rendre les couleurs, et leur coût annuel (y compris l'amortissement et la pose) — par rapport aux luminaires à incandescence — est d'autant plus intéressant que la durée d'utilisation augmente (fig. 13). Ainsi, le choix du type d'éclairage devrait s'effectuer en fonction du nombre d'heures par an pendant lesquelles l'installation sera vraisemblablement utilisée.

UTILISATION DES COULEURS

L'expérience montre que l'emploi judicieux des couleurs à l'intérieur des locaux contribue fortement à la qualité de l'éclairage (fig. 14). Les couleurs des lieux de travail ont des effets psychologiques à ne pas négliger et il est bon de se rappeler, lorsque arrive le moment de repeindre ateliers et bureaux, qu'il ne coûte guère plus cher de choisir des couleurs agréables plutôt que des couleurs ternes; les travailleurs y verront une signe manifeste que la direction s'efforce de rendre plus plaisantes leurs conditions de travail.

Les couleurs de l'équipement et des machines sont des facteurs complémentaires de sécurité dont l'importance est reconnue par les fabricants de machines-outils et d'équipement électrique, grâce aux efforts de l'Organisation internationale de normalisation.

8. Bruit et vibrations[1]

BRUIT

La mécanisation poussée, l'accélération du rythme des machines, la concentration de ces machines dans les lieux de travail, et le manque, jusqu'à une date récente, de connaissances approfondies sur les risques et les nuisances dus au bruit sont cause que, dans de nombreuses usines, les travailleurs sont exposés à des niveaux de bruit qui sont considérés aujourd'hui comme excessifs. Le bruit est la source de divers inconvénients: il empêche la voix de porter (fig. 15): en premier lieu, par l'effet de masque acoustique que chaque son exerce sur les sons de la même fréquence ou des fréquences immédiatement supérieures, ce qui réduit l'intelligibilité des sons articulés dont l'intensité ne dépasse pas de plus de 10 à 13 décibels (dB) l'intensité du bruit de fond; en second lieu, en élevant temporairement le seuil de l'audition de la parole lorsque son intensité dépasse 78 à 80 dB (fig. 16). Le bruit peut causer des troubles sensorimoteurs, neurovégétatifs et métaboliques; il a été dénoncé comme cause de la fatigue industrielle, d'irritation, de baisse de la productivité et d'accidents du travail. L'exposition prolongée à des bruits dépassant certains niveaux d'intensité entraîne des lésions permanentes de l'ouïe qui peuvent aller jusqu'à la surdité professionnelle.

On estime que l'exposition à des niveaux continus de 90 dB (A) ou plus est dangereuse pour l'ouïe, mais un niveau de 85 dB (A) constitue déjà une cote d'alerte qu'il convient de ne pas dépasser. Il faut se méfier particulièrement des bruits impulsifs, c'est-à-dire des bruits brefs, dont l'intensité dépasse d'au moins 3 dB celle du bruit de fond et qui sont séparés par des intervalles d'au moins une seconde; ces bruits ne peuvent être détectés par les instruments de mesure rudimentaires. Les fréquences acoustiques n'ont pas toutes les mêmes effets sur l'ouïe; les plus dangereuses sont celles qui se situent autour de 4 000 Hz (et plus haut dans le cas des bruits impulsifs). Chaque fois que le niveau sonore augmente de 6 dB, la pression sonore double et l'énergie sonore est quadruplée; il faut donc considérer qu'une élévation de 3 à 5 dB du niveau sonore nécessite une réduction de moitié de la durée de l'exposition pour que l'effet biologique reste le même. Personne ne devrait être exposé à des niveaux de plus de 115 dB sans protection acoustique.

Quiconque s'est livré à un travail intellectuel ou à un travail exigeant une forte concentration d'esprit dans un local bruyant, tel qu'un atelier de tissage ou une salle remplie de machines automatiques — même si le bruit n'atteint pas un niveau de nature à entraîner une surdité professionnelle — sait à quel point le bruit peut être fatigant. Les bruits intermittents, comme ceux que font les défonceuses utilisées pour

[1] Pour plus de détails sur ce sujet, voir BIT: *Protection des travailleurs contre le bruit et les vibrations dans le milieu de travail* (Genève, 1977).

Figure 15.   Portée de la voix normale en présence d'un bruit de fond

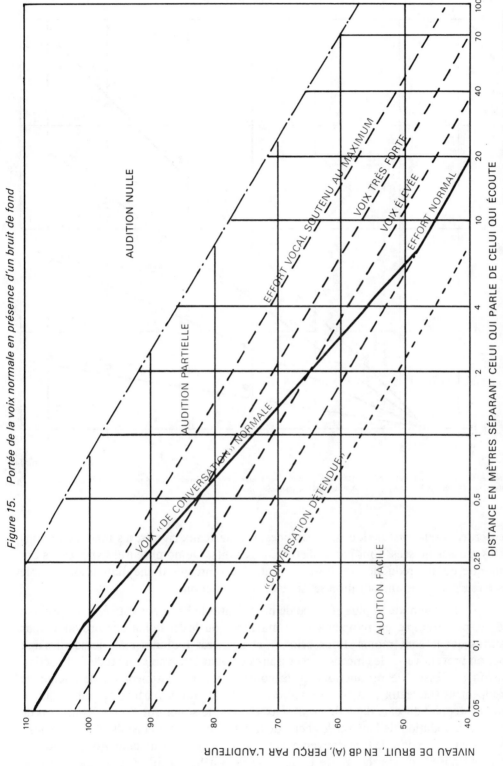

AUDITION NULLE

AUDITION PARTIELLE

EFFORT VOCAL SOUTENU AU MAXIMUM

VOIX TRÈS FORTE

VOIX ÉLEVÉE

EFFORT NORMAL

VOIX « DE CONVERSATION » NORMALE

« CONVERSATION DÉTENDUE »

AUDITION FACILE

DISTANCE EN MÈTRES SÉPARANT CELUI QUI PARLE DE CELUI QUI ÉCOUTE

NIVEAU DE BRUIT, EN dB (A), PERÇU PAR L'AUDITEUR

Source: Extrait de J. C. Webster: «Speech interfering aspects of noise», dans D. Lipscomb (publié sous la direction de): *Noise and audiology* (Baltimore (Maryland), University Park Press, Copyright 1978). pp. 200-201.

Figure 16.   Déplacement temporaire du seuil acoustique en fonction des temps d'exposition
à des bruits à large bande

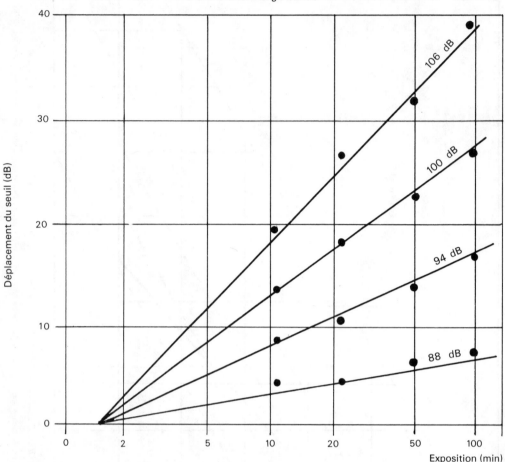

Source: A. Glorig, W. D. Ward et J. Nixon: «Damage risk criteria and noise-induced hearing loss», *Archives of otolaryngology* (Chicago (Illinois)), vol. 74, 1961, p. 213. Copyright 1961, American Medical Association.

creuser les fondations de lourdes machines, les marteaux-rivoirs, les marteaux-pilons ou les grosses presses, sont particulièrement gênants. De nombreuses expériences ont démontré qu'une réduction du bruit de fond s'accompagne d'une diminution notable des erreurs et d'une amélioration sensible de la production.

La méthode la plus efficace de lutte contre le bruit consiste à le réduire à la source, par exemple en remplaçant les machines ou les installations bruyantes par d'autres qui le sont moins. Pour cela — et il en est toujours ainsi lorsqu'il s'agit d'action préventive — les mesures nécessaires doivent intervenir au stade de la définition du processus de production, de la construction du bâtiment ou de l'achat de l'équipement (tableaux 5 et 6). On accordera une attention particulière aux installations de ventilation car, dans de nombreux ateliers, le souci que l'on a depuis peu de prévenir la pollution de l'air sur les lieux de travail a conduit à l'installation de dispositifs de ventilation dont le fonctionnement, avant même que les machines de production ne soient mises en marche, porte le bruit de fond à 85-90 dB et plus. La deuxième méthode consiste à empêcher ou à réduire la transmission du bruit en interposant des

*Tableau 5. Calcul du niveau de bruit résultant de la superposition
d'une nouvelle source de bruit de fond à un bruit préexistant*

Différence en dB entre les deux niveaux de bruit	Augmentation en dB du niveau sonore le plus élevé
0	3
1	2,8
2	2,1
3	1,8
4	1,5
5	1,2
6	1,0
7	0,8
8	0,6
9	0,5
10	0,4

*Tableau 6. Calcul du niveau de bruit obtenu en éliminant du fond sonore
une source de bruit*

Différence en dB entre les deux niveaux de bruit	Diminution en dB du niveau sonore le plus élevé
1	7,0
2	4,4
3	3,0
4	2,2
5	1,8
6	1,3
7	1,0
8	0,8
9	0,6
10	0,5

écrans absorbants entre la source de bruit et le travailleur, en insonorisant les éléments de construction susceptibles de provoquer des résonances secondaires ou encore en isolant la source de bruit dans un local distinct ou dans une enceinte bien insonorisée (cela peut entraîner également l'aménagement des fondations pour prévenir la transmission des vibrations par le sol). Lorsque ces mesures ne sont pas applicables ou ne sont pas assez efficaces, il peut être nécessaire de fournir aux travailleurs des cabines insonorisées (ventilées, ou climatisées si cela est nécessaire) d'où ils peuvent commander les machines et exécuter leur tâche sans avoir à pénétrer dans le milieu bruyant, sauf pour de courtes périodes. Lorsque les travailleurs sont systématiquement exposés à un niveau sonore de 90 dB (A) pendant huit heures de travail, la durée de l'exposition au bruit doit être réduite et ramenée aux limites acceptables (tableau 7).

La protection individuelle, dont la forme la plus simple consiste en des tampons d'oreille en laine de verre ou en mousse plastique, peut réduire d'au moins 15 à 20 dB l'exposition aux fréquences dangereuses, mais elle n'est pas toujours bien

63

Tableau 7. Durée de l'exposition au bruit continu à ne pas dépasser pour éviter la surdité professionnelle chez la majorité des travailleurs

Durée journalière du bruit en heures	Niveau du bruit en dB(A) (mesuré en constante lente)
16	80
8	85
4	90
2	95
1	100
½	105
¼	110
⅛	115

Source: American Conference of Governmental Industrial Hygienists (ACGIH): *Threshold limit values for chemical substances and physical agents in the workroom environment adopted by the ACGIH for 1977* (Cincinnati (Ohio)).

acceptée par les travailleurs. Elle ne doit être considérée que comme un remède provisoire, en attendant que le lieu de travail soit réaménagé de façon permanente ou parce que des conditions exceptionnelles la rendent temporairement indispensable. Les travailleurs doivent être informés de la nature des risques inhérents à l'exposition au bruit et des moyens de protection nécessaires (y compris les méthodes de travail qui limitent bruit et l'exécution des travaux bruyants à des heures déterminés). Etant donné le caractère particulièrement insidieux de la surdité professionnelle (qui peut passer inaperçue pendant longtemps car elle n'affecte la perception des fréquences sonores de la voix humaine que lorsqu'elle atteint un stade avancé), il convient de répéter périodiquement ces avertissements. Tous les travailleurs exposés de façon systématique à des niveaux sonores dépassant la cote d'alerte devraient être soumis périodiquement à un examen audiométrique.

VIBRATIONS

Bien que le nombre des travailleurs exposés à des vibrations préjudiciables à leur santé soit limité, il ne faut pas négliger leur protection. La meilleure prévention consiste en des méthodes d'organisation du travail et en des moyens techniques qui permettent, avec une bonne mise en œuvre, d'éviter toute atteinte à la santé.

9. Conditions climatiques

Pour maintenir la productivité à un niveau constant, il faut veiller à ce que les conditions climatiques sur les lieux de travail ne constituent pas un fardeau supplémentaire pour le travailleur; c'est également un facteur de sauvegarde de la santé et du confort du travailleur. Les membres de la première mission de productivité du BIT en Inde ont rapporté que, dans quelques-unes des usines visitées, rien ou presque rien n'avait été fait pour lutter contre les effets de la chaleur, de sorte que les travailleurs devaient sortir à l'air frais pour atténuer les effets de «conditions de travail insupportables», ce qui entraînait des pertes de temps considérables.

On sait que le corps humain doit maintenir constante la température du système nerveux central et des organes; pour conserver son équilibre thermique, il

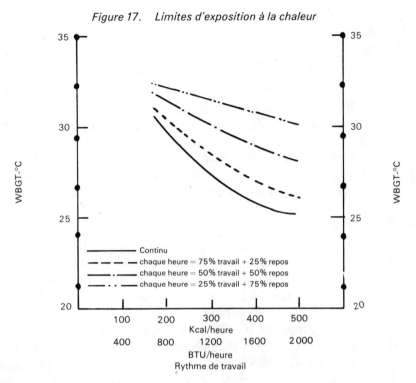

Figure 17. Limites d'exposition à la chaleur

Source: ACGIH, *op. cit.*

opère des échanges continuels de chaleur avec le milieu ambiant. L'ampleur de ces échanges dépend, d'une part, du métabolisme du corps et, d'autre part, de la température ambiante, de la ventilation, de l'humidité et de la chaleur radiante. L'activité physique peut décupler l'activité métabolique observée chez un sujet au repos. Par conséquent, dans des conditions climatiques normales, l'organisme doit, pour éviter un échauffement excessif (qui tôt ou tard serait mortel), dissiper la chaleur qu'il produit continuellement. Ce processus de dissipation s'accélère si l'individu travaille et il s'intensifie encore si l'organisme absorbe de la chaleur provenant d'un milieu ambiant à température élevée.

Dans tous les cas, il est essentiel de considérer la charge thermique par rapport à la dépense énergétique exigée par le travail parce que c'est à l'ensemble de ces facteurs de contrainte que l'organisme doit faire face. Plus les conditions climatiques sont pénibles, plus les pauses devraient être longues (fig. 17).

TEMPÉRATURES ÉLEVÉES

Lorsque la température du milieu de travail est élevée, l'organisme ne dispose pour ainsi dire que d'un seul moyen pour dissiper la chaleur: l'évaporation de la transpiration. Cette évaporation est plus intense et, partant, plus efficace et plus rafraîchissante lorsque la ventilation la facilite; elle l'est moins si le degré hygrométrique de l'air est élevé. Ainsi, les conditions climatiques les plus difficiles à supporter pour les travailleurs sont celles que l'on trouve dans les exploitations minières à grande profondeur, dans les ateliers de filature et de tissage des pays chauds, dans les sucreries et, en général, dans tous les travaux entraînant une exposition à la chaleur humide, tout spécialement dans les pays à climat tropical. Mais on peut fort bien rencontrer des conditions de travail très défavorables dans des climats secs de type désertique, lorsque la chaleur radiante s'ajoute à la température élevée de l'air, par exemple dans les usines sidérurgiques, les fonderies, les verreries, etc.

Etant donné la difficulté qu'il y a à évaluer des conditions définies par quatre paramètres (température de l'air, ventilation, humidité, chaleur radiante) qui varient indépendamment les uns des autres, on a recours à plusieurs indices de stress thermiques, le plus courant étant l'indice de la température du thermomètre à ampoule mouillée ou indice WBGT *(wet bulb globe temperature)*. La prévention peut revêtir diverses modalités : par exemple mesures techniques et mesures d'organisation du travail qui, si elles interviennent au niveau voulu, peuvent éviter toute atteinte à la santé.

BASSES TEMPÉRATURES

Le travail à basse température est plus fréquent que dans le passé, mais les médecins du travail ne le connaissent pas encore aussi bien que le travail à température élevée. Dans les locaux frigorifiques, les travailleurs doivent être bien protégés contre le froid par des vêtements et des chaussures appropriés et l'exposition au froid doit alterner avec des périodes à température normale ; en outre, les travailleurs seront protégés contre la déshydratation par l'ingestion fréquente de boissons chaudes. S'il s'agit de travail dans des locaux non chauffés, les techniques modernes peuvent fournir des moyens de chauffage localisés, tels que les radiateurs à infrarouges dirigés sur les travailleurs, qui permettent de prolonger la durée d'exposition sans effet nocif sur la santé et sans baisse de rendement trop marquée. Dans le cas de travaux en plein air, les réglementations nationales exigent en général l'installation de toits ou autres abris pour la protection contre les intempéries.

HUMIDITÉ

Nous avons déjà vu que des degrés hygrométriques élevés sont mal tolérés aux hautes températures, surtout lorsque la charge de travail est importante. On estime que la température indiquée par le thermomètre à ampoule mouillée ne devrait pas dépasser 21 °C sur les lieux de travail. Il est très difficile de respecter cette limite dans les pays chauds, lorsque le procédé de fabrication exige (comme dans l'industrie textile) un degré hygrométrique élevé ou dégage de grandes quantités de vapeur (comme dans les blanchisseries, les conserveries et certains ateliers chimiques). Dans le premier cas, il faut réduire la température par la ventilation ; dans le deuxième, il est indispensable d'évacuer la vapeur.

L'humidité excessive est également mal tolérée lorsqu'elle est combinée aux basses températures ; le degré hygrométrique devrait être maintenu entre 40 et 70 pour cent. La sécheresse excessive de l'air peut être une cause de maladies des voies respiratoires ; il faut donc l'éviter, notamment en hiver, dans les locaux surchauffés.

LA TEMPÉRATURE DES LOCAUX DE TRAVAIL

Etant donné la complexité des facteurs physiques qui déterminent la façon dont un travailleur apprécie le climat ambiant et étant donné le rôle des dépenses énergétiques et des facteurs individuels tels que l'alimentation, les habitudes de chacun, l'âge, le sexe et l'habillement, il serait vain de vouloir assurer le bien-être thermique de l'ensemble des travailleurs (par bien-être thermique, on entend une situation telle que les travailleurs n'ont besoin ni d'air plus frais ni d'air plus chaud). L'expérience montre que, parmi les personnes qui travaillent dans un même atelier, certaines voudraient plus d'air, d'autres moins; certaines ont froid tandis que d'autres se trouvent bien. On constate souvent qu'il y a dans un même atelier une raison objective majeure à ces différences; en effet, les tâches auxquelles les travailleurs sont affectés exigent des efforts physiques d'intensité très variable. Les températures ambiantes suivantes ont été recommandées pour divers types de travaux:

	°C
Travail sédentaire	20-22
Travail physique léger en position assise	19-20
Travail léger en position debout (par exemple sur machines-outils)	17-18
Travail moyen en position debout (par exemple montage)	16-17
Travail de force en position debout (par exemple forage)	14-16

Il convient d'agencer les locaux et la disposition des postes de travail de façon à réaliser la plus grande uniformité dans la dépense énergétique des personnes qui travaillent dans le même local, afin d'assurer des conditions climatiques optimales à la majorité des travailleurs, compte tenu de l'influence du bien-être thermique sur la productivité, notamment lorsqu'il s'agit de travail intellectuel.

VENTILATION

Le cubage des locaux de travail ne peut jamais être tel que la ventilation soit superflue, car la ventilation est le paramètre dynamique qui complète la notion de cubage: à nombre égal de travailleurs, la ventilation doit être d'autant plus poussée que le local est petit.

Il ne faut pas confondre la ventilation avec la circulation de l'air: la première remplace l'air vicié par de l'air frais, la seconde consiste uniquement à le déplacer sans le renouveler. Si la température et l'humidité ambiantes sont élevées, une simple circulation de l'air n'est pas seulement inutile mais, au-delà de certaines limites, elle augmente l'absorption de chaleur par convection; et pourtant, aujourd'hui encore, on trouve des locaux de travail à température élevée où sont installés de simples ventilateurs hélicoïdaux qui brassent l'air sans le renouveler.

La ventilation des locaux de travail a pour effet:

☐ de disperser la chaleur produite par les machines et par les hommes au travail (le rendement mécanique du travail est généralement de l'ordre de 20 pour cent de l'énergie employée, les 80 pour cent restants se transformant en chaleur); pour cette raison, là où il y a une forte concentration de machines ou de travailleurs, la ventilation doit être intensifiée;

☐ de disperser les polluants atmosphériques; on peut facilement calculer l'intensité de la ventilation nécessaire en fonction de la quantité de substances libérées dans l'atmosphère et des limites maxima de concentration à respecter;

☐ de maintenir la sensation de fraîcheur de l'air.

En somme, une ventilation adéquate doit être considérée comme un des facteurs importants de maintien de la santé et de la productivité des travailleurs.

Dans les locaux de travail, il existe toujours un minimum de ventilation, sauf dans les espaces confinés; toutefois, pour assurer le débit nécessaire (qui ne devrait pas être inférieur à 50 m³ d'air par heure et par travailleur), on compte en général de 4 à 8 renouvellements de l'air par heure pour les bureaux et les locaux de travail sédentaire et de 8 à 12 pour les ateliers; ce rythme peut s'élever à 15 à 30 renouvellements de l'air et même davantage pour les lieux publics et lorsque le degré de pollution de l'air est élevé ou que l'atmosphère est très humide.

La vitesse de déplacement de l'air, dans les locaux de travail ventilés, devrait être adaptée à la température de l'air et à la dépense énergétique: pour une activité sédentaire, elle ne devrait pas dépasser 0,2 mètre par seconde mais, s'il fait chaud, la vitesse optimale se situera entre 0,5 et 1 mètre par seconde. Elle sera supérieure si le travail est pénible. Certains travaux à haute température sont rendus supportables en dirigeant un courant d'air frais sur le travailleur. La ventilation, bien utilisée, est l'un des moyens techniques les plus importants pour rendre tolérables certaines conditions de travail extrêmement pénibles que l'on rencontre dans les exploitations minières à grande profondeur et dans les pays à climat tropical, c'est-à-dire partout où degré hygrométrique élevé et haute température de l'air vont de pair.

La ventilation naturelle, que l'on obtient en ouvrant des fenêtres et d'autres orifices d'évacuation dans le toit ou les parois donne des débits d'air très importants, mais elle n'est guère utilisable que si le climat est assez doux. L'efficacité de cette ventilation dépend en grande partie des conditions extérieures, qui, en général, varient considérablement. C'est souvent lorsque la ventilation est le plus nécessaire que la ventilation naturelle est le moins efficace; en outre, elle est assez difficile à régler. D'autre part, pour qu'elle soit efficace, il faut que les orifices d'évacuation soient bien placés et soient de dimensions suffisantes, surtout dans les pays chauds où l'on constate trop souvent que les évents sont trop petits.

Lorsque la ventilation naturelle ne suffit pas, il faut recourir à la ventilation artificielle. On peut alors utiliser, soit un système d'évacuation de l'air de l'atelier, soit un système de soufflage d'air extérieur, soit une combinaison des deux. La ventilation par soufflerie, ou par soufflage et évacuation d'air combinés, est celle qui permet le meilleur réglage du mouvement de l'air. La plupart des systèmes de ventilation par soufflerie servent à la fois à chauffer et à ventiler les locaux, et, lorsque l'atmosphère est trop chaude, on peut s'en servir pour la rafraîchir. Cependant, le soufflage entraîne à la longue l'empoussiérage des locaux et salit les surfaces libres et les ampoules électriques; en présence de vapeurs inflammables ou explosives, il est dangereux. Partout où il y a des émanations importantes de gaz, de vapeurs, de brouillards, de fumées ou de poussières, il est préférable de recourir à la ventilation par évacuation, que favorisent les mouvements aérothermiques de l'air réchauffé et qui évite la dispersion des polluants dans les locaux voisins.

Lorsque la ventilation générale ne suffit pas, il faut recourir à la ventilation locale par aspiration au moyen de hottes et autres dispositifs qui seront conçus selon les exigences de chaque cas. Pour cela, il faut déterminer la densité du polluant par rapport à l'air afin de décider si l'aspiration se fera par le haut ou par le bas. La substance évacuée n'est jamais pure mais mélangée en proportions variables avec l'air et c'est la densité de ce mélange qu'il faut prendre en considération; l'essentiel est que l'air évacué ne passe pas dans la zone de respiration du travailleur. Il est souhaitable que les installations d'aspiration soient construites en matériaux résistant à la corrosion et incombustibles, étant donné l'action corrosive de certains polluants et le risque d'incendie ou d'explosion que présentent certaines poussières organiques ou métalliques, les vapeurs de solvants et autres substances volatiles; le coût additionnel d'installation sera toujours inférieur à celui des accidents qui pourraient se produire et du remplacement répété des tuyauteries.

10. Tests d'exposition

La protection de la santé des travailleurs contre les substances toxiques devrait associer le contrôle du milieu de travail par la méthode des limites d'exposition à la surveillance médicale complétée par des tests d'exposition. Des tests de ce genre ont été établis pour certains risques professionnels (plomb, benzène, toluène, mercure, sulfure de carbone, monoxyde de carbone, certains insecticides organophosphorés, cadmium, etc.); ils permettent de contrôler le degré d'exposition d'un travailleur avant même qu'il soit possible de déceler les premiers symptômes cliniques par un examen médical classique, aussi spécialisé soit-il. Ils ont donc une grande valeur préventive. Malheureusement, la plupart de ces tests nécessitent un équipement assez complexe et un personnel spécialisé et expérimenté que l'on ne trouve pas facilement dans un pays en voie de développement. Dans ces pays et, en général, dans toutes les petites entreprises, il faut choisir les méthodes de protection à la fois les plus efficaces et les moins coûteuses. Le contrôle du milieu permet de protéger la majorité des travailleurs, sans que l'on puisse toutefois garantir la protection absolue de toutes les personnes exposées; d'autre part, il est relativement peu coûteux. La surveillance médicale est plus efficace lorsqu'il s'agit d'une population exposée non seulement aux risques professionnels mais aussi aux maladies endémiques, aux infections, aux parasitoses et à la malnutrition, comme cela est fréquent dans les pays en voie de développement. Mais, dans ce cas, la prévention spécifique des risques professionnels est négligée, d'une part parce qu'elle prend énormément de temps au médecin et, d'autre part, en raison du manque de moyens et de connaissances.

Dans les pays plus développés, on peut rencontrer des résistances aux contrôles médicaux et aux tests d'exposition s'ils ne sont pas imposés par la loi ou prévus dans les conventions collectives. Ces tests sont encore assez coûteux; ils entraînent la perte d'un certain temps de travail et doivent être organisés avec soin. Là où l'autorité compétente est disposée à accorder des dérogations à l'obligation d'examens médicaux périodiques très fréquents à la condition que les tests d'exposition donnent des résultats satisfaisants, ces tests peuvent être très économiques, car ils coûtent toujours moins cher qu'un examen médical et ils ont une efficacité spécifique beaucoup plus grande. Dans ces conditions, les examens médicaux, tout en étant maintenus, seront moins fréquents.

Enfin, quelle que soit la méthode ou la combinaison de méthodes retenue en définitive, il est impensable que l'on veuille protéger la santé des travailleurs contre les risques professionnels sans tenir compte des observations des travailleurs eux-mêmes. Celles-ci ont une valeur particulière dans les cas d'exposition à des substances ayant des effets irritants ou sensibilisants.

11. L'équipement de protection individuelle

Contre certains risques professionnels graves, ni la prévention technique ni les dispositions administratives ne sauraient assurer un degré satisfaisant de protection. Il faut donc créer un troisième niveau de défense: l'équipement de protection individuelle. L'emploi de ce type de matériel se justifie dans des situations d'urgence telles qu'un accident grave, une fuite, un incendie, ou dans des circonstances exceptionnelles comme le travail à plusieurs dans un espace restreint. Dans d'autres cas, la fourniture de cet équipement et son entretien peuvent comporter des frais non négligeables et son utilisation peut se heurter à la résistance des travailleurs. Il est donc souhaitable que la question fasse l'objet d'une discussion préalable entre les représentants de la direction et ceux des travailleurs et que l'avis du comité d'hygiène et de sécurité, lorsqu'il en existe un, soit sollicité.

L'entreprise a l'obligation, s'il n'y a pas d'autres méthodes de protection efficace, de fournir suffisamment d'équipements de protection individuelle de qualité appropriée, d'apprendre aux travailleurs à s'en servir et de veiller à ce qu'ils soient employés. Le choix de l'équipement doit se faire avec l'aide de spécialistes, car des avis sont nécessaires quant à son efficacité et à ses propriétés ergonomiques, c'est-à-dire quant à son adaptation aux caractéristiques physiques et fonctionnelles du travailleur.

12. Notions d'ergonomie

On ne saurait analyser les effets de l'hygiène et de la sécurité sur la productivité sans évoquer l'ergonomie. Ce terme désigne un domaine qui s'est considérablement développé ces dernières années et dont les limites sont loin d'être nettes. Néanmoins, on peut qualifier d'«ergonomiques» des mesures qui dépassent le cadre de la simple protection de l'intégrité physique des travailleurs et qui visent à assurer le bien-être par la recherche des conditions de travail optimales et par l'utilisation la plus appropriée des caractéristiques physiques et des capacités physiologiques et psychiques des intéressés. La productivité n'est donc pas l'objet essentiel de l'ergonomie, mais elle en est généralement l'un des effets. Il s'agit notamment d'établir les conditions les plus confortables d'éclairage, d'ambiance et de niveau sonore, de réduire la charge physique du travail (en particulier aux hautes températures), d'améliorer la position de travail et de diminuer l'effort provoqué par certains mouvements, de faciliter l'exercice des fonctions psychosensorielles lors de la lecture des instruments de contrôle, de rendre plus aisée la manœuvre des leviers et des commandes des machines, de faire un meilleur usage des réflexes spontanés et des stéréotypes, d'éviter les efforts de mémoire inutiles, etc.

Nombre de mesures ergonomiques doivent intervenir lors de la conception du bâtiment, de l'appareillage ou de la machine, ou lors de la mise en place du matériel, car les modifications ultérieures sont, en général, moins efficaces et beaucoup plus coûteuses. L'utilisateur de machines devrait insérer dans les clauses du contrat conclu avec le fabricant l'obligation de respecter certaines normes ergonomiques. Le contrat devrait préciser l'emploi des couleurs de sécurité, des témoins lumineux et des instruments de commande qui devraient être conformes aux normes établies par l'Organisation internationale de normalisation et la Commission électrotechnique internationale,

Figure 18.   Conception ergonomique des dispositifs de signalisation

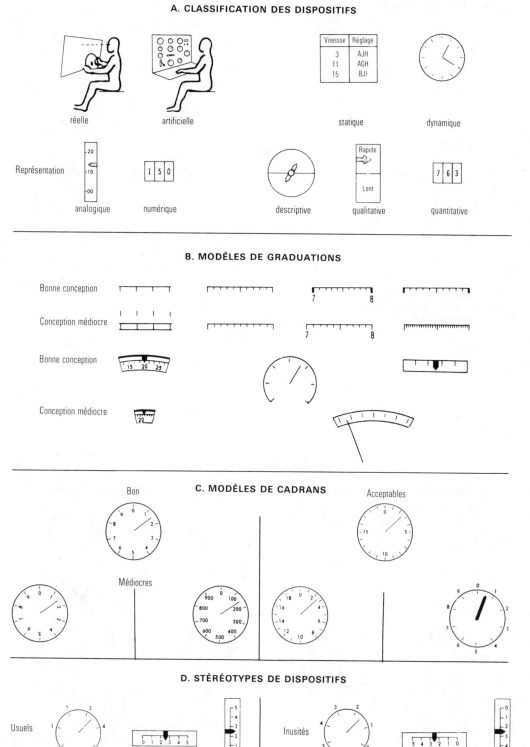

Source: W. T. Singleton: *Introduction à l'ergonomie* (Genève, Organisation mondiale de la santé, 1972), pp. 83-84.

71

Figure 19.   Conception ergonomique des commandes

A. TYPES DE COMMANDES

		Emploi	Exigences particulières dans la conception
Bouton-poussoir		Dans les installations où il faut choisir rapidement entre deux possibilités	Eviter les possibilités de dérapage du doigt et de manœuvre accidentelle
Interrupteur à bascule		A des fins bien déterminées et peu fréquentes, lorsqu'il suffit de choisir entre deux possibilités (en général: marche, interruption)	Eviter la nécessité d'une forte pression et les risques de bris d'ongle
Commutateur		Lorsque le nombre de possibilités est supérieur à 2 mais inférieur à 10	Afin que le mouvement du poignet reste raisonnable, limiter la rotation totale à moins de 180° et ne pas adopter une simple forme circulaire
Bouton circulaire		Réglages de variables continues	La taille de la commande étant essentiellement fonction de la résistance au déplacement, utiliser une forme circulaire à tranche cannelée
Manivelle		Manœuvres quand l'angle de rotation doit dépasser 360°	La poignée doit pouvoir tourner librement autour de son axe
Levier		Développement d'efforts moyens ou opérations bien définies	Identifier le zéro ou le point mort
Volant		Obtention de mouvements précis comportant des angles de rotation importants	Identifier certaines positions particulières. Prévoir une surface antidérapante

B. CRITÈRES APPLICABLES AU CHOIX DE L'EMPLACEMENT DES COMMANDES

ANATOMIQUES			
Choix du membre	Choix de l'articulation	Emploi	
		Force	Précision
Main	Epaule	Elevée	Faible
	Coude	Moyenne	Moyenne
	Poignet/doigt	Faible	Elevée
Pied	Cheville	Elevée	Faible
	Cuisse/genou	Maximale	Minimale

PSYCHOLOGIQUES	
Identification	Emplacement
	Taille
	Forme
	Couleur
	Légende
Discrimination	Ordre d'intervention
	Importance relative
	Fréquence d'emploi

C. IDENTIFICATION DES COMMANDES

MÉTHODE D'IDENTIFICATION	CAS D'APPLICATION
EMPLACEMENT EXEMPLE	De préférence à proximité de l'élément guidé (dispositif mécanique ou cadran), à condition que l'accès soit assez facile et qu'une vitesse élevée ne soit pas indispensable
TAILLE	Taille proportionnée à la fréquence d'emploi de la commande (p. ex. barre d'espacement d'une machine à écrire) et à la force exercée. La dimension de la commande doit varier dans le même sens que la force
FORME	La diversité de forme est utile lorsque l'opérateur doit manœuvrer les commandes sans les regarder
COULEUR	Le recours aux couleurs n'est intéressant qu'accessoirement ou pour attirer l'attention; il n'est vraiment utile que si les commandes réunies sont nombreuses. Même dans ce cas, il faut se limiter à cinq couleurs
LÉGENDE Secteur Secours	Indication accessoire utile, qui ne doit pas se trouver masquée lorsque l'opérateur actionne la commande

D. STÉRÉOTYPES DE COMMANDES

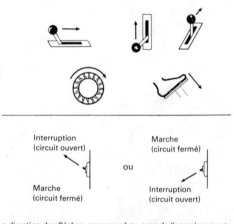

Interruption (circuit ouvert)

Marche (circuit fermé)

Marche (circuit fermé)

ou

Interruption (circuit ouvert)

La direction des flèches correspond au sens de l'accroissement.

La position standard de l'interrupteur correspondant à «marche» ou «interruption» diffère suivant le pays.

Source: W. T. Singleton, *op. cit.*, pp. 73-74.

Figure 20.   Utilisation optimale de l'effort physique

A. EXEMPLES DE RÉPARTITION DU POIDS

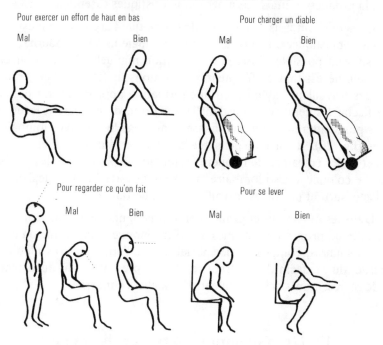

Pour exercer un effort de haut en bas

Mal   Bien

Pour charger un diable

Mal   Bien

Pour regarder ce qu'on fait

Mal   Bien

Pour se lever

Mal   Bien

B. LEVAGE ET TRANSPORT DE CHARGES

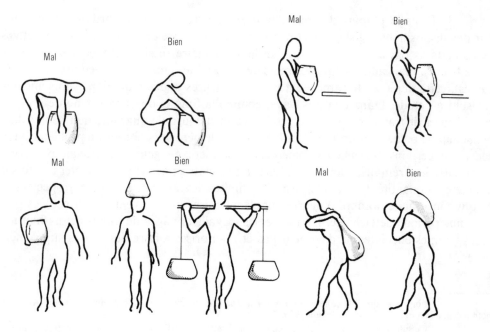

Mal   Bien

Mal   Bien

Mal   Bien

Mal   Bien

en particulier pour tout ce qui concerne les tableaux de signalisation et les cadrans (fig. 18 et 19)[1]. D'autre part, il faudrait se préoccuper non seulement des questions intéressant la production mais aussi des caractéristiques essentielles de l'entretien.

Ce serait toutefois une erreur de croire que l'ergonomie n'est qu'un ensemble d'actions sophistiquées, réservées à la technologie la plus moderne; des améliorations sont souvent possibles dans la manutention manuelle. D'une manière générale, pour un travail nécessitant de fréquentes opérations de levage, il est recommandé de recourir à des travailleurs ayant reçu une formation appropriée. La bonne technique consiste à fléchir les genoux en gardant le dos droit, de manière à lever la charge en utilisant les puissants muscles de la cuisse et non pas les muscles lombaires, qui sont plus faibles (fig. 20). Il est indispensable d'enseigner aux travailleurs les techniques cinétiques et de les entraîner de manière systématique pour éviter les lombalgies et les lésions de la colonne dorso-lombaire qui sont une des causes les plus fréquentes d'absentéisme, surtout parmi les travailleurs d'un certain âge.

Dans les moyennes et grandes entreprises, une technique éprouvée consiste, pour introduire un programme de mesures d'ergonomie, à créer une ou plusieurs équipes interdisciplinaires, composées de spécialistes de l'étude du travail, d'un spécialiste de la sécurité, du médecin de l'entreprise, d'un représentant du département du personnel et de représentants des travailleurs des ateliers concernés.

13. L'organisation du temps de travail[2]

LA DURÉE DU TRAVAIL

Dans la plupart des pays, la durée du travail est aujourd'hui réglementée par des dispositions législatives et négociée dans le cadre des conventions collectives. Dans certains pays, la durée du travail hebdomadaire se situe aux environs de quarante heures, mais ailleurs (par exemple dans certaines entreprises suédoises et américaines), cette durée a été ramenée à trente-six heures et des réductions supplémentaires sont à l'étude. Dans d'autres pays, comme la Suisse, on dépasse encore les quarante heures de travail par semaine, et l'on va même jusqu'à quarante-huit heures dans beaucoup de petites entreprises. Les heures supplémentaires posent un problème en ce sens que certains travailleurs acceptent volontiers ce genre de travail par souci d'accroître leur rémunération. Or, à long terme, cette pratique peut affecter à la fois la qualité et la quantité du travail fourni. Des limites devraient être fixées et respectées en ce qui concerne le nombre d'heures supplémentaires qui peuvent être effectuées pendant une période déterminée. De même, les travailleurs âgés de moins de dix-huit ans et les femmes enceintes ne devraient pas être autorisés à faire des heures supplémentaires.

---

[1] Pour la France, on se référera aux normes de l'Association française de normalisation (AFNOR), notamment à la norme NFC 20070 de juin 1977.

[2] Ce sujet est traité plus en détail dans les publications du BIT ci-après: *Hours of work in industrialised countries*, par A. A. Evans (Genève, 1975); *L'horaire variable*, par H. Allenspach (Genève, 1978); *Le travail par équipes. Avantages économiques et coûts sociaux*, par M. Maurice (Genève, 1976); *L'aménagement du temps de travail. Le facteur temps dans le nouveau concept des conditions de travail*, par D. Marić (Genève, 1977); *Management of working time in industrialised countries* (Genève, 1978).

LES PAUSES

Il y a seulement une trentaine d'années, rares étaient les entreprises qui reconnaissaient la nécessité des pauses au cours de la journée de travail. Bien que, d'une manière générale, les progrès techniques de ces dernières années aient rendu de nombreux travaux physiques moins pénibles, ils ont souvent augmenté la charge psychologique en accélérant le rythme de travail et en supprimant le temps de préparation. Ces changements ont donc rendu nécessaire l'introduction de pauses au cours des huit heures de travail afin de dissiper la fatigue et de reconstituer l'énergie physique et nerveuse des travailleurs. Durant ces pauses, le travailleur de force devra pouvoir s'arrêter, s'asseoir et, si possible, s'étendre; le travailleur intellectuel devra pouvoir bouger et même faire des excercices de gymnastique légère. Le temps consacré aux repas ne doit pas être considéré comme pause, non plus que les interruptions causées par des accidents.

LA JOURNÉE CONTINUE

La journée continue, qui ne comporte qu'une courte interruption du travail pour prendre un léger repas à midi, résulte d'un compromis entre les habitudes alimentaires et sociales et les nécessités nouvelles créées par l'industrialisation. Les travailleurs y trouvent un accroissement de leur temps libre et la diminution du nombre de trajets entre leur domicile et leur lieu de travail, d'où une diminution de la fatigue et du nombre d'accidents. Les employeurs obtiennent ainsi une hausse de la productivité par suite de la continuité de travail et de la satisfaction d'une revendication syndicale. Même lorsque la journée continue a rencontré des résistances (surtout chez les travailleurs âgés), ce régime de travail a été encouragé parce qu'il est dans l'intérêt aussi bien de l'entreprise que de la majorité des travailleurs.

L'ÉTALEMENT DES HORAIRES DE TRAVAIL

Les pays les plus industrialisés adoptent peu à peu l'étalement des horaires de travail. Les travailleurs apprécient généralement ce genre de système parce qu'il tend à réduire les encombrements routiers et ferroviaires aux heures de pointe, et permet aux travailleurs de faire leurs achats et d'utiliser les services administratifs publics pendant la semaine sans demander une autorisation spéciale à leurs employeurs. En outre, il accroît les échanges et les contacts sociaux. Il est cependant difficile d'introduire et d'organiser l'étalement des horaires du personnel dans le cas du travail à la chaîne ou des processus de production continue. Avant d'adopter un tel système, tous les intéressés, notamment les représentants des travailleurs, doivent se réunir pour en étudier soigneusement toutes les implications.

L'HORAIRE VARIABLE

Un changement capital dans l'aménagement du temps de travail a été apporté par l'adoption de l'horaire libre ou variable ou «à la carte», qui vient de faire ses preuves dans certains pays européens. Le système, dont il existe déjà plusieurs formules selon le degré de souplesse, permet au travailleur de choisir l'heure du début et de la fin de sa journée de travail, à condition qu'il observe, en général, un temps de présence obligatoire et accomplisse un certain nombre d'heures de travail par jour, par mois, ou même sur une période plus longue. Il est difficile d'appliquer l'horaire variable lorsque le travail s'effectue en continu ou en semi-continu et que la production est articulée en un certain nombre d'opérations très fragmentées. Mais il se prête particulièrement bien au secteur tertiaire, où les travailleurs en sont très satisfaits, car il leur permet de personnaliser leur emploi du temps selon leur manière de vivre ou leur rythme de travail individuel ou collectif. Lorsqu'il peut être introduit sans causer trop de frictions entre les différentes catégories de travailleurs ni trop de résistance de la part de certains échelons de la hiérarchie industrielle, souvent hostiles à toute nouveauté, l'horaire variable peut aider les entreprises à résoudre certains problèmes de main-d'œuvre et de gestion, tout comme il peut faciliter l'emploi des femmes mariées.

LE TRAVAIL PAR ÉQUIPES OU TRAVAIL POSTÉ

Le travail par équipes se pratique couramment dans plusieurs industries, en particulier pour certaines opérations telles que le raffinage du pétrole, la production continue de l'acier, etc. Le travail par équipes peut revêtir l'une des trois formes suivantes :

a) deux postes de huit heures chacun (communément appelés les 2 × 8) avec une interruption du travail à la fin de la journée et de la semaine ;

b) trois postes de huit heures chacun (ou les 3 × 8) avec une interruption à la fin de la semaine ; ou

c) opérations continues sans arrêts du travail, même le dimanche et les jours fériés. Ce système exige plus de trois postes (les 4 × 8 ou les 5 × 8).

Les travailleurs par équipes peuvent rester dans le même poste, ou alterner. Le travail par équipes peut affecter la santé des travailleurs, en particulier dans le cas d'opérations absolument continues où le passage d'un poste à un autre peut causer à certains travailleurs des troubles nerveux, digestifs ou circulatoires. Ceux qui travaillent d'une façon permanente ou occasionnelle en équipe de nuit devraient donc subir des examens médicaux périodiques. Afin d'atténuer les autres inconvénients du travail par équipes, par exemple ceux qui touchent à la vie familiale et sociale des travailleurs concernés, il faudrait, dans toute la mesure possible, prévoir des compensations. Celles-ci consisteraient en une meilleure répartition du travail entre les équipes, une réduction du temps de travail, des périodes de repos supplémentaires, la limitation du temps passé à travailler par équipes et de meilleures conditions d'alimentation, de transport et de logement.

Deuxième partie
Etude des méthodes

Chapitre 7

Introduction à l'étude des méthodes et choix des travaux à étudier

1. Définition et objet de l'étude des méthodes de travail

Nous avons déjà défini l'étude des méthodes au chapitre 4, mais il n'est pas inutile de répéter cette définition au début de la partie de ce volume qui lui est consacrée.

> **L'étude des méthodes consiste à enregistrer et à examiner, de façon critique et systématique, les méthodes existantes et envisagées d'exécution d'un travail, afin de mettre au point et de faire appliquer des méthodes d'exécution plus commodes et plus efficaces et de diminer les coûts**

L'expression «étude des méthodes» tend de plus en plus à remplacer «étude des mouvements», bien que, dans l'esprit de son auteur, Frank B. Gilbreth, ces derniers termes dussent embrasser presque exactement le même domaine. L'*Industrial engineering terminology,* publiée par la Société américaine des ingénieurs mécaniciens, donne des définitions distinctes pour «étude des méthodes» et «étude des mouvements», la dernière se limitant aux mouvements des mains et des yeux sur le lieu de travail. Cependant, on rencontre parfois dans les manuels l'expression «étude des mouvements» utilisée dans le même sens que «étude des méthodes».

L'étude des méthodes a pour objet:

☐ d'améliorer les procédés et méthodes d'exécution;

☐ d'améliorer l'implantation des usines, ateliers et postes de travail et la conception des installations et du matériel;

☐ d'économiser l'effort humain et de diminuer toute fatigue inutile;

☐   d'améliorer l'utilisation des matières, des machines et de la main-d'œuvre;

☐   de créer des conditions matérielles de travail favorables.

Les techniques de l'étude des méthodes sont nombreuses et variées et permettent de s'attaquer à des problèmes de toute sorte, des plus infimes mouvements de travailleurs effectuant un travail de répétition à l'implantation d'usines entières. Mais, dans tous les cas, la méthode fondamentale est la même et doit être scrupuleusement suivie.

2. Méthode fondamentale

L'étude de tout problème doit se faire suivant un ordre d'analyse bien défini. Cet ordre peut être résumé comme suit:

1. *DÉFINIR* le problème.

2. *RASSEMBLER* toutes les données de fait pertinentes.

3. *EXAMINER* les données avec un esprit critique, mais impartial.

4. *CONSIDÉRER* les différentes solutions possibles et choisir celle qui sera suivie.

5. *AGIR* selon la décision prise.

6. *SUIVRE* l'application de la décision.

Nous avons déjà vu quelle est la méthode fondamentale de l'étude du travail dans son ensemble, qui embrasse à la fois l'étude des méthodes et la mesure du travail. Examinons maintenant la technique fondamentale de l'étude des méthodes en définissant les différentes étapes à suivre:

☐ *CHOISIR*	le travail à étudier.
☐ *ENREGISTRER*	tous les faits intéressant la méthode présente **par une observation directe.**
☐ *EXAMINER*	ces faits avec un esprit critique, dans un ordre logique, et en se servant des techniques les mieux appropriées.
☐ *METTRE AU POINT*	la méthode la plus pratique, la plus économique et la plus efficace, compte tenu de tous les éléments de la situation.
☐ *DÉFINIR*	la nouvelle méthode afin qu'on puisse toujours la reconnaître.
☐ *FAIRE ADOPTER*	cette méthode comme méthode normale.
☐ *SURVEILLER*	l'application de la méthode adoptée par des contrôles réguliers et systématiques.

Ce sont là les sept étapes indispensables de l'application de l'étude des méthodes; aucune d'elles ne peut être éludée. Le succès de l'étude dépend de l'observation stricte de l'ordre de ces différentes étapes, comme de leur contenu. La figure 21 en donne une représentation graphique.

Il **ne faut pas** déduire de la simplicité apparente de cette méthode fondamentale que l'étude des méthodes est une opération facile et par conséquent sans importance. Bien au contraire, l'étude des méthodes peut parfois être extrêmement complexe; si nous l'avons réduite à ces simples mesures, c'est pour en rendre la description plus facile et plus frappante.

3. Choisir le travail à étudier

QUELQUES FACTEURS À PRENDRE EN CONSIDÉRATION

Lorsqu'un agent d'étude du travail cherche à déterminer si tel ou tel travail particulier devrait être soumis à l'étude des méthodes, il lui faut tenir compte de trois séries de considérations, qui sont les suivantes:

les considérations économiques;

les considérations techniques;

les réactions du personnel intéressé.

1. **Les considérations économiques.** — Elles sont et restent toujours d'une importance primordiale. C'est évidemment perdre son temps que d'entreprendre ou de poursuivre une longue étude si le travail en cause n'a qu'une importance économique insignifiante ou s'il doit être de courte durée. Il faut donc toujours commencer par se poser les questions suivantes: «Vaut-il la peine d'entreprendre une étude des méthodes au sujet de ce travail?» et «Vaut-il la peine de poursuivre l'étude?»

Les travaux dont le choix s'impose avec évidence dès le début sont:

les **goulets d'étranglement** qui bloquent la suite des opérations de production;

les **déplacements importants de matières** entre les ateliers, ou les opérations exigeant une main-d'œuvre considérable ou demandant des manutentions répétées de matières;

les **opérations comportant des travaux répétés,** faisant appel à une main-d'œuvre nombreuse, et susceptibles de durer longtemps.

2. **Les considérations techniques.** — Elles s'imposeront normalement d'elles-mêmes. Il importe tout particulièrement de s'entourer, lors de l'étude d'un travail, de toutes les compétences techniques nécessaires. Exemples:

a) chargement de poteries non cuites dans les fours: un changement de méthode pourra théoriquement élever la productivité du matériel et de la main-d'œuvre, mais il peut exister des raisons techniques s'y opposant. Il faut demander les conseils d'un expert en céramique;

81

Figure 21. L'étude des méthodes

(Figure reproduite et adaptée avec l'autorisation de l'Imperial Chemical Industries Ltd., Londres)

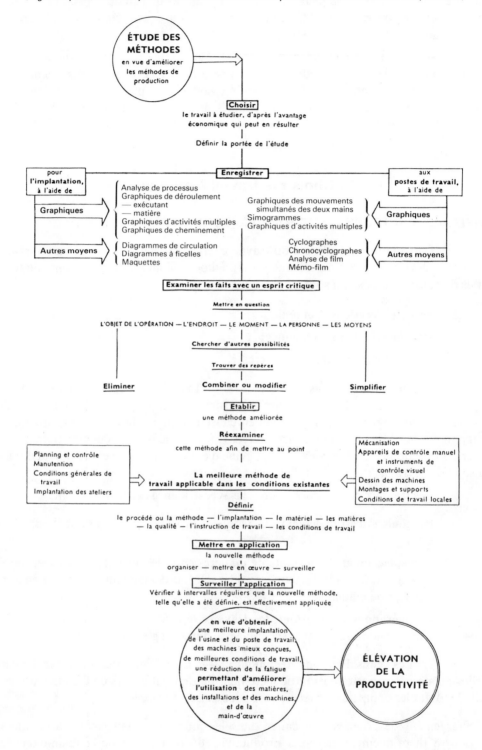

b) une machine-outil, qui provoque un goulet d'étranglement dans le circuit de production, tourne à une vitesse inférieure à la vitesse d'efficacité maximum des outils
de coupe dont elle est munie. Peut-on accélérer sa vitesse de marche, ou la machine
est-elle incapable de résister à une vitesse de coupe plus élevée? C'est au spécialiste
des machines de résoudre ce problème technique.

3. **Les réactions du personnel intéressé.** — Ce sont les éléments les plus
importants à prendre en considération, mais il faut s'attendre que les personnes directement touchées par les enquêtes et les changements de méthode réagissent plus ou
moins ouvertement. Une certaine connaissance de l'état d'esprit du personnel local,
des conditions locales et de ce qui a été mentionné sur ce point au chapitre 6 permet de
réduire les difficultés rencontrées sur ce plan. Il convient d'enseigner les principes
généraux et les véritables objectifs de l'étude des méthodes aux délégués syndicaux,
aux représentants des travailleurs et aux ouvriers eux-mêmes. Si, néanmoins, l'étude
d'un travail particulier paraît devoir causer de l'agitation ou un mauvais état d'esprit
chez les travailleurs intéressés, **il faut l'abandonner temporairement,** quelque intérêt
qu'elle semble présenter du point de vue économique. Si d'autres travaux font l'objet
d'études réussies et que chacun puisse voir par lui-même les avantages qu'en retirent
les travailleurs affectés à ces travaux, les préjugés tomberont et il deviendra possible,
au bout d'un certain temps, de revenir au choix initialement prévu.

CHAMP DES ÉTUDES

Les travaux ou opérations auxquels peut s'appliquer l'étude des méthodes,
dans une usine ou tout autre lieu de travail où des matières circulent et où sont exécutés des travaux manuels (y compris les travaux courants de bureau), sont infiniment
nombreux et variés. Le tableau 8 montre combien le choix est étendu, puisqu'il va
d'une très vaste enquête concernant la marche de toute une usine jusqu'à l'étude des
mouvements d'un seul travailleur. A côté de chaque type d'opération sont indiquées
les techniques à utiliser. Ces techniques seront décrites dans les chapitres suivants. Il
importe de noter qu'une seule et même enquête peut exiger l'emploi simultané de deux
ou de plusieurs techniques différentes ou même de toutes les techniques de l'étude des
méthodes.

Il y a avantage, pour faciliter le choix des travaux à étudier, à se munir
d'une liste-mémento normalisée. Ce système empêche d'oublier certains facteurs et
permet de comparer facilement l'intérêt que présentent les différentes opérations du
point de vue de l'application de l'étude des méthodes. La liste-mémento reproduite
ci-après à titre d'exemple[1] est assez complète, mais il y aura lieu de la modifier pour
l'adapter aux usages auxquels elle sera destinée.

1. Produit et opération.

2. Etude proposée par.

3. Motif.

4. Limites de l'étude.

---

[1] Cette liste est adaptée de la liste établie par Anne G. Shaw dans son livre *The purpose and practice
of motion study* (Buxton (Royaume-Uni), Columbine Press, 2ᵉ édition, 1960).

Tableau 8. Problèmes typiques se posant dans l'industrie et techniques applicables de l'étude des méthodes

Genre de problème	Exemples	Technique applicable
Processus complet de production	Fabrication d'un moteur électrique, de la réception des matières premières à l'expédition Transformation de filés en tissu, de la préparation à l'inspection Réception, empaquetage, mise en boîte et expédition de fruits	Graphique d'analyse de processus Graphique de déroulement Diagramme de circulation
Implantation de l'usine: mouvement des matières	Déplacement d'une culasse de moteur diesel en cours d'usinage Mouvement des grains entre les diverses opérations de mouture	Graphique d'analyse de processus Graphique de déroulement-matière Diagramme de circulation Graphique de cheminement Maquettes
Implantation de l'usine: mouvement des travailleurs	Ouvriers alimentant en bobines une machine à filer Cuisiniers préparant les repas dans la cuisine d'un restaurant	Graphique de déroulement-exécutant Diagramme à ficelles Graphique de cheminement
Manutention des matières	Emmagasinage et sortie des matières du magasin Chargement de produits finis sur des camions	Graphique de déroulement-matière Diagramme de circulation Diagramme à ficelles
Indication du poste de travail	Travaux légers d'assemblage sur établi Composition à la main	Graphique de déroulement-exécutant Graphique des mouvements simultanés des deux mains Graphique d'activités multiples Simogramme Cyclographe Chronocyclographe
Travail d'équipe ou conduite d'une machine-outil	Chaîne d'assemblage Conduite d'un tour semi-automatique	Graphique d'activités multiples Graphique de déroulement-matériel
Mouvements d'ouvriers au travail	Ouvrières effectuant un travail répétitif à cycle bref Opérations exigeant une grande dextérité	Film Analyse de film Simogramme Mémo-film Analyse des micromouvements

5. Données détaillées:

a) Quantité[1] produite ou manutentionnée par semaine.

b) Pourcentage (approximatif) de la quantité totale produite ou manutentionnée dans l'atelier ou l'usine.

c) Combien de temps le travail doit-il durer?

d) Son utilité est-elle appelée à diminuer ou à augmenter?

e) Nombre d'ouvriers affectés au travail:

    i) directement;

    ii) indirectement.

f) Nombre détaillé par classe et taux de salaire.

[1] Les matériaux volumineux sont mesurés en tonnes, kilogrammes, mètres, etc.

g) Production journalière moyenne par ouvrier (par équipe).

h) Quelle est la production journalière, par comparaison avec la production d'une courte période (d'une heure, par exemple)?

i) Mode de rémunération (travail en équipe, travail aux pièces, primes, salaires au temps, etc.).

j) Production journalière:

    i) du meilleur ouvrier;

    ii) du plus mauvais ouvrier.

k) Date de fixation des normes de production.

l) Le travail a-t-il des caractéristiques particulièrement désagréables ou dangereuses? Suscite-t-il le mécontentement des travailleurs? des cadres?

6. *Equipement:*

a) Coût approximatif des installations et du matériel.

b) Taux d'occupation actuel des machines[1].

7. *Implantation:*

a) L'espace alloué pour l'exécution du travail est-il suffisant?

b) Existe-t-il de la place supplémentaire disponible?

c) L'espace occupé pourrait-il être réduit?

8. *Produit:*

a) Y a-t-il des changements fréquents de modèle entraînant des modifications de fabrication?

b) Peut-on modifier le produit pour rendre la fabrication plus facile?

c) Quel minimum de qualité faut-il respecter?

d) Quand et comment le produit est-il contrôlé?

9. *Quelle économie ou quel accroissement de la productivité peut-il résulter d'une méthode améliorée?*

a) Réduction du «contenu de travail» du produit ou du procédé de fabrication.

b) Meilleure occupation des machines.

c) Meilleure utilisation de la main-d'œuvre.

(On peut évaluer l'économie ou l'accroissement envisagés en argent, en heures-homme, en heures-machine ou en pourcentage.)

      Le point 4 mérite quelques explications. Il est très important de fixer des limites précises à la portée de l'étude. L'application de l'étude des méthodes fait apparaître souvent de si grandes possibilités d'amélioration dans des domaines connexes que la tentation est forte de dépasser l'objectif immédiat qu'on s'est fixé. Il ne faut cependant pas lui céder; le cas échéant, les opérations pour lesquelles on aura découvert des possibilités d'amélioration devront être notées et faire l'objet d'une étude spéciale.

---

[1] Taux d'occupation d'une machine: rapport du temps de fonctionnement de la machine au temps-machine disponible.

Ce genre de liste-mémento épargnera aux agents d'étude du travail de se lancer d'emblée dans l'étude d'un petit travail d'établi, qui exigera une analyse détaillée des mouvements de l'ouvrier tout en ne faisant gagner que quelques maigres secondes par opération; bien entendu, les travaux de ce genre méritent qu'on les étudie s'ils sont effectués par un grand nombre d'ouvriers et que l'économie totale réalisée se traduise par une réduction sensible des prix de revient de l'usine. C'est perdre son temps que de s'attacher à récupérer ici ou là quelques secondes ou à éliminer quelques centimètres de mouvements inutiles lorsqu'une mauvaise implantation générale de l'usine ou la manutention d'objets lourds font gaspiller un temps ou des efforts considérables.

Il ne faut donc jamais oublier le conseil: «N'allez pas prendre une cuiller quand il faut une pelle mécanique.» Sous réserve des considérations indiquées ci-dessus, il faut s'attaquer tout d'abord à l'opération qui aura vraisemblablement l'effet le plus considérable sur la productivité de l'ensemble de l'entreprise.

Chapitre 8
Enregistrer, examiner, mettre au point

1. Enregistrer les données

Une fois choisi le travail à étudier, l'étape suivante de la méthode fondamentale consiste à **enregistrer toutes** les données de fait ayant trait à la méthode en cours. Le succès de toute l'étude dépend du soin apporté à l'enregistrement des données, car les faits relevés serviront de base à l'analyse critique du travail et à la mise au point de la méthode améliorée. Il est donc essentiel que l'enregistrement soit clair, bref et précis.

Le moyen le plus usuel d'enregistrer des données est tout simplement d'en prendre note par écrit. Malheureusement, ce moyen ne convient guère à l'enregistrement des opérations complexes qui sont si fréquentes dans l'industrie moderne. Il est tout à fait inadéquat lorsqu'on veut un enregistrement exact des moindres détails d'un procédé ou d'une opération. Décrire exactement les moindres phases, même pour un travail très simple exécuté en l'espace peut-être de quelques minutes, demanderait probablement plusieurs pages très denses, qui exigeraient du lecteur une étude attentive avant d'acquérir la certitude d'avoir tout saisi dans les moindres détails.

Pour vaincre cette difficulté, d'autres techniques ou «instruments» d'enregistrement ont été mis au point, de telle sorte qu'une information détaillée peut être enregistrée avec précision et en même temps sous une forme normalisée permettant aux agents de l'étude des méthodes de la comprendre immédiatement, quelle que soit l'usine ou le pays où ils sont à l'œuvre.

Parmi les techniques d'enregistrement, les plus couramment utilisées sont les **graphiques** et les **diagrammes.** On dispose de plusieurs types de graphiques normalisés, chacun ayant son propre objet spécifique. Ils seront décrits un peu plus loin dans le présent chapitre et dans les chapitres suivants. Pour l'instant, il suffit de noter que les graphiques existants se subdivisent en deux groupes:

a) ceux qui sont utilisés pour enregistrer la **séquence** d'un processus, c'est-à-dire une série d'événements **dans l'ordre où ils se produisent,** sans toutefois représenter les événements à l'échelle;

b) ceux qui enregistrent les événements, également dans une séquence, mais en utilisant une **échelle des temps,** de telle sorte qu'on puisse étudier plus facilement l'influence réciproque des événements liés entre eux.

Au chapitre précédent, le tableau 8 indique les noms des divers graphiques en face des types de travail auxquels ils conviennent le mieux. Ils sont repris dans le

*Tableau 9.   Les graphiques et les diagrammes les plus couramment utilisés
pour l'étude des méthodes*

A. *GRAPHIQUES*	indiquant la séquence d'un processus
	Graphique d'analyse de processus
	Graphique de déroulement-exécutant
	Graphique de déroulement-matière
	Graphique de déroulement-matériel
	Graphique des mouvements simultanés des deux mains
B. *GRAPHIQUES*	utilisant une échelle des temps
	Graphique d'activités multiples
	Simogramme
C. *DIAGRAMMES*	indiquant le mouvement
	Diagramme de circulation
	Diagramme à ficelles
	Cyclographe
	Chronocyclographe
	Graphique de cheminement

tableau 9, groupés comme indiqué ci-dessus. Le tableau 9 énumère également les types de **diagrammes** couramment utilisés.

Les diagrammes indiquent un mouvement plus clairement que les graphiques ne pourraient le faire. En général, ils ne donnent pas tous les renseignements enregistrés dans les graphiques, qu'ils complètent mais ne remplacent pas. On a pris l'habitude d'appeler «graphique de cheminement» l'un des diagrammes, mais il est classé parmi ces derniers, malgré le nom qu'on lui a donné.

SYMBOLES DU GRAPHIQUE D'ANALYSE DE PROCESSUS

L'enregistrement sur un graphique d'analyse des faits concernant un travail ou une opération est grandement facilité par l'emploi de cinq symboles classiques[1] qui suffisent pour représenter les différents types d'activités que l'on rencontrera probablement dans tout établissement industriel ou bureau. Constituant une sorte d'écriture sténographique très commode et comprise de tous, ces symboles évitent d'écrire une accumulation de mots et indiquent clairement ce qui se passe exactement dans la suite d'opérations que l'on enregistre.

Les deux principales activités d'un processus sont l'**opération** et le **contrôle,** qui sont représentés par les symboles suivants :

◯   *OPÉRATION*

> **Indique les étapes principales d'un processus, d'une méthode ou d'un circuit administratif. En général, la pièce, la matière ou le produit en cause est modifié ou changé au cours de l'opération**

---

[1] Les symboles utilisés dans le présent ouvrage sont ceux dont l'emploi a été recommandé par l'American Society of Mechanical Engineers (ASME).

Le symbole de l'opération vaut aussi, on le voit, pour l'établissement du graphique d'un circuit administratif (travaux de bureau, par exemple). Il y a opération lorsque des renseignements sont donnés ou reçus ou lorsqu'un travail de planning ou un calcul sont effectués.

CONTRÔLE

Indique le contrôle de la qualité et/ou la vérification de la quantité

La distinction entre ces deux activités est très claire :

Une **opération** fait toujours avancer la matière, la pièce ou le service vers son achèvement, soit par une modification de sa forme (cas d'une pièce usinée) ou de sa composition chimique (pendant un processus chimique), soit par une addition ou soustraction de matière (comme dans une opération d'assemblage). Une opération peut également être un travail de préparation en vue d'une activité qui contribue à l'achèvement du produit.

Un **contrôle** ne contribue pas directement à achever le produit. Il vise simplement à vérifier qu'une opération donnée a été exécutée correctement, du point de vue quantitatif ou qualitatif. Si les hommes n'étaient pas faillibles, la plupart des travaux d'inspection pourraient être éliminés.

Le plus souvent, ces deux symboles ne suffisent pas à fournir, d'un travail donné, un tableau suffisamment précis. Pour rendre le tableau plus détaillé, on utilise trois autres symboles :

TRANSPORT

Désigne le déplacement des ouvriers, des matières ou du matériel d'un endroit à un autre

Il y a **transport** lorsqu'un objet est changé de place, sauf si ce déplacement fait partie d'une opération ou est effectué par un travailleur, à son poste de travail, au cours d'une opération ou d'un contrôle. Nous utiliserons ce symbole, dans tout cet ouvrage, pour indiquer qu'un produit est placé sur un camion, sur un établi, dans une caisse de stockage, etc., ou retiré de ces endroits.

89

D STOCKAGE TEMPORAIRE OU ATTENTE

> **Désigne un retard dans une suite d'événements: par exemple, l'attente de travail entre des opérations consécutives ou le fait qu'un objet est mis temporairement de côté sans enregistrement en attendant que quelqu'un le demande**

Exemples: matières en cours de fabrication empilées sur le sol entre deux opérations; caisses en attente de déballage; pièces détachées attendant d'être placées dans des casiers de stockage ou lettres attendant d'être signées.

▽ MAGASINAGE PERMANENT

> **Désigne un magasinage contrôlé où une autorisation est requise pour que la matière puisse entrer au magasin ou en sortir; ou bien où un article est conservé aux fins de référence**

Il y a **magasinage** permanent lorsqu'un objet est conservé et protégé contre tout déplacement non justifié. La différence entre le magasinage permanent ou «stockage» et le «stockage temporaire ou attente» réside dans le fait qu'il faut généralement présenter un bon de réquisition ou une autre justification officielle pour faire sortir un article du magasin, alors que cela n'est pas nécessaire pour un article en stockage temporaire.

Dans cet ouvrage, pour simplifier, nous appellerons «attente» le **stockage temporaire ou attente** et «stockage» le **magasinage permanent.**

 Activités combinées. Lorsqu'on veut indiquer que plusieurs activités sont poursuivies en même temps ou par la même personne au même poste de travail, on combine les symboles de ces différentes activités. Exemple: un cercle inscrit dans un carré représente une opération combinée avec un contrôle.

LE GRAPHIQUE D'ANALYSE DE PROCESSUS

Il est souvent utile d'avoir une vue d'ensemble d'un processus ou d'une activité avant d'en aborder l'étude détaillée. Cette perspective d'ensemble est fournie par le **graphique d'analyse de processus.**

> **Un graphique d'analyse de processus est un graphique d'analyse qui donne une vue d'ensemble en indiquant seulement la suite des principales opérations et des principaux contrôles**

Dans un graphique d'analyse générale, seules les principales opérations effectuées et les contrôles faits pour vérifier ces opérations sont indiqués, sans égard au lieu d'exécution ou a l'exécutant lui-même. Deux symboles seulement, le symbole «opération» et le symbole «contrôle», servent donc à l'établissement de ce graphique.

Les renseignements fournis par les symboles eux-mêmes et par l'ordre dans lequel ils figurent sur le graphique sont complétés par une brève note, à côté de chaque symbole, indiquant la nature de chaque opération ou inspection; le temps d'exécution est également indiqué lorsqu'il est connu.

La figure 23 donne un exemple de graphique d'analyse générale. Pour permettre au lecteur de bien comprendre les principes en question, nous avons dessiné (fig. 22) la pièce dont l'assemblage est représenté graphiquement, et expliqué en détail les diverses opérations effectuées.

EXEMPLE DE GRAPHIQUE D'ANALYSE DE PROCESSUS: ASSEMBLAGE D'UN COMMUTATEUR ROTATIF[1]

Le dessin du montage (fig. 22) montre un commutateur rotatif à rotation lente.

Figure 22.   Commutateur rotatif

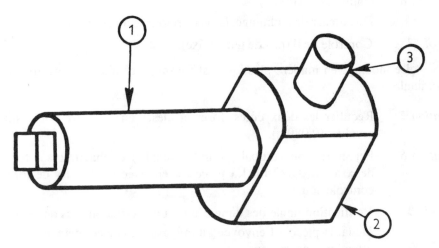

Il est composé: 1) d'un axe; 2) d'un corps en plastique moulé; 3) d'une goupille d'arrêt.

---

[1] D'après W. Rodgers: *Methods engineering chart and glossary* (School of Management Studies Ltd., Nottingham, Royaume-Uni).

91

Pour faciliter la lecture d'un graphique d'analyse de processus, on commence généralement par une ligne verticale partant du coin supérieur droit de la page et qui montre, de haut en bas, les diverses opérations et contrôles subis par l'organe (ou le composant) principal de la pièce assemblée (ou le produit composé, dans une opération chimique), en l'occurrence l'axe. Le temps d'usinage exigé par chaque opération (en millièmes d'heure) est indiqué à gauche. Aucune durée normale n'est prévue pour les contrôles, puisque le personnel de contrôle est généralement payé au temps.

Afin de ne pas encombrer la figure, on a volontairement omis d'indiquer à côté des symboles les brèves descriptions des opérations et contrôles.

La fabrication de l'axe (à partir d'une barre d'acier de 10 mm de diamètre) donne lieu aux opérations et contrôles suivants:

Opération 1. Rectifier, tourner, découper et sectionner sur tour revolver (0,025 h).

Opération 2. Rectifier l'autre extrémité sur la même machine (0,010 h).

Après cette opération, la pièce est envoyée au contrôle pour:

Contrôle 1. Contrôle des dimensions et de la finition (pas de temps fixé).

Du contrôle, la pièce est envoyée à l'atelier de fraisage.

Opération 3. Fraiser quatre méplats sur fraiseuse horizontale (0,070 h).

La pièce est envoyée à l'ébarbage.

Opération 4. Enlever les bavures à l'ébarbeuse (0,020 h).

La pièce est renvoyée au contrôle pour:

Contrôle 2. Contrôle final de l'usinage (pas de temps fixé).

La pièce est ensuite envoyée à l'atelier de traitement de surface pour:

Opération 5. Dégraissage (0,0015 h).

Opération 6. Cadmiage (0,008 h).

De l'atelier de cadmiage, la pièce retourne au contrôle pour:

Contrôle 3. Contrôle final (pas de temps fixé).

Le moulage en matière plastique est fourni percé d'un trou centré sur l'axe longitudinal.

Opération 7. Rectifier les deux côtés, forer et aléser au diamètre voulu sur tour revolver (0,080 h).

Opération 8. Percer le trou vertical (pour la goupille) et ébavurer sur foreuse à deux axes (0,022 h). La pièce est envoyée de l'atelier de forage au contrôle pour:

Contrôle 4. Vérification finale des dimensions et de la finition (pas de temps fixé).

De là, la pièce est envoyée au magasin des pièces détachées finies en attendant son montage.

On voit sur le graphique que les opérations et les contrôles subis par la pièce moulée sont indiqués sur une ligne verticale voisine de la ligne de l'axe. Il en est ainsi parce que cette pièce est la première à être montée sur l'axe. La ligne relative à la goupille d'arrêt est située un peu plus loin sur la gauche; s'il y avait encore d'autres pièces

Figure 23. Graphique d'analyse de processus: assemblage d'un commutateur rotatif

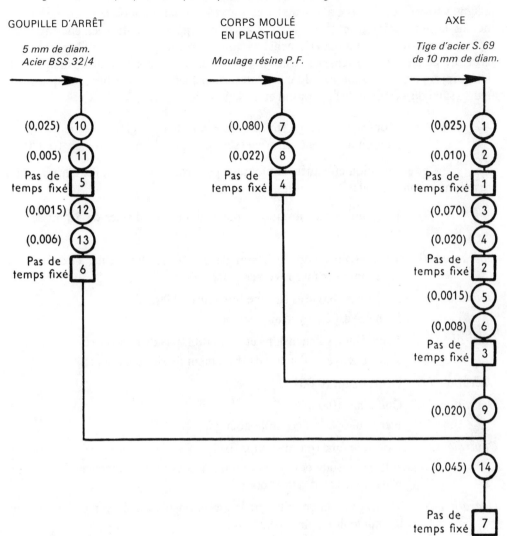

GOUPILLE D'ARRÊT

5 mm de diam.
Acier BSS 32/4

CORPS MOULÉ
EN PLASTIQUE

Moulage résine P.F.

AXE

Tige d'acier S.69
de 10 mm de diam.

détachées, elles seraient ainsi disposées sur des lignes verticales allant de droite à gauche dans l'ordre du montage sur la pièce principale.

Remarquer spécialement la méthode de numérotation des opérations et des contrôles.

On voit que les opérations et les contrôles sont numérotés à partir de 1. La numérotation est continue d'une pièce à la suivante, en partant toujours de la droite jusqu'au point où la deuxième pièce est assemblée sur la première. La suite des chiffres passe alors à la pièce suivante (indiquée immédiatement à gauche) et elle continue jusqu'au montage de cette pièce sur la première, puis la numérotation se poursuit sur la pièce suivante jusqu'à son assemblage, et ainsi de suite de pièce en pièce et de droite à gauche dans l'ordre d'assemblage des pièces sur la principale (voir fig. 23). Le montage d'une pièce sur la pièce principale est indiqué par une ligne horizontale partant de la ligne verticale de la pièce à assembler et aboutissant au point où le montage s'effectue sur la ligne principale. (Les pièces à assembler peuvent naturellement être elles-mêmes composées de plusieurs éléments assemblés avant le montage de la pièce sur la pièce principale. Dans ce cas, les lignes horizontales joignent sur la droite la ligne verticale appropriée.) Le montage du corps moulé sur l'axe est clairement indiqué sur la figure, suivi du symbole de l'opération et de son numéro.

Opération 9.   Monter le moulage sur le bout étroit de l'axe et achever le forage du trou de la goupille en traversant complètement le moulage (0,020 h).

        Cette opération effectuée, le montage peut recevoir la goupille d'arrêt, qui a été préparée comme suit:

        La goupille est fabriquée à partir d'une tige d'acier de 5 mm de diamètre.

Opération 10.   Tourner un tenon de 2 mm de diamètre, chanfreiner l'extrémité et sectionner sur tour revolver (0,025 h).

Opération 11.   Enlever les bavures sur une finisseuse (0,005 h).
                    La pièce est envoyée au contrôle.

Contrôle 5.   Contrôler les dimensions et la finition (pas de temps fixé).
                    Pièce envoyée à l'atelier de traitement de surface pour:

Opération 12.   Dégraissage (0,0015 h).

Opération 13.   Cadmiage (0,006 h).
                    Pièce envoyée au contrôle pour:

Contrôle 6.   Contrôle final (pas de temps fixé).
                    Elle est ensuite envoyée au magasin des pièces détachées finies, d'où elle est plus tard retirée pour:

Opération 14.   Montage de la goupille sur la pièce, où elle est légèrement rivée pour la maintenir en place (0,045 h).

Contrôle 7.   La pièce achevée subit un contrôle final (pas de temps fixé).
                    Elle est renvoyée au magasin des pièces finies.

        Dans la pratique, le graphique d'analyse de processus donnerait pour chaque symbole, à côté et à droite, une description abrégée de ce qui se fait pendant l'opération ou le contrôle. Ces inscriptions n'ont pas été portées sur la figure 23, afin de mieux dégager la représentation graphique de la séquence principale des opérations ou contrôles.

        La figure 24 montre quelques-uns des signes conventionnels utilisés pour dessiner les graphiques d'analyse de processus. Dans le cas présent, la composante auxiliaire rejoint la partie principale après le contrôle 3, et se greffe sur celle-ci pendant l'opération 7. Le montage comprend encore deux opérations, numéros 8 et 9, dont chacune est effectuée quatre fois en tout, comme le montre l'inscription «répéter». Il convient de noter que l'opération suivante consécutive à ces répétitions porte le numéro 16, et non pas 10.

94

Figure 24.   Quelques signes conventionnels utilisés pour la représentation graphique

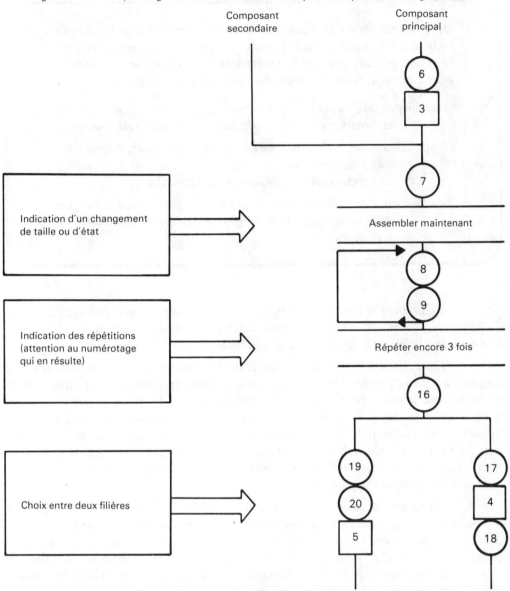

Comme nous l'avons expliqué plus haut dans le présent chapitre, le graphique d'analyse générale a pour objet de donner une perspective d'ensemble des opérations en vue d'éliminer les opérations inutiles ou de combiner celles qui peuvent être effectuées en même temps. Il faut généralement, pour cela, procéder à une analyse plus détaillée que ne le permet le graphique d'analyse générale. Nous allons donc, dans les pages suivantes, décrire le graphique de déroulement et illustrer son emploi en vue de l'amélioration des méthodes.

LES GRAPHIQUES DE DÉROULEMENT

Une fois obtenue la vue d'ensemble du processus, on peut en approfondir l'analyse. L'étape suivante consiste pour cela à dresser un **graphique de déroulement.**

95

> **Un graphique de déroulement est un graphique d'analyse indiquant dans l'ordre les étapes du circuit effectué par un produit ou un procédé, toutes les activités en question étant enregistrées à l'aide de symboles appropriés**
>
> **Graphique de déroulement-*exécutant*: un graphique de déroulement qui enregistre ce que fait l'ouvrier**
>
> **Graphique de déroulement-*matière*: un graphique de déroulement qui enregistre comment la matière est manutentionnée ou transformée**
>
> **Graphique de déroulement-*matériel*: un graphique de déroulement qui enregistre comment le matériel est utilisé**

Le graphique de déroulement se fait un peu comme on a établi le graphique d'analyse de processus, mais en utilisant, outre les symboles «opération» et «inspection», les symboles «transport», «attente» et «stockage».

Quel que soit le type de graphique de déroulement que l'on établit, on utilise toujours les mêmes symboles et la procédure de mise en graphique est quasiment la même. (Il est de coutume d'employer les formes actives des verbes pour les inscriptions à porter sur les graphiques-exécutant, et les formes passives sur les graphiques-matière et les graphiques-matériel. Nous reviendrons là-dessus au chapitre 10, section 3.) En fait, on n'a habituellement qu'une seule formule imprimée de graphique pour les trois types, portant dans l'en-tête l'inscription «Exécutant/Matière/Matériel», dont on biffe les deux mentions inutiles.

En raison de sa complexité, le graphique de déroulement sert généralement à représenter sur une même page des opérations moins nombreuses que le graphique d'analyse de processus. On dresse en effet un graphique distinct pour chaque pièce ou élément important d'un montage, afin que les manutentions, attentes et stockages de chacun d'eux puissent être étudiés isolément. Il en résulte que le graphique de déroulement se présente généralement sous la forme d'une seule ligne verticale.

La figure 25 est un exemple de graphique de déroulement établi en vue d'étudier le circuit suivi par un moteur d'autobus qui est démonté, dégraissé et nettoyé en vue d'une inspection générale. Ce graphique a été dressé dans les ateliers d'une administration des transports dans un pays en voie de développement. Après avoir examiné les principes de l'établissement des graphiques de déroulement et leur application dans les pages qui suivent, nous étudierons cet exemple en détail. Les graphiques-exécutant seront étudiés au chapitre 10.

Lorsqu'il est fait un usage fréquent de ces graphiques, il y a avantage à employer des formules imprimées ou reprographiées du modèle reproduit à la figure 26. (Dans les graphiques de ce genre, les cinq symboles sont souvent répétés tout au long des colonnes appropriées. Il n'en est pas ainsi dans nos graphiques, qui ont été simpli-

Figure 25.   Graphique de déroulement: démontage, nettoyage et dégraissage d'un moteur

GRAPHIQUE N° *1*   FEUILLE N° *1 de 1*   MÉTHODE: *Appliquée*

EXÉCUTANT(S):

PRODUIT: *Moteur d'autobus*   EMPLACEMENT: *Atelier de dégraissage*

PROCESSUS: *Démontage, nettoyage et*   GRAPHIQUE ÉTABLI PAR:

dégraissage du moteur   APPROUVÉ PAR: DATE:

DISTANCE (en mètres)	SYMBOLE	ACTIVITÉ	TYPE D'ACTIVITÉ
	▽	*Moteur dans magasin des moteurs usagés*	
	1 ⇨	*Moteur enlevé avec grue électrique*	*Non productive*
24,5	2 ⇨	*Transporté jusqu'à prochaine grue*	»
	3 ⇨	*Déposé à terre*	»
	4 ⇨	*Moteur enlevé avec grue électrique*	»
30,5	5 ⇨	*Transporté au hall de démontage*	»
	6 ⇨	*Déposé à terre*	»
	①	*Moteur démonté*	*Productive*
	②	*Pièces principales nettoyées et étalées*	»
	☐1	*Usure des pièces contrôlée et rapport d'inspection rédigé*	*Non productive*
3,0	7 ⇨	*Pièces portées au panier de dégraissage*	»
	8 ⇨	*Chargées avec grue à main*	»
1,5	9 ⇨	*Transportées jusqu'au dégraisseur*	»
	10 ⇨	*Déchargées dans dégraisseur*	»
	③	*Pièces dégraissées*	*Productive*
	11 ⇨	*Enlevées du dégraisseur avec grue*	*Non productive*
6,0	12 ⇨	*Ecartées du dégraisseur*	»
	13 ⇨	*Déposées à terre*	»
	☐1	*Laissées à refroidir*	»
12,0	14 ⇨	*Transportées au banc de nettoyage*	»
	④	*Toutes les pièces complètement nettoyées*	*Productive*
9,0	15 ⇨	*Toutes les pièces nettoyées placées dans une boîte* . .	*Non productive*
	☐2	*Patente de transport*	»
	16 ⇨	*Toutes les pièces sauf bloc cylindre et culasse chargés sur chariot*	»
76,0	17 ⇨	*Transportées au service de contrôle des moteurs* . . .	»
	18 ⇨	*Pièces déchargées et disposées sur table de contrôle* . .	»
	19 ⇨	*Bloc cylindre et culasse chargés sur chariot*	»
76,0	20 ⇨	*Transportés au service de contrôle des moteurs*	»
	21 ⇨	*Déchargés à terre*	»
238,5	☐3	*Stockés temporairement en attendant contrôle*	»

(D'après un original)

Figure 26.   Graphique de déroulement-matière:
démontage, nettoyage et dégraissage d'un moteur (méthode appliquée)

GRAPHIQUE DE DÉROULEMENT				~~EXÉCUTANT~~/MATIÈRE/~~ÉQUIPEMENT~~							
GRAPHIQUE N° *1*		FEUILLE N° *1 de 1*		R É S U M É							
Objet mis en graphique:				ACTIVITÉ			ACTUELLE	PROPOSÉE		GAIN	
Moteur d'autobus usagé				OPÉRATION	○		*4*				
				TRANSPORT	⇨		*21*				
ACTIVITÉ:				ATTENTE	D		*3*				
Démontage, nettoyage et dégraissage				INSPECTION	□		*1*				
d'un moteur avant inspection				STOCKAGE	▽		*1*				
MÉTHODE ACTUELLE/~~PROPOSÉE~~				DISTANCE *(mètres)*			*238,5*				
EMPLACEMENT: *Atelier de dégraissage*				TEMPS *(min.-ouvr.)*			—	—		—	
EXÉCUTANT(S): N°(s) DE POINTAGE *1234*				COÛT			—				
571				MAIN-D'ŒUVRE			—				
GRAPHIQUE PAR:				MATIÈRE			—				
APPROUVÉ PAR: DATE:				TOTAL			—	—		—	

DESCRIPTION	QTÉ	DIS-TAN-CE (m.)	TEMPS (min.)	○	⇨	D	□	▽	OBSERVATIONS
Moteur stocké dans magasin des moteurs usagés	*1*	–	–						
Moteur enlevé									*Grue électrique*
Transporté jusqu'à prochaine grue		*24,0*							*Grue électrique*
Déposé à terre									
Moteur enlevé									*Grue électrique*
Transporté au hall de démontage		*30,0*							*Grue électrique*
Déposé à terre									
Moteur démonté									
Pièces principales nettoyées et étalées									
Usure des pièces contrôlée;									
rapport d'inspection rédigé									
Pièces portées au panier de dégraissage		*3,0*							
Chargées pour dégraissage									
Transportées jusqu'au dégraisseur		*1,5*							*Palan à main*
Déchargées dans dégraisseur									
Pièces dégraissées									
Enlevées du dégraisseur									*Palan à main*
Écartées du dégraisseur		*6,0*							*Palan à main*
Déposées à terre									
Laissées à refroidir									
Transportées au banc de nettoyage		*12,0*							
Toutes les pièces complètement nettoyées									
Toutes les pièces nettoyées placées dans une caisse		*9,0*							
Attente de transport									
Toutes les pièces sauf bloc cylindre et culasse									
chargées sur chariot									
Transportées au service de contrôle des moteurs		*76,0*							*Chariot*
Pièces déchargées et disposées									
sur table de contrôle									
Bloc cylindre et culasse chargés sur chariot									
Transportés au service de contrôle des moteurs		*76,0*							*Chariot*
Déchargés à terre									
Stockés temporairement en attendant inspection									
TOTAL		*237,5*		*4*	*21*	*3*	*1*	*1*	

(D'après un graphique réel)

fiés par souci de clarté.) De cette manière, l'agent d'étude du travail ne risquera pas d'oublier un renseignement important. La figure 26 reproduit de nouveau l'opération décrite à la figure 25.

Il n'est pas inutile, avant de voir comment le graphique de déroulement sert à étudier un travail donné en vue de mettre au point une méthode d'exécution améliorée, d'insister quelque peu sur le mode d'établissement de ce graphique. Celui-ci est en effet l'«outil» le plus utile pour l'amélioration des méthodes. Quelles que soient les techniques utilisées par la suite, l'établissement d'un graphique de déroulement constitue toujours la première étape.

1. La «mise en graphique» sert à enregistrer; en donnant une vue d'ensemble des activités entreprises, elle permet de mieux embrasser le tableau général des opérations et de mieux comprendre les liens entre les différents faits.

2. Les détails indiqués sur les graphiques doivent être recueillis par **observation directe.** Une fois enregistrés sur le graphique, ces détails n'ont plus à être gardés à l'esprit; il est possible de s'y reporter à tout moment pour expliquer la situation à d'autres personnes. Les graphiques ne doivent pas être établis de mémoire, mais uniquement **au fur et à mesure de l'observation du travail** (sauf lorsqu'on dresse un graphique en vue d'illustrer une nouvelle méthode dont on propose l'adoption).

3. Les données recueillies par observation directe doivent être reportées sur le graphique avec clarté et précision, car celui-ci servira à expliquer les propositions de normalisation et d'amélioration des méthodes de travail. Un graphique désordonné ou malpropre fait toujours mauvaise impression et peut entraîner des erreurs.

4. Pour conserver leur valeur en vue d'une référence future et pour fournir des renseignements aussi complets que possible, les graphiques doivent avoir un en-tête comportant les informations ci-après (voir fig. 26):

   a) le nom du produit, de la matière ou du matériel mis en graphique avec le numéro du dessin ou le numéro code;

   b) le travail ou le processus exécuté, avec indication du point de départ et du point d'achèvement; indiquer également s'il s'agit de la méthode en cours ou de la méthode proposée;

   c) l'endroit où l'opération est exécutée (service, usine, emplacement, etc.);

   d) le numéro de référence du graphique, le nombre total de feuilles et le numéro de la feuille;

   e) le nom de l'observateur et, si nécessaire, de la personne devant approuver le graphique;

   f) la date de l'étude;

   g) la liste des symboles employés et de leur signification. Cette indication est indispensable pour le cas où une autre personne, ayant par la suite à utiliser le graphique, serait habituée à d'autres symboles. Il est commode d'énumérer les symboles employés dans un tableau résumant les activités d'après la méthode en cours et la méthode proposée (voir fig. 26);

   h) un tableau résumant les distances parcourues, les temps passés et, si cela est nécessaire, le coût de la main-d'œuvre et des matières pour permettre de comparer l'ancienne méthode avec la nouvelle.

99

5. Avant de classer le graphique, vérifier les points suivants:

a) Les faits ont-ils été correctement enregistrés?

b) A-t-on fait des suppositions simplifiant à l'excès le problème? En d'autres termes, a-t-on omis des observations qui risquent de rendre l'étude inexacte?

c) A-t-on enregistré tous les facteurs intervenant dans le processus?

Les observations qui précèdent n'ont trait, bien entendu, qu'au stade consistant à **enregistrer** les données. Il nous faut maintenant voir quelles sont les mesures à prendre pour **examiner** ces données de façon **critique.**

2. Examiner de façon critique: la méthode interrogative

> **La méthode interrogative est un moyen d'examen critique qui consiste à poser, sur chaque activité, une série de questions, l'une après l'autre en procédant systématiquement et progressivement**

Les cinq catégories d'activités enregistrées sur le graphique de déroulement peuvent se classer en deux grands groupes:

☐ Les activités au cours desquelles quelque chose arrive à la matière ou à l'objet en question: il est «travaillé», transporté ou examiné.

☐ Les activités au cours desquelles l'objet n'est pas touché: il est stocké ou reste en attente.

Les activités appartenant au premier groupe peuvent se subdiviser en trois catégories:

☐ Les **activités de «préparation»,** au cours desquelles la matière ou l'objet sont apprêtés et mis en place pour être travaillés. Dans la figure 25, ces activités sont, par exemple: le chargement et le transport du moteur à l'atelier de dégraissage, le transport vers les établis de nettoyage, etc.

☐ Les **opérations «positives»,** au cours desquelles la forme, la composition chimique ou l'état physique du produit sont modifiés. Dans notre exemple, c'est le cas des opérations de démontage, de nettoyage et de dégraissage.

☐ Les **activités de «dégagement»,** au cours desquelles l'objet est enlevé de la machine ou de l'atelier. Les activités de «dégagement» d'une opération peuvent être les activités de «préparation» de l'opération suivante. Exemple: l'enlèvement du moteur du dégraisseur et son transport aux établis de nettoyage. Autres exemples: magasinage de pièces détachées, contrôle de pièces détachées finies, dépôt de lettres cachetées dans la boîte de «sortie».

On remarquera que si les activités de préparation et de dégagement peuvent être représentées, soit par le symbole «transport», soit par le symbole «contrôle», les opérations «positives» ne peuvent être représentées que par le symbole «opération».

L'objet de l'étude des méthodes est évidemment d'augmenter, autant que faire se peut, la proportion des opérations «positives», puisque ce sont les seules qui font avancer le produit dans sa transformation progressive de l'état de matière première à l'état de produit fini. (Dans les secteurs économiques où ne s'effectue aucune fabrication à proprement parler, les opérations «positives» sont celles qui tendent effectivement à mener à bien l'activité pour laquelle a été créé l'établissement dont il s'agit. Exemples: l'acte de vendre dans un magasin ou de dactylographier dans un bureau.) Ces activités sont «productives»; les autres, si nécessaires soient-elles, peuvent être considérées comme «non productives» (voir fig. 25). Les premières activités dont il faut mettre en question l'utilité sont donc celles qui sont clairement «non productives», y compris les stockages et les attentes, qui représentent une immobilisation de capital que l'on pourrait employer à d'autres usages plus rémunérateurs.

LES QUESTIONS FONDAMENTALES

La série de questions que l'on doit se poser à ce stade suit un ordre bien établi, que l'on peut représenter comme suit:

OBJET	des activités considérées	
ENDROIT	où elles ont lieu	
MOMENT	où elles ont lieu	ces éléments sont examinés
PERSONNE	qui exécute	
MOYENS	employés	

	ÉLIMINER	
en vue de	*COMBINER*	les activités en question.
	PERMUTER	
	SIMPLIFIER	

Au premier stade de la méthode interrogative, on demande systématiquement, pour chaque activité, l'objet, l'endroit, le moment, la personne et les moyens, et on cherche la raison de chacune des réponses.

Les questions fondamentales sont donc:

OBJET:	**Que** fait-on[1]? **Pourquoi** l'activité est-elle nécessaire?	*ÉLIMINER* les éléments inutiles du travail

---

[1] De nombreux enquêteurs posent la question: que réalise-t-on réellement?

ENDROIT:	**Où** le fait-on? **Pourquoi** le fait-on à cet endroit-là?	*COMBINER* si possible ou *PERMUTER* les opérations en vue d'obtenir de meilleurs résultats
MOMENT:	**Quand** le fait-on? **Pourquoi** le fait-on à ce moment-là?	
PERSONNE:	**Qui** le fait? **Pourquoi** le travail est-il fait par cette personne en particulier?	
MOYENS:	**Comment** le fait-on? **Pourquoi** le fait-on de cette manière-là?	*SIMPLIFIER* l'opération

LES QUESTIONS SECONDAIRES

> **Les questions secondaires concernent la deuxième étape de la méthode interrogative, pendant laquelle les réponses aux questions fondamentales font l'objet d'une nouvelle interrogation afin de déterminer si d'éventuelles solutions de rechange quant au choix de l'endroit, du moment, de la personne et/ou des moyens sont utilisables et préférables pour améliorer la méthode d'exécution existante**

Ainsi, au deuxième stade de la méthode interrogative (ayant déjà demandé, à propos de chaque activité, ce qu'on fait et pourquoi on le fait), l'agent d'étude des méthodes pose maintenant les questions: Que pourrait-on faire d'autre? Et, partant: Que devrait-on faire? De même, les réponses déjà obtenues à propos de l'endroit, du moment, de la personne et des moyens font l'objet d'une nouvelle interrogation.

OBJET:	**Que** fait-on? **Pourquoi** le fait-on? Que pourrait-on faire d'**autre**? Que **devrait**-on faire?
ENDROIT:	**Où** le fait-on? Pourquoi le fait-on **là**? A quel **autre** endroit pourrait-on le faire? Où **devrait**-on le faire?
MOMENT:	**Quand** le fait-on? Pourquoi le fait-on **à ce moment**? A quel **autre** moment pourrait-on le faire? Quand **devrait**-on le faire?
PERSONNE:	**Qui** le fait? Pourquoi est-ce fait par **cette personne**? Qui d'**autre** pourrait le faire? Qui **devrait** le faire?

MOYENS: **Comment** est-ce fait?

Pourquoi est-ce fait de **cette manière**?

De quelle **autre** manière pourrait-on le faire?

Comment **devrait**-on le faire?

Il faut se poser systématiquement ces questions, dans l'ordre où elles sont indiquées, chaque fois que l'on entreprend une étude des méthodes. Elles forment la base même du succès de l'étude.

EXEMPLE: DÉMONTAGE, NETTOYAGE ET DÉGRAISSAGE D'UN MOTEUR

Voyons maintenant comment les agent d'étude des méthodes qui ont établi le graphique de déroulement de la figure 25 ont procédé à l'étude des données recueillies en vue de mettre au point une meilleure méthode d'exécution du travail. Nous reproduirons tout d'abord les données sur une formule normalisée de graphique de déroulement (fig. 26), en indiquant scrupuleusement tous les renseignements utiles (opération, emplacement, etc.).

Cette formule, comme toutes celles que nous utilisons dans cet ouvrage, est conçue de manière à pouvoir être établie sur une machine à écrire ordinaire. Nous avons disposé les symboles dans les colonnes de façon à mettre côte à côte ceux qui sont le plus fréquemment employés.

Pour permettre au lecteur de mieux se représenter l'opération, nous avons dessiné, à la figure 27, un diagramme de circulation indiquant l'agencement de l'atelier de dégraissage et le chemin suivi par le moteur, du magasin des moteurs usagés au service de contrôle. Ce diagramme montre à l'évidence que le moteur et ses pièces détachées suivent un circuit inutilement compliqué.

L'examen du graphique de déroulement fait ressortir une proportion très élevée d'activités «non productives». En fait, il n'y a que quatre opérations et un contrôle, avec vingt et un transports et trois attentes. Sur ces vingt-neuf activités, non compris le stockage initial en magasin, cinq seulement peuvent être considérées comme «productives».

Un examen détaillé du graphique amène à poser un certain nombre de questions. On constate par exemple que, durant le transport du moteur hors du magasin des moteurs usagés, on doit, en cours de route, changer de grue. Appliquons la méthode interrogative à ces premiers transports:

Q. **Que** fait-on?

R. Le moteur est enlevé au magasin par une grue électrique, déposé à terre à mi-chemin, puis repris par une autre grue qui le transporte jusqu'à la halle de démontage.

Q. **Pourquoi** le fait-on?

R. Parce que les moteurs sont stockés de telle manière qu'ils ne peuvent pas être enlevés directement par la grue monorail qui traverse tout le magasin et l'atelier de dégraissage.

Q. Que pourrait-on faire **d'autre**?

R. Le moteur pourrait être stocké de façon à être immédiatement accessible à la grue monorail, qui pourrait ainsi le transporter directement du magasin à la halle de démontage.

103

Figure 27. Diagramme de circulation: démontage, nettoyage et dégraissage d'un moteur

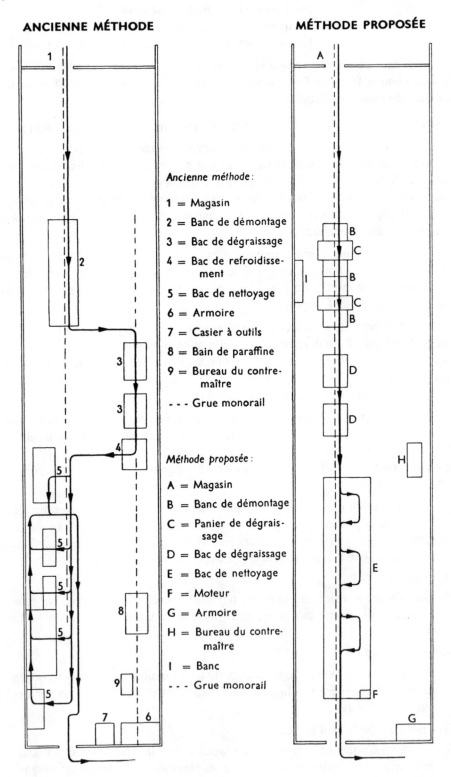

ANCIENNE MÉTHODE

MÉTHODE PROPOSÉE

Ancienne méthode:

1 = Magasin
2 = Banc de démontage
3 = Bac de dégraissage
4 = Bac de refroidissement
5 = Bac de nettoyage
6 = Armoire
7 = Casier à outils
8 = Bain de paraffine
9 = Bureau du contremaître
- - - Grue monorail

Méthode proposée:

A = Magasin
B = Banc de démontage
C = Panier de dégraissage
D = Bac de dégraissage
E = Bac de nettoyage
F = Moteur
G = Armoire
H = Bureau du contremaître
I = Banc
- - - Grue monorail

Q. Que **devrait**-on faire?

R. Adopter la méthode indiquée ci-dessus.

En fait, cette suggestion a été adoptée, ce qui a permis d'éliminer trois transports (voir fig. 28).

Poursuivons la méthode interrogative:

Q. **Pourquoi** les pièces du moteur sont-elles nettoyées **avant** de passer au dégraissage, puisqu'elles doivent être nettoyées de nouveau après l'enlèvement de la graisse?

R. On a oublié la raison initiale de cette méthode.

Q. **Pourquoi** les pièces sont-elles contrôlée à ce stade où la graisse doit rendre les vérifications difficiles, alors qu'elles doivent être contrôlées de nouveau au service d'inspection des moteurs?

R. On a oublié la raison initiale de cet usage.

Si étrange que cela paraisse, c'est là une réponse fréquemment entendue lorsqu'on applique la méthode interrogative. Il arrive souvent que certaines activités, effectuées pour d'excellentes raisons à une certaine époque (par exemple arrangements temporaires permettant de faire démarrer rapidement un nouvel atelier avant la réception de l'équipement et du matériel définitifs), continuent d'être appliquées longtemps après que leur nécessité a disparu. Si les questions posées à propos de l'opportunité de ces activités ne reçoivent pas de réponse satisfaisante, celles-ci doivent être aussitôt supprimées.

Les questions suivantes ont trait au changement des pièces dans le dégraisseur. On peut constater que les pièces doivent être transportées sur une distance de 3 mètres pour être placées dans le panier de dégraissage. **Pourquoi** ce panier n'est-il pas plus rapproché? Ne pourrait-on placer les pièces directement dans le panier de dégraissage au fur et à mesure de leur démontage?

Les quelques questions et réponses reproduites ci-dessus suffisent à montrer comment on utilise la méthode interrogative. Ces questions et réponses paraîtront peut-être un peu enfantines, mais le processus des questions et réponses se déroule très rapidement, avec un enquêteur expérimenté. En s'attachant à suivre fidèlement l'ordre rigide défini plus haut, on est certain de ne rien oublier. Et, bien entendu, en commençant par une investigation extrêmement précise de l'opération elle-même:

Que fait-on? et **Pourquoi** est-ce nécessaire?

on évitera de perdre du temps à des détails, s'il se révèle que l'ensemble de l'opération n'est pas nécessaire ou que son but essentiel pourrait être mieux atteint.

3. Mettre au point une meilleure méthode d'exécution

Si l'on en croit le vieux dicton, problème bien posé est à moitié résolu. Cela est spécialement vrai de l'étude des méthodes. Le très bref exemple de l'emploi de la méthode interrogative que l'on vient de lire montre clairement que les questions, à peine posées, appellent d'elles-mêmes leur réponse. Après avoir trouvé la réponse aux questions:

Figure 28.   Graphique de déroulement-matière:
démontage, nettoyage et dégraissage d'un moteur (méthode améliorée)

GRAPHIQUE DE DÉROULEMENT		EXÉCUTANT/MATIÈRE/MATÉRIEL				
GRAPHIQUE N° 2 FEUILLE N° 1 de 1		R É S U M É				
Objet mis en graphique:		ACTIVITÉ		ACTUELLE	PROPOSÉE	GAIN
Moteur d'autobus usagé		OPÉRATION ○		4	3	1
		TRANSPORT ⇨		21	15	6
ACTIVITÉ:		ATTENTE ◻		3	2	1
Démontage, nettoyage et dégraissage		INSPECTION ◻		1	–	1
avant inspection		STOCKAGE ▽		1	1	1
MÉTHODE: ACTUELLE/PROPOSÉE		DISTANCE *(mètres)*		237,5	150,0	87,5
POSTE: *Atelier de dégraissage*		TEMPS *(min.-ouvr.)*		—	—	—
EXÉCUTANT(S): N°(s) DE POINTAGE *1234*		COÛT				
571		MAIN-D'ŒUVRE				
GRAPHIQUE PAR:		MATIÈRE				
APPROUVÉ PAR: DATE:		TOTAL		—	—	—

DESCRIPTION	QTÉ	DIS-TAN-CE *(m.)*	TEMPS *(min.)*	○	⇨	◻	◻	▽	OBSERVATIONS
Moteur stocké dans magasin de moteurs usagés		—	—						
Moteur enlevé									*Treuil*
Transporté au hall de démontage		55							*électrique sur*
Déchargé sur établi									*monorail*
Moteur démonté									
Pièces transportées jusqu'au panier de dégraissage		1							*A la main*
Pièces chargées dans panier									*Treuil*
Panier transporté jusqu'au dégraisseur		1,5							*Treuil*
Dégraisseur chargé									
Pièces dégraissées									*Treuil*
Dégagées du dégraisseur		4,5							*Treuil*
Ecartées du dégraisseur									
Déposées à terre									
Laissées à refroidir									
Pièces transportées au banc de nettoyage		6							*Treuil*
Toutes les pièces nettoyées									
Toutes les pièces recueillies sur plateaux spéciaux		6							
Attente de transport									
Plateaux et bloc cylindre chargés sur chariot									*Chariot*
Transportés au service de contrôle des moteurs		76							
Plateaux glissés sur table de contrôle									
et bloc glissé sur plate-forme									
TOTAL		150		3	15	2	–	1	

(D'après un graphique réel)

☐   **Que** devrait-on faire?

☐   **Où** devrait-on le faire?

☐   **Quand** devrait-on le faire?

☐   **Qui** devrait le faire?

☐   **Comment** devrait-on le faire?

l'agent d'étude des méthodes n'a plus qu'à mettre ses conclusions en pratique.

Pour cela, il doit commencer par enregistrer la méthode qu'il propose sous forme de graphique de déroulement, de façon à pouvoir la comparer à l'ancienne méthode et vérifier qu'aucune activité n'a été oubliée. Le graphique permettra également de noter, dans le «résumé», le nombre total d'activités auxquelles donnent lieu les deux méthodes, l'économie de temps et de déplacement que permettrait de réaliser le changement de méthode et l'économie d'argent qui pourrait en résulter. En ce qui concerne l'exemple discuté ci-dessus, la méthode améliorée est indiquée à la figure 28.

Un coup d'œil sur le résumé du graphique montre que la nouvelle méthode a considérablement réduit le nombre des activités non productives. Celui des opérations a été abaissé de 4 à 3, par l'élimination du nettoyage inutile, et le contrôle qui suivait immédiatement ce nettoyage a été également supprimé. Les transports ne sont plus qu'au nombre de 15 (au lieu de 21) et les distances parcourues sont passées de 237,5 à 150 mètres, soit une économie de déplacement de plus de 37 pour cent pour chaque moteur. Pour ne pas compliquer exagérément l'exemple, nous n'avons pas indiqué les temps de chaque activité, mais l'analyse des deux graphiques de déroulement fait ressortir qu'une grande économie de temps, par moteur, a été réalisée.

Nous ne donnerons pas d'autre exemple de graphique de déroulement dans ce chapitre, car nous retrouverons ce genre de graphique, combiné à d'autres techniques, dans les chapitres suivants.

Chapitre 9
Circulation et manutention des matières

1. L'implantation de l'usine

Au cours d'une étude des méthodes de fabrication, on passe toujours par un stade où il convient de se livrer à une analyse critique de la circulation des hommes et des matières à travers l'usine ou la zone de travail et d'étudier l'implantation. En effet, dans de nombreuses usines, on constate, ou bien que l'implantation initiale a été mal conçue, ou bien qu'au fur et à mesure que l'entreprise se développait ou modifiait certains de ses produits ou de ses procédés de fabrication, on a installé des machines, du matériel ou des bureaux supplémentaires dans tous les espaces disponibles. Dans d'autres cas, des aménagements temporaires, initialement conçus pour faire face à des impératifs pressants comme le brusque accroissement de la demande d'un produit déterminé, sont devenus permanents, même lorsque leur raison d'être a disparu. Il en résulte que les matières et les travailleurs doivent souvent suivre des circuits longs et compliqués au cours du processus de fabrication, d'où une perte de temps et d'énergie, sans que la valeur du produit en soit accrue. C'est pourquoi l'amélioration de l'implantation d'une usine fait partie intégrante des fonctions du spécialiste de l'étude du travail.

> **On entend par implantation la disposition des machines et du matériel d'une usine, existante ou en projet, qui permettra d'obtenir une circulation aussi aisée que possible des matières, au coût le plus bas et avec un minimum de manutention lors du traitement du produit, de la réception des matières jusqu'à l'expédition du produit fini[1]**

2. Les types d'implantation

On distingue quatre types d'implantation, mais, dans la pratique, on trouve souvent des solutions mixtes dans la même usine.

---

[1] D'après la définition donnée par R. W. Mallick et A. T. Gaudreau dans *Plant layout and practice* (New York, John Wiley, 1966). Voir également M. G. Delfosse: *Manuel de l'agent technique*, vol. II: «Les implantations, les manutentions et les stocks» (Paris, Entreprises modernes d'édition, 3e édition, 1973).

1. L'implantation de l'ouvrage en un **point fixe**[1]. On recourt à cet agencement lorsque les matières à traiter ne circulent pas dans l'usine mais restent dans un endroit déterminé: tous les équipements et machines nécessaires sont apportés sur place. C'est le cas lorsque le produit est lourd et encombrant et qu'on ne fabrique que quelques unités à la fois. La construction navale, le montage de moteurs diesel ou de grands moteurs et la construction aéronautique sont des exemples typiques.

2. L'implantation par **type d'opérations** ou implantation **fonctionnelle.** Dans ce cas, toutes les opérations de même nature sont groupées: par exemple, dans l'industrie du vêtement, toutes les opérations de coupe s'effectuent dans une seule zone, la couture ou le piquage dans une autre, le finissage dans une troisième et ainsi de suite. C'est l'implantation que l'on adopte généralement lorsqu'on fabrique un grand nombre de produits avec le même appareillage et que chaque produit ne représente qu'un volume de production assez faible. Le filage et le tissage des fibres textiles, les ateliers d'entretien et l'industrie du vêtement en sont des exemples.

3. L'implantation par **produit** ou en **ligne de production,** appelée parfois fabrication en (grande) série. Dans ce type d'implantation, toutes les machines et équipements nécessaires à la fabrication d'un produit donné sont installés dans la même zone et disposés dans l'ordre du processus de fabrication. Ce type d'implantation sert principalement dans les cas où il y a une forte demande d'un ou de plusieurs produits plus ou moins uniformisés. La mise en bouteille des limonades, le montage des automobiles et certaines opérations de mise en conserve en sont des exemples typiques.

4. L'implantation permettant l'application des **méthodes de production par groupes** ou implantation **par groupes.** Depuis quelques années, plusieurs entreprises, désireuses d'améliorer la satisfaction au travail, ont innové et organisé leurs fabrications de telle sorte qu'un groupe d'ouvriers travaille en commun sur un produit donné ou une pièce d'un produit et dispose de toutes les machines nécessaires à l'exécution complète du travail. Les ouvriers se répartissent alors le travail entre eux et les tâches sont généralement interchangeables. On trouvera au chapitre 24 de plus amples détails sur ce mode de production.

Avec ces divers types d'implantation présents à l'esprit, nous pouvons maintenant analyser la circulation des matières dans l'usine. Dans certains cas, on peut modifier rapidement la production en changeant de type d'implantation. Cela est tout particulièrement vrai lorsqu'on passe de l'implantation par opération à l'implantation en ligne pour un ou plusieurs articles dont on a considérablement accru la production.

Toutefois, dans la plupart des cas, il est recommandé de procéder à une analyse approfondie du cheminement avant de prendre la décision de changer d'implantation, car il s'agit là en général d'une opération coûteuse. La direction doit s'assurer, avant de donner son accord, que le changement permettra de faire des économies réelles.

---

[1] Ou stationnaire. Voir Delfosse, *op. cit.*

Figure 29. Types d'implantations

a) Implantation de l'ouvrage en un point fixe

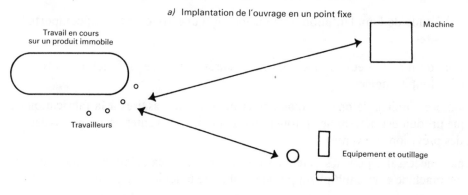

b) Implantation par type d'opérations ou fonctionnelle

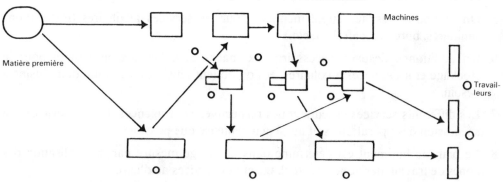

c) Implantation par produit ou en ligne de production

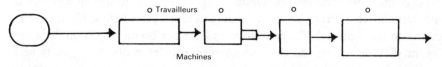

d) Implantation par groupes

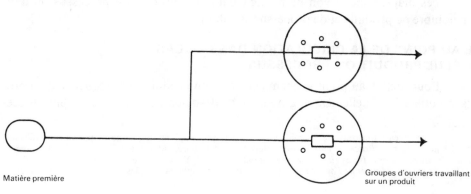

111

3. Mise au point de l'implantation

L'étude de l'implantation d'une usine ou d'une zone de travail comporte les étapes suivantes:

1. Le choix du matériel et des machines nécessaires s'effectue en fonction du type de produits dont il s'agit.

2. Le nombre d'unités de chaque machine et matériel nécessaires à la fabrication de chaque produit est déterminé en fonction du volume des ventes escomptées (découlant des prévisions de vente).

3. L'espace nécessaire pour les machines est déterminé en calculant les dimensions de chaque machine et en multipliant par le nombre de machines requises.

4. On prévoit l'espace nécessaire pour les matières (c'est-à-dire pour les matières premières et pour le stockage des produits finis), pour les travaux en cours et pour le matériel de manutention.

5. On prévoit un espace supplémentaire pour les services auxiliaires (installations sanitaires, bureaux, cafétéria, etc.).

6. On additionne l'espace nécessaire aux machines à l'espace nécessaire pour le stockage et les services auxiliaires, et l'on obtient ainsi l'espace total dont l'usine a besoin.

7. Les différents services et leurs zones respectives sont agencés de telle sorte que la succession des opérations soit aussi peu coûteuse que possible.

8. Le plan du bâtiment est déterminé dans une large mesure par la localisation des zones de travail, des zones de stockage et des services auxiliaires.

9. On détermine les dimensions et l'aménagement du terrain en prévoyant des espaces supplémentaires pour le parking, la réception et l'expédition, et l'aménagement des abords et espaces verts.

Cependant, il est rarement demandé à l'agent d'étude du travail d'établir un projet d'usine complet en partant de ces premières étapes essentielles. Ce travail est plutôt du ressort du spécialiste de l'organisation industrielle ou de la gestion de la production. L'agent d'étude du travail doit plutôt résoudre les problèmes que pose la modification d'une implantation qui existe déjà. Il lui faut alors s'attacher surtout à déterminer le meilleur enchaînement possible des étapes d'un travail, et les divers diagrammes de circulation sont alors très utiles (voir fig. 30)[1]. On recourt à l'un ou à l'autre de ces diagrammes selon qu'il s'agit d'un seul produit ou processus ou d'un certain nombre de produits et de processus simultanés.

MISE AU POINT DE LA CIRCULATION DANS LE CAS D'UN SEUL PRODUIT OU PROCESSUS

Pour mettre au point le cheminement d'un produit ou la séquence d'un processus, on utilise habituellement le graphique de déroulement décrit au chapitre précé-

---

[1] Les lecteurs qui souhaitent avoir plus de détails sur l'implantation d'une usine pourront utilement consulter Richard Muther: *Practical plant layout* (New York et Londres, McGraw-Hill, 1956); H. B. Maynard (publié sous la direction de): *Industrial engineering handbook* (New York et Londres, McGraw-Hill, 3e édition, 1971); M. G. Delfosse: *Manuel de l'agent technique*, vol. II: «Les implantations, les manutentions et les stocks», *op. cit.*

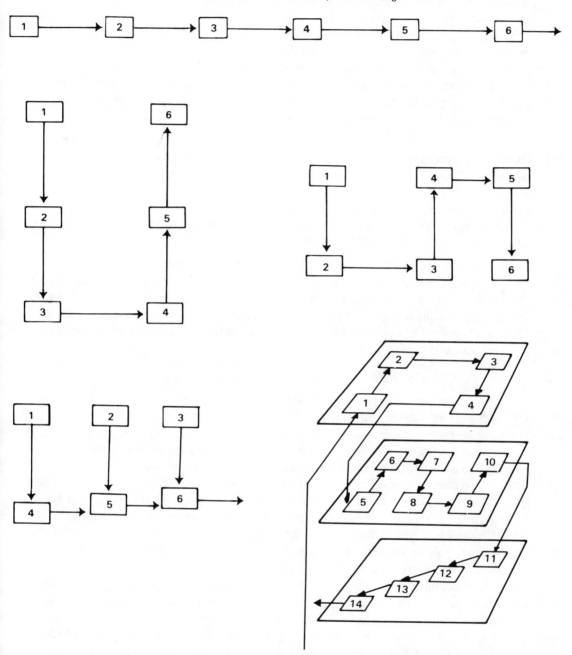

*Figure 30.   Exemples de divers types de circulation entre les zones de travail,
notamment pour un immeuble à plusieurs étages*

dent, que l'on complète par un **diagramme de circulation.** Le graphique de déroulement sert à enregistrer la longueur des trajets et la durée des différentes opérations. Sa valeur réside dans son utilisation en tant qu'instrument analytique pour remettre en question une méthode existante. Le diagramme de circulation consiste, lui, en un plan fidèle (dessiné pour l'essentiel à l'échelle) de l'usine ou de la zone de travail, indiquant avec exactitude la position des machines et les emplacements de travail. A partir de l'observation sur place, on reporte sur le plan les mouvements du produit ou de ses éléments en utilisant quelquefois les symboles des graphiques de déroulement pour signaler les opérations effectuées aux divers points de travail. Par exemple, en dessinant dans un atelier un diagramme de circulation simple pour représenter les mouvements des matières utilisées pour l'assemblage et le soudage de pieds aux bâtis de sièges d'autobus, on a vu au premier coup d'œil que les matières circulaient beaucoup trop entre les postes de travail. Dans ce cas particulier, et après que l'agent d'étude du travail eut examiné les diagrammes de circulation et les graphiques de déroulement de ces opérations, les déplacements ont pu être ramenés de 575 à 194 mètres.

Le diagramme de circulation peut également servir à étudier les déplacements entre plusieurs étages d'un immeuble, sans que cela exclue, bien entendu, l'établissement d'un diagramme de circulation ordinaire pour chaque étage.

EXEMPLE D'UTILISATION DU DIAGRAMME DE CIRCULATION AVEC LE GRAPHIQUE DE DÉROULEMENT: RÉCEPTION ET INSPECTION DE PIÈCES D'AVION[1]

Le diagramme de circulation de la figure 31 indique l'implantation du service de réception d'une usine d'avions avant l'étude des méthodes. La ligne grasse marque le trajet suivi par les pièces, du point d'arrivée jusqu'aux casiers de stockage. On remarquera que les symboles des diverses activités (voir chap. 8) sont indiqués à la place appropriée. Cela permet au lecteur du diagramme de se représenter plus facilement les opérations effectuées.

☐ *ENREGISTRER*

L'opération consiste à décharger d'un camion de livraison des caisses contenant des pièces d'avion empaquetées dans des cartons individuels, à les pointer, à les contrôler et à les marquer avant de les mettre en magasin. Les caisses glissent sur un plan incliné accroché à l'arrière du camion, sont poussées sur un transporteur à rouleaux jusqu'à l'espace de déballage, où elles sont empilées les unes sur les autres en attendant d'être ouvertes. Elles sont ensuite déposées à terre et ouvertes. Les feuilles de livraison sont retirées et les caisses sont chargées une à une sur un chariot à main et transportées au banc de réception; elles sont déposées sur le sol près du banc. Elles sont déballées peu après; chaque pièce est retirée de son carton et pointée sur la feuille de livraison, puis remise dans le carton; les cartons sont replacés dans la caisse, qui est déposée de l'autre côté du banc de réception en attendant d'être transportée au banc d'inspection. Là, la caisse est de nouveau déposée à terre jusqu'à ce qu'un contrôleur puisse s'en occuper. Les pièces sont de nouveau déballées, contrôlées, calibrées et replacées dans leurs cartons. Après une brève attente, la caisse est transportée au banc de marquage. Les pièces y sont déballées, numérotées et remballées dans leurs cartons, puis dans la caisse, et celle-ci, après un moment d'attente, est transportée sur un diable dans le magasin où elle est placée dans un casier en attendant d'être délivrée aux ateliers de montage. Le processus complet est enregistré sur le graphique de déroulement de la figure 32.

---

[1] Cet exemple a été tiré, avec quelques modifications, de la brochure *La simplification du travail.* Exposé et manuel d'application pratique de la méthode (adapté du manuel publié par le département d'éducation de la North American Aviation, Inc., Texas Division) (Editions Hommes et Techniques, Paris, 2e édition, 1950).

Figure 31.   Diagramme de circulation:
réception, contrôle et marquage de pièces (méthode appliquée)

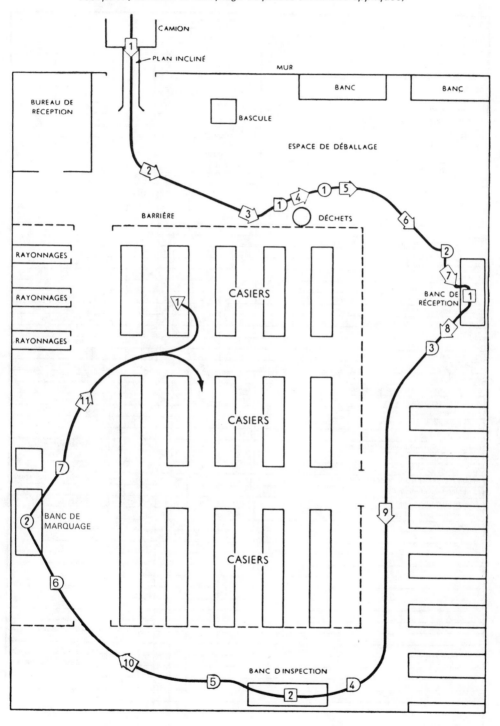

*Figure 32.   Graphique de déroulement:
réception, contrôle et marquage de pièces (méthode appliquée)*

GRAPHIQUE DE DÉROULEMENT		EXÉCUTANT/MATIÈRE/MATÉRIEL			
GRAPHIQUE N° 3	FEUILLE N° 1 de 1	R É S U M É			
Sujet mis en graphique:		ACTIVITÉ	ACTUELLE	PROPOSÉE	GAIN
Caisses de tés BX 487 (10 par caisse, emballés dans des cartons)		OPÉRATION ◯	2		
		TRANSPORT ⇨	11		
ACTIVITÉ:		ATTENTE ◻	7		
Réception, pointage, inspection et numérotage des tés et emmagasinage dans les caisses		CONTRÔLE ☐	2		
		STOCKAGE ▽	1		
MÉTHODE: ACTUELLE/PROPOSÉE		DISTANCE *(mètres)*	56		
POSTE: *Service de réception*		TEMPS *(heures-homme)*	1,96		
EXÉCUTANT(S): N°(s) DE POINTAGE		COÛT *par caisse*			
Voir colonne observations		MAIN-D'ŒUVRE	$ 10,19		
GRAPHIQUE PAR: DATE:		MATIÈRE	—		
APPROUVÉ PAR: DATE:		TOTAL	$ 10,19		

DESCRIPTION	QUAN-TITÉ 1 caisse	DIS-TAN-CE (m.)	TEMPS (min.)	◯	⇨	◻	☐	▽	OBSERVATIONS
Caisse enlevée du camion; placée sur plan incliné		1,2							2 manœuvres
Glissée sur plan incliné		6	10						2 manœuvres
Glissée jusqu'au stock et empilée		6							2 manœuvres
Attente du déballage		—	30						
Caisse mise sur le sol		—							
Couvercle enlevé et feuille de livraison retirée		—	5						2 manœuvres
Caisse chargée sur chariot		1							
Transportée au banc de réception		9	5						2 manœuvres
Attente du déchargement du chariot		—	10						
Caisse placée sur banc		1	2						2 manœuvres
Cartons retirés; ouverts; contenu vérifié; remballé									
Caisse chargée sur chariot		—	15						Magasinier
Attente du transport		1	2						2 manœuvres
Caisse transportée au banc de contrôle		—	5						
Attente du contrôle		16,5	10						1 manœuvre
Pièces retirées de la caisse et des cartons;		—	10						Caisse sur chariot
conformité dessin contrôlée; pièces remballées		1	20						Inspecteur
Attente du transporteur									
Caisse transportée sur chariot au banc		—	5						Caisse sur chariot
de numérotage		9	5						1 manœuvre
Numérotage attendu		—	15						Caisse sur chariot
Pièces retirées de la caisse et des cartons;		—	15						Manœuvre magasinier
numérotées et remballées									
Attente du transporteur		—	5						Caisse sur chariot
Caisse transportée au centre de distribution		4,5	5						1 manœuvre
Emmagasinée									
TOTAL		56,2	174	2	11	7	2	1	

☐ *EXAMINER de façon critique*

La lecture du diagramme de circulation révèle immédiatement que l'acheminement des caisses vers les casiers de stockage suit un parcours très long et tortueux, fait que n'aurait pas indiqué à lui seul le graphique de déroulement. En revanche, le graphique permet d'enregistrer et de résumer les diverses activités beaucoup mieux que ne peut le faire le diagramme.

Il suffit d'examiner conjointement les deux feuilles et d'utiliser la méthode interrogative dont nous avons déjà parlé pour s'apercevoir que plusieurs points appellent une explication, par exemple:

Q. Pourquoi les caisses doivent-elle être empilées en attendant d'être déballées, alors qu'elles doivent être remises à terre dix minutes plus tard?

    R. Parce que les caisses ne sont pas dégagées aussi vite qu'elles sont déchargées du camion.

Q. Que pourrait-on faire d'autre?

    R. On pourrait dégager les caisses plus rapidement.

Q. Pourquoi les points de réception, d'inspection et de marquage sont-ils si éloignés les uns des autres?

    R. Parce qu'un jour on les a placés à l'endroit qu'ils occupent.

Q. A quel autre endroit pourraient-ils être installés?

    R. Ils pourraient être groupés au même point.

Q. Où devraient-ils être implantés?

    R. Ils devraient être tous groupés au point de réception actuel.

Q. Pourquoi les caisses doivent-elles faire le tour du bâtiment pour arriver au magasin?

    R. Parce que la porte du magasin et le point d'arrivée des caisses sont situés à des extrémités opposées du bâtiment.

Les lecteurs qui examineront avec attention le diagramme de circulation et le graphique de déroulement découvriront sans aucun doute beaucoup d'autres questions à poser. De toute évidence, l'ensemble des opérations laisse beaucoup à désirer. C'est là un exemple vécu de ce qui arrive lorsqu'une suite d'activités est entreprise sans avoir été convenablement conçue et organisée. Des milliers d'usines dans le monde entier offrent des exemples de gaspillage aussi important de temps et d'efforts.

☐ *METTRE AU POINT la méthode améliorée*

Les figures 33 et 34 représentent graphiquement la solution adoptée par les agents d'étude du travail dans l'établissement que nous avons considéré. Les questions que nous avons citées plus haut figurent évidemment parmi celles qu'ils ont posées, puisque, comme on peut le constater, chaque caisse déchargée du camion en glissant sur le plan incliné est maintenant placée immédiatement sur un chariot. La caisse est transportée directement à l'espace de déballage, où un ouvrier l'ouvre alors qu'elle se trouve encore sur le chariot et en retire la fiche de livraison. Elle est ensuite transportée au banc de réception, où, après une brève attente, elle est déballée et les pièces placées sur la table, comptées et pointées sur la fiche de livraison. Les bancs de contrôle

117

Figure 33.   Diagramme de circulation:
réception, contrôle et marquage de pièces (méthode améliorée)

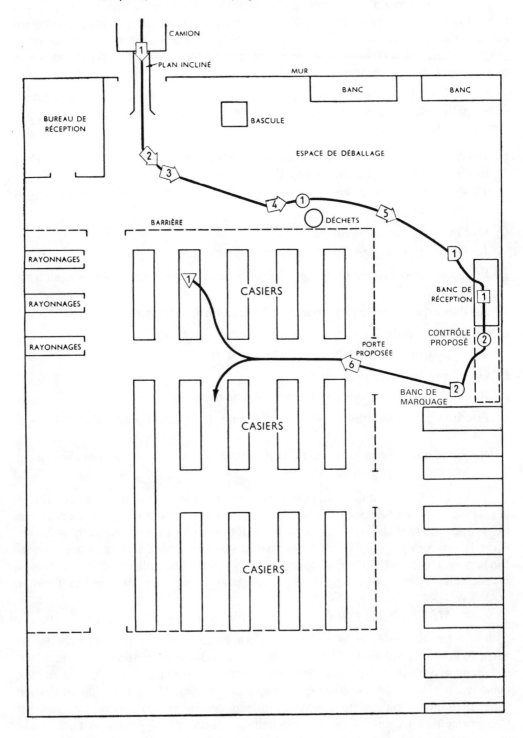

Figure 34. Graphique de déroulement:
réception, contrôle et marquage de pièces (méthode améliorée)

GRAPHIQUE DE DÉROULEMENT		EXÉCUTANT/MATIÈRE/MATÉRIEL			
GRAPHIQUE N° 4 FEUILLE N° 1 de 1		R É S U M É			
Sujet mis en graphique: *Caisses de tés BX 487 (10 par caisse, emballés dans des cartons)*		ACTIVITÉ	ACTUELLE	PROPOSÉE	GAIN
		OPÉRATION ◯	2	2	—
ACTIVITÉ: *Réception, pointage, inspection et numérotage des tés et emmagasinage dans les caisses*		TRANSPORT ⇨	11	6	5
		ATTENTE D	7	2	5
		CONTRÔLE ☐	2	1	1
MÉTHODE: ACTUELLE/PROPOSÉE		STOCKAGE ▽	1	1	—
		DISTANCE *(mètres)*	56	32	24
POSTE: *Service de réception*		TEMPS *(heures-homme)*	1,96	1,16	0,80
EXÉCUTANT(S): N°(s) DE POINTAGE *Voir colonne observations*		COÛT *par caisse* MAIN-D'ŒUVRE	$10,19	$6,03	$4,16
GRAPHIQUE PAR: DATE:		MATIÈRE	—	—	—
APPROUVÉ PAR: DATE:		TOTAL	$10,19	$6,03	$4,16

DESCRIPTION	QUAN-TITÉ 1 caisse	DIS-TAN-CE (m.)	TEMPS (min.)	◯	⇨	D	☐	▽	OBSERVATIONS
Caisse enlevée du camion; placée sur plan incliné		1,2							2 manœuvres
Glissée sur plan incliné		6	5						2 manœuvres
Placée sur chariot		1							2 manœuvres
Transportée à espace de déballage		6	5						1 manœuvre
Couvercle retiré		—	5						1 manœuvre
Caisse transportée au banc de réception		9	5						1 manœuvre
Attente du déchargement		—	5						
Cartons retirés de la caisse;									
ouverts et pièces placées sur banc;		—	20						1 inspecteur
comptées et conformité dessin contrôlée									
Pièces numérotées et replacées dans caisse									Manœuvre magasinier
Attente du manœuvre transporteur		—	5						
Caisse transportée au centre de distribution		9	5						1 manœuvre
Emmagasinée		—	—						
TOTAL		32,2	55	2	6	2	1	1	

et de marquage sont maintenant situés à côté du banc de réception de façon que les pièces puissent passer de main en main pour les opérations successives de contrôle, de calibrage et de numérotage. Après quoi elles sont replacées dans leurs cartons et remballées dans la caisse, qui se trouve toujours sur le chariot.

Il est évident que les agents d'étude du travail ont été amenés à poser la question que nous avons citée, à savoir: «Pourquoi les caisses doivent-elles faire le tour du bâtiment pour arriver au magasin?» N'ayant reçu aucune réponse satisfaisante, ils ont décidé de percer une nouvelle porte d'accès au magasin en face des bancs afin de raccourcir au maximum le trajet des caisses.

Le graphique de déroulement (fig. 34) montre que le nombre des «contrôles» est passé de 2 à 1, celui des «transports» de 11 à 6 et celui des «attentes» (ou stockages temporaires) de 7 à 2. La distance parcourue n'est plus que de 32,2 mètres au lieu de 56,2.

Le nombre d'heures-homme a été calculé en multipliant le temps de chaque activité par le nombre de travailleurs occupés, par exemple: «caisse transportée au banc de réception»: 5 minutes × 2 manœuvres = 10 minutes-homme. Les attentes ne sont pas comptées, parce qu'elles sont dues au fait que les travailleurs sont occupés à d'autres opérations. Dans la nouvelle méthode, le contrôleur et le magasinier travaillent en même temps, respectivement au contrôle et à la numérotation des pièces, ce qui explique que les 20 minutes antérieures soient devenues 40 minutes-homme. Le coût de la main-d'œuvre est calculé à raison de 5,20 dollars de l'heure en moyenne pour tous les travailleurs. Le coût de la nouvelle porte d'accès n'est pas compris dans le total, car son amortissement doit être réparti sur tous les objets entrant en magasin et pas seulement sur les caisses.

MISE AU POINT DE LA CIRCULATION DANS LE CAS DE PLUSIEURS PRODUITS OU PROCESSUS

Si plusieurs produits sont fabriqués simultanément ou si plusieurs processus se déroulent en même temps, on a recours à un autre type de représentation graphique pour déterminer l'emplacement idéal des machines ou des opérations. Il s'agit du **tableau des liaisons.**

Comme le montre la figure 35, le tableau des liaisons est un tableau à double entrée qui énumère les diverses opérations (ou machines) par lesquelles passent les différents produits aux diverses étapes de la fabrication. Le tableau de la figure 35 est établi pour une société qui produit des articles en métal décoré. Dans cet exemple, la société fabrique 70 produits, dont chacun est soumis à certaines des opérations indiquées.

Pour construire ce tableau, on prend un seul produit à la fois et on indique les différentes étapes de sa fabrication dans les cases appropriées. Si le produit passe de l'étape «Moulage» à l'étape «Normalisation», on trace un trait dans la case située à l'intersection «Moulage/Normalisation». S'il passe ensuite de «Normalisation» à «Métallisation», on trace un trait dans la case correspondante, et ainsi de suite jusqu'à ce que toute la suite des opérations nécessaires à la fabrication ait été enregistrée. On fait de même pour chacun des 70 produits. Le graphique ainsi obtenu se présente comme on le voit à la figure 35.

Figure 35. *Mise au point de la circulation dans le cas de plusieurs produits par la méthode du tableau des liaisons*

De \ Vers	Moulage	Normalisation	Usinage	Ebarbage/finition	Peinture	Métallisation	Enduisage	Polissage	Emballage individuel	Emballage et expédition	Total
Moulage		14	8	6	14				1	27	70
Normalisation					17	1					18
Usinage				3	2	2				1	8
Ebarbage/finition		4						1	3	2	10
Peinture				1	11	19		13	2		46
Métallisation							22				22
Enduisage								22			22
Polissage					2				33	1	36
Emballage individuel										39	39
Emballage et expédition											0
Total	0	18	8	10	46	22	22	36	39	70	

Source: Extrait de Richard Muther: «Plan layout», dans H. B. Maynard: *Industrial engineering handbook* (New York et Londres, McGraw-Hill, 3e édition, 1971) et utilisé avec l'aimable autorisation de la McGraw-Hill Book Company.

121

L'étape suivante consiste à déterminer les opérations qui doivent être adjacentes. Le tableau fait apparaître clairement que 27 produits sur 70 (c'est-à-dire 39 pour cent des produits) passent directement de l'étape «Moulage» à l'étape «Emballage et expédition». Ces deux opérations devraient donc être contiguës. De même, les 22 produits que l'on métallise passent de la «Métallisation» à l'«Enduisage» et de l'«Enduisage» au «Polissage». Par conséquent, ces trois opérations doivent s'enchaîner directement. On peut ainsi, de proche en proche, établir l'enchaînement des opérations qui est le plus judicieux.

Une variante de cette technique consiste à construire le tableau en se limitant à un échantillon des articles les plus souvent fabriqués. En effet, lorsqu'une usine produit plus de 100 articles différents, il est parfois malaisé d'appliquer la méthode indiquée ci-dessus. Mais il arrive que des recherches révèlent que 15 ou 20 articles représentent jusqu'à 80 pour cent de la production totale. Dans ce cas, on ne reportera sur le tableau que la suite des opérations concernant ces articles-là, et la circulation sera déterminée comme on vient de le voir.

PRÉSENTATION VISUELLE DE L'IMPLANTATION

Une fois que les dimensions et la disposition des machines, des installations de stockage et des services auxiliaires ont été déterminées, il est bon de présenter visuellement l'implantation proposée avant de procéder au réagencement du lieu de travail, qui peut être une opération coûteuse. Pour ce faire, on peut utiliser des «gabarits», c'est-à-dire des morceaux de carton découpés à l'échelle. On peut employer des cartons de différentes couleurs pour représenter des types de matériel différents tels que machines, caisiers de stockage, établis ou appareils de manutention. Lorsqu'on dispose ces gabarits, il faut s'assurer que les allées et passages sont assez larges pour que le matériel de manutention et les travaux en cours circulent facilement.

Une autre possibilité consiste à utiliser des modèles réduits ou maquettes, qui donnent une représentation tridimensionnelle de l'implantation. Des modèles réduits des machines et du matériel les plus couramment utilisés ne sont pas difficiles à trouver dans le commerce et ce sont d'excellents instruments de formation.

4. La manutention des matières

On consacre souvent beaucoup de temps et d'efforts au déplacement des matières au cours de la fabrication. Cette manutention est coûteuse et n'ajoute rien à la valeur du produit. Ainsi donc, il ne devrait — idéalement — y avoir **aucune manutention.** Malheureusement, cela n'est pas possible. Il serait plus réaliste de chercher à déplacer les matières par les méthodes et avec le matériel les plus appropriés, aux moindres frais, et sans nuire à la sécurité.

Cet objectif peut être atteint:

☐ en éliminant ou en réduisant la manutention;

☐ en améliorant l'efficacité de la manutention;

☐ en choisissant le matériel de manutention adéquat.

ÉLIMINATION OU RÉDUCTION DE LA MANUTENTION

Il est souvent possible d'éliminer ou de réduire la manutention. Dans la pratique, on s'aperçoit, à certains indices, que cela est nécessaire, par exemple lorsqu'il y a un nombre excessif d'opérations de chargement et de déchargement, des manipulations répétées de lourdes charges, des matières déplacées sur de longues distances, un déroulement du travail irrégulier, avec des goulets d'étranglement à certains points, des cas fréquents de dégâts ou de casse imputables à la manutention, etc. Il s'agit là de certains des phénomènes les plus fréquents qui appellent l'intervention du spécialiste de l'étude du travail. L'approche à suivre dans ce cas est analogue à l'approche traditionnelle de l'étude des méthodes; on utilise les graphiques d'analyse de processus, les graphiques de déroulement et les diagrammes de circulation et on pose les mêmes questions, à savoir «où, quand, par qui, comment» et, surtout, «pourquoi» cette manutention est effectuée.

Cependant, il n'est pas rare que cette étude doive être précédée ou accompagnée d'une étude de l'implantation de la zone de travail, afin de réduire le mouvement au minimum.

AMÉLIORATION DE L'EFFICACITÉ DE LA MANUTENTION

En observant certaines règles, on peut accroître l'efficacité de la manutention. Ces règles sont les suivantes:

1. Accroître les dimensions ou le nombre des unités à manutentionner en une fois. S'il le faut, revoir la conception et l'emballage du produit au cas où cela permettrait d'arriver à ce résultat plus aisément.

2. Accélérer la manutention si cela est possible et rentable.

3. Exploiter la gravité au maximum.

4. Disposer d'un nombre suffisant de conteneurs, de palettes, de plates-formes, de caisses, etc., afin de faciliter le transport.

5. Accorder la préférence dans la plupart des cas au matériel de manutention qui se prête à toutes sortes d'usages et d'applications.

6. S'efforcer de faire circuler les matières le plus possible en ligne droite et faire en sorte que les allées et passages soient toujours dégagés.

CHOIX D'UN MATÉRIEL DE MANUTENTION ADÉQUAT

L'agent d'étude du travail doit être au courant des différents types de matériel de manutention. Il y en a littéralement des centaines, que l'on peut cependant classer en quatre grandes catégories:

☐ *LES CONVOYEURS*

Les convoyeurs sont utiles pour le déplacement continu ou intermittent des matières entre deux points de travail fixes. Ils servent principalement aux opérations de production continues ou en série — en fait, ils conviennent pour la plupart des opérations où la circulation est plus ou moins régulière. On distingue plusieurs types de convoyeurs selon que l'entraînement des matières se fait à l'aide de roues, de courroies ou de rouleaux qui sont mus par moteur ou tournent librement. La décision d'acquérir

123

des convoyeurs doit être mûrement réfléchie car leur installation est généralement coûteuse; en outre, ils sont peu flexibles et, lorsque deux ou plusieurs convoyeurs aboutissent au même point, il convient de coordonner leurs vitesses respectives.

☐   *LES CHARIOTS INDUSTRIELS*

Les chariots industriels sont d'une utilisation plus souple que les convoyeurs car on peut les déplacer entre différents points de l'atelier et ils ne sont pas fixés à demeure dans un endroit déterminé. Ils conviennent donc parfaitement à la production intermittente et à la manutention de matières de dimensions et de formes différentes. On distingue de nombreux types de chariots — les chariots à essence, les chariots électriques, les chariots à main, etc. Leur principal avantage réside dans le fait que l'on peut y adapter de nombreux accessoires, ce qui permet de manutentionner des matières de types très différents et de formes variées.

☐   *LES GRUES ET LES ENGINS DE LEVAGE*

Le grand avantage des grues et des engins de levage réside dans le fait qu'ils peuvent déplacer des matières pondéreuses et qu'ils sont à voie aérienne. Cependant, ils ne peuvent en général desservir qu'une zone limitée. Ici encore, il y a plusieurs types de grues et d'engins de levage et, dans chaque catégorie, on trouve des appareils de diverses capacités de charge. Grues et engins de levage sont utilisés dans la production intermittente comme dans la production continue.

☐   *LES CONTENEURS*

On distingue les conteneurs «inertes» (par exemple: cartons, barils, poulains, palettes) qui portent ou contiennent les matières à transporter mais ne se déplacent pas eux-mêmes, et les conteneurs «mobiles» (par exemple: wagonnets, brouettes). Ce genre de matériel de manutention peut à la fois contenir et transporter les matières et est en général commandé manuellement.

La figure 36 présente plusieurs types d'appareils de manutention.

Le choix du matériel de manutention est un problème complexe. Dans de nombreux cas, la même matière peut être manutentionnée de différentes manières (voir fig. 37), et la grande diversité du matériel actuellement sur le marché ne rend pas le problème plus facile. Il est cependant des cas où la nature de la matière à manutentionner réduit le choix.

Parmi les facteurs les plus importants à prendre en considération lors du choix du matériel de manutention, nous citerons:

1. **Les propriétés de la matière à déplacer.** Son état physique (liquide, solide ou gazeux), sa taille, sa forme et son poids sont autant de considérations essentielles qui permettent déjà d'écarter certains des différents types de matériel que l'on envisagerait. De même, selon que la matière est fragile, corrosive ou toxique, certaines méthodes de manutention et certains conteneurs seront automatiquement préférables à d'autres.

2. **L'implantation et les caractéristiques du bâtiment.** L'espace disponible pour la manutention constitue un autre facteur limitatif. Des plafonds bas peuvent exclure l'utilisation d'engins de levage ou de grues et la taille du matériel de manutention

Figure 36. Différents types d'appareils de manutention

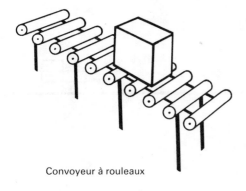

Convoyeur à rouleaux

Chariot élévateur à fourche

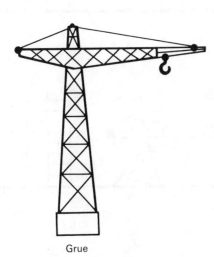

Grue

Engin de levage
(treuil, palan)

CONTENEURS

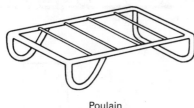

Poulain
(conteneur inerte)

Chariot à céramique ou à pâtisseries
(conteneur mobile)

125

Figure 37. Différentes possibilités de manutention du même objet

peut être limitée par la présence gênante de piliers de soutènement. S'il s'agit d'un immeuble à plusieurs étages, on peut se servir de toboggans ou de rampes (plans inclinés) pour les chariots industriels. Enfin, l'implantation elle-même indique le type de fabrication (continue, intermittente, en un point fixe ou par groupes) et peut déjà orienter le choix vers certains types de matériel qui apparaissent plus appropriés que d'autres.

3. **Le débit de production.** Si le débit de production est assez constant entre deux points fixes qui ne paraissent pas devoir être modifiés, on obtiendra de bons résultats avec un matériel fixe comme les convoyeurs ou les toboggans. Par contre, si le débit n'est pas constant et si le trajet d'écoulement change de temps à autre parce qu'on fabrique plusieurs produits simultanément, il vaut mieux utiliser un équipement mobile comme le chariot industriel.

4. **Les coûts.** C'est l'une des considérations les plus importantes. Les facteurs énumérés ci-dessus peuvent aider à réduire la gamme du matériel approprié, mais l'estimation des coûts peut aider à prendre la décision finale. Il est nécessaire de tenir compte de plusieurs éléments en matière de coûts lorsqu'on compare différents types de matériel qui peuvent tous manutentionner la même charge. Il y a le coût initial du matériel, à partir duquel on peut calculer le coût de l'investissement sous la forme des intérêts à payer (si la société doit emprunter pour acheter le matériel) ou du coût d'opportunité (si la société a les capitaux et ne doit pas faire d'emprunt mais que l'achat du matériel la prive de la possibilité de les placer et d'en tirer un certain rendement). Le coût de l'acquisition du matériel permet également de calculer l'amortissement annuel auquel il faudra ajouter d'autres frais, tels que l'assurance, les impôts et autres frais généraux. Outre ces frais fixes, il faut tenir également compte des coûts d'exploitation, comme les coûts du personnel, de l'énergie, de l'entretien et de la surveillance. En calculant et en comparant le coût total correspondant à chacun des appareils de manutention envisagés, on peut arriver à une décision plus rationnelle quant au choix du matériel le plus approprié.

Chapitre 10
Déplacements des travailleurs dans la zone de travail

1. L'implantation de l'usine et les déplacements des travailleurs et des matières

Les activités au cours desquelles les travailleurs doivent se déplacer, à intervalles irréguliers, d'un point à un autre de la zone de travail, chargés ou les mains vides, sont de divers types. Ce genre d'activité se rencontre très fréquemment dans l'industrie, le commerce et même les habitations privées. Citons, par exemple, dans les opérations de fabrication le cas où:

les travailleurs alimentent un processus continu en matières occupant un certain volume et procèdent au dégagement et au stockage de ces matières;

un ouvrier surveille plus d'une machine;

des manœuvres apportent des matières à une série de machines ou de postes de travail et en évacuent les produits.

En dehors des opérations de production, ce genre de déplacement s'effectue aussi, par exemple:

dans les boutiques et magasins, lorsque des matières sont déposées dans des caisses ou des étagères et en sont retirées;

dans les cuisines de restaurant et de cantine pendant la préparation des repas;

dans les laboratoires de contrôle, où des tests de routine sont effectués à intervalles fréquents.

2. Le diagramme à ficelles

Un des moyens utilisés pour enregistrer et étudier cette forme d'activité est le **diagramme à ficelles,** l'une des techniques les plus simples et les plus utiles de l'étude des méthodes.

Figure 38.   Diagramme à ficelles

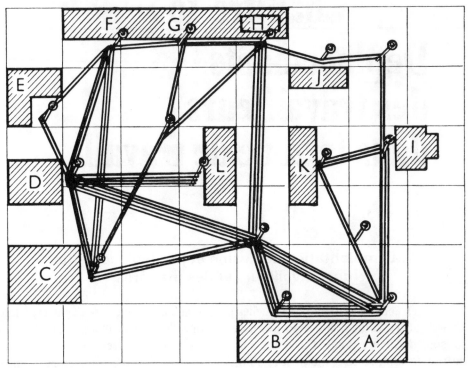

Un diagramme à ficelles est un plan ou un modèle à l'échelle sur lequel on suit et on mesure, au moyen d'un fil ou d'une ficelle, les déplacements effectués par des ouvriers, des matières ou du matériel pendant une série précise d'opérations

Le diagramme à ficelles (fig. 38) est donc une forme spéciale de diagramme de circulation dont la particularité réside dans l'utilisation d'un fil ou d'une ficelle pour mesurer la distance. C'est pourquoi il est indispensable que le diagramme à ficelles soit tracé rigoureusement à l'échelle, alors que le diagramme de circulation ordinaire n'est généralement dessiné qu'approximativement à l'échelle, toutes les distances parcourues y étant indiquées clairement. Pour établir un diagramme à ficelles, on commence exactement de la même manière que pour toutes les autres études de méthodes, c'est-à-dire en enregistrant par observation directe tous les faits intéressants. Comme le diagramme de circulation, le diagramme à ficelles sert le plus souvent à compléter un graphique de déroulement, les deux réunis fournissant une image aussi claire que possible du processus étudié. Comme toujours, le graphique de déroulement fera l'objet d'un examen critique car il faut s'assurer, avant de mettre au point un nouveau mode opératoire, que toutes les opérations inutiles ont bien été éliminées.

On utilise parfois le diagramme à ficelles pour relever les déplacements des matières, surtout lorsqu'un agent d'étude du travail désire déterminer facilement la

Figure 39.   Feuille simple d'analyse des déplacements

FEUILLE D'ANALYSE DES DÉPLACEMENTS

GRAPHIQUE N° 1 FEUILLE N° 1 de 2   EXÉCUTANT(S):

OPÉRATION: *Transport de biscuits de carreaux*

de faïence de la table d'inspection aux casiers   GRAPHIQUE PAR:

de stockage et déchargement dans les casiers   DATE:

EMPLACEMENT: *Entrepôt des biscuits*   A ÉTUDIER AVEC: *Diagrammes à*

ficelles 1 et 2

1 HEURE DE DÉPART	2 HEURE D'ARRIVÉE	3 TEMPS PASSÉ	4 TRANSPORTS EFFECTUÉS	5 OBSERVATIONS
			Table d'inspection (I)	
			à casier 4	
			I 13	
			I 5	
			I 32	
			I 18	

distance exacte parcourue par les matières. Nous aurions pu établir un diagramme à ficelles pour chacun des exemples du chapitre précédent, mais cela n'était pas nécessaire. Le diagramme de circulation nous a suffi pour mettre en évidence tous les points essentiels et était en outre plus rapide à établir dans les cas dont il s'agissait. Cependant, lorsqu'on veut reconstituer les déplacements effectués par les ouvriers, c'est le diagramme à ficelles que l'on utilise le plus souvent et c'est cette application que nous allons examiner dans les exemples du présent chapitre.

L'agent d'étude du travail suit le travailleur dont il étudie les mouvements dans les divers déplacements qu'exige la tâche effectuée. (Si la zone de travail est assez petite pour pouvoir être embrassée tout entière d'un même endroit, il pourra observer le travailleur sans se déplacer lui-même.) L'agent d'étude du travail note méthodiquement chaque point où arrive l'ouvrier et, si les trajets sont assez longs, les heures d'arrivée et de départ. Il y a intérêt, pour faciliter la notation, à donner une lettre ou un numéro-code à chaque machine, magasin ou autre point de passage.

La feuille d'analyse requise dans ce cas est très simple. La figure 39 indique les en-têtes à porter sur la première feuille; sur les feuilles suivantes, il suffit d'écrire colonnes 1, 2, 3, 4 et 5.

L'agent d'étude du travail continue à enregistrer les mouvements de l'ouvrier aussi longtemps qu'il le juge nécessaire pour obtenir un tableau exact de ses déplacements; cette phase du travail peut ainsi durer, selon les cas, quelques heures, une journée entière ou davantage. L'agent doit en tout cas être certain qu'il a noté **tous** les déplacements du travailleur et les a vus assez souvent pour déterminer correctement leur fréquence relative. En effectuant une observation incomplète, il risque d'obtenir un tableau erroné des activités de l'ouvrier, car il est possible que, pendant la durée de l'observation, celui-ci n'ait effectué qu'une partie des déplacements que comporte son cycle complet d'activités et qu'à d'autres moments non observés — si l'agent a interrompu trop tôt son observation — il suive des itinéraires tout à fait différents. Quand il a la certitude qu'il possède un tableau fidèle des activités de l'ouvrier — il s'assurera pour cela auprès de l'intéressé qu'il n'a oublié aucun de ses déplacements habituels —, l'agent d'étude du travail peut construire le diagramme à ficelles.

Il doit alors dessiner à l'échelle un plan de la zone de travail, semblable à celui du diagramme de circulation (il pourra utiliser le même plan pour autant qu'il ait été dressé fidèlement). Les machines, établis, magasins et tous les points de passage doivent être dessinés à l'échelle voulue, ainsi que les portes, piliers, murs, etc., susceptibles de modifier le trajet de l'ouvrier. Le plan achevé sera fixé sur un tableau en bois tendre ou en contreplaqué, et des épingles seront enfoncées à chaque point d'arrêt, la tête des épingles devant dépasser la surface du papier d'environ 1 cm. Des épingles doivent être enfoncées également à chaque point de changement de direction.

Un fil de longueur connue est attaché à l'épingle marquant le point de départ des déplacements (la table d'inspection (I) dans la figure 38). Le fil est ensuite déroulé et passé autour des épingles marquant chaque point d'arrêt, dans l'ordre noté sur la feuille d'analyse, jusqu'à ce que tous les déplacements aient été représentés.

On obtient ainsi un tableau complet des trajets suivis par l'ouvrier, les itinéraires les plus fréquentés étant indiqués par le plus grand nombre de fils (voir fig. 38).

Ce diagramme fait apparaître que certains trajets, notamment les trajets AD, AH, DF et DL, sont empruntés beaucoup plus souvent que les autres. Comme ces points sont assez distants les uns des autres, le diagramme conduit à penser qu'il faut procéder à un examen critique afin d'essayer de rapprocher les postes de travail qu'ils représentent.

Nous avons dit que le fil utilisé pour le diagramme avait été préalablement mesuré. En mesurant le bout inutilisé et en soustrayant le chiffre obtenu de la longueur totale, on obtient la longueur employée, qui représente, à l'échelle, la distance parcourue par le travailleur. Si l'on veut suivre en même temps les déplacements de plusieurs travailleurs occupés dans la même zone, on peut utiliser, pour les distinguer, des fils de couleurs différentes.

Il ne reste plus, à présent, qu'à **examiner** le diagramme et à **mettre au point** la nouvelle implantation, comme on l'a fait pour le diagramme de circulation, en se servant de gabarits de carton et en déplaçant gabarits et épingles jusqu'à ce qu'on ait trouvé une disposition qui permette d'accomplir les mêmes opérations avec le minimum de déplacements. On vérifie le résultat obtenu en faisant passer le fil, à partir du même point, autour des épingles plantées dans leur nouvelle position et en suivant les mêmes opérations. Lorsqu'on a représenté tous les déplacements étudiés, on mesure la longueur de fil inutilisée. La différence entre cette longueur et celle du fil non utilisée dans le premier diagramme (ancienne implantation) représente la diminution de trajet obtenue grâce à l'amélioration de l'implantation. On peut avoir à faire de nombreux essais avant de trouver la meilleure implantation possible, c'est-à-dire celle dont la représentation prend le moins de fil.

Le diagramme à ficelles est un accessoire très utile pour expliquer à la direction, aux cadres de maîtrise et aux travailleurs les modifications proposées. En construisant deux diagrammes à ficelles, l'un montrant l'ancienne implantation et l'autre l'implantation améliorée, on obtient parfois un contraste si frappant, surtout si l'on utilise des fils de couleurs vives, que les interlocuteurs sont déjà tout prêts à admettre l'utilité d'un changement. Les ouvriers, en particulier, sont frappés de voir les résultats de ces analyses et surpris de découvrir les distances considérables qu'ils doivent parfois parcourir. Chacun aime voir réduire l'effort qu'il doit fournir.

L'exemple suivant montre l'application de cette technique à l'étude des déplacements de travailleurs occupés à stocker des carreaux de faïence après inspection.

EXEMPLE DE DIAGRAMME À FICELLES : STOCKAGE DE CARREAUX DE FAÏENCE APRÈS INSPECTION

☐ *ENREGISTRER*

Dans l'opération que nous allons étudier, des biscuits de carreaux de faïence (carreaux ayant subi une première cuisson, mais non encore vitrifiés) sont déchargés du wagonnet venant des fours, déposés sur la table de contrôle et contrôlés, puis rangés sur des plates-formes d'après leur type et leurs dimensions. Les plates-formes ainsi chargées sont transportées sur des chariots élévateurs à main dans des casiers de béton où les carreaux sont stockés en attendant la vitrification. La figure 40 montre l'agencement initial de stockage.

Les agents d'étude du travail ont décidé d'examiner, à l'aide de diagrammes à ficelles, si cet agencement apparemment logique était bien celui qui demandait le minimum de transport. Les études ont porté sur un certain nombre, aussi représentatif que possible, de chargements, car les types de carreaux apportés par chaque wagonnet n'étaient pas toujours les mêmes, encore que la grande majorité des pièces de chaque chargement fussent des carreaux ordinaires de 10×10 cm et de 15×15 cm.

On a utilisé, pour l'enregistrement des données, une formule dont la figure 39 donne un exemple. Nous n'avons indiqué qu'une partie de la formule, la nature des données enregistrées étant toujours la même. (Les numéros des casiers sont ceux qu'indique la figure 40.)

On voit que l'on n'a pas enregistré les temps dans ce cas particulier. Il est cependant utile de le faire lorsque les distances parcourues sont assez longues, comme dans le cas de transport, par chariots ou camions, entre différents services d'une usine.

Les agents d'étude du travail ont ensuite construit le diagramme à ficelles de la figure 40. La largeur des bandes grisées correspond au nombre de fils reliant deux points donnés; elles indiquent donc la fréquence relative des mouvements entre ces points.

133

Figure 40.   Diagramme à ficelles: stockage de carreaux de faïence (méthode appliquée)

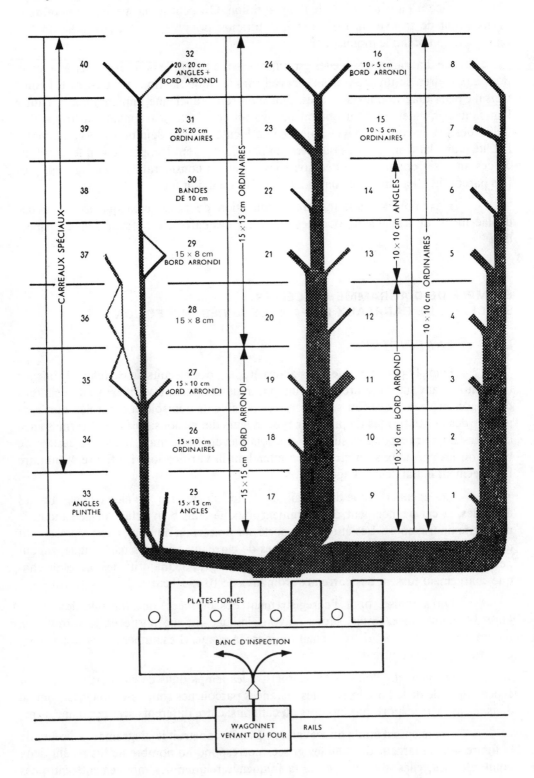

Figure 41. Diagramme à ficelles : stockage de carreaux de faïence (méthode améliorée)

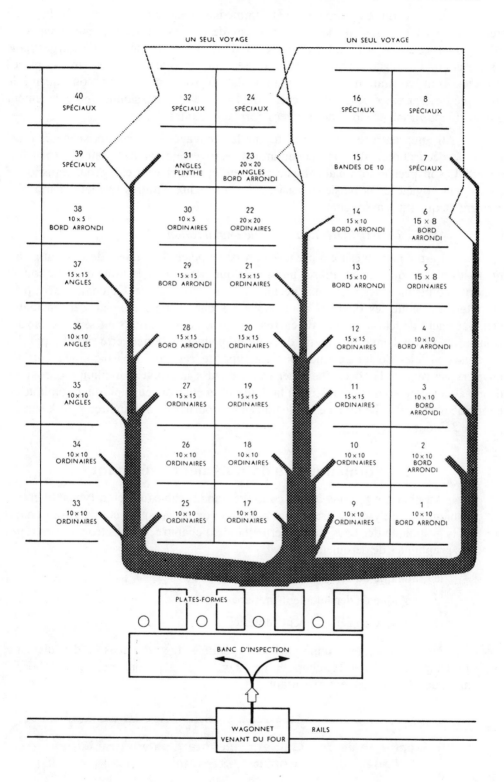

☐ *EXAMINER de façon critique*

L'étude du diagramme révèle immédiatement que les passages les plus fréquentés sont ceux qui mènent aux rangées de casiers contenant les carreaux de 10 × 10 cm et de 15 × 15 cm. Les carreaux d'un format donné sont déchargés dans les casiers de la rangée correspondante qui se trouvent vides à ce moment (les pièces stockées sont constamment retirées pour la cuisson finale). Par conséquent, le stockage des carreaux de 10 × 10 cm et de 15 × 15 cm occasionne un déplacement d'importance variable le long des rangées correspondantes.

Il apparaît aussi tout de suite que les arrivages de carreaux spéciaux (carreaux de décoration, fabriqués en quantités relativement faibles) sont très peu fréquents. Les inspecteurs les placent généralement sur un chariot et les font transporter en un seul voyage dans plusieurs casiers. Les carreaux d'autres formats et modèles arrivent en quantités assez égales.

☐ *METTRE AU POINT la nouvelle implantation*

La première mesure à prendre consiste à placer les casiers destinés aux carreaux les plus fréquemment utilisés aussi près que possible de la table d'inspection, et ceux qui contiennent les carreaux spéciaux le plus loin possible. Ce changement peut dérouter, au début, les ouvriers et les obliger à chercher pendant un certain temps l'emplacement de tel ou tel type de carreau, mais les casiers, qui sont séparés par des cloisons de béton d'environ 1 mètre de hauteur, peuvent aisément être signalés par des panneaux visibles de loin et indiquant le type de carreaux qu'ils contiennent; les ouvriers peuvent de la sorte s'habituer rapidement à la nouvelle implantation. Après divers essais, la disposition illustrée à la figure 41 a été trouvée la plus économique en temps de transport. Elle ramène les distances parcourues de 520 mètres à 340, soit un gain de 35 pour cent.

3. Le graphique de déroulement-exécutant

Au chapitre 8, nous avons énuméré dans le tableau 9 cinq types différents de graphiques d'analyse. Le graphique d'analyse de processus a été décrit au chapitre 8 et le graphique des deux mains sera étudié au chapitre 11. Les trois autres types sont des graphiques de déroulement:

le graphique de déroulement-exécutant

le graphique de déroulement-matière

le graphique de déroulement-matériel

Nous avons déjà donné plusieurs exemples de graphiques de déroulement-matière (chap. 8, fig. 26 et 28; chap. 9, fig. 32 et 34). Nous allons maintenant aborder les graphiques de déroulement-exécutant.

> **Un graphique de déroulement-exécutant est un graphique d'analyse qui enregistre ce que fait l'ouvrier**

Pour enregistrer les déplacements d'un exécutant, on peut recourir aux techniques que l'on a utilisées pour suivre les matières dans les déplacements et les opérations successives qu'elles subissent. On emploie fréquemment les graphiques de déroulement-exécutant pour étudier des tâches peu répétitives et peu normalisées. Les travaux d'entretien, les travaux de laboratoire et une grande partie des tâches de surveillance et de direction peuvent être enregistrées sur des graphiques de ce genre. Puisqu'il s'agit de suivre une personne ou un groupe de personnes effectuant les mêmes activités dans le même ordre, on peut utiliser les formules habituelles de graphique de déroulement. Il est généralement indispensable de joindre au graphique de déroulement-exécutant un croquis représentant le trajet suivi par l'exécutant pour l'accomplissement de la tâche enregistrée sur le graphique.

La méthode de mise en graphique utilisée pour construire un graphique de déroulement-exécutant est presque exactement la même que pour établir des graphiques de déroulement-matière. Cependant, pour différencier les graphiques de déroulement-exécutant des deux autres types de graphiques de déroulement, on a décidé d'une convention d'écriture qui, dans la pratique, se révèle très utile et d'un emploi très aisé.

Selon la définition donnée plus haut, le graphique de déroulement-exécutant enregistre ce que **fait** l'ouvrier. Par contre, les définitions des deux autres types de graphiques de déroulement précisent que ces derniers enregistrent la façon dont les matières sont **manutentionnées** ou **transformées** ou la manière dont le matériel **est utilisé**. Ces définitions sont conformes à la méthode de mise en graphique qui consiste à rédiger pour l'essentiel les graphiques de déroulement-exécutant à la **forme active** et les deux autres types de graphiques à la **forme passive**. Cette convention d'écriture, qui a été respectée pour tous les graphiques de déroulement donnés dans le présent ouvrage, ressort clairement des exemples ci-après d'inscriptions typiques:

Graphiques de déroulement

Exécutant	Matière
Perce la pièce de fonte	Pièce en fonte percée
Transporte la pièce au banc	Transportée au banc
Prend le boulon	(boulon) Pris
Contrôle la finition	Finition contrôlée

Nous allons étudier un exemple de graphique de déroulement-exécutant relatif à un travail exécuté dans un hôpital.

EXEMPLE DE GRAPHIQUE DE DÉROULEMENT-EXÉCUTANT: SERVICE DES REPAS DANS UNE SALLE D'HÔPITAL

☐   *ENREGISTRER*

La figure 42 montre la disposition d'une salle d'hôpital contenant dix-sept lits. L'aide-soignante chargée de servir les repas dans cette salle procédait comme suit: elle allait chercher à la cuisine, sur un grand plateau, les assiettes des malades et le premier service, généralement composé de trois plats, soit un plat de viande et deux de légumes. Elle déposait le plateau sur une table, appelée «table de service» sur le diagramme. Elle disposait les trois plats sur la table, mettait de la viande et des légu-

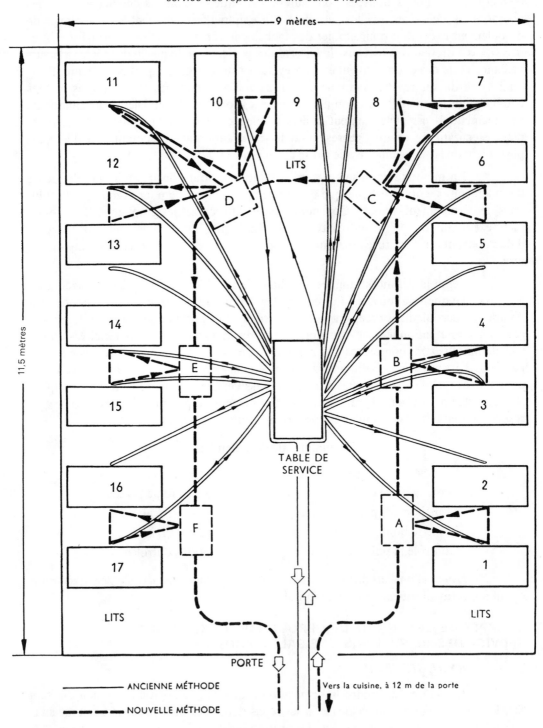

Figure 42. *Diagramme des mouvements d'un exécutant:*
service des repas dans une salle d'hôpital

Figure 43. Graphique de déroulement-exécutant:
service des repas dans une salle d'hôpital

GRAPHIQUE DE DÉROULEMENT			EXÉCUTANT/~~MATIÈRE~~/~~MATÉRIEL~~				
GRAPHIQUE N° 7	FEUILLE N° 1 de 1		R É S U M É				
Sujet mis en graphique:			ACTIVITÉ		ACTUELLE	PROPOSÉE	GAIN
Aide-soignante d'hôpital			OPÉRATION ◯		34	18	16
			TRANSPORT ⇨		60	72	(−12)
ACTIVITÉ:			ATTENTE ◻		–	–	–
Service des repas à 17 malades			INSPECTION ◻		–	–	–
			STOCKAGE ▽		–	–	–
MÉTHODE ACTUELLE/PROPOSÉE			DISTANCE (mètres)		436	197	239
EMPLACEMENT: Salle L			TEMPS (heure-homme)		39	28	11
EXÉCUTANT(S): N°(s) DE POINTAGE			COÛT:		–	–	–
			MAIN-D'ŒUVRE		–	–	–
GRAPHIQUE PAR: DATE:			MATÉRIEL (table roulante)		–	$24	
APPROUVÉ PAR: DATE:			TOTAL (investissement)			$24	

DESCRIPTION ANCIENNE MÉTHODE	QUAN-TITÉ (assiet-tes)	DIS-TANCE (mètres)	TEMPS (min.)	SYMBOLE ◯	⇨	◻	◻	▽	OBSERVATIONS
Transporte premier service et assiettes de la									Encombrant
cuisine à table de service sur plateau	17	16	0,50						
Dispose plats et assiettes sur table	17	–	0,30						
Emplit assiette	–	–	0,25						
Porte assiette au lit n° 1 et retour	1	7,3	0,25						
Emplit assiette	–	–	0,25						
Porte assiette au lit n° 2 et retour	1	6	0,25						
Emplit assiette	–	–	0,25						
(Continue ainsi jusqu'à ce que les 17 malades									
aient été servis. Voir les distances sur la fig. 42)									
Après le premier service, place les plats vides									
sur le plateau et rapporte à la cuisine	–	16	0,50						
Distance et temps totaux, 1er cycle d'opération		192	10,71	17	20	–	–	–	
RÉPÈTE CYCLE POUR 2me SERVICE		192	10,71	17	20	–	–	–	
Ramasse assiettes vides 2me service		52	2,00	–	20	–	–	–	
TOTAL		436	23,42	34	60				
NOUVELLE MÉTHODE									
Transporte premier service et assiettes de la									Table
cuisine au poste A sur table roulante	17	16	0,50						roulante
Emplit deux assiettes	–	–	0,40						
Porte deux assiettes au lit n° 1,		(1,5							
en laisse une et porte l'autre	2	0,6	0,25						
au lit n° 2		1,5)							
Pousse table roulante au poste B	–	3,0	0,12						
Emplit deux assiettes	–	–	0,40						
Porte deux assiettes au lit n° 3, en laisse une		(1,5							
et porte l'autre du lit 3 au lit 4.	2	0,6	0,25						
Revient en B		1,5)							
(Continue ainsi jusqu'à ce que les									
17 malades aient été servis. Voir fig. 42									
et noter variation au lit n° 11)									
Revient à la cuisine avec la table roulante	–	16	0,50						
Distance et temps totaux, 1er cycle d'opération	–	72,5	7,49	9	26				
RÉPÈTE CYCLE POUR 2me SERVICE	–	72,5	7,49	9	26				
Ramasse assiettes vides 2me service	–	52	2,00	–	20				
TOTAL	–	197	16,98	18	72				

mes dans une assiette qu'elle portait au lit 1; elle revenait à la table de service et répétait la même opération pour les seize autres lits. Son trajet est représenté sur le diagramme par les lignes **pleines**. Après le premier service, elle se rendait à la cuisine avec le plateau et les plats vides, y prenait les plats et les assiettes du deuxième service et revenait dans la salle. Elle répétait ensuite le cycle complet et remplaçait les assiettes vides, qu'elle rapportait sur la table, où elle les empilait, par les assiettes contenant les portions du deuxième service. Enfin, elle faisait le tour de la salle pour ramasser les assiettes vides du deuxième service et rapportait le tout à la cuisine sur le plateau. (Pour éviter de surcharger le diagramme, on n'y a pas fait figurer le ramassage des assiettes vides; la distance parcourue et le temps exigé par cette opération sont les mêmes avec l'ancienne et avec la nouvelle méthode, puisque l'aide-soignante peut transporter plusieurs assiettes à la fois et donc aller d'un lit à un autre.) Une partie de l'opération a été enregistrée sur le graphique de déroulement-exécutant de la figure 43; cette analyse partielle suffit à faire comprendre au lecteur la méthode d'enregistrement qui, on le voit, est très semblable à la méthode utilisée pour établir un graphique de déroulement-matériel, la seule différence étant que l'on suit ici une personne au lieu d'un produit. Le lecteur pourra, s'il le désire, compléter, à titre d'exercice, la feuille d'analyse en se fondant sur les indications portées sur le diagramme (dimensions de la salle, etc.); on peut d'ailleurs établir un graphique de déroulement-exécutant beaucoup plus détaillé.

☐   *EXAMINER de façon critique*

En rapprochant le graphique de déroulement-exécutant du diagramme et en les étudiant attentivement, on s'aperçoit que la méthode suivie laisse beaucoup à désirer. Un premier «pourquoi» vient immédiatement à l'esprit: «Pourquoi l'aide-soignante ne sert-elle qu'une assiette à la fois? Combien pourrait-elle en porter?» La réponse est évidente: «Au moins deux». Si elle transportait deux assiettes à la fois, elle réduirait de plus de moitié la distance à parcourir. Une autre question va suivre rapidement la première: «Pourquoi la table de service se trouve-t-elle au milieu de la salle?» On en vient ainsi peu à peu à se poser les questions clés: «Pourquoi la table reste-t-elle immobile? Pourquoi ne peut-elle être déplacée? Pourquoi pas une table roulante?», questions qui conduisent d'elles-mêmes à la solution adoptée.

☐   *METTRE AU POINT la nouvelle méthode*

On voit, en suivant la ligne **brisée** du diagramme, qui représente le trajet suivi par l'aide-soignante munie de la table roulante, et le graphique de déroulement-exécutant, que, dans la solution finalement adoptée, l'aide-soignante emplit et transporte deux assiettes à la fois (ce qui fait aussi gagner un peu de temps au remplissage des assiettes).

Le résultat, on le voit dans le graphique d'analyse, est une réduction de plus de 54 pour cent de la distance totale parcourue pour servir et débarrasser les assiettes. (Le gain est de 65 pour cent si l'on ne tient pas compte de la distance franchie pour ramasser les assiettes du second service, qui est la même avec les deux méthodes.)

L'important, dans cet exemple, n'est pas tant l'économie d'argent réalisée, très faible en l'occurrence, que la diminution de la fatigue pour l'aide-soignante, à qui l'ancienne méthode faisait franchir une grande distance avec un plateau lourdement chargé, de la cuisine à la salle, puis de la salle à la cuisine.

4. Le graphique d'activités multiples

Nous en venons maintenant au premier des graphiques de la liste du tableau 9 qui utilisent une échelle des temps: le **graphique d'activités multiples.** On s'en sert lorsqu'on veut enregistrer sur un même graphique les activités de plusieurs sujets, aux rôles interdépendants.

> **Le graphique d'activités multiples est un graphique sur lequel on enregistre les activités de plus d'un sujet (exécutant, machine ou élément de matériel) en regard d'une même graduation de temps pour en faire ressortir la relation d'interdépendance**

En représentant, dans des colonnes verticales séparées, commandées par une même graduation de temps, les activités de différents exécutants ou machines, le graphique fait très nettement ressortir les périodes d'inactivité de chacun des sujets au cours de l'opération analysée. L'étude attentive du graphique permet souvent de modifier l'ordre de ces activités en vue de réduire les temps improductifs.

Le graphique d'activités multiples est extrêmement utile pour organiser des équipes d'ouvriers affectés à un travail de production en grande série ou encore à un travail d'entretien, lorsque le coût élevé des installations ne permet pas de les laisser inactives plus longtemps qu'il n'est absolument nécessaire. Ce genre de graphique peut aussi servir à déterminer le nombre des machines qu'un conducteur ou des conducteurs doivent pouvoir surveiller en même temps.

Les activités des différents ouvriers ou des ouvriers et des machines sont enregistrées sur le graphique sous forme de temps de travail et de temps morts. Ces temps peuvent être calculés à l'aide d'une montre ordinaire ou d'un chronomètre, selon la durée des périodes de travail et d'inactivité (c'est-à-dire selon qu'il s'agit de minutes ou de secondes). Il n'est pas nécessaire que la mesure des temps soit d'une exactitude extrême, mais elle doit l'être suffisamment pour que le graphique soit vraiment utile. Les temps sont ensuite portés dans les colonnes correspondantes, de la manière indiquée dans la figure 44.

Un exemple illustrera plus clairement l'emploi du graphique d'activités multiples.

EXEMPLE DE L'APPLICATION D'UN GRAPHIQUE D'ACTIVITÉS MULTIPLES À UN TRAVAIL D'ÉQUIPE: INSPECTION D'UN CATALYSEUR DANS UN CONVERTISSEUR[1]

☐ *ENREGISTRER*

L'exemple ci-après est emprunté au domaine de l'entretien. Il a l'avantage de montrer que l'étude des méthodes ne s'applique pas seulement aux opérations répétitives ou aux opérations de production.

---

[1] D'après un exemple tiré de *Method study*, manuel publié par le Service d'étude du travail d'Imperial Chemical Industries Ltd.

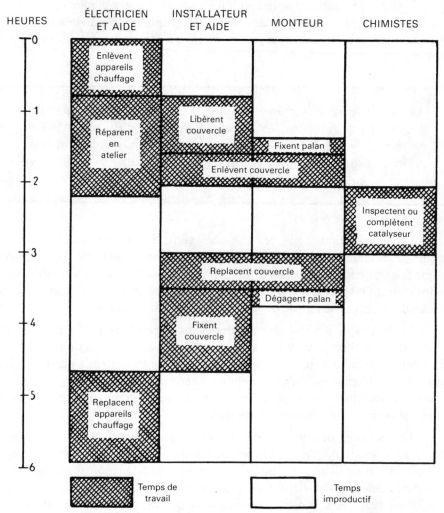

Figure 44. Graphique d'activités multiples:
inspection d'un catalyseur dans un convertisseur (méthode appliquée)

Dans une usine de chimie organique, il était nécessaire, pendant la période de «rodage» d'un nouveau convertisseur à catalyse, de procéder à de fréquentes vérifications de son état. La direction a décidé, pour que la mise hors service du convertisseur soit aussi brève que possible pendant ces contrôles, d'analyser l'opération.

Selon l'ancienne méthode, on ne commençait à dégager le couvercle du récipient qu'après enlèvement des appareils de chauffage, et ceux-ci n'étaient remis en place qu'après que le couvercle eut été complètement fixé. La figure 44 illustre l'opération en indiquant la durée du travail de chacun des différents ouvriers.

☐   *EXAMINER de façon critique*

Le graphique montre que l'électricien et son aide ont dû enlever les appareils de chauffage avant que le couvercle du récipient soit retiré par l'installateur et son aide. Il s'ensuit que ces derniers ont dû attendre que l'électricien ait achevé son travail. De même, à la fin de l'opération, les appareils de chauffage n'ont été replacés qu'après fixation du couvercle, et c'était à l'électricien et à son aide d'attendre.

142

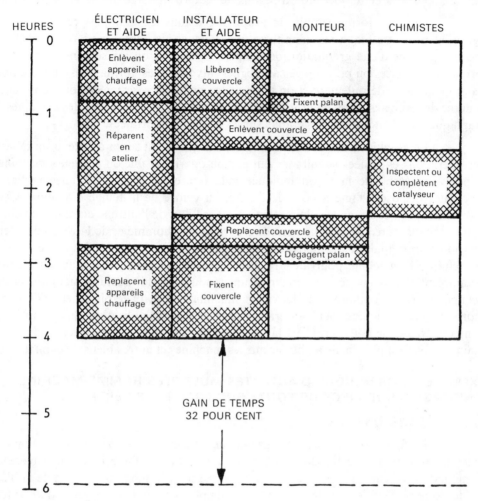

Figure 45.   Graphique d'activités multiples:
inspection d'un catalyseur dans un convertisseur (méthode améliorée)

L'analyse critique de l'opération et la mise en question de la procédure existante ont permis de se rendre compte qu'en fait il était inutile d'attendre l'enlèvement des appareils de chauffage pour retirer le couvercle.

☐   *METTRE AU POINT la nouvelle méthode*

Cette constatation a permis d'organiser l'opération de manière que le couvercle soit libéré pendant l'enlèvement des appareils de chauffage, la remise en place de ceux-ci s'effectuant à la fin de l'opération, pendant la fixation du couvercle. La nouvelle méthode est illustrée dans le graphique de la figure 45.

Le temps improductif de l'électricien, de l'installateur et de leurs aides a été sensiblement réduit, mais non pas celui du monteur. Toutefois, il est évident que celui-ci, ainsi que les chimistes, sont occupés à d'autres travaux avant et après leur intervention dans l'opération en question et ne sont donc pas, en fait, inactifs pendant que

143

les appareils de chauffage et le couvercle sont enlevés et replacés. La modification simple apportée à cette opération a permis de réduire sa durée totale de 32 pour cent.

Dans sa forme simple, le graphique d'activités multiples représenté à la figure 44 peut être établi sur n'importe quelle feuille de papier rayé ou quadrillé se prêtant au tracé d'une graduation de temps. Cependant, on utilise généralement des formules imprimées ou polycopiées analogues aux formules normalisées utilisées pour les graphiques de déroulement et on trace de larges bandes verticales pour représenter la durée des activités mises en graphique. Les figures 46, 47 et 50 sont des exemples de graphiques d'activités multiples établis sur les formules imprimées.

Le graphique d'activités multiples peut également servir à obtenir un tableau des opérations effectuées simultanément par un ouvrier et une ou plusieurs machines. Il peut être établi de la façon indiquée à la figure 46 avec les bandes verticales d'activités disposées l'une à côté de l'autre, au centre de la feuille d'analyse. Cette disposition permet de mettre clairement en regard l'un de l'autre le commencement et la fin, donc la durée de chaque période d'activité de l'homme et de la machine. Cette reproduction graphique des activités permet de déterminer si le temps de l'exécutant ou celui de la machine pourrait être utilisé plus efficacement. Le graphique donne notamment le moyen de déterminer si un conducteur de machine incomplètement occupé pourrait conduire une deuxième machine, ou si l'accroissement des temps morts des deux machines neutraliserait l'avantage tiré de l'utilisation plus complète du temps de travail de l'ouvrier. C'est là une question très importante dans les pays où la main-d'œuvre est plus facile à obtenir que les machines et autres biens de capital.

EXEMPLE DE GRAPHIQUE D'ACTIVITÉS MULTIPLES HOMME-MACHINE : FINISSAGE D'UNE PIÈCE DE FONTE SUR FRAISEUSE VERTICALE

☐ *ENREGISTRER*

La figure 46 représente un graphique classique d'activités multiples homme-machine enregistrant le finissage, sur fraiseuse verticale, d'une face d'une pièce de fonte, parallèlement à l'autre face, qui est utilisée pour la mise en position de la pièce sur le porte-pièce. C'est là un exemple très simple et typique d'un genre d'opération exécuté quotidiennement dans un atelier de mécanique.

L'en-tête du graphique contient les rubriques habituelles, avec une ou deux additions. L'échelle des temps, placée verticalement sur les côtés du graphique, peut être graduée à volonté; ici, chacune des grandes divisions représente 0,2 minute. L'établissement du graphique et l'enregistrement des opérations n'appellent pas d'explications supplémentaires.

☐ *EXAMINER de façon critique*

On peut voir sur la figure 46, qui représente l'ancienne méthode, que la machine est inactive pendant près des trois quarts du cycle de l'opération. La raison en est que l'ouvrier accomplit toutes ses activités pendant l'arrêt de la machine, mais reste inactif pendant le fonctionnement automatique de celle-ci.

L'étude du graphique montre que le travail de l'ouvrier peut être divisé en deux parties: celui qui ne peut être effectué que pendant l'arrêt de la machine, par exemple la mise en place et l'enlèvement de la pièce à usiner, et celui qui peut être effectué pendant la marche de la machine, comme le calibrage. Il va de soi qu'il est avantageux de faire le plus de travail possible pendant la marche de la machine, car cela réduit la durée totale de l'opération.

☐ *METTRE AU POINT la nouvelle méthode*

La figure 47 représente la méthode améliorée. On voit que l'ouvrier exécute maintenant plusieurs opérations pendant que sa machine fonctionne: il calibre la pièce finie, lime les arêtes de la surface usinée, dépose la pièce dans la boîte aux pièces achevées, prend une pièce non travaillée et la place sur la table de travail, prête à être fixée sur le porte-pièce. On a réalisé un léger gain de temps en plaçant côte à côte la caisse aux pièces achevées et la caisse aux pièces à usiner, de sorte que l'ouvrier peut prendre une nouvelle pièce en même temps qu'il met de côté celle qu'il vient de terminer. Le nettoyage de la pièce usinée à l'air comprimé n'est effectué qu'après le limage des arêtes, ce qui économise une opération.

Le résultat de cette réorganisation du travail, qui n'a nécessité aucune dépense, se traduit par un gain de 0,64 minute sur 2 minutes, soit un accroissement de 32 pour cent de la productivité de la machine et de son conducteur.

Nous allons maintenant étudier un exemple de graphique d'activités multiples enregistrant les opérations effectuées par une équipe de travailleurs et une machine.

EXEMPLE DE GRAPHIQUE D'ACTIVITÉS MULTIPLES ENREGISTRANT LES OPÉRATIONS EFFECTUÉES PAR UNE ÉQUIPE DE TRAVAILLEURS ET UNE MACHINE: ALIMENTATION D'UN BROYEUR D'OS DANS UNE FABRIQUE DE COLLE

Cet exemple intéressant de graphique combiné équipe-machine (fig. 48) concerne le triage et le transport d'os d'un dépôt de stockage à un broyeur dans une fabrique de colle d'un pays en voie de développement.

L'implantation initiale du lieu de travail est illustrée à la figure 49. La matière première, composée d'os d'animaux de toute sorte, est amenée par les fournisseurs jusqu'à l'un des dépôts de stockage désigné par le mot «os» sur le graphique, à 80 mètres du broyeur. Celui-ci est alimenté par un petit wagonnet sur rails.

☐ *ENREGISTRER*

Des travailleurs trient les os, séparant les «os durs» des «os mous». Ils portent les os triés à un tas prêt à être chargé sur le wagonnet. Le chargement est fait à la main par deux travailleurs qui sont inactifs pendant que le wagonnet est poussé vers le broyeur, vidé et ramené. Les deux autres travailleurs qui poussent le wagonnet restent inactifs pendant son chargement.

L'enregistrement de l'activité des chargeurs, du wagonnet et du broyeur a porté sur huit cycles complets d'opérations, d'une durée totale de 117,5 minutes.

Temps de chargement du wagonnet	7 minutes (2 hommes)
Trajet du wagonnet au broyeur, vidage, retour	7 minutes (2 hommes
Charge utile du wagonnet	250 kilos
Poids d'os transporté en 117,5 minutes	$8 \times 250 = 2\,000$ kilos
Temps d'attente du broyeur	37,75 minutes

145

Figure 46.   Graphique d'activités multiples homme-machine:
finissage d'une pièce de fonte (méthode appliquée)

GRAPHIQUE D'ACTIVITÉS MULTIPLES					
GRAPHIQUE N° 8	FEUILLE N° 1 de 1	R É S U M É			
PRODUIT:		MÉTHODE: ACTUELLE		PROPOSÉE	GAIN
Moulage n° B.239		TEMPS OPÉRATION	(minutes)		
	DESSIN N° B.239/1	Homme	2,0		
TRAVAIL:		Machine	2,0		
Finissage deuxième face		TEMPS DE TRAVAIL			
		Homme	1,2		
		Machine	0,8		
MACHINE(S): VITESSE AVANCE		TEMPS MORT			
Fraiseuse verticale 80 38		Homme	0,8		
Cincinnati n° 4 t/min. cm/min.		Machine	1,2		
		UTILISATION			
EXÉCUTANT(S): N°(s) DE POINTAGE 1234		Homme	60%		
GRAPHIQUE PAR: DATE:		Machine	40%		

TEMPS (minutes)	OUVRIER	MACHINE	TEMPS (minutes)
0,2	Enlève pièce achevée / Nettoie à l'air comprimé		0,2
0,4	Calibre épaisseur sur table d'ajustage		0,4
0,6	Lime arêtes / Nettoie à l'air comprimé	Temps mort	0,6
0,8	Place pièce dans boîte / Prend nouvelle pièce		0,8
1,0	Nettoie machine à l'air comprimé		1,0
1,2	Fixe pièce de fonte sur porte-pièce / Démarre machine et avance automatique		1,2
1,4			1,4
1,6	Temps mort	Temps de travail / Finissage deuxième face	1,6
1,8			1,8
2,0			2,0
2,2			2,2
2,4			2,4
2,6			2,6
2,8			2,8
3,0			3,0
3,2			3,2
3,4			3,4
3,6			3,6
3,8			3,8

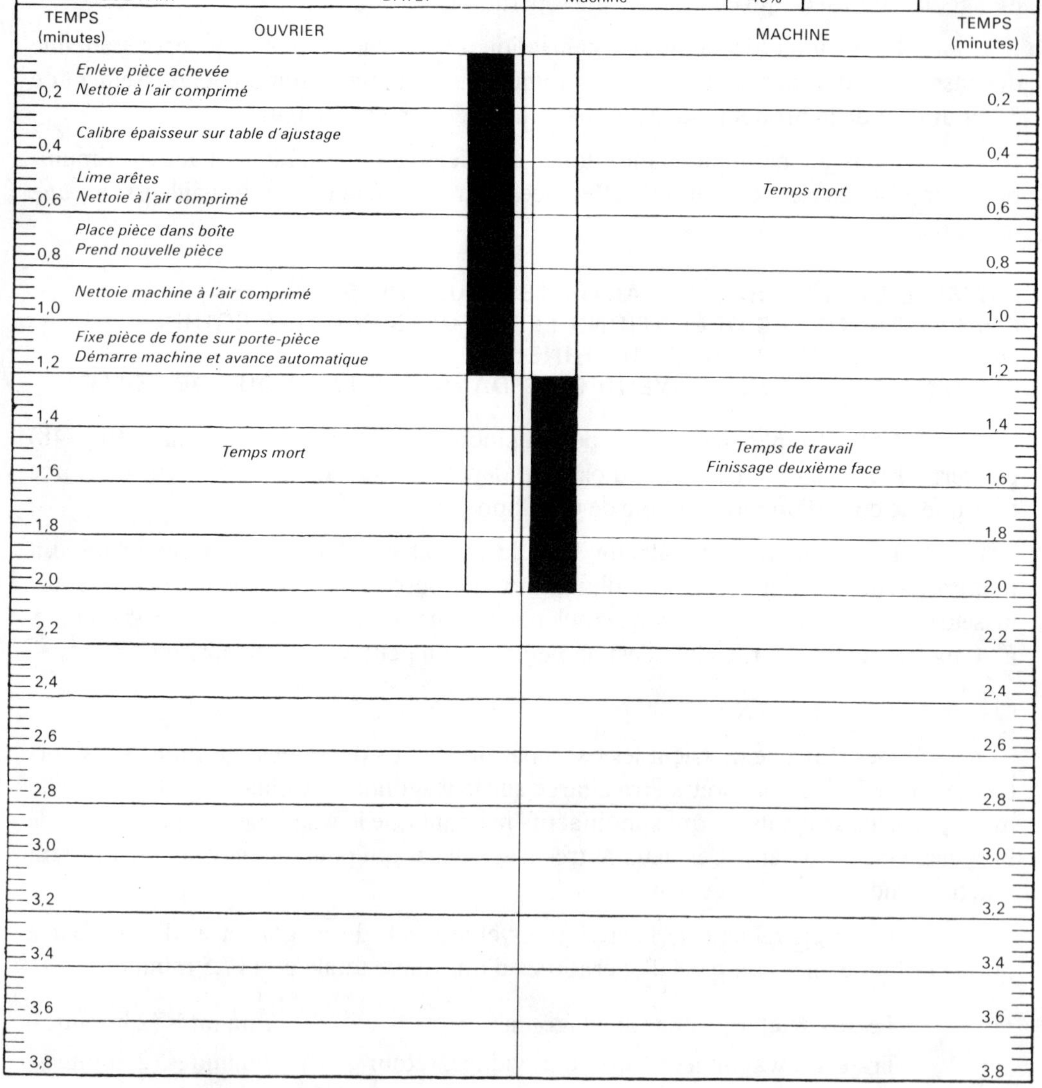

*Figure 47. Graphique d'activités multiples homme-machine:
finissage d'une pièce de fonte (méthode améliorée)*

GRAPHIQUE D'ACTIVITÉS MULTIPLES				
GRAPHIQUE N° 9	FEUILLE N° 1 de 1	R É S U M É		
PRODUIT:		MÉTHODE: ACTUELLE	PROPOSÉE	GAIN
Pièce de fonte n° B.239		TEMPS OPÉRATION		
	DESSIN N° B.239/1	Homme	2,0	1,36	0,64
TRAVAIL:		Machine	2,0	1,36	0,64
Finissage deuxième face		TEMPS DE TRAVAIL		
		Homme	1,2	1,12	0,08
		Machine	0,8	0,8	—
MACHINE(S):	VITESSE AVANCE	TEMPS MORT		
Fraiseuse verticale	80 38	Homme	0,8	0,24	0,56
Cincinnati n° 4	t/min. cm/min.	Machine	1,2	0,56	0,64
		UTILISATION		Gain
EXÉCUTANT(S):	N°(s) DE POINTAGE 1234	Homme	60%	83%	23%
GRAPHIQUE PAR:	DATE:	Machine	40%	59%	19%

TEMPS (minutes)	HOMME	MACHINE	TEMPS (minutes)

0,2 — Dégage pièce usinée

0,4 — Nettoie machine à l'air comprimé.
Fixe nouvelle pièce sur le porte-pièce:
fait démarrer machine et avance automatique — Temps mort

0,6

0,8 — Lime arêtes de la pièce usinée:
nettoie à l'air comprimé

Calibre épaisseur sur table d'ajustage

1,0 — Place pièce dans caisse pièces usinées; prend
nouvelle pièce et la place près de la machine — Temps de travail — Finissage deuxième face

1,2

1,4 — Temps mort

(échelle de temps de 0,2 à 3,8 minutes)

147

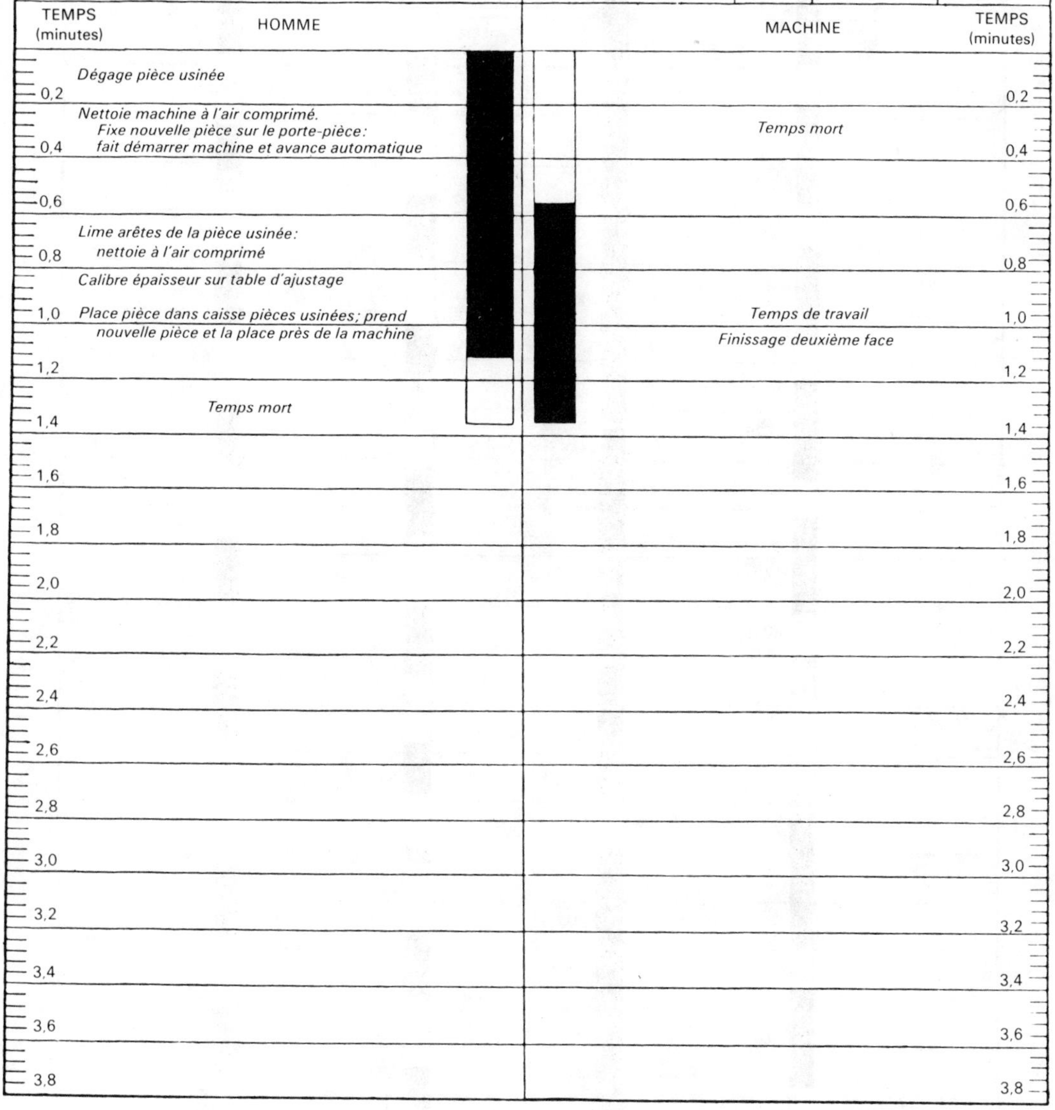

Figure 48. *Graphique combiné d'activités multiples équipe-machine:*
broyage d'os (méthode appliquée)

GRAPHIQUE D'ACTIVITÉS MULTIPLES

GRAPHIQUE N° 10	FEUILLE N° 1 de 1	1) MACHINE(S):		% D'UTILISATION		
		2) MAIN-D'ŒUVRE:		ACTUEL	PROPOSÉ	GAIN
~~PRODUIT~~/MATIÈRE: Os divers		1) Broyeur Wagonnet		68 96		
OPÉRATION: Chargement et transport d'os dans un wagonnet (charge 250 kg) du tas d'os au broyeur		2) Chargeurs Pousseurs du wagonnet *Conducteurs du broyeur	2 2 4	47,5 47,5 *Non étudié		
MÉTHODE: ACTUELLE/~~PROPOSÉE~~						
EMPLACEMENT: Cour de stockage des os						
GRAPHIQUE PAR:	DATE:					

TEMPS (minutes)	BROYEUR	WAGONNET	POUSSEURS	CHARGEURS	TEMPS (minutes)
	9,75	14,0	2,0 / 7,0	2,0 / 7,0	
10	4,0		7,0	7,0	10
20	10,0	14,0	7,0	7,0	20
30	4,25		7,0	7,0	30
	9,5	14,0	7,0	7,0	
40	4,0		7,0	7,0	40
50	10,25	14,0	7,0	7,0	50
	3,75		7,0	7,0	
60	9,75	14,0	7,0	7,0	60
70	4,0		7,0	7,0	70
	4,0	14,0	7,0	7,0	
80	Remplacer courroie cassée → 10,0		5,0	12,5	80
90	Inactif, non vidé → 5,5		5,5 / 2,0 / 7,0		90
	16,5	14,0		7,0	
100	4,0		7,0	7,0	100
110	10,0	14,0	7,0	7,0	110
120	117,5 min. 3,75		5,0	5,0	120

148

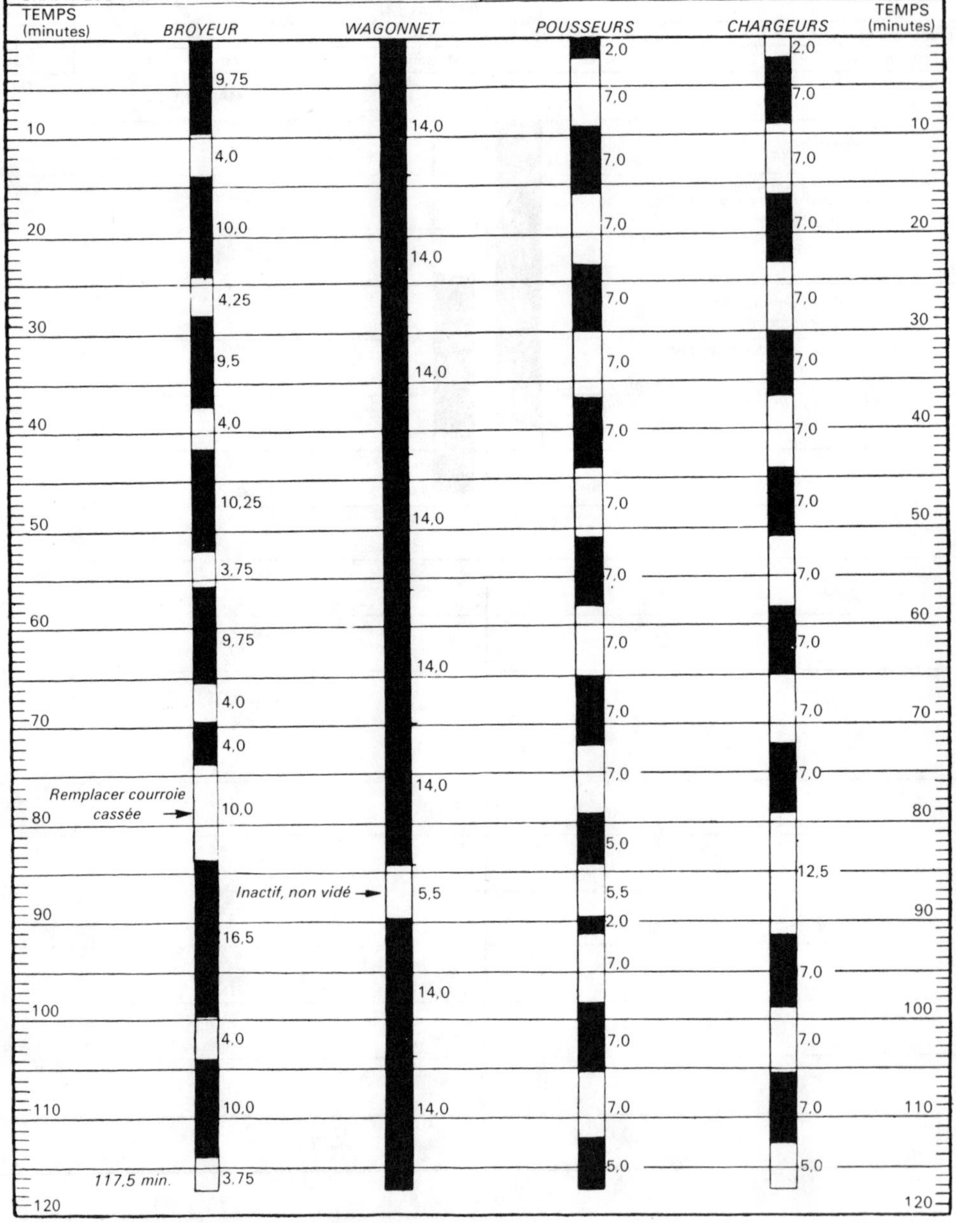

Figure 49. Broyage d'os: implantation du lieu de travail

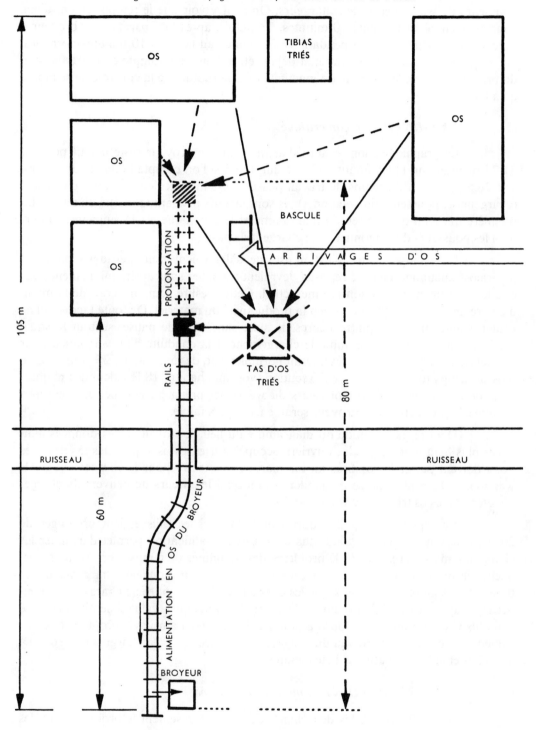

Le graphique de la figure 48 retrace l'activité du broyeur, du wagonnet, des pousseurs du wagonnet et des chargeurs. On peut y voir que le remplacement d'une courroie rompue a demandé 10 minutes. Toutefois, après la réparation, le broyeur a fonctionné sans interruption pendant 16,5 minutes au lieu des 10 minutes normales, parce que le chargement suivant était déjà prêt. Si l'on tient compte de l'arrêt normal du broyeur (4 min), le temps net d'inactivité dû à la rupture de la courroie ne se monte qu'à 6 minutes.

☐ *EXAMINER de façon critique*

Le graphique montre immédiatement que le broyeur reste inactif pendant 31,75 minutes sur 111,5 minutes (37,75 sur 117,5 si l'on compte la panne de 6 min), soit 28,5 pour cent du temps de travail possible. Quant aux deux groupes d'ouvriers (chargeurs et pousseurs du wagonnet), ils sont inactifs pendant la moitié du temps. La première question qu'inspirent le diagramme et le graphique est la suivante: «Pourquoi les pousseurs du wagonnet ne le chargent-ils pas?»

La réponse à cette question est que, s'ils avaient à charger le wagonnet, ils n'auraient aucun moment de repos et devraient travailler sans arrêt, uniquement pour que le broyeur marche à son régime actuel. Cette mesure économiserait de la main-d'œuvre, mais n'améliorerait en rien la productivité du matériel. De toute façon, nul ne peut travailler trois ou quatre heures de suite sans faire de pause, surtout lorsqu'il s'agit de travaux pénibles comme le chargement et la conduite d'un wagonnet, pour lesquels le temps de repos représenterait normalement, de toute façon, 25 pour cent ou plus du temps total alloué pour l'exécution (voir au chapitre 18 le calcul des majorations de repos). Si les deux pousseurs du wagonnet prenaient leur période de repos normale, la productivité du broyeur serait encore plus faible.

D'autre part, l'étude du diagramme du lieu de travail et des données indiquées plus haut montre que les ouvriers occupés à trier les os auprès des tas désignés «os» doivent porter les os triés au tas marqué «os triés» pour le chargement sur le wagonnet. On peut donc se demander: «Pourquoi les trieurs ne peuvent-ils charger directement les os triés sur le wagonnet?»

La réponse est qu'ils pourraient le faire si les rails étaient prolongés de 20 mètres pour arriver jusqu'aux tas d'os. Cette modification permet d'éliminer les chargeurs, mais ne résout pas le problème des 4 minutes de temps mort, pendant lesquelles le broyeur attend le retour du wagonnet avec un nouveau chargement. Les trieurs d'os sont plus nombreux que les chargeurs. Ils peuvent donc charger le wagonnet plus rapidement; si l'on réduisait la charge du wagonnet, celui-ci serait chargé un peu plus vite et serait moins lourd à pousser. On pourrait ainsi synchroniser les chargements avec le cycle de travail du broyeur. En conséquence, la charge a été réduite à 175 kilos et le temps d'attente a été éliminé.

☐ *METTRE AU POINT la méthode améliorée*

Sur la figure 49, les deux lignes de croix représentent le prolongement des rails jusqu'aux tas d'os. Les chargeurs éliminés ont été affectés dans la même usine à un autre travail, dont la création a sans doute été rendue possible, comme on va le voir, par le fait que le changement de méthode a considérablement augmenté la production du broyeur.

La figure 50 représente le graphique d'activités multiples de la méthode améliorée. Le pourcentage d'utilisation du broyeur, on le voit, a été sensiblement amélioré.

Voici les nouveaux résultats obtenus:

Temps de chargement du wagonnet	1 minute
Trajet du wagonnet au broyeur, vidage, retour	6 minutes
Charge du wagonnet	175 kilos
Poids d'os transporté en 115,5 minutes	$15 \times 175 = 2\,625$ kilos
Temps d'attente du broyeur	6 minutes

Le graphique d'activités multiples montre que le temps d'attente du broyeur comprend une période de 3 minutes pendant laquelle des os trop durs ont été rejetés. Comme c'est là une opération inhabituelle, il ne faut pas en tenir compte si l'on veut pouvoir comparer valablement les deux méthodes; dans ce cas, compte non tenu de ces 3 minutes, le temps total pendant lequel le broyeur est utilisé est de 112,5 minutes. Sa production pendant la période d'observation, qui est presque identique à la précédente, a augmenté de 625 kilos et sa productivité de 29,5 pour cent.

Deux travailleurs sur huit ont été libérés et affectés à d'autres travaux: la productivité de la main-d'œuvre a donc augmenté de:

$$\left(\frac{2\,625 \times 8}{2\,000 \times 6} - 1\right) \times 100 = 75 \text{ pour cent.}$$

La place jusqu'ici occupée par le tas d'os triés peut maintenant servir à d'autres usages.

L'exemple ci-dessus illustre de façon frappante comment une application judicieuse et systématique de l'étude des méthodes peut élever la productivité de la terre, du matériel et de la main-d'œuvre; dans le cas considéré, la seule dépense supplémentaire a été la pose de 20 mètres de rails de wagonnet.

5. Le graphique de cheminement

La construction d'un diagramme à ficelles permet d'enregistrer de façon claire et convaincante le mouvement des travailleurs ou des matières dans l'atelier, en vue de son examen critique. Elle se justifie particulièrement lorsqu'il faut mettre en évidence les avantages du changement proposé à l'aide de modèles «avant» et «après» faciles à comprendre. Néanmoins, les diagrammes à ficelles sont relativement longs à construire et, lorsque les déplacements à étudier sont très nombreux et complexes, le diagramme se transforme en un enchevêtrement de fils plutôt rebutant. Chaque fois que les mouvements sont complexes, il vaut mieux utiliser une technique d'enregistrement plus aisée et plus rapide: le **graphique de cheminement.**

Figure 50. Graphique combiné d'activités multiples équipe-machine: broyage d'os (méthode améliorée)

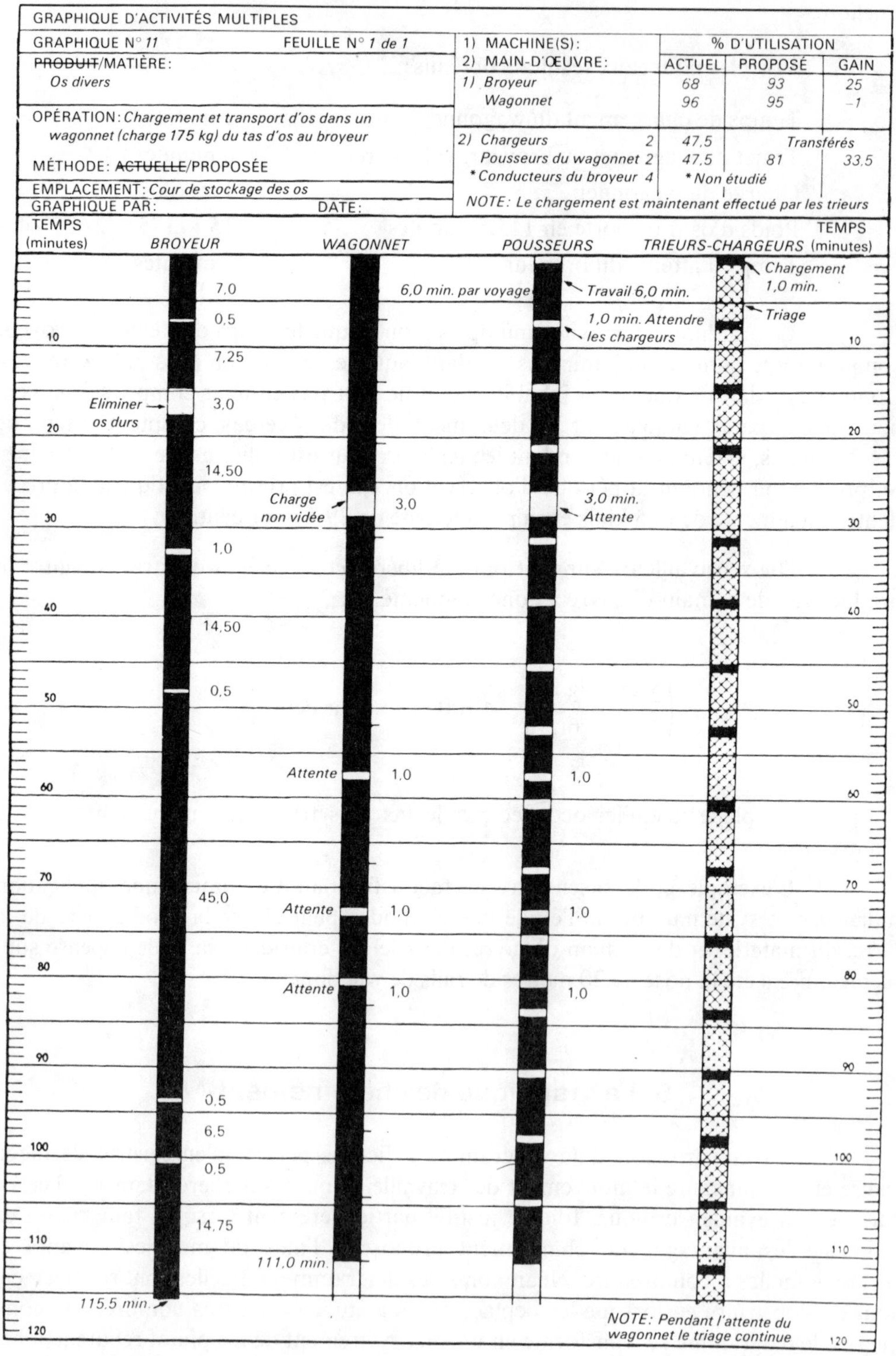

> **Un graphique de cheminement présente sous forme de tableau des données quantitatives concernant le mouvement de travailleurs, de matières ou de matériel entre un nombre quelconque de points dans un intervalle de temps déterminé**

La figure 51 représente un graphique de cheminement typique. On y a enregistré les déplacements d'un commis qui apporte des documents ou des informations aux différents postes de travail d'un bureau. L'implantation du bureau, avec indication de l'emplacement des divers postes de travail, est représenté très schématiquement sous le graphique.

Un graphique de cheminement se présente toujours sous la forme d'un carré divisé en un certain nombre de cases. Chaque case représente un point où le travailleur étudié doit s'arrêter, c'est-à-dire, dans le cas présent, un poste où le commis apporte documents et informations. Le bureau de notre exemple comportant dix postes de travail, on divise le carré, horizontalement, en dix cases, numérotées de 1 à 10 en partant de la gauche et, verticalement, en dix cases numérotées de 1 à 10 en partant du haut. Ainsi donc, pour dix postes de travail, le graphique de déplacement contient $10 \times 10 = 100$ cases, et on trace une diagonale qui va du coin supérieur gauche au coin inférieur droit.

Horizontalement, les cases de la première rangée représentent de gauche à droite les **points de départ** des déplacements; verticalement, les cases de la première colonne à gauche représentent les **points d'arrivée** des déplacements. Considérons par exemple un déplacement du poste 2 au poste 9. Pour l'enregistrer, l'agent d'étude repère sur le graphique la case nº 2 de la première rangée horizontale, parcourt verticalement avec son crayon toutes les cases situées au-dessous jusqu'à la case qui est horizontalement à la hauteur du nº 9 porté à gauche. Cette case représente la fin du déplacement, et l'agent d'étude y fera une marque pour indiquer qu'il y a eu un déplacement du poste 2 au poste 9. Tous les déplacements sont enregistrés de la même façon: on part toujours de la première rangée horizontale où l'on repère la case de départ, on parcourt toujours verticalement les cases situées au-dessous et on s'arrête toujours à la case à la hauteur du numéro porté à gauche qui indique le point d'arrivée. Bien entendu, l'agent d'étude ne trace pas réellement le trajet qu'il fait suivre à son crayon; il se contente de cocher d'un trait ou d'une autre marque la case qui symbolise le point d'arrivée afin d'enregistrer le voyage effectué.

Pour bien préciser cette méthode d'enregistrement, supposons que le commis ait suivi l'itinéraire suivant: 2 à 9, 9 à 5, 5 à 3 et retour à 2. Le trajet 2 à 9 sera coché comme indiqué ci-dessus. Pour enregistrer le déplacement 9 à 5, l'agent d'étude revient à la première rangée horizontale, repère la case 9, descend dans la colonne située au-dessous jusqu'à la case située en face du chiffre 5 qui est porté à gauche et enregistre le déplacement en cochant cette case. Il revient ensuite à la première rangée horizontale, sélectionne la case 5, descend jusqu'à la case située en face du numéro 3 et coche ce nouveau déplacement. Enfin, il revient une fois de plus à la première ran-

153

Figure 51.   Graphique de cheminement: mouvement d'un commis dans un bureau

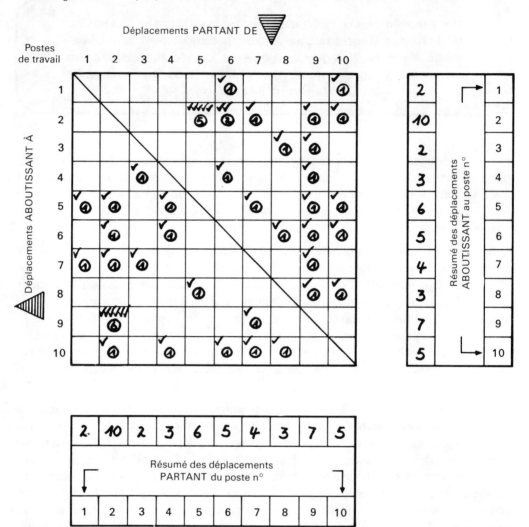

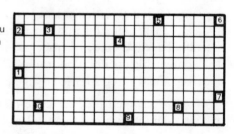

gée horizontale, repère la case 3, descend jusqu'à la case située à la hauteur du numéro 2 et la coche pour enregistrer la dernière étape du périple du commis.

EXEMPLE DE GRAPHIQUE DE CHEMINEMENT: ITINÉRAIRE D'UN COMMIS DANS UN BUREAU

□   *ENREGISTRER*

La première étape du processus d'enregistrement, c'est-à-dire l'observation directe, par l'agent d'étude des méthodes, de l'itinéraire suivi par le commis à l'intérieur du bureau, demande simplement une feuille d'observations analogue à celle de la figure 52. Une fois que les postes visités ont été numérotés et représentés par leur numéro-code sur un croquis du lieu de travail, l'enregistrement des trajets ne nécessite qu'un minimum d'inscription.

Le graphique de cheminement est ensuite établi dans le bureau d'étude des méthodes. Quand tous les déplacements ont été cochés sur le graphique, on compte dans chaque case le nombre de traits et on inscrit le total à l'intérieur de la case. Les déplacements sont ensuite récapitulés de deux manières. En suivant de haut en bas le côté droit du graphique, on inscrit en face de la case qui représente le poste de destination, et dont le numéro est indiqué à gauche, le nombre de déplacements **se terminant** à ce poste. Au-dessous du graphique, on inscrit horizontalement le nombre de déplacements **partant** de chaque poste, sous la case voulue, en repérant son numéro au-dessus du graphique.

Dans le graphique de la figure 51, deux mouvements **aboutissent** au poste 1, ce qu'on peut voir en parcourant des yeux la rangée horizontale de cases où figure, à gauche, le poste 1. De même, dans la rangée suivante de cases, au niveau du poste 2, on voit qu'il y a eu au total dix déplacements **aboutissant** au poste 2. Pour récapituler les mouvements **partant** des postes de travail, on additionne verticalement: si l'on examine la colonne de cases située sous le poste 2 de la première rangée, on constate qu'il y a eu dix déplacements à partir du poste 2. Avec un minimum de pratique, on arrive à établir le graphique et ses tableaux récapitulatifs très rapidement, et en beaucoup moins de temps qu'il n'en faut pour décrire les opérations.

Dans la figure 51, le résumé des déplacements **aboutissant** à chaque poste indique le même nombre de mouvements que le résumé des déplacements **partant** de chaque poste, ce qui montre que le commis a achevé son périple au poste même d'où il partait au début de l'étude. S'il avait terminé ailleurs (ou si l'étude avait été interrompue alors qu'il se trouvait ailleurs), un poste aurait eu un nombre d'entrées supérieur d'une unité au nombre de sorties, et c'est à ce poste que l'étude se serait terminée.

□   *EXAMINER de façon critique*

L'examen du graphique montre que dix déplacements ont abouti au poste 2, sept au poste 9 et six au poste 5. Ce sont donc les postes les plus actifs. Un examen plus poussé le confirme: il y a eu six déplacements du poste 2 au poste 9 et cinq du poste 5 au poste 2. L'itinéraire le plus utilisé est donc le trajet 5-2-9. On peut en déduire qu'il serait préférable de rapprocher ces postes les uns des autres. Il serait alors possible à l'employé du poste 5 de déposer directement le travail terminé dans la corbeille «arrivée» du poste 2, et son collègue du poste 2 pourrait transmettre lui-même son travail au poste 9, ce qui raccourcirait sensiblement le trajet du commis.

155

Figure 52.   Feuille d'observations (modèle simple)

FEUILLE D'OBSERVATIONS

Service:	*Dosages*						Section	/	Etude n°	**147**		
Matériel:	*Chariot élévateur: palettes*								Feuille:	/ de **2**		
Opération:	*Déplacer des bidons de 25 litres, remplis de matières, jusqu'aux mélangeurs, puis jusqu'au banc d'inspection (poste 6)*								Etudié par:	**CBA**		
									Date:			

De	2	9	7	4	3	9	6	1	9	6	3	2	9
Vers	9	7	4	3	9	6	1	9	6	3	2	9	7
Nombre de bidons	10	–	20	10	–	30	10	–	30	10	–	30	–
De	7	1	6	4	9	8	2	5	9	7	2	5	9
Vers	1	6	4	9	8	2	5	9	7	2	5	9	6
Nombre de bidons	10	20	–	30	40	20	30	40	10	20	10	30	40
De	6	1	9										
Vers	1	9	6										
Nombre de bidons	–	30	30										

EXEMPLE DE GRAPHIQUE DE CHEMINEMENT: MANUTENTION DE MATIÈRES

La figure 53 donne un exemple de graphique de déplacement qui a été établi dans le cadre d'une étude de manutention de matières. Dans l'atelier où l'étude a été effectuée, on utilisait huit mélangeurs pour doser des matières selon différentes proportions, les mélanges obtenus étant amenés à un banc d'inspection (poste 6). Les mélanges étaient transportés dans des bidons de 25 litres qui étaient mis sur des palettes et déplacées par un chariot élévateur de faible portée verticale.

☐   *ENREGISTRER*

Les déplacements étaient enregistrés dans l'atelier sur une feuille d'observations du même type que celle de la figure 52. On y voit non seulement les déplacements effectués mais aussi le nombre de bidons transportés à chaque voyage. Le graphique de déplacement reproduit à la figure 53 comporte neuf postes, les huit mélangeurs et le banc d'inspection. Il a été établi exactement comme celui de l'exem-

156

Figure 53.   Graphique de cheminement: matières

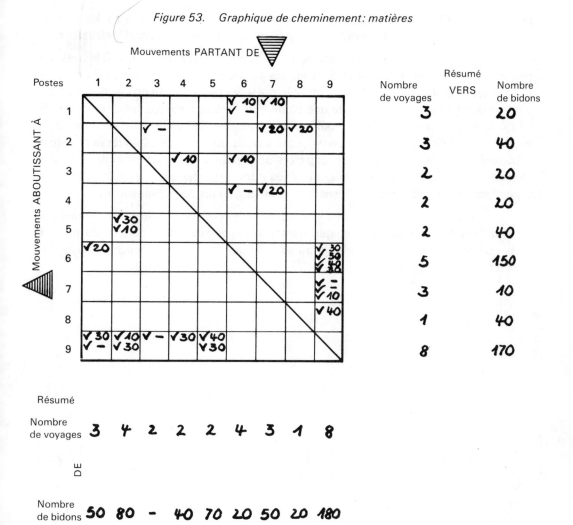

ple précédent, à cette différence près que le nombre de bidons apportés est également inscrit dans les cases de destination à côté de celui des voyages et que les résumés donnent à la fois le nombre de déplacements et le nombre de bidons apportés. On voit, par exemple, qu'il y a eu deux déplacements du poste 5 au poste 9, l'un avec un chargement de 40 bidons, l'autre avec 30.

☐   *EXAMINER de façon critique*

La feuille d'observations ne nous apprend pas grand-chose, si ce n'est que sept des 29 déplacements étaient effectués à vide et que les chargements étaient de 10 à 40 bidons. Par contre, le graphique de cheminement montre immédiatement que les postes 6 et 9 sont très actifs. Cinq déplacements ont abouti au poste 6 pour y amener au total 150 bidons. (Le poste 6 était le banc d'inspection.) Quatre de ces voyages sont partis du poste 9, avec transport au total de 130 bidons. Le plus grand nombre de voyages et la plus grande quantité de bidons allaient du poste 9 au banc d'inspection, ce qui conduisait à penser qu'on pourrait modifier cet itinéraire afin de le raccourcir le

157

plus possible. On pourrait aussi envisager d'installer un convoyeur à rouleaux entre ces deux postes, ce qui éliminerait une grande partie du travail du chariot élévateur.

Huit voyages aboutissaient au poste 9, pour y livrer au total 170 bidons, qui provenaient des postes 1, 2, 4 et 5, et un des voyages, fait à vide, partait du poste 3. Les postes 1, 2, 4 et 5 semblent alimenter le poste 9, qui envoie sa production au banc d'inspection (il faudrait sans doute une étude plus longue pour confirmer ce point). Si tel est le cas, il conviendrait de modifier l'implantation de l'atelier afin de rapprocher ces postes de telle façon que des convoyeurs à rouleaux puissent exploiter la gravité et accomplir l'essentiel des transports entre ces deux points. Dans cet exemple, il n'y a ni croquis de l'implantation de l'atelier ni tableau des distances entre les postes, qui sont cependant les compléments indispensables d'un graphique de cheminement.

Il est intéressant de noter que quatre voyages partent du poste 2 mais que trois seulement y aboutissent, et que quatre voyages seulement partent du poste 6 alors que cinq y aboutissent. Cela est dû au fait que l'étude a commencé au poste 2 et s'est terminée au banc d'inspection.

Chapitre II
Méthodes et mouvements au poste de travail

1. Généralités

Nous avons jusqu'ici suivi un plan consistant à abandonner peu à peu le domaine très vaste de la productivité de l'industrie pour examiner, d'une manière générale, comment l'étude du travail peut améliorer la productivité des hommes et des machines. Puis continuant à resserrer le champ de notre examen, nous avons étudié les méthodes d'ensemble permettant d'augmenter l'efficacité d'exécution de cycles complets d'opérations et d'accélérer l'écoulement des matières. Passant des matières aux hommes, nous avons examiné les techniques permettant d'analyser les méthodes des travailleurs sur les lieux de travail et de coordonner les activités de personnes travaillant en groupe ou le travail des hommes et de leurs machines. Ce plan de progression s'inspire du principe qu'il faut corriger la méthode d'ensemble avant de chercher à apporter des améliorations de détail.

Nous en arrivons donc maintenant à l'homme, travaillant à son établi ou à sa table; nous allons nous efforcer de lui appliquer les principes que nous avons formulés et les méthodes que nous avons illustrées dans les exemples précédents.

Notre analyse des mouvements des hommes et des matières dans l'entreprise avait pour objet de nous faire trouver la meilleure utilisation possible des installations existantes (et, si possible, des matières) grâce à l'élimination des temps morts évitables, le meilleur déroulement possible des processus de travail et le meilleur emploi possible des services de la main-d'œuvre grâce à l'élimination des mouvements et des déplacements inutiles et «dévoreurs de temps».

Comme l'a montré l'exemple des conducteurs d'un wagonnet (chap. 10), le facteur fatigue et le besoin correspondant de repos influent sur la solution des problèmes, même lorsqu'il s'agit d'opérations dépassant le cadre du poste de travail individuel. Or, à ce stade du travail individuel, la manière dont l'ouvrier déploie son effort et la fatigue qui en résulte exercent sur sa productivité une influence primordiale.

Avant d'analyser en détail le travail d'un exécutant, il importe de s'assurer au préalable que ce travail est nécessaire et approprié. Il faut donc appliquer la méthode interrogative aux points suivants:

☐ *OBJET*
pour s'assurer que le travail est nécessaire.

☐ *ENDROIT*

pour s'assurer qu'il doit bien être effectué là où il l'est.

☐ *MOMENT*

pour s'assurer qu'il s'insère à la place correcte dans le cycle des opérations.

☐ *PERSONNE*

pour s'assurer qu'il est effectué par la personne qui convient le mieux.

Une fois que l'on s'est assuré que le travail ne peut pas être supprimé ou combiné avec une autre opération, on peut poursuivre l'analyse et étudier, en vue de les simplifier autant qu'il est utile, les

☐ *MOYENS*

employés pour faire le travail.

Nous examinerons dans la suite de ce chapitre les méthodes d'enregistrement adoptées pour déterminer les moindres mouvements d'un ouvrier à son poste de travail de façon à faciliter l'examen critique et la mise au point de méthodes améliorées; nous étudierons plus particulièrement le **graphique des mouvements simultanés des deux mains.** Mais il est préférable d'étudier auparavant les principes de l'économie des mouvements ainsi qu'un certain nombre d'autres questions de nature à influer sur la conception du poste de travail lui-même, afin de rendre la tâche du travailleur aussi aisée que possible.

2. Principes de l'économie des mouvements

Il existe, en matière d'économie des mouvements, un certain nombre de «principes», qui, définis sur la base de l'expérience, forment un excellent point de départ pour l'amélioration des méthodes de travail. Ces principes, formulés et appliqués pour la première fois par Frank Gilbreth, le créateur de l'étude des mouvements, ont été développés par d'autres chercheurs, notamment Ralph M. Barnes[1]. Ils peuvent être classés en trois catégories:

    A. Utilisation du corps humain

    B. Disposition du poste de travail

    C. Conception de l'outillage et du matériel

Ces principes trouvent leur emploi aussi bien à l'atelier qu'au bureau et, bien qu'ils ne soient pas tous applicables dans tous les cas, ils sont très souvent utiles pour améliorer l'efficacité et diminuer la fatigue du travail. Nous allons les présenter ci-après sous une forme quelque peu simplifiée.

A.   **Utilisation du corps humain**

Dans toute la mesure possible:

1. Les deux mains doivent commencer et terminer leurs mouvements en même temps.

---

[1] Voir Ralph M. Barnes: *Etude des mouvements et des temps* (Paris, Les Editions d'organisation, 4e édition, 1958), chap. 15 et suiv.

2. Les deux mains ne doivent pas rester inactives en même temps, sauf pendant les périodes de repos.

3. Les mouvements des bras doivent avoir lieu simultanément, dans des directions symétriques et de sens contraire.

4. Les mouvements des mains et du corps doivent toujours être de la classe la plus basse compatible avec l'exécution correcte du travail (voir plus loin, section 3).

5. La quantité de mouvement[1] doit être utilisée au profit du travailleur, mais elle doit être réduite au minimum toutes les fois qu'il faut la compenser ou l'absorber par un effort musculaire.

6. Les mouvements arrondis et continus sont préférables aux mouvements en lignes brisées comportant des changements de direction brusques et accusés.

7. Les mouvements «balistiques» sont plus rapides, plus faciles et plus précis que les mouvements «contrôlés».

8. Le rythme est indispensable à l'accomplissement «automatique» et «en douceur» d'une opération répétitive. Le travail doit être étudié de façon à permettre un rythme aisé et naturel dans tous les cas où cela est possible.

9. Le travail doit être organisé de façon que les mouvements des yeux soient limités et n'engendrent pas la fatigue visuelle et de manière à éviter des accommodations fréquentes.

B.   Disposition du poste de travail

1. Outils et matériaux doivent tous avoir une place fixe et bien déterminée, de façon à faciliter aux ouvriers l'acquisition d'une habitude.

2. Les outils et les matières doivent être prépositionnés, afin de diminuer le temps des recherches.

3. On doit utiliser des casiers et des boîtes d'alimentation par gravité pour amener les matières aussi près que possible de leur point d'utilisation.

4. Les outils, matières et instruments de contrôle doivent être placés dans la zone de travail maximum (voir fig. 54) et aussi près que possible du travailleur.

5. Les outils et les matières doivent être placés de façon à permettre la meilleure séquence de mouvements possible.

6. Il convient d'employer des systèmes d'alimentation et d'évacuation par gravité chaque fois que cela est possible, afin que l'exécutant n'ait pas à se servir de ses mains pour évacuer les travaux achevés.

7. Le poste de travail doit être bien éclairé et, pour les exécutants travaillant assis, les sièges doivent avoir une hauteur et une forme permettant une bonne position de travail. La hauteur du poste de travail et celle du siège doivent permettre de travailler aussi facilement assis que debout.

8. La couleur du poste de travail doit contraster avec celle du travail à effectuer, de façon à réduire la fatigue visuelle.

---

[1] La quantité de mouvement d'un corps est le produit de sa masse par sa vitesse.

Figure 54.   Zone de travail normale et zone de travail maximum

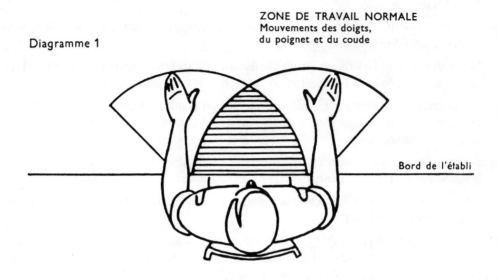

ZONE DE TRAVAIL NORMALE
Mouvements des doigts,
du poignet et du coude

Diagramme 1

Bord de l'établi

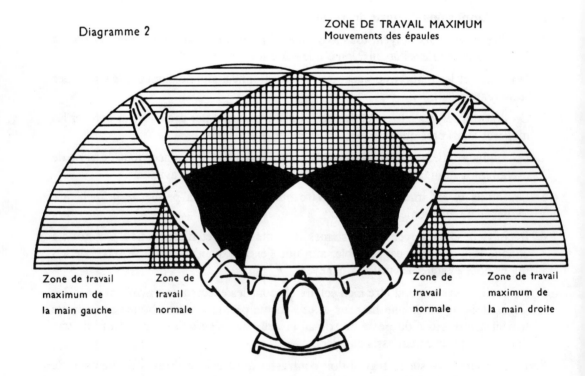

Diagramme 2

ZONE DE TRAVAIL MAXIMUM
Mouvements des épaules

Zone de travail
maximum de
la main gauche

Zone de
travail
normale

Zone de
travail
normale

Zone de travail
maximum de
la main droite

C.   Conception de l'outillage et du matériel

1. Les mains doivent être déchargées de tout travail d'étau ou de levier pouvant être effectué par un montage, un support ou un dispositif commandé au pied.

2. Il faut combiner deux ou plusieurs outils en un seul dans tous les cas où cela est possible.

3. Lorsque chaque doigt exécute un mouvement particulier, comme pour la dactylographie, l'effort doit être réparti suivant les possibilités propres des doigts.

4. Les poignées, celles des manivelles et des gros tournevis par exemple, doivent être conçues de façon à offrir une surface de contact maximum avec la main. Cette considération est particulièrement importante lorsqu'un effort considérable doit être exercé sur la poignée.

5. Les leviers, cabestans et volants doivent être situés de telle sorte que l'exécutant puisse les manipuler avec un déplacement minimum de son corps et avec le meilleur «rendement» possible.

Ces «principes», qui rappellent les règles étudiées au chapitre 6, peuvent servir de base à l'établissement d'une liste-mémento que l'on aura avantage à suivre lors de l'implantation d'un poste de travail, afin de ne négliger aucune des règles énumérées.

La figure 54 montre la zone de travail normale et la zone de stockage de l'établi d'un ouvrier de taille moyenne. Il faut éviter, dans toute la mesure possible, de stocker des matières dans la zone située juste en face de l'ouvrier, car des recherches physiologiques faites récemment ont montré que le mouvement d'extension en avant entraîne un effort des muscles du dos qui est une source de fatigue.

3. Classification des mouvements

La quatrième «règle» de l'économie des mouvements dans l'utilisation du corps humain exige que les mouvements appartiennent à la classe la plus basse possible. Cette classification, ainsi que le montre le tableau 10, est établie d'après les parties du corps qui servent de pivots aux mouvements.

Tableau 10.   Classification des mouvements

Classe	Pivot	Organes en mouvement
1	Jointure du doigt	Doigt
2	Poignet	Main et doigts
3	Coude	Avant-bras, mains et doigts
4	Epaule	Bras, avant-bras, main et doigts
5	Tronc	Torse, bras, avant-bras, main et doigts

Il est évident que tout mouvement appartenant aux classes 2 et au-dessus entraîne avec lui d'autres mouvements appartenant à toutes les classes inférieures. Il va donc de soi que l'emploi de mouvements de la classe la plus basse possible économise les efforts. Si, lors de l'implantation du poste de travail, on place tous les objets nécessaires à portée de l'exécutant, le mouvement exigé par l'exécution du travail appartiendra alors à la classe la plus basse possible.

4. Autres considérations sur la disposition du poste de travail

Il n'est pas inutile de donner ici quelques indications générales sur la disposition du poste de travail :

1. Lorsque les deux mains font le même travail, il faut que chacune d'elles dispose, à sa portée, d'une réserve de matières ou de pièces.

2. Lorsque les yeux doivent servir à choisir des matières, celles-ci doivent, autant que possible, être placées dans le rayon embrassé par le regard sans que la tête ait à bouger.

3. La nature et la forme de la matière influent sur son placement au poste de travail.

4. Les outils à main doivent pouvoir être saisis sans que le rythme et la symétrie des mouvements en soient gênés. Il faut autant que possible placer l'outil de façon que la main puisse le prendre ou le déposer lorsqu'elle se déplace pour aller d'une phase du travail à la suivante, sans qu'elle ait à faire de déplacement spécial. Les mouvements naturels se font suivant une ligne courbe, non droite ; les outils doivent donc être placés sur l'arc de mouvement, mais sans obstruer le trajet suivi par une matière que l'exécutant peut avoir à faire glisser sur l'établi.

5. Les outils doivent être faciles à saisir et à déposer ; ils doivent, autant que possible, revenir d'eux-mêmes à leur place ou être situés de manière que la main puisse les déposer en allant chercher la pièce ou la matière suivante à utiliser.

6. Les pièces achevées doivent :
   a) tomber par un trou ou une goulotte d'évacuation ;
   b) être lâchées au-dessus d'une goulotte d'évacuation lorsque la main commence le premier mouvement du cycle suivant ;
   c) être placées dans un récipient situé de manière que les mouvements des mains soient réduits au minimum ;
   d) s'il s'agit d'une opération intermédiaire dans une chaîne de fabrication, être placées dans un récipient situé de telle sorte que l'ouvrier suivant puisse s'en saisir facilement.

7. Il faut toujours considérer la possibilité d'utiliser des pédales ou des leviers commandés au genou pour manœuvrer les dispositifs de fermeture ou de changement de position des montages ou des systèmes d'évacuation des pièces achevées.

EXEMPLE DE DISPOSITION D'UN POSTE DE TRAVAIL

Examinons maintenant un poste de travail ordinaire, en gardant à l'esprit les principes de l'économie des mouvements et les règles qui viennent d'être décrits.

La figure 55 montre un exemple typique d'implantation d'un poste de travail destiné au montage de petits appareils électriques, en l'occurrence des compteurs électriques. On peut immédiatement remarquer certaines particularités :

Figure 55.   *Assemblage d'un compteur électrique*

1. La pièce à assembler — le châssis du compteur — est maintenue par un montage, ce qui permet à l'ouvrière d'utiliser ses deux mains pour l'assemblage. L'emploi d'une main uniquement pour tenir l'objet travaillé doit **toujours** être évité, sauf lorsque l'opération est si courte que l'emploi d'un dispositif spécial ne se justifierait pas.

2. Le tournevis et la clé à tube électriques sont suspendus devant l'ouvrière, qui n'a qu'un mouvement très court et très facile à faire pour s'en saisir et les placer en position de travail. Ils n'encombrent pas, cependant, la surface de travail sur la table. Le marteau et le tournevis utilisés avec la main gauche sont à portée de cette main, de sorte que l'ouvrière n'a pas à les chercher, bien que la prise du tournevis puisse nécessiter quelques tâtonnements. Les deux outils sont sur le trajet des casiers de pièces, mais, situés au-dessous d'eux, ils ne risquent pas de gêner les mouvements.

3. Toutes les petites pièces sont placées près de l'ouvrière, bien à l'intérieur de la «zone de travail maximum». Chaque pièce se trouve dans un casier spécial à bords relevés, ce qui permet à l'ouvrière de ramener les pièces vers elle du bout des doigts et de les saisir lorsqu'elles dépassent le bord arrondi du casier. Les casiers sont dis-

165

posés de façon à permettre des mouvements symétriques des bras et de telle manière que les pièces montées en même temps puissent être prises dans des casiers situés symétriquement par rapport à l'ouvrière. On notera que les casiers sont presque en face de l'ouvrière, mais cela ne présente pas d'inconvénient dans ce cas particulier puisqu'ils peuvent être atteints très aisément sans fatiguer les muscles des épaules et du dos.

4. L'ouvrière a retiré de leurs casiers, situés en face d'elle, sur sa gauche, quelques pièces de fil de fer préformés et les a disposées devant elle, à côté du montage, pour les avoir sous la main.

5. Le dossier de la chaise est un dispositif improvisé, ingénieux et intéressant. Il était impossible de se procurer sur place des chaises munies d'un dossier de ce genre.

5. Les montages, les outils et les supports

> **Un montage sert à maintenir en position la pièce à travailler et à guider l'outil**

> **Un support est un dispositif moins précis servant à maintenir des pièces qui, autrement, devraient être tenues par une main pendant que l'autre travaille**

Le dessinateur qui conçoit le montage ou le support pense avant tout à l'exactitude de l'usinage ou de l'assemblage. C'est pourquoi il arrive souvent que l'ouverture ou la fermeture du dispositif ou la mise en place de la pièce à travailler exigent de l'exécutant plus de mouvements qu'il ne serait strictement nécessaire. Par exemple, le montage exigera l'emploi d'une clé pour serrer un écrou, alors qu'un écrou à ailettes aurait fait l'affaire; ou encore le couvercle du montage devra être soulevé, alors qu'on aurait pu y faire glisser la pièce, etc.

Il importe donc que l'agent d'étude du travail et le dessinateur d'outillages et de montages, dans les industries qui les emploient (la construction mécanique surtout), travaillent de concert dès le début de la conception des outils et montages; les dessinateurs d'outillages devraient, d'autre part, figurer parmi les premiers techniciens appelés à suivre les cours d'initiation à l'étude des méthodes. Notons ici quelques règles utiles:

1. Les brides de serrage doivent toujours être aussi simple que possible à mettre en place et ne doivent être vissées que si cela est indispensable pour la précision du positionnement. S'il faut utiliser deux brides, celles-ci doivent être conçues de manière à pouvoir être placées en même temps par les deux mains.

2. Le montage doit être conçu de façon que les deux mains puissent y placer des pièces sans la moindre obstruction. De même, rien ne doit se trouver entre le point d'accès au montage et l'endroit d'où provient la matière.

3. Le desserrage du montage devrait éjecter automatiquement la pièce, de façon qu'il ne soit pas nécessaire de faire d'autres mouvements pour retirer la pièce du montage.

4. Dans les petits assemblages, les montages destinés aux pièces qui ne nécessitent pas l'utilisation simultanée des deux mains doivent, si possible, pouvoir tenir deux pièces à la fois, suffisamment espacées pour que les deux mains puissent travailler séparément sans se gêner.

5. Dans certains cas, les montages doivent pouvoir recevoir plusieurs petites pièces à la fois; ce système réduit le temps de chargement du montage, puisque le serrage est aussi rapide pour plusieurs pièces que pour une seule.

6. L'agent d'étude du travail doit connaître les dispositifs et montages de machines-outils, par exemple les montages de fraiseuses. Le fraisage d'une seule pièce à la fois fait perdre beaucoup de temps et d'énergie dans les cas où deux pièces ou plus pourraient être fraisées simultanément.

7. Lorsqu'on utilise des butées ou crans à ressorts pour positionner les pièces, on doit prêter une grande attention à la solidité; sinon ces dispositifs fonctionneront correctement pendant un certain temps puis devront être réparés ou modifiés.

8. Lorsque l'exécutant introduit une pièce dans un montage, il doit toujours pouvoir observer exactement ce qu'il fait; les montages qui ne satisferaient pas à cette condition ne devraient pas être acceptés.

6. Commandes des machines et cadrans

Jusqu'à une date récente, les machines et installations étaient conçues sans grand souci du confort du conducteur. Dans les travaux à cycle bref, notamment, le maniement des commandes (changement de vitesse sur un tour revolver par exemple) exige souvent des mouvements incommodes. L'utilisateur ne peut guère modifier les commandes d'une machine une fois qu'il l'a achetée, mais, si elles sont d'un maniement difficile, il **peut** le signaler au fabricant, pour que des améliorations soient apportées aux modèles futurs. Certains indices montrent que les fabricants de machines commencent à prendre davantage conscience du problème, mais il reste encore beaucoup à faire à cet égard. Dans les rares entreprises qui fabriquent leurs propres machines, le bureau d'étude du travail doit être consulté dès les premiers stades de l'étude des machines.

Les physiologues et les psychologues s'intéressent depuis quelque temps à la mise au point de cadrans agencés de façon à réduire la fatigue des travailleurs appelés à les surveiller. Les tableaux de commande des processus chimiques et des opérations similaires sont souvent construits dans les usines mêmes qui les utilisent; il faut, dans ces cas, que l'agent d'étude du travail participe à leur construction. Il existe, sur le marché, de nombreux ouvrages et brochures ayant trait à l'agencement des cadrans et des appareils de contrôle en vue d'en faciliter la lecture.

Ces dernières années, on a progressivement compris l'importance que peut revêtir pour les ouvriers la disposition des commandes de machines et des postes de travail. Cela a conduit à la création d'une nouvelle discipline scientifique qui s'intéresse à ces questions. Il s'agit de l'**ergonomie**[1], c'est-à-dire de l'étude des rapports entre le travailleur et son milieu de travail et plus spécialement de l'application des données de l'anatomie, de la physiologie et de la psychologie aux problèmes qui résultent de ces rapports. Les ergonomistes ont réalisé de nombreuses expériences pour déterminer entre autres choses la meilleure implantation des commandes de machines, les meilleures dimensions pour les sièges et les établis, la pression idéale des pédales, etc. On peut s'attendre au cours des prochaines années que leurs conclusions soient progressivement intégrées dans les plans des machines et des équipements nouveaux et qu'elles constituent finalement la base d'une pratique courante.

7. Le graphique des mouvements simultanés des deux mains

Comme une étude des méthodes, mais avec un champ d'investigation plus restreint, l'étude du travail d'un ouvrier à l'établi commence par un graphique d'analyse. Dans le cas présent, le graphique utilisé est le cinquième des graphiques indiquant la séquence d'un processus (tableau 9): le **graphique des mouvements simultanés des deux mains.**

> **Le graphique des mouvements simultanés des deux mains est un graphique d'analyse qui enregistre les mouvements des mains (ou des membres) d'un exécutant dans leurs rapports réciproques**

Le graphique des mouvements simultanés des deux mains est un graphique d'analyse très spécialisé, puisqu'il sert à représenter, le plus souvent par rapport à une échelle des temps, les mouvements et les pauses des deux mains (et quelquefois des pieds) de l'exécutant dans leurs rapports réciproques. L'échelle des temps a l'avantage de permettre de placer l'un en face de l'autre les symboles représentant ce que les deux mains font au même moment.

Le graphique des mouvements simultanés des deux mains est généralement utilisé pour analyser des opérations répétitives, lorsqu'un cycle complet de travail doit être enregistré. L'enregistrement est réalisé de façon plus détaillée qu'on ne le fait normalement sur les graphiques de déroulement. Ce qui sera représenté comme une opération unique sur un graphique de déroulement peut se décomposer ici en un certain nombre d'activités élémentaires. Les graphique des mouvements simultanés des deux mains utilise en général les mêmes symboles que les autres graphiques d'analyse; cependant, en raison du plus grand nombre de détails à enregistrer, on attribue à ces symboles des significations légèrement différentes.

---

168   [1] Voir chapitre 6.

○   *OPÉRATION*   Ce symbole est utilisé lorsque l'exécutant saisit, positionne, utilise, lâche, etc., un outil, une pièce ou une matière.

⇨   *TRANSPORT*   Ce symbole est utilisé pour représenter le mouvement aller ou retour de la main (ou du membre) par rapport à l'ouvrage, à un outil ou à une matière.

D   *ATTENTE*   Ce symbole est utilisé pour indiquer le temps pendant lequel la main ou le membre est inactif (les autres pouvant être en train de travailler).

▽   *TENIR* («stockage»)   Le symbole stockage ne sert évidemment jamais dans un graphique des mouvements simultanés des deux mains. Toutefois, ce symbole a été repris, mais il signifie **prise** et représente l'activité qui consiste à tenir l'ouvrage, un outil ou une matière; il s'emploie donc lorsque la main tient quelque chose.

Le symbole **contrôle** est rarement utilisé, car les mouvements des mains effectués lorsque l'exécutant contrôle un objet (tenir l'objet, l'examiner visuellement ou le calibrer) peuvent être classés parmi les «opérations» sur le graphique des mouvements simultanés des deux mains. Il peut toutefois être utile, dans certains cas, d'employer le symbole «contrôle», pour attirer l'attention sur l'examen d'un élément[1].

Le simple fait de construire le graphique permet à l'agent d'étude du travail d'acquérir une connaissance approfondie des détails du travail; le graphique lui permet ensuite d'analyser chaque élément du travail séparément et dans ses rapports avec les autres éléments. Les idées d'améliorations suggérées par cette analyse doivent être, elles aussi, transcrites sous forme de graphique comme pour n'importe quel autre graphique d'analyse. Lorsque diverses manières de simplifier le travail se présentent à son esprit, il lui sera plus facile de comparer les unes et les autres si elles sont toutes mises en graphiques. En général, la meilleure méthode d'exécution est celle qui exige le moins de mouvements.

Le graphique des deux mains peut servir à l'étude d'une grande variété de travaux de montage, d'usinage et de bureau. Dans les travaux de montage, les ajustements serrés et les pièces à placer en position incommode présentent certaines difficultés. Dans les assemblages de petites pièces aux ajustements serrés, le «positionnement avant l'assemblage» peut être l'élément le plus long du cycle. Dans ces cas, le «positionnement» (par exemple engagement d'un tournevis dans la tête d'une vis minuscule) doit être représenté comme un mouvement distinct («opération»), indépendamment du mouvement de montage proprement dit. On peut donc concentrer l'attention sur cet élément du cycle, et si le graphique comporte une échelle des temps on peut mesurer son importance relative. Des économies très importantes peuvent être

---

[1] Certains spécialistes estiment que les symboles ordinaires du graphique d'analyse ne conviennent pas tout à fait pour l'enregistrement des mouvements des mains et du corps et ont adopté diverses variantes, telles que:

O	= Opération.	T	= Tenir.
TC	= Transport en charge.	R	= Repos.
TV	= Transport à vide.		

169

réalisées en réduisant le nombre de ces positionnements, par exemple en fraisant légèrement l'orifice d'un trou et en mettant un chanfrein au bout de l'axe qui s'y ajuste, ou en utilisant un tournevis muni d'une lame à centrage automatique.

ÉTABLISSEMENT D'UN GRAPHIQUE DES MOUVEMENTS SIMULTANÉS DES DEUX MAINS

La formule du graphique doit comporter:

☐ Dans la partie supérieure, un espace libre pour l'inscription des renseignements habituels.

☐ Un emplacement libre permettant de dessiner un schéma de l'implantation du poste de travail (correspondant au diagramme de circulation utilisé conjointement avec le graphique de déroulement), un schéma de montage, etc.

☐ Un espace pour la description des mouvements de la main droite et de la main gauche.

☐ Un espace destiné au résumé des mouvements et à l'analyse des temps morts.

Nous verrons plus loin quelques exemples de ces graphiques, mais il est bon, auparavant, de signaler quelques précautions à prendre:

1. Observer le cycle des opérations un certain nombre de fois avant de commencer l'enregistrement.

2. Analyser **une seule** main à la fois.

3. N'enregistrer que quelques symboles à la fois.

4. Il y a avantage à commencer l'enregistrement des mouvements au moment où l'exécutant saisit une nouvelle pièce, au début du cycle de travail. Commencer par la main qui manie la pièce la première ou par la main qui accomplit le plus de travail. Le point de départ exact de l'analyse n'est pas d'importance capitale, puisque le cycle de travail doit être complété et que chaque mouvement reviendra à son tour, mais il doit être bien défini. Ajouter dans la deuxième colonne les genres de travail effectués par l'autre main.

5. Il ne faut noter les mouvements sur une même ligne que **s'ils sont simultanés.**

6. Les mouvements effectués **successivement** doivent être enregistrés sur des lignes différentes. Vérifier sur le graphique les rapports de temps entre les mouvements des mains.

7. Prendre soin d'énumérer **tous** les gestes de l'exécutant et éviter de combiner des opérations et des transports ou des positionnements s'ils ne se produisent pas au même moment.

EXEMPLE DE GRAPHIQUE DES MOUVEMENTS SIMULTANÉS DES DEUX MAINS: DÉCOUPAGE DE TUBES DE VERRE

Dans l'exemple ci-après, qui est extrêmement simple, nous verrons comment on a établi le graphique pour une opération qui consistait à sectionner de petites longueurs de tube de verre à l'aide d'un montage. La nature du travail est expliquée sur la feuille d'analyse; les opérations effectuées se passent d'explications (voir fig. 56).

Figure 56. Graphique des mouvements simultanés des deux mains: découpage de tubes de verre (méthode appliquée)

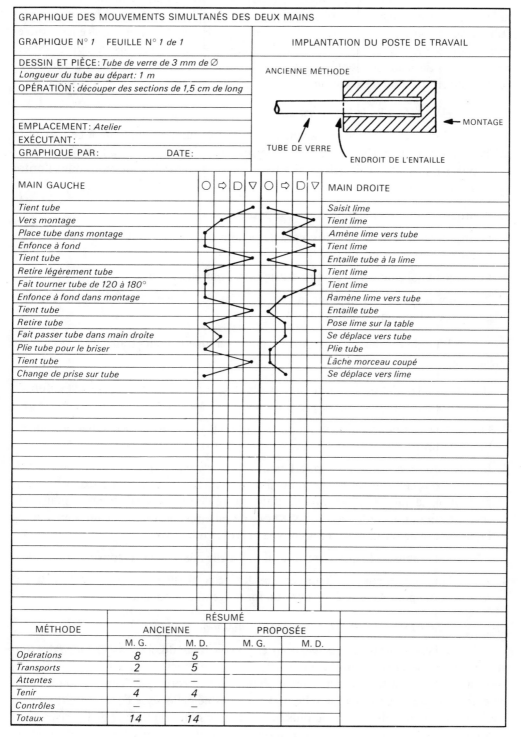

GRAPHIQUE DES MOUVEMENTS SIMULTANÉS DES DEUX MAINS								
MAIN GAUCHE	○	⇨	◻	▽	○	⇨	◻	▽	**MAIN DROITE**

GRAPHIQUE N° *1*   FEUILLE N° *1 de 1*

IMPLANTATION DU POSTE DE TRAVAIL

DESSIN ET PIÈCE: *Tube de verre de 3 mm de ∅*
Longueur du tube au départ: 1 m
OPÉRATION: *découper des sections de 1,5 cm de long*

EMPLACEMENT: *Atelier*
EXÉCUTANT:
GRAPHIQUE PAR: DATE:

ANCIENNE MÉTHODE

← MONTAGE
TUBE DE VERRE
ENDROIT DE L'ENTAILLE

MAIN GAUCHE	MAIN DROITE
Tient tube	Saisit lime
Vers montage	Tient lime
Place tube dans montage	Amène lime vers tube
Enfonce à fond	Tient lime
Tient tube	Entaille tube à la lime
Retire légèrement tube	Tient lime
Fait tourner tube de 120 à 180°	Tient lime
Enfonce à fond dans montage	Ramène lime vers tube
Tient tube	Entaille tube
Retire tube	Pose lime sur la table
Fait passer tube dans main droite	Se déplace vers tube
Plie tube pour le briser	Plie tube
Tient tube	Lâche morceau coupé
Change de prise sur tube	Se déplace vers lime

RÉSUMÉ

MÉTHODE	ANCIENNE		PROPOSÉE	
	M. G.	M. D.	M. G.	M. D.
Opérations	8	5		
Transports	2	5		
Attentes	—	—		
Tenir	4	4		
Contrôles	—	—		
Totaux	14	14		

☐ *ENREGISTRER*

Selon la méthode originale, le tube était enfoncé dans le montage, marqué à la lime, puis légèrement retiré pour recevoir une entaille. Il était ensuite retiré complètement du support et brisé en deux. On notera que le graphique enregistre les mouvements des mains d'une façon très détaillée car, dans les opérations de courte durée, des fractions de seconde ajoutées l'une à l'autre peuvent représenter une très forte proportion du temps total d'exécution.

☐ *EXAMINER de façon critique*

Certaines questions viennent à l'esprit dès que l'on applique à ce travail la méthode interrogative. (Nous jugeons désormais inutile de reprendre toute la série de questions, supposant que le lecteur se posera toujours toutes les questions dans l'ordre voulu.)

1. Pourquoi faut-il tenir le tube dans le montage?

2. Pourquoi le tube ne peut-il être entaillé pendant que l'exécutant le fait tourner, au lieu que la main droite attende?

3. Pourquoi le tube doit-il être retiré du support pour être brisé?

4. Pourquoi reprendre et déposer la lime à la fin de chaque cycle? Ne peut-elle être gardée constamment en main?

L'étude du dessin permet de répondre immédiatement aux trois premières questions.

1. Il faut tenir le tube dans le montage parce que la partie du tube qui y est enfoncée est courte par rapport à sa longueur totale.

2. On ne voit pas pourquoi l'exécutant ne pourrait pas tourner et entailler le tube en même temps.

3. Le tube doit être retiré du support pour être brisé parce que, si l'exécutant le brisait en exerçant une pesée sur le bord du support, le bout de tube restant devrait être retiré, ce qui serait incommode étant donné l'insuffisance de la prise, mais, si le montage était conçu de façon que le bout de tube restant tombe de lui-même après la cassure, il ne serait plus nécessaire de retirer le tube.

La réponse à la quatrième question est elle aussi facile à trouver:

4. Avec l'ancienne méthode, l'intervention des deux mains est nécessaire pour briser le tube. Cela pourrait être évité avec un montage mieux conçu.

☐ *METTRE AU POINT la nouvelle méthode*

Après avoir posé ces questions et y avoir répondu, il est assez facile de trouver une bonne solution au problème. La figure 57 représente une solution possible. On voit qu'en modifiant le montage, l'agent d'étude fait en sorte que l'entaille soit faite du côté droit et que le petit bout de tube tombe de lui-même lorsque l'exécutant donne un coup sec sur le tube. Il n'est donc plus nécessaire de retirer le tube et de le briser en se servant des deux mains. Le nombre d'opérations et de mouvements a été ramené de 28 à 6, ce qui pouvait faire espérer une augmentation de la productivité de 133 pour cent. En fait, ce chiffre a été dépassé parce que le travail est devenu plus

Figure 57. Graphique des mouvements simultanés des deux mains:
découpage de tubes de verre (méthode améliorée)

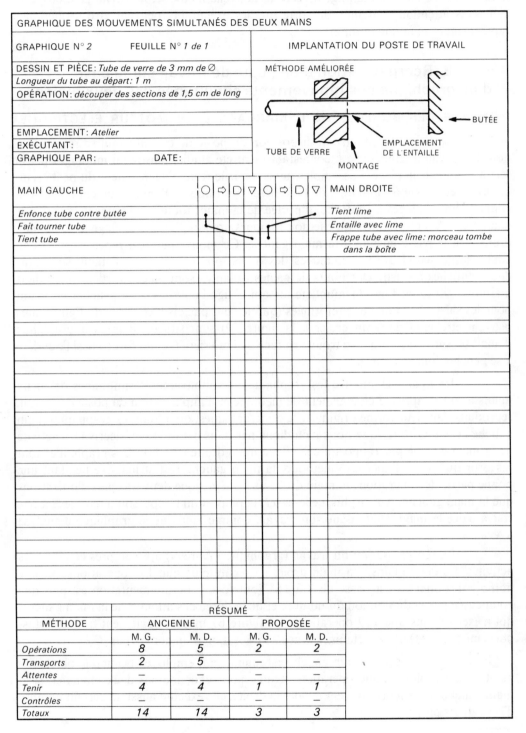

MÉTHODE	ANCIENNE		PROPOSÉE	
	M. G.	M. D.	M. G.	M. D.
Opérations	8	5	2	2
Transports	2	5	—	—
Attentes	—	—	—	—
Tenir	4	4	1	1
Contrôles	—	—	—	—
Totaux	14	14	3	3

agréable par suite de l'élimination d'opérations délicates et agaçantes, telles que «positionner le tube dans le montage». Avec la nouvelle méthode, le travail peut être exécuté sans attention soutenue, de sorte que les exécutants peuvent être formés plus rapidement et se fatiguent moins.

8. Réorganisation d'un poste de travail sur la base d'un graphique des mouvements simultanés des deux mains

MONTAGE DES BOBINES DE DÉMARRAGE D'UN MOTEUR ÉLECTRIQUE[1]

La figure 58 montre la disposition du poste de travail avant sa réorganisation. Le travail à effectuer a incontestablement été étudié, puisqu'un montage spécial sert à maintenir la pièce à assembler, mais, pour le reste, l'agencement du poste semble avoir été laissé à l'initiative de l'ouvrière. Les outils et l'anneau de calibrage sont commodément placés à sa droite, à portée de la main; toutefois, l'étude du graphique d'analyse «Avant» montre qu'elle doit toujours prendre l'outil de calage avec la main droite, qui le passe ensuite à la main gauche. Ce mouvement est répété sept fois au cours de l'assemblage. Les manches des outils, posés à plat sur l'établi, sont sans doute difficiles à saisir. Des bouts de gaines isolantes sont placés verticalement dans une boîte située en face du montage, ce qui oblige l'ouvrière à se pencher en avant pour les saisir. Les bobines préformées (qui ne sont pas visibles sur cette figure, mais peuvent être vues dans un casier à la figure 59) sont situées, d'après le graphique d'analyse, sur l'étagère qui se trouve en face de l'ouvrière (ce qui force aussi l'ouvrière à se pencher loin en avant).

La figure 61 montre les graphiques des mouvements simultanés des deux mains avant et après le changement de méthode et d'implantation du poste de travail, reproduits dans leur forme originale. A ces graphiques, on a joint les graphiques main gauche et main droite (que nous n'étudions pas dans cet ouvrage) décrivant l'activité de la main gauche par rapport à celle de la main droite (fig. 60). Les graphiques font ressortir que, dans l'ancienne méthode, la main gauche restait inactive pendant une bonne partie de l'opération; la main droite exécute presque deux fois plus d'opérations que la main gauche. Au surplus, celle-ci sert la plupart du temps, soit à tenir les pièces, soit à aider la main droite dans son travail, comme l'indique le graphique d'analyse «Avant».

La réorganisation du travail (graphique «Après») a à peu près équilibré les activités des deux mains. La main droite n'exécute plus que 143 opérations, mais le nombre des attentes est passé de 9 à 16. Toutefois, cette augmentation est plus que compensée par la diminution du nombre et de la durée des attentes de la main gauche, qui n'exécute plus que 129 opérations. La figure 61 montre également que les transports manuels (M) ont été éliminés grâce à l'utilisation d'un convoyeur (C).

D'autre part, la main gauche est maintenant employée beaucoup plus utilement. Il n'y a plus qu'une opération «tenir» pour chacune des deux mains et, si la main gauche sert encore souvent à aider la droite, elle exécute aussi un certain nombre d'opérations propres.

---

[1] Cet exemple, pris sur le vif, a été fourni par la General Electric Company Ltd., à Witton (Royaume-Uni), qui a bien voulu nous communiquer les photographies et les graphiques d'analyse reproduits ici. Les graphiques d'analyse sont reproduits sous leur forme originale, qui diffère légèrement de la pratique nouvelle que nous avons recommandée dans cet ouvrage, mais un examen un peu attentif les rendra tout à fait clairs aux lecteurs.

Figure 58.   Disposition du poste de travail (initiale)

Figure 59. Disposition du poste de travail (améliorée)

*Figure 60.   Graphique main gauche et main droite:
montage des bobines de démarrage d'un moteur électrique*

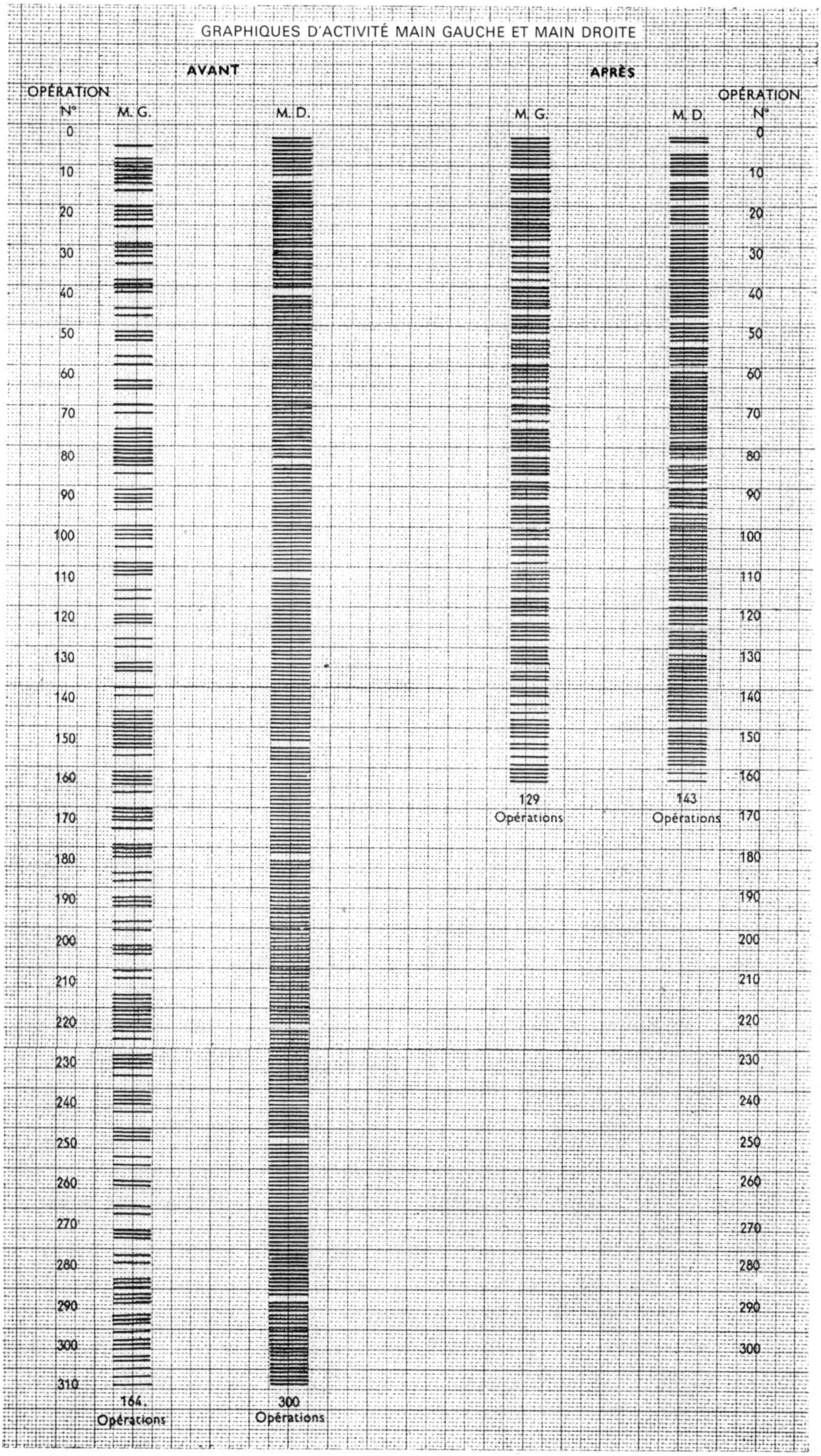

Le graphique d'analyse donne de nombreux détails sur le changement de méthode, mais aucune indication sur la réorganisation du poste de travail. On peut, toutefois, voir les résultats de cette réorganisation à la figure 59.

La nouvelle disposition est conçue suivant les principes de l'économie des mouvements et la disposition du poste de travail indiquée à la figure 54. La pièce à assembler, les pièces détachées et les outils se trouvent tous largement à l'intérieur de la zone de travail maximum. Le montage utilisé est le même qu'auparavant, mais il a été rapproché du bord de l'établi pour faciliter les mouvements de l'ouvrière. Les gaines isolantes, les cales et les autres pièces sont placées dans des casiers normalisés. Les bobines, de dimensions plus importantes, se trouvent dans un grand casier placé à portée de la main gauche de l'ouvrière. La position rationnelle des outils est à noter. Ils sont tous placés à portée de la main qui doit s'en servir, et les manches sont dans une position qui en facilite la prise; même les ciseaux sont plantés entre deux casiers avec leurs anneaux vers le haut. L'anneau de calibrage qui, dans la figure 58, est posé à plat sur l'établi — ce qui le rend malaisé à saisir — est maintenant placé verticalement dans un réceptacle spécial à droite de l'établi; l'ouvrière peut s'en saisir, sans même avoir à quitter le montage des yeux.

La figure 59 mérite incontestablement une étude attentive. L'exiguïté du poste incite l'ouvrière à garder tous les outils et accessoires à leur place; les établis trop spacieux sont, au contraire, une invite au désordre. Du point de vue de l'économie de place, la nouvelle disposition présente un double avantage: elle permet d'augmenter le nombre des postes de travail installés sur une même surface d'atelier, en même temps qu'elle élève la production de chaque poste. En outre, elle diminue la fatigue de l'ouvrière, qui n'a plus besoin de se pencher pour chercher pièces et outils.

9. Etude des micromouvements

Dans certains types d'opérations, notamment les opérations à cycles très brefs qui sont répétées des milliers de fois, comme par exemple la mise en boîte de bonbons ou l'empaquetage de boîtes de conserve, il y a intérêt à approfondir l'analyse afin de découvrir les points où il est possible d'économiser des mouvements et des efforts et de trouver la suite de mouvements qui permettrait à l'exécutant de répéter l'opération avec le minimum d'efforts et de fatigue. Les techniques utilisées à cette fin recourent souvent à l'enregistrement cinématographique et sont connues sous le terme générique d'**étude des micromouvements.**

Les techniques de l'étude des micromouvements reposent sur l'idée que toutes les activités de l'homme peuvent être divisées en mouvements ou groupes de mouvements fondamentaux (appelés **therbligs**), qui sont classés d'après leur objet.

Ces éléments fondamentaux ont été conçus par Frank B. Gilbreth, créateur de l'étude des mouvements; le mot «therblig» est d'ailleurs l'anagramme de Gilbreth. Celui-ci a dressé une liste de dix-sept mouvements fondamentaux de la main ou de l'œil et de la main; par la suite, on y a ajouté un dix-huitième mouvement. Les therbligs correspondent à des mouvements ou aux raisons de l'absence de mouvement. Chaque therblig peut être représenté sur un enregistrement par une couleur, une abréviation ou un symbole. Ces représentations sont indiquées dans le tableau 11.

AVANT

Porter sur l'établi un stock de gaines isolantes.　Ⓜ ▽

Porter sur l'établi un stock de cales.　Ⓜ ▽

Porter le stator sur l'établi et le fixer sur le montage.　Ⓜ ▽

Porter une réserve de bobines sur l'établi et les placer sur l'étagère.　Ⓜ ▽

Main gauche	N°	N°	Description
	①	①	Retirer fiche de travail du trou du stator et la mettre de côté.
	②	②	Prendre sur étagère lot de bobines de démarrage et les placer sur l'établi.
Tenir bobines.	③	③	Prendre ciseaux et couper ruban.
	④	④	Déposer ciseaux.
	⑤	⑤	Prendre trois groupes de bobines sur étagère.
Saisir groupe de bobines.	⑥	⑥	Prendre cisaille.
Tenir bobines.	⑦	⑦	Couper surplus de fil dépassant des bobines.
Tenir bobines	⑧	⑧	Déposer cisaille.
Tenir bobines	⑨	⑨	Faire glisser ruban jusqu'au bout des bobines situé du côté opposé aux extrémités.
Tenir bobines.	⑩	⑩	Faire tourner stator pour trouver position de départ des bobines.
Passer les bobines dans le trou du stator	⑪	⑪	
Aider main droite.	⑫	⑫	Insérer premier côté de la première bobine (la plus petite) dans la rainure.
	⑬	⑬	Prendre une cale sur l'établi.
Aider main droite.	⑭	⑭	Plier cale et mettre en forme.
	⑮	⑮	Insérer cale dans rainure.
	⑯	⑯	Prendre outil de calage.
	⑰	⑰	Le passer à main gauche.
Tenir outil de calage.	⑱	⑱	Saisir marteau
Tenir outil de calage contre la cale.	⑲	⑲	Enfoncer cale dans rainure.
Déposer outil de calage.	⑳	⑳	Déposer marteau.
Répéter opérations 12 à 20 pour premier côté de la deuxième bobine.	㉑ à ㉙	㉑ à ㉙	Répéter opérations 12 à 20 pour premier côté de deuxième bobine
Répéter opérations 12 à 20 pour premier côté de la troisième bobine.	㉚ à ㉚	㉚ à ㉚	Répéter opérations 12 à 20 pour premier côté de troisième bobine.
Faire tourner montage	㊴	㊴	
	㊵	㊵	Prendre ciseaux.
	㊶	㊶	Couper deux bouts de ruban de fixation.
	㊷	㊷	Déposer ciseaux.
main droite	㊸	㊸	Insérer deuxième côté de première bobine dans rainure

Main gauche	N°	N°	Main droite
	44	44	Prendre une cale sur établi.
Aider main droite	45	45	Plier cale et mettre en forme.
	46	46	Insérer cale dans rainure.
	47	47	Prendre outil de calage.
	48	48	Le passer à main gauche.
Tenir outil de calage.	49	49	Saisir marteau
Tenir outil de calage contre cale.	50	50	Enfoncer cale dans rainure
Déposer outil de calage.	51	51	Déposer marteau
Répéter opérations 40 à 51 pour deuxième côté de deuxième bobine.	52 à 63	52 à 63	Répéter opérations 40 à 51 pour deuxième côté de deuxième bobine.
Répéter opérations 40 à 51 pour deuxième côté de troisième bobine.	64 à 75	64 à 75	Répéter opérations 40 à 51 pour deuxième côté de troisième bobine.
Répéter opérations 6 à 75 pour deuxième groupe de bobines	76 à 145	76 à 145	Répéter opérations 6 à 75 pour deuxième groupe de bobines.
Répéter opérations 6 à 75 pour troisième groupe de bobines.	146 à 215	146 à 215	Répéter opérations 6 à 75 pour troisième groupe de bobines
Répéter opérations 6 à 75 pour quatrième groupe de bobines.	216 à 285	216 à 285	Répéter opérations 6 à 75 pour quatrième groupe de bobines.
	286	286	Prendre maillet.
Placer stator en bonne position de travail	287	287	Mater les extrémités.
Faire tourner montage.	288	288	
Placer stator en bonne position de travail.	289	289	Mater les extrémités.
	290	290	Déposer maillet.
	291	291	Prendre un morceau de gaine isolante de 1 mm et le passer à main gauche.
Tenir gaine.	292	292	Prendre ciseaux.
Tenir gaine.	293	293	Découper huit bouts de 3,5 cm
Déposer restant de gaine.	294	294	Déposer ciseaux.
	295	295	Réunir huit bouts de gaine
Aider main droite.	296	296	Faire glisser une gaine sur chacune des extrémités.
	297	297	Prendre un morceau de gaine de 3 mm et le passer à main gauche.
Tenir gaine.	298	298	Prendre ciseaux.
Tenir gaine.	299	299	Couper trois bouts d'environ 2,5 cm.
Déposer restant de gaine.	300	300	Déposer ciseaux.
	301	301	Réunir trois bouts de gaine.
Aider main droite.	302	302	Faire glisser une gaine sur chaque paire d'extrémités à connecter pour le raccord des bobines.
Aider main droite.	303	303	Entrelacer trois paires d'extrémités (six torsions par paire) pour effectuer les connections des bobines.
	304	304	Prendre cisaille.
Aider main droite.	305	305	Couper les raccords à la longueur voulue.
	306	306	Déposer cisaille.
Aider main droite.	307	307	Replier toutes les extrémités dans le trou du stator.
	308	308	Prendre fiche de travail et la placer dans le trou du stator.
Aider main droite.	309	309	Mettre stator en stockage temporaire.

▽

Tableau 11.   Therbligs

Symbole	Nom	Abbréviation	Couleur
	Chercher	Ch	Noir
	Trouver	Tr	Gris
	Choisir	Cho	Gris clair
	Saisir	S	Rouge
	Tenir	T	Jaune d'or
	Transport en charge	TC	Vert
	Positionner	P	Bleu
	Assembler	A	Violet
	Utiliser	U	Pourpre
	Désassembler	DA	Violet clair
	Contrôler	C	Ocre brûlé
	Prépositionner	PP	Bleu pâle
	Lâcher	L	Rouge carmin
	Transport à vide	TV	Vert olive
	Repos pour éliminer fatigue	R	Orange
	Attente inévitable	AI	Ocre jaune
	Attente évitable	AE	Jaune citron
	Réfléchir	Rr	Marron

Les therbligs représentent surtout les mouvements du corps au poste de travail et les activités mentales qui leur sont liées. Aucune des autres méthodes que nous avons exposées jusqu'ici ne permet une description aussi précise et aussi détaillée du travail effectué, mais il faut une longue pratique pour utiliser les therbligs, sans risque de confusion, dans les analyses du travail.

Il ne semble pas utile, dans un ouvrage d'initiation comme celui-ci, d'entrer dans le détail de ces techniques, étant donné que l'emploi des techniques plus simples que nous avons exposées jusqu'ici suffit déjà souvent à améliorer considérablement la

179

productivité. Les méthodes plus poussées et plus raffinées sont beaucoup moins répandues, même dans les pays très industrialisés. Elles sont enseignées beaucoup plus que mises en pratique et, lorsqu'elles sont utilisées, c'est principalement dans les opérations de production en grande série. Il s'agit d'ailleurs de techniques que seul un expert très qualifié peut manier et, en tout cas, il serait vain qu'un agent d'étude du travail encore peu expérimenté perde son temps à essayer de gagner quelques fractions de secondes ici ou là, lorsque la productivité d'opérations entières peut certainement être doublée ou triplée par l'emploi des méthodes plus générales que nous avons déjà vues.

10. Les simogrammes

Nous ne décrirons ici qu'une seule technique d'enregistrement de l'étude des micromouvements, à savoir le **graphique des cycles de mouvements simultanés** ou **simogramme.**

> **Le simogramme est un graphique, souvent établi à partir de l'analyse d'un film, qui sert à enregistrer simultanément, et par rapport à une même échelle des temps, les therbligs ou les groupes de therbligs effectués par différentes parties du corps d'un ou de plusieurs ouvriers**

Le simogramme est un graphique de déroulement-exécutant adapté aux micromouvements[1]. Comme les simogrammes servent surtout à l'analyse d'opérations de courte durée, souvent extrêmement rapides, on ne peut généralement les établir qu'à partir de films de l'opération, dont on peut arrêter la projection à tout moment, ou que l'on projette au ralenti. On voit, sur le graphique de la figure 62, que les mouvements sont chronométrés au $1/2000$ de minute à l'aide d'un microchronomètre placé de manière que l'on puisse suivre le mouvement des aiguilles pendant la prise de vues.

Les mouvements de chaque main sont classés d'après la liste donnée à la section 3 du présent chapitre. Quelques simogrammes indiquent la partie du corps utilisée (doigts, poignets, avant-bras, bras). Les hachures représentent les couleurs des therbligs; les lettres se rapportent aux symboles des therbligs.

Nous n'irons pas plus avant dans l'étude des simogrammes. Nous conseillons au lecteur de ne pas essayer d'effectuer une étude de micromouvements sans le concours d'un spécialiste.

---

[1] En France, on emploie aussi le terme «simogramme» pour les graphiques d'activités simultanées homme-machine.

Figure 62.   Simogramme[1]

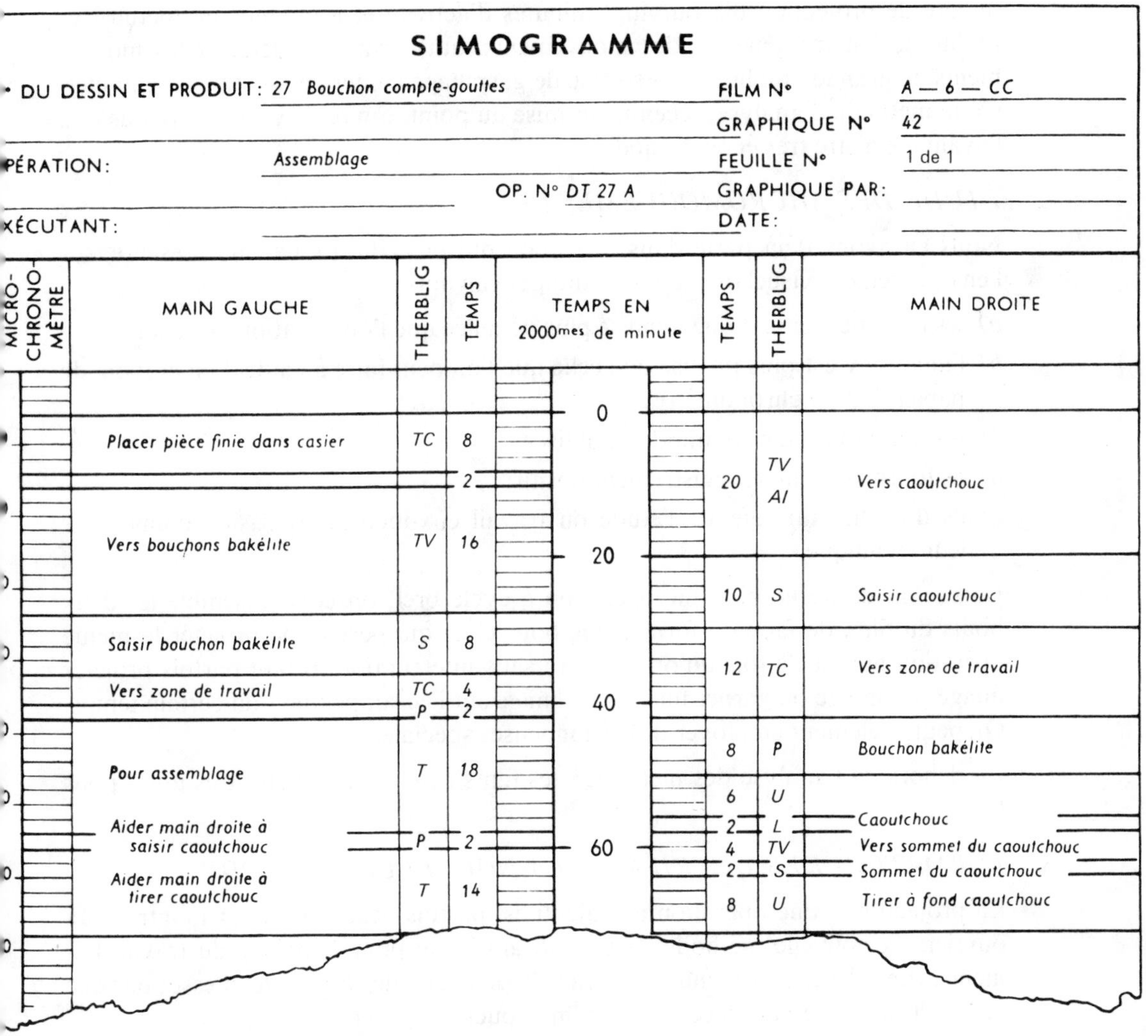

SIMOGRAMME

DU DESSIN ET PRODUIT: 27 *Bouchon compte-gouttes*			FILM N°		*A — 6 — CC*	
			GRAPHIQUE N°		42	
PÉRATION:	*Assemblage*		FEUILLE N°		1 de 1	
	OP. N° *DT 27 A*		GRAPHIQUE PAR:			
XÉCUTANT:			DATE:			

MICRO-CHRONO-MÈTRE	MAIN GAUCHE	THERBLIG	TEMPS	TEMPS EN 2000mes de minute	TEMPS	THERBLIG	MAIN DROITE
				0			
	Placer pièce finie dans casier	TC	8				
			2		20	TV / AI	Vers caoutchouc
	Vers bouchons bakélite	TV	16	20			
					10	S	Saisir caoutchouc
	Saisir bouchon bakélite	S	8				
					12	TC	Vers zone de travail
	Vers zone de travail	TC	4				
		P	2	40			
					8	P	Bouchon bakélite
	Pour assemblage	T	18				
					6	U	
					2	L	Caoutchouc
	Aider main droite à saisir caoutchouc	P	2	60	4	TV	Vers sommet du caoutchouc
					2	S	Sommet du caoutchouc
	Aider main droite à tirer caoutchouc	T	14		8	U	Tirer à fond caoutchouc

11. Emploi du cinéma dans l'étude analytique des méthodes

Lors d'une analyse des méthodes, le cinéma peut être utilisé aux fins suivantes:

1. *PHOTOGRAPHIE DES MÉMOMOUVEMENTS* (ou mémo-film: méthode de prise de vues au ralenti qui permet d'enregistrer les activités des travailleurs à l'aide d'une caméra réglée pour prendre des photographies instantanées à des intervalles de temps plus longs que la normale. Les intervalles sont habituellement de ½ seconde à 4 secondes).

On installe la caméra de façon qu'elle embrasse la totalité du poste de travail; on la règle de manière à ne prendre qu'une ou deux images par seconde au lieu des

---

[1] Adapté de Marvin E. Mundel: *Motion and time study: Principles and practice* (Englewood Cliffs (New Jersey)) et Hemel Hempstead (Royaume-Uni), Prentice-Hall, 4e édition, 1970).

vingt-quatre images-seconde ordinaires. On arrive ainsi à comprimer en une minute de projection dix ou vingt minutes d'activité et à obtenir un aperçu très rapide de l'allure générale des mouvements, qui permet de détecter les mouvements de grande amplitude — source de gaspillage d'énergie — et de les éliminer. Cette méthode d'analyse, récemment mise au point, ouvre de vastes horizons et a l'avantage d'être très économique.

2. ÉTUDE DES MICROMOUVEMENTS

Nous en avons déjà parlé dans la section qui précède. Le cinéma présente, sur l'enregistrement visuel direct, les avantages suivants:

a) les films permettent une analyse plus détaillée que l'observation visuelle;

b) l'analyse y est plus précise que celle que l'on peut faire à l'aide d'un crayon, de papier et d'un chronomètre;

c) les films sont plus commodes à utiliser;

d) ils fournissent un enregistrement positif;

e) ils donnent aux agents d'étude du travail eux-mêmes l'occasion d'améliorer leur technique.

Lorsqu'on désire étudier une opération à cycle bref, on colle ensemble les deux bouts du film, de façon à former une boucle, ce qui permet de projeter la même opération autant de fois qu'on le désire sans interruption. Il faut parfois projeter image par image ou garder une même image sur l'écran pendant un certain temps. On peut également employer des visionneuses spéciales.

En dehors de l'analyse des méthodes, les films peuvent aussi être très utiles pour la

3. FORMATION DES OUVRIERS À LA NOUVELLE MÉTHODE

La projection d'une opération au ralenti est parfois nécessaire pour montrer aux ouvriers la nouvelle méthode de travail, ainsi que pour l'analyse du travail lui-même. (Le ralenti est obtenu en opérant la prise de vues à grande vitesse; dans ce cas il est fait largement recours aux films-boucles.)

12. Autres techniques d'enregistrement

Nous allons maintenant décrire très brièvement une ou deux autres techniques d'enregistrement qui, jusqu'à présent, n'ont été que mentionnées et qui ne seront pas traitées plus avant dans ce manuel d'initiation.

Au chapitre 8, le tableau 9 énumérait les cinq graphiques qui sont le plus couramment utilisés dans l'étude des méthodes. Trois d'entre eux, à savoir le diagramme de circulation, le diagramme à ficelles et le graphique de cheminement, ont déjà été décrits, avec des exemples à l'appui, dans les chapitres précédents. Nous allons maintenant étudier les deux autres, le cyclographe et le chronocyclographe.

Le **cyclographe** enregistre la trajectoire d'un mouvement et est généralement réalisé en fixant sur une pellicule photographique, de préférence stéréoscopique, les déplacements d'une source lumineuse continue. Avec ce procédé on peut, par exemple, enregistrer sur une photographie la trajectoire du mouvement d'une main. Il suffit pour cela de demander à l'ouvrier de porter une bague munie d'une petite source lumineuse qui tracera une trajectoire sur les photos. On peut également fixer la source lumineuse sur le casque de l'ouvrier s'il s'agit d'enregistrer l'itinéraire qu'il suit lors de l'exécution de sa tâche.

Le **chronocyclographe** est une forme particulière de cyclographe. Son originalité réside dans le fait que le courant d'alimentation de la source lumineuse est interrompu régulièrement de sorte que la trajectoire se présente comme une succession de tirets piriformes, dont les extrémités effilées indiquent la direction du mouvement tandis que leur espacement représente sa vitesse.

Comparés aux autres techniques d'enregistrement décrites dans ce livre, le cyclographe et le chronocyclographe n'offrent qu'un champ d'application limité, mais, dans certains cas, ces types de tracés photographiques peuvent rendre des services appréciables.

13. La mise au point de méthodes améliorées

Dans chacun des exemples illustrant les diverses techniques de l'étude des méthodes étudiées jusqu'ici, nous avons passé en revue les trois stades : **enregistrer, examiner** de façon critique et **mettre au point** la nouvelle méthode, mais notre analyse a porté surtout sur les deux premiers et nous n'avons étudié la troisième phase (mise au point d'une méthode améliorée) que dans la mesure nécessaire pour attirer l'attention des lecteurs sur les améliorations résultant directement de l'utilisation du graphique ou de la feuille d'analyse dont il était question.

Il nous faut maintenant approfondir un peu plus que nous ne l'avons fait jusqu'ici le processus de mise au point de méthodes améliorées.

L'une des grandes satisfactions que procure l'étude des méthodes est précisément qu'elle permet souvent de réaliser des économies importantes grâce à des modifications mineures ou à des mécanismes peu coûteux tels que des systèmes d'évacuation par gravité ou des montages bien conçus.

Citons à titre d'exemple la construction d'une petite plate-forme montée sur ressorts, faite très simplement de contre-plaqué et destinée à évacuer les carreaux de céramique sortis d'une mouleuse automatique. La tension des ressorts était étudiée de telle manière que, chaque fois que la machine poussait un carreau sur la plate-forme, les ressorts de celle-ci se comprimaient, le dessus du carreau arrivait au niveau de la table de la machine et la plate-forme était prête à recevoir le carreau suivant. Ce dispositif permettait à l'ouvrière conduisant la machine de se concentrer sur l'évacuation des carreaux moulés prêts à la cuisson qu'elle disposait sur un rayonnage pendant qu'une nouvelle pile se formait. Lorsqu'une douzaine de carreaux environ s'étaient ainsi empilés, elle les retirait de la plate-forme, qui revenait automatiquement au niveau de la table de la machine pour recevoir le premier carreau d'un nouveau tas. Ce dispositif très simple a permis de libérer et d'affecter à un autre travail la deuxième ouvrière occupée à cette opération, avantage très appréciable dans une région où il était difficile de trouver des travailleurs de la céramique qualifiés.

Dans de nombreux établissements industriels, cependant, il est à peu près certain que l'agent d'étude du travail ne pourra se borner à étudier les mouvements des matières et des travailleurs s'il veut apporter une amélioration importante à la productivité. Il devra également discuter avec les ingénieurs et les dessinateurs la possibilité d'utiliser des matières autres que celles qui étaient prévues à l'origine, en vue de rendre la fabrication plus facile et plus rapide. Même s'il n'est pas expert en dessins et projets industriels — et il n'est pas censé l'être —, le seul fait qu'il soulève la question du remplacement des matières initialement prévues peut faire naître, dans l'esprit des ingénieurs et des dessinateurs eux-mêmes, des idées qui ne leur étaient pas venues. Après tout, ces techniciens sont des hommes comme les autres, souvent, par surcroît, surchargés de travail; aussi ont-ils tendance à prescrire l'utilisation de telle ou telle matière dans la fabrication de tel produit ou composant, pour la simple raison que c'est la matière qui a toujours été utilisée dans le passé.

En dehors de l'élimination des mouvements manifestement inutiles — qu'un diagramme de circulation ou un graphique d'analyse permet d'effectuer rapidement —, l'amélioration des méthodes de travail demande beaucoup d'expérience et d'ingéniosité. La réussite sera grandement facilitée si l'agent d'étude du travail connaît bien la branche industrielle à laquelle il s'intéresse. Pour la plupart des opérations, à l'exception des opérations manuelles élémentaires, il devra consulter les techniciens ou les cadres de maîtrise; d'ailleurs, même s'il peut se passer de cette assistance, il est préférable qu'il la sollicite, car les intéressés accueilleront plus volontiers une méthode qu'ils auront contribué à perfectionner qu'une méthode apportée, toute prête à être appliquée, par quelqu'un d'autre. Il en va de même avec les ouvriers. Que chacun soit donc invité à donner son opinion: deux avis valent mieux qu'un!

On admet de plus en plus que l'amélioration des méthodes ne peut vraiment être réussie que lorsqu'elle est le résultat d'un travail d'équipe. Beaucoup d'établissements, grands et moyens, ont donc constitué des équipes dont le rôle est d'améliorer les procédés de fabrication et les méthodes d'exécution. Ces équipes sont constituées, soit à titre permanent, soit en vue de l'exécution d'une tâche particulière, comme la modification de l'implantation d'un magasin, d'un atelier ou d'une usine ou l'organisation du travail. Ces équipes décident souvent de la répartition et de la division du travail et exercent également des fonctions connexes comme le contrôle de la qualité.

Au Royaume-Uni, la Société Joseph Lucas Ltd., qui fabrique du matériel électrique et des accessoires d'automobile, a créé des groupes de travail de ce genre à différents échelons de l'entreprise; ces groupes étudient tous les aspects de la fabrication, depuis la conception, qui est étudiée en vue de rendre la fabrication plus économique, jusqu'à la fin du cycle de production, en passant par tous les procédés et méthodes de travail.

En France, les établissements Guillet à Auxerre, qui fabriquent des machines pour l'industrie du bois, forment des équipes opérationnelles pour l'étude des conditions de travail et de gestion de la production. Les missions confiées à ces équipes sont de durée limitée (de un à six mois). Un membre de l'équipe, choisi par les participants et agréé par la hiérarchie, est désigné comme animateur.

14. Laboratoire des méthodes

Il est très utile de mettre à disposition des agents d'étude du travail une petite pièce ou un petit atelier où ils puissent procéder à la mise au point et à l'expérimentation de nouvelles méthodes. Il n'est pas nécessaire que ce «laboratoire» soit compliqué ou coûteux; nombre de dispositifs et de mécanismes peuvent être essayés sur des modèles de bois avant d'être fabriqués en métal. Si l'importance du bureau d'étude du travail le justifie, on pourra lui affecter un ou deux bons mécaniciens, l'équiper de quelques machines simples, telles qu'une perceuse et de l'outillage de tôlerie, et mettre à sa disposition un bon ouvrier des ateliers de production, à qui sera confié l'essai pratique des dispositifs et mécanismes construits par le personnel d'étude du travail.

La création d'un laboratoire de ce genre épargne aux agents d'étude du travail d'avoir à utiliser les ateliers de production ou les services techniques de l'usine lorsque des dispositifs doivent être construits rapidement et permet au bureau d'étude du travail d'expérimenter en toute liberté des idées ou des procédés peu orthodoxes. Le laboratoire servira à faire des démonstrations des nouvelles méthodes à la direction, à la maîtrise et au personnel d'exécution, dont les membres seront invités à les essayer et à suggérer d'autres améliorations avant que la méthode soit définitivement adoptée.

Il **ne faut pas permettre** que l'atelier du bureau d'étude du travail devienne, comme le cas s'est produit dans plus d'une entreprise, l'endroit où tout le monde vient «faire rapidement une petite bricole» ou exécuter des réparations privées.

L'ouvrier attaché au laboratoire d'étude du travail ne devra en aucun cas être utilisé pour la fixation des normes de temps. On pourra, sans inconvénient, le chronométrer pour comparer la valeur des différentes méthodes, mais les études de temps destinées à la fixation des normes doivent toujours être effectuées dans les ateliers, avec les ouvriers ordinaires travaillant dans les conditions normales de production.

Chapitre 12
Définir, mettre en application, contrôler

1. Faire approuver la méthode améliorée

Une fois l'étude du travail achevée et la nouvelle méthode stabilisée, l'agent d'étude du travail doit généralement obtenir l'approbation de la direction avant de la faire mettre en application. Il doit, pour cela, rédiger un rapport contenant une description détaillée et comparée de l'ancienne et de la nouvelle méthode, en indiquant les raisons pour lesquelles il propose tel ou tel changement. Ce rapport doit mentionner :

1) le coût en matières, main-d'œuvre et frais généraux des deux méthodes, ainsi que le gain envisagé;

2) les frais de mise en application de la nouvelle méthode, y compris, le cas échéant, le coût du matériel à acheter et de la réimplantation des ateliers ou des lieux de travail;

3) les décisions que la direction doit prendre pour mettre en application la nouvelle méthode.

Avant de soumettre son rapport, l'agent d'étude du travail le discutera avec les cadres ou la direction du service intéressé et, si les changements à effectuer sont peu coûteux et que l'unanimité se fasse sur leur utilité, la nouvelle méthode pourra être mise en application immédiatement, sous l'autorité du chef de service ou du contre-maître.

Si, par contre, les changements proposés entraînent des mises de fonds, par exemple l'achat de matériel de manutention, ou si l'accord ne peut se faire entre tous les intéressés sur leur utilité, la décision devra alors être prise par la direction de l'entreprise. En pareil cas, l'agent d'étude du travail sera très certainement appelé à justifier ses prévisions. Lorsque celles-ci exigeront des investissements tant soit peu importants, il devra être en mesure de convaincre des personnes très sceptiques, souvent peu familiarisées avec les problèmes techniques, de la valeur de ses suggestions. L'agent d'étude du travail doit donc toujours faire ses calculs et établir ses prévisions avec le plus grand soin, car tout échec risquerait de porter atteinte non seulement à sa réputation personnelle, mais aussi à celle de l'étude du travail elle-même.

2. Définir la méthode améliorée

LE DOSSIER D'EXÉCUTION

Lorsque les travaux à exécuter ne se font pas à l'aide d'une machine-outil ordinaire, ou d'une machine spécialisée pour laquelle les procédés et les méthodes

Figure 63. Dossier d'exécution

DOSSIER D'EXÉCUTION

PRODUIT:	MATÉRIEL
Tube de verre de 3 mm de ⌀	*Montage n° 231*
longueur au départ: 1 m	*Lime mi-ronde*
	de 15 cm

OPÉRATION:

Limer et sectionner longueurs
de 1,5 cm

CONDITIONS DE TRAVAIL:

Bon éclairage

Établi
(Provision de tubes)
Tube
Montage
Evacuation
par goulotte
Boîte de réception
Tabouret de l'exécutant

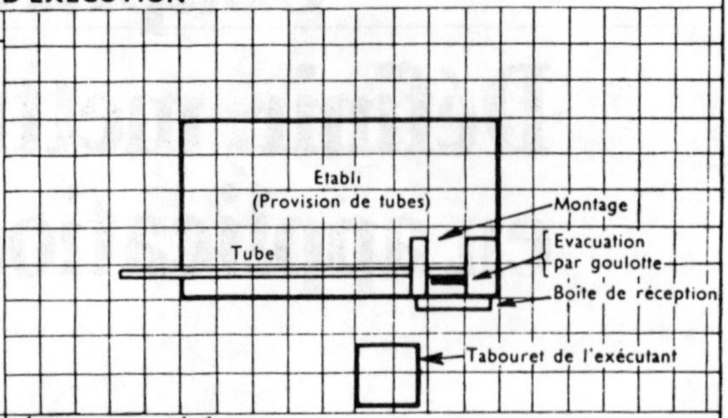

EMPLACEMENT: *Atelier de montage*	ÉTUDES DE RÉFÉRENCE Nᵒˢ *12, 13.*	
EXÉCUTANT:	N° DE POINTAGE *54*	GRAPHIQUE PAR:	DATE:
		APPROUVÉ PAR:	DATE:

EL.	MAIN GAUCHE	MAIN DROITE	EL.
1	*Saisir tube entre pouce et deux premiers doigts : enfoncer à fond*	*Tenir lime : attendre main gauche*	1
2	*Faire tourner tube entre pouce et doigts*	*Faire entaille circulaire autour tube avec bord de la lime contre flanc du montage*	2
3	*Tenir tube*	*Donner coup sec sur bout de tube avec lime, de façon qu'il tombe dans goulotte d'évacuation*	3

d'exécution sont pratiquement déterminés par la machine elle-même, il est utile de rédiger un dossier d'exécution, aussi appelé fiche d'instructions. Ce document a plusieurs usages :

1. Il sert à enregistrer avec tous les détails nécessaires la nouvelle méthode, ce qui permet de s'y référer, par la suite, à tout moment.

2. Il peut servir à expliquer la nouvelle méthode à la direction, à la maîtrise et à la main-d'œuvre, ainsi qu'à faire connaître aux intéressés, y compris le service technique, le nouveau matériel à installer ou les modifications à apporter à l'implantation des machines ou des postes de travail.

3. Il servira à former ou à réadapter les ouvriers, qui pourront s'y référer jusqu'à ce qu'ils soient bien familiarisés avec la nouvelle méthode.

4. Il servira de base aux études des temps qui pourront être effectuées en vue de l'établissement des normes de temps, encore que, sur ce point, le choix des éléments (voir chap. 16, section 6) puisse ne pas être identique à la décomposition des mouvements.

Le dossier d'exécution doit indiquer en termes simples les méthodes que l'exécutant devra suivre. C'est dire que les therbligs et autres symboles d'étude du travail devront être évités. Le dossier d'exécution doit normalement fournir trois groupes de renseignements :

1. Il précisera les outils et le matériel à utiliser, ainsi que les conditions générales de travail.

2. Il définira la méthode à suivre. Le détail de cette description dépendra entièrement de la nature du travail et du volume probable de la production. Si le travail en question doit occuper plusieurs ouvriers pendant plusieurs mois, le dossier d'exécution pourra être très détaillé et préciser jusqu'aux mouvements des doigts.

3. Il comportera un schéma de l'implantation du poste de travail et, le cas échéant, des dessins d'outils spéciaux, de montages et d'appareillages.

La figure 63 donne un exemple très simple du dossier d'exécution relatif à l'opération étudiée à la section 7 du chapitre 11 (découpage de tubes de verre). Le même principe s'applique aux dossiers d'exécution plus complexes qui pourront, dans certains cas, comporter plusieurs pages. Il peut y avoir parfois avantage à faire le schéma de l'implantation du poste de travail et les autres graphiques sur une page séparée. Ces dernières années, l'utilisation de plus en plus répandue de formules imprimées normalisées pour établir les graphiques d'analyse a engendré une pratique courante qui consiste à joindre une copie du graphique d'analyse correspondant au dossier d'exécution chaque fois que la description simple qu'il contient ne constitue pas une définition complète de la méthode.

3. Mettre en application la méthode améliorée

Les derniers stades de la « méthode fondamentale » sont peut-être les plus délicats. A ce point, l'agent d'étude du travail doit avoir à la fois l'appui actif de la direction et celui des syndicats. C'est alors que ses qualités personnelles, son aptitude

189

à expliquer clairement et simplement ce qu'il essaie de faire, à susciter la sympathie et à inspirer confiance, acquièrent une importance cruciale.

On peut distinguer cinq étapes dans la mise en application de la nouvelle méthode:

1. Faire accepter le changement par le chef de service ou d'atelier intéressé.

2. Faire approuver le changement par la direction.

Nous avons déjà examiné ces deux points. Il n'est guère utile d'aller plus loin si l'agent d'étude du travail n'a pas réussi à obtenir l'accord des intéressés.

3. Faire accepter le changement par les travailleurs intéressés et leurs représentants.

4. Enseigner la nouvelle méthode aux travailleurs.

5. Surveiller étroitement l'application de la nouvelle méthode jusqu'à ce qu'on soit certain qu'elle fonctionne comme prévu.

Si les changements proposés doivent avoir pour effet de modifier le nombre des travailleurs occupés à l'opération en question, comme cela est souvent le cas, il importe de consulter le plus tôt possible les représentants des travailleurs. Tout plan impliquant le déplacement de travailleurs devra être étudié avec le plus grand soin, de façon à en atténuer au maximum les désagréments ou les difficultés pour les ouvriers. Il ne faut jamais oublier que, même s'il effectue un travail tout à fait indépendant, l'ouvrier ou l'employé ne travaille jamais complètement à l'écart de ses collègues de l'atelier ou du bureau. S'il ne fait pas partie d'une équipe pour l'exécution spécifique de sa tâche, il fait partie d'un service ou d'un bureau, il s'est habitué à voir les mêmes personnes travailler autour de lui, à «casser la croûte» avec le même groupe. Même s'il se trouve trop loin de ses collègues pour bavarder avec eux pendant son travail, il peut les voir et, peut-être, échanger de temps à autre une plaisanterie ou «ronchonner» avec eux contre la direction ou le contremaître. S'il est brusquement installé ailleurs, ne serait-ce qu'à l'autre bout de l'atelier, son cercle social est brisé, il se sentira un peu perdu sans ses camarades, comme eux sans lui.

Dans le cas d'un groupe ou d'une équipe d'ouvriers ou d'employés travaillant ensemble, les liens sont encore beaucoup plus forts, et la dispersion de l'équipe risque d'avoir de sérieuses répercussions sur la productivité, malgré l'amélioration de la méthode de travail. La grande importance des comportements de groupe dans les usines et les lieux de travail en général n'est reconnue que depuis les années trente, **mais on ne saurait aujourd'hui ne pas en tenir compte, car on risquerait de susciter, de la part des travailleurs, des résistances qu'ils n'auraient pas opposées si l'on s'y était pris autrement.**

Lorsque le moment est venu de franchir les trois premières étapes de la mise en application de la nouvelle méthode, l'importance que présente la formation préliminaire aux principes de l'étude du travail de tous ceux qui seront appelés à s'y intéresser — directeurs, cadres, représentants des travailleurs — saute immédiatement aux yeux. Les hommes sont d'ordinaire beaucoup plus réceptifs à l'idée d'un changement s'ils en comprennent les causes et les effets que s'ils sont brusquement mis en face d'un «tour de passe-passe».

Lorsque le changement envisagé n'implique pas de transfert ou de licenciement de main-d'œuvre, on peut encore faciliter l'acceptation des nouvelles méthodes par les travailleurs en les faisant participer à leur élaboration. L'agent d'étude du travail fera donc bien de mettre l'exécutant au courant dès le début, en lui expliquant ce qu'il cherche à réaliser, les raisons qu'il a de le faire et les moyens qu'il compte utiliser. Si l'exécutant manifeste un intérêt prononcé pour son étude, le spécialiste devra lui expliquer l'emploi des divers moyens d'investigation. Le diagramme à ficelles est l'un de ceux qui suscitent, généralement, le plus grand intérêt: la plupart des gens aiment voir représenter matériellement leurs activités et, devant un diagramme à ficelles, l'ouvrier sera souvent surpris de constater la longueur des déplacements qu'il effectue au cours d'une matinée de travail, et sera ravi à l'idée que ses efforts vont être diminués. Il ne faut, d'autre part, jamais négliger d'inviter le travailleur à suggérer lui-même des améliorations et, lorsque ses idées peuvent être mises à profit, **il ne faut pas manquer de lui en attribuer tout le mérite** (les suggestions particulièrement utiles pourront donner lieu à une gratification). Il y a avantage à laisser le travailleur participer le plus possible à l'élaboration de la nouvelle méthode, afin qu'il en vienne à se considérer comme son principal auteur ou l'un de ses principaux auteurs.

Il n'est pas toujours possible d'obtenir, de la part de la main-d'œuvre peu qualifiée en particulier, un concours actif et utile. Mais même des manœuvres ont généralement, sur la manière dont leur travail pourrait être rendu plus facile, ou moins sujet aux interruptions, des idées qui peuvent mettre l'agent d'étude du travail sur la voie d'une importante économie de temps et d'effort.

A tous les échelons, les personnes directement intéressées aux efforts de l'agent d'étude du travail ne lui apporteront leur concours que s'il a su gagner leur confiance. Il doit convaincre la direction qu'il connaît son affaire, s'attirer le respect et la considération des cadres et des techniciens et les persuader qu'il ne cherche pas à les remplacer ou à dévoiler leurs insuffisances, mais qu'il n'est qu'un spécialiste mis à leur disposition pour les aider. Enfin, il doit convaincre les travailleurs que son activité ne leur portera pas préjudice.

Si les changements proposés se heurtent à une vive résistance, l'agent d'étude du travail devra se demander si les avantages attendus de la nouvelle méthode justifient les efforts et les difficultés que soulèveraient sa mise en vigueur et la réadaptation des travailleurs habitués depuis longtemps aux anciennes méthodes de travail. Il peut parfois être plus économique de concentrer les efforts sur les nouveaux travailleurs et de laisser les plus anciens continuer à travailler selon leurs méthodes habituelles.

Lorsque l'agent d'étude du travail aura réussi à gagner la confiance des travailleurs, il s'apercevra que ceux-ci auront tendance à venir chercher leurs instructions auprès de lui, au lieu de les demander à leur contremaître. C'est là un danger dont nous avons déjà parlé et qu'il faut à tout prix éviter. L'agent d'étude devra donc préciser tout de suite que son rôle n'est pas de donner des ordres et, lorsqu'il mettra les nouvelles méthodes en application, c'est au contremaître qu'il demandera de donner les nouvelles instructions aux travailleurs. Il ne pourra poursuivre sa tâche que s'il prend ces précautions.

4. Formation des exécutants aux nouvelles méthodes

La formation des travailleurs aux nouvelles méthodes dépend entièrement de la nature du travail. Elle sera particulièrement longue et délicate pour les opérations

Figure 64.   Courbe d'entraînement typique

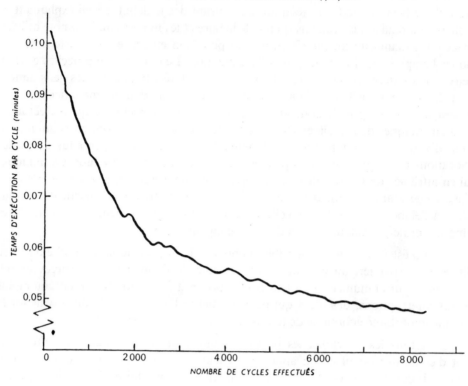

exigeant une très grande dextérité manuelle et pour les exécutants habitués depuis longtemps aux anciennes méthodes. Dans ces cas, il sera utile d'avoir recours au cinéma pour comparer l'ancienne et la nouvelle méthode et pour montrer les nouveaux mouvements à effectuer. La formule choisie devra être adaptée à chaque type de travail.

L'essentiel de la formation et de l'entraînement des exécutants consiste à créer **l'habitude** d'effectuer le travail de la manière correcte. L'habitude est une alliée précieuse, car elle réduit la nécessité d'efforts conscients d'attention. Les bonnes habitudes se prennent aussi facilement que les mauvaises.

Les débutants pourront apprendre à suivre une séquence numérotée d'opérations illustrée par un graphique ou pourront être formés sur la machine elle-même. Dans un cas comme dans l'autre, la raison de chaque mouvement devra leur être expliquée. On a obtenu, dans ce domaine, d'excellents résultats en utilisant des projections fixes (diapositives) en même temps que des feuilles d'instruction détaillées. On peut aussi recourir aux bandes d'images.

Les films sont particulièrement utiles pour la formation aux nouvelles méthodes. Lorsqu'on lutte contre de vieilles habitudes, on constate souvent que les ouvriers ne sont pas vraiment conscients de ce qu'ils font. La projection d'un film au ralenti leur permettra de suivre exactement leurs mouvements et, une fois convaincus de la supériorité de la nouvelle méthode, ils pourront commencer à l'apprendre. Il est important que la nouvelle méthode soit réellement différente de l'ancienne, sinon le travailleur aura tendance à revenir inconsciemment à ses anciennes habitudes, surtout s'il a déjà un certain âge et s'il exécute le travail en question depuis de nombreuses années.

Lorsqu'un exécutant apprend une série de mouvements, il prend tout d'abord rapidement de la vitesse et diminue très vite le temps d'exécution. Toutefois, le rythme d'amélioration se ralentit bientôt et il faut souvent à l'exécutant une longue pratique avant qu'il parvienne vraiment à maintenir une allure rapide et régulière, encore que les méthodes modernes de formation accélérée permettent de réduire considérablement le délai d'adaptation nécessaire. La figure 64 présente une « courbe d'entraînement » typique.

Des études expérimentales ont démontré qu'on obtient de meilleurs résultats, au début de l'instruction, lorsque les périodes de repos sont nettement plus longues que les périodes d'entraînement. Ce stade est toutefois rapidement dépassé et, lorsque l'exécutant a commencé à comprendre la nouvelle méthode et à accélérer son allure, la durée des repos peut être sensiblement raccourcie.

Lors de la mise en application d'une nouvelle méthode, il est essentiel de surveiller de très près l'exécution du travail pour s'assurer que l'exécutant acquiert l'allure et l'habileté prévues et qu'aucune difficulté inattendue ne surgit. Cette surveillance est souvent appelée, de façon imagée, le « maternage » de la nouvelle méthode. L'agent d'étude du travail ne relâchera — provisoirement — sa surveillance qu'après s'être assuré que la productivité du travail en question est au moins égale à celle qu'il avait envisagée, et que l'exécutant s'est habitué à sa nouvelle méthode.

5. Contrôle de la nouvelle méthode

Une fois la nouvelle méthode mise en vigueur, il importe de veiller à son **application continue** sous sa forme spécifiée, et d'empêcher les exécutants de revenir, plus ou moins consciemment, à leurs anciennes habitudes ou d'introduire des éléments étrangers à la méthode, à moins qu'il n'y ait d'excellentes raisons qu'ils le fassent.

Pour que son application puisse être bien contrôlée, il faut que la méthode ait été très clairement définie et précisée, surtout si elle doit servir à la fixation de normes de temps pour le calcul des primes ou à d'autres fins. Les outils, l'implantation, les éléments de mouvement, tout doit être spécifié sans qu'il y ait la moindre possibilité de mauvaise interprétation. Le détail dans lequel il faudra entrer à cet égard dépendra de la nature du travail à effectuer.

Le bureau d'étude du travail doit constamment contrôler l'application de la nouvelle méthode car, la nature humaine étant ce qu'elle est, ouvriers, contremaîtres et assistants auront tendance, en l'absence de tout contrôle, à laisser l'ancienne méthode « revenir à la surface ». Nombreux sont les conflits qui s'élèvent au sujet des normes de temps parce que la méthode suivie n'est pas celle qui avait été spécifiée et que des éléments étrangers s'y sont introduits. Un strict contrôle de la méthode de travail écarte pareil risque. Si, par contre, à l'expérience, il apparaît que la nouvelle méthode peut encore être améliorée (et il est peu de méthodes qui ne puissent être améliorées, le temps aidant, souvent par l'exécutant lui-même), elle doit alors être modifiée en conséquence. Une nouvelle spécification sera établie et de nouvelles normes de temps seront fixées.

193

6. Conclusion

Dans les chapitres que l'on vient de lire, nous avons essayé d'expliquer et d'illustrer quelques-unes des méthodes les plus couramment utilisées pour élever la productivité par l'élimination des gaspillages de temps et d'efforts et par la réduction du contenu de travail de l'opération. Une étude des méthodes bien conduite permettra d'ailleurs d'obtenir des résultats plus importants encore, en attirant l'attention des intéressés sur le gaspillage des matières et, le cas échéant, sur les investissements inutiles en machines et en matériel.

Nous allons maintenant, dans les chapitres qui vont suivre, étudier la mesure du travail, l'un des principaux moyens d'investigation permettant de découvrir les sources de temps improductifs. La mesure du travail est, en même temps, le moyen par lequel sont fixés les normes de temps sur lesquelles reposent à la fois le planning et le contrôle de la production, les barèmes de primes au rendement et le contrôle du coût de la main-d'œuvre, éléments qui peuvent contribuer puissamment à réduire les temps improductifs et à élever la productivité.

Troisième partie
Mesure du travail

Chapitre 13
Considérations générales sur la mesure du travail

1. Définitions

Nous avons dit, au chapitre 4, que l'étude du travail met en œuvre deux techniques complémentaires: l'étude des méthodes et la mesure du travail, et nous avons alors défini ces deux expressions, mais, avant de passer à l'examen de la mesure du travail, il n'est pas inutile de rappeler la définition de cette technique.

> **La mesure du travail est l'application de certaines techniques visant à déterminer le temps que demande à un ouvrier qualifié l'exécution d'une tâche donnée, à un niveau de rendement bien défini**

Dans les chapitres suivants, nous aurons l'occasion d'examiner plus en détail certains aspects de cette définition, dont la formulation a été soigneusement étudiée. Par exemple, le lecteur aura noté la mention de l'«ouvrier qualifié» et du «niveau de rendement bien défini». Point n'est besoin pour l'instant de s'interroger sur le sens exact de ces termes. Notons toutefois que la «mesure du travail», dont nous avons dit jusqu'ici qu'elle constituait une technique, englobe en réalité un ensemble de techniques dont n'importe laquelle permet de mesurer le travail. Les principales de ces techniques sont énumérées dans la section 5 du présent chapitre.

2. L'objet de la mesure du travail

Nous avons vu, au chapitre 2, comment certaines caractéristiques peu judicieuses du produit, l'inefficacité du processus de fabrication et les temps improductifs, qu'ils soient imputables à l'insuffisance de la direction ou à l'action des travailleurs, viennent allonger la durée totale de la fabrication d'un article quelconque. Tous ces facteurs sont de nature à diminuer la productivité de l'entreprise.

Au chapitre 3, nous nous sommes arrêtés aux techniques de direction qui permettraient d'éliminer ces facteurs ou, tout au moins, d'en réduire l'importance.

Nous avons montré que l'étude des méthodes était l'une des principales techniques propres à diminuer le contenu de travail du produit ou du processus de fabrication, grâce à l'examen systématique et critique des méthodes et des procédés employés, ainsi qu'à l'élaboration et à l'application de méthodes perfectionnées.

Il suffit toutefois de se reporter aux figures 4 et 5 (pp. 19 et 24) pour se rendre compte que l'on aura parcouru une partie seulement du chemin conduisant à la productivité maximum que permettent les ressources de main-d'œuvre et les installations disponibles lorsqu'on aura réduit le plus possible le contenu de travail d'un produit ou d'un processus de fabrication. Même si l'on ramène le travail essentiel au minimum, il est vraisemblable que l'on gaspillera encore beaucoup de temps, au cours de la fabrication, en raison de déficiences de la direction — dont les mesures d'organisation et de contrôle peuvent ne pas avoir toute l'efficacité voulue; de surcroît, il y aura probablement un gaspillage de temps supplémentaire par suite de l'action ou de l'inaction des travailleurs.

L'étude des méthodes est la principale des techniques visant à diminuer le contenu de travail, avant tout en **éliminant les mouvements inutiles** des matières et des ouvriers et en remplaçant des méthodes médiocres par de meilleurs systèmes. La mesure du travail, quant à elle, a pour objet d'étudier, de réduire et enfin d'**éliminer le plus possible les temps improductifs,** à savoir ceux pendant lesquels, pour un motif quelconque, aucun travail effectif n'est fourni.

En effet, la mesure du travail, comme son nom l'indique, offre à la direction le moyen de mesurer le temps pris par une opération ou par une série d'opérations, de manière à faire apparaître les temps improductifs, distingués nettement des temps productifs. De la sorte, l'existence des temps improductifs, leur nature et leur importance sont mises en lumière alors que, précédemment, ils étaient noyés dans la masse. L'une des surprises que réserve la mesure du travail dans une usine où elle n'a jamais été pratiquée, c'est la somme de temps improductifs dont personne n'a soupçonné l'existence, ou que l'on accepte parce que c'est «la chose que l'on fait habituellement», qui sont incorporés dans le processus de fabrication et considérés comme un élément inévitable que nul ne saurait sérieusement modifier.

Lorsqu'un temps improductif a été décelé et que ses causes ont été découvertes, il est en général possible de prendre des dispositions pour le diminuer. La mesure du travail se voit alors confier un autre rôle. En effet, elle peut non seulement révéler l'existence d'un temps improductif, mais aussi permettre de fixer des temps normaux pour l'accomplissement du travail, de telle façon que, si un temps improductif vient à se glisser ultérieurement dans le processus, il se manifestera immédiatement par un dépassement du temps normal, et pourra donc être porté à la connaissance de la direction.

Précédemment, nous avions indiqué que l'étude des méthodes pouvait faire apparaître les insuffisances de conception, de matière et de méthode de fabrication. Ainsi touche-t-elle principalement les techniciens. La mesure du travail, pour sa part, est un instrument qui mettra plus probablement à nu les faiblesses de la direction et le comportement des travailleurs. C'est dire qu'elle risque de susciter une résistance beaucoup plus forte que l'étude des méthodes. Quoi qu'il en soit, si l'on cherche à assurer le fonctionnement efficace de l'entreprise dans son ensemble, la mesure du travail, convenablement appliquée, est l'un des meilleurs moyens qu'on puisse utiliser.

Il est regrettable que la mesure du travail, et en particulier l'étude des temps, qui en est la principale technique, se soit acquis dans le passé une mauvaise réputation, plus particulièrement dans les milieux syndicaux. Ce mauvais renom, elle le devait au fait que, lors de ses premières applications, elle avait été utilisée presque exclusivement pour diminuer les temps improductifs imputables à des facteurs dépendant de la volonté des travailleurs, par la fixation de normes de rendement, tandis que l'on ne se préoccupait guère des temps morts dont la direction était responsable. Or la cause d'un temps improductif doit être cherchée dans la sphère d'activité de la direction bien plus souvent que dans celle des travailleurs. De plus, l'expérience a montré que, si on laisse se perpétuer des temps improductifs tels que les arrêts du travail faute de matières premières ou les pannes, sans efforts réels pour les éliminer, les ouvriers ont tendance à se décourager, à ralentir l'allure, d'où accroissement des «temps improductifs imputables à la main-d'œuvre». C'est bien naturel, car les travailleurs se disent tout simplement : «Pourquoi travailler plus dur pour être ensuite arrêtés par des circonstances auxquelles nous ne pouvons rien et qui sont du ressort de la direction? Que celle-ci mette d'abord de l'ordre dans sa maison.» C'est là un argument auquel il est bien difficile de répliquer.

De même que l'étude des méthodes doit précéder la mesure du travail dans toute réorganisation, il faut que l'élimination des temps improductifs imputables à des insuffisances de la direction précède toute campagne visant à supprimer les temps improductifs qui relèvent de la volonté des travailleurs. En réalité, il suffira de diminuer les arrêts du travail dont la cause est de la compétence de la direction pour que les ouvriers, qui seront régulièrement alimentés en matière et en travail, et qui auront le sentiment que la direction est sans cesse en éveil, perdent moins de temps. Ce simple fait aura d'heureuses conséquences, sans qu'il soit nécessaire d'adopter des systèmes de primes ni de recourir à une contrainte quelconque.

La mesure du travail peut déclencher des réactions en chaîne d'un bout à l'autre de l'entreprise. Nous allons voir comment.

Les pannes et les arrêts du travail qui surviennent au niveau de l'atelier — c'est un premier point qu'il convient de ne pas oublier — sont en général l'aboutissement d'une série d'actes ou d'omissions de la direction. Un exemple de temps morts excessifs d'une machine coûteuse, mis en évidence par une étude de plusieurs jours, nous le montrera. Cette machine, d'un rendement élevé lorsqu'elle fonctionne, exige un long réglage. Il est apparu, à la suite de l'étude, que les temps improductifs provenaient pour une bonne part du peu d'importance des lots mis en fabrication : le réglage pour une nouvelle opération durait presque aussi longtemps que la production.

Dans un cas de ce genre, les réactions dont nous parlions pourront s'enchaîner de la manière suivante :

☐ **Le service de l'étude du travail**

 signale que la mesure du travail a mis en évidence, pour la machine en question, des temps improductifs excessifs imputables à la faible importance des commandes provenant du bureau du planning. Il en résulte une forte augmentation du coût de fabrication. Il serait indiqué que le bureau du planning établisse des plans rationnels et qu'il groupe plusieurs petites commandes d'un même article, ou bien qu'il fasse fabriquer pour les stocks.

☐ **Le bureau du planning**

se plaint de devoir travailler selon les instructions du service des ventes, qui ne semble jamais placer, pour n'importe quel article, des commandes assez fortes pour qu'on puisse lancer une longue série et qui ne peut pas faire, quant aux commandes futures, des prévisions permettant de fabriquer pour les stocks.

☐ **Le service des ventes**

déclare qu'il lui sera impossible de faire des prévisions ou de transmettre des commandes importantes d'un article quelconque aussi longtemps que la direction aura pour principe d'accepter les moindres modifications demandées par les clients. Le catalogue de la maison est déjà exagérément vaste : presque chaque affaire est aujourd'hui un travail « sur mesure ».

☐ **Le directeur,**

lorsqu'on lui signale l'effet sur les coûts de production de sa politique commerciale (ou de son absence de politique), ne cache pas sa surprise et dit qu'il n'a jamais considéré la question sous cet angle : tout ce qu'il s'efforçait de faire, c'était de se montrer le plus obligeant possible à l'égard des clients, de façon à empêcher ses concurrents d'enlever les commandes.

On aura atteint l'un des principaux objectifs de l'étude du travail si la première enquête engage le directeur à revoir sa politique de commercialisation. Certains spécialistes d'étude du travail, par trop enthousiastes, feront bien, toutefois, de marquer un temps de réflexion et de méditer sur le fait que cette chaîne de réactions pousse à se demander : « Qui est à l'origine de tout cela ? » Or personne n'aime voir étaler ses faiblesses. C'est là un genre de situation où il faut faire preuve de beaucoup de tact. L'agent d'étude du travail n'a pas à dicter la politique commerciale : sa tâche consiste simplement à porter à l'attention de la direction les répercussions de cette politique sur les coûts de l'entreprise et, par voie de conséquence, sur sa capacité de concurrence.

On voit donc que la mesure du travail a pour objet de révéler la nature et l'importance des temps improductifs, quelle qu'en soit la cause, en vue de leur suppression, puis de fixer des normes de rendement telles qu'elles ne pourront être atteintes que si tous les temps improductifs évitables ont été éliminés et si le travail est accompli par un personnel bien formé, apte à sa tâche et employant la meilleure méthode possible.

Nous pouvons maintenant examiner de plus près les possibilités d'emploi et les techniques de la mesure du travail.

3. Les possibilités d'emploi de la mesure du travail

Déceler, par une étude spéciale, les causes des temps improductifs est chose importante, certes, mais peut-être moins, à la longue, que fixer les normes de temps, ou temps de référence, qui seront valables aussi longtemps que se poursuivra le travail auquel ils se rapportent et qui, une fois calculés, feront apparaître d'éventuels temps morts ou additions au contenu de travail.

Pour l'élaboration de ces temps de référence, il peut être nécessaire de recourir à la mesure du travail en vue de :

1) comparer l'efficacité des diverses méthodes. Toutes choses égales d'ailleurs, la méthode qui prend le moins de temps est la meilleure ;

2) équilibrer les tâches entre les membres d'une équipe à l'aide de graphiques d'activités multiples, de façon que chacun d'eux ait, autant que possible, à accomplir une tâche exigeant le même temps (voir chap. 10, section 4) ;

3) déterminer, à l'aide de graphiques d'activités multiples homme-machine, le nombre de machines qu'un ouvrier peut conduire (voir chap. 10, section 4).

Les temps de référence une fois fixés, on pourra les utiliser pour :

4) fournir des renseignements sous la forme de normes de temps qui serviront de base à la préparation du travail et au planning de production en ce qui concerne, notamment, les installations et la main-d'œuvre nécessaires pour l'exécution du programme de travail et l'utilisation de la capacité de production existante ;

5) fournir des renseignements d'après lesquels les offres, les prix de vente et les délais de livraison seront calculés ;

6) fixer des normes d'utilisation des machines et de rendement des travailleurs qui pourront être appliquées à l'une quelconque des fins précitées pour l'élaboration de systèmes de rémunération au rendement ;

7) fournir des renseignements pour le contrôle des coûts de main-d'œuvre, et permettre de calculer, puis de maintenir, des coûts standards.

Il apparaît donc clairement que la mesure du travail fournit les informations de base indispensables pour toutes les activités relatives à l'organisation et au contrôle du travail dans les entreprises où le facteur temps joue un rôle.

Le rôle qu'elle joue dans ces différents domaines apparaîtra plus clairement lorsque nous aurons étudié la manière de déterminer le temps normal.

4. La méthode fondamentale

Si le lecteur se reporte à la section 5 du chapitre 4, il y trouvera les phases essentielles de l'étude du travail, englobant à la fois l'étude des méthodes et la mesure du travail. La technique fondamentale de l'étude des méthodes a été exposée séparément à deux reprises, à la figure 21 (p. 82) et dans le texte à la page 80. Nous allons maintenant isoler les étapes qu'il faut franchir si l'on veut procéder de façon systématique à la mesure du travail. Ces étapes, ainsi que les techniques à employer, sont représentées schématiquement dans la figure 65. En voici la liste :

201

☐ *CHOISIR* le travail à étudier.

☐ *ENREGISTRER* toutes les données pertinentes relatives aux conditions dans lesquelles le travail est effectué, aux méthodes et aux éléments d'activité.

☐ *EXAMINER* **de façon critique** les données enregistrées et la ventilation détaillée du processus de manière à s'assurer qu'on utilise bien la méthode de travail la plus efficace, que les mouvements accomplis sont les plus appropriés et que les éléments improductifs ou étrangers sont bien distingués des éléments productifs.

☐ *MESURER* en termes de temps la quantité de travail inhérente à chaque élément en employant la technique de mesure du travail la plus appropriée.

☐ *DÉTERMINER* pour l'opération le temps normal qui, dans le cas d'une étude des temps par chronométrage, comportera diverses majorations: repos, besoins personnels, etc.

☐ *DÉFINIR* avec précision les séries d'activités et les méthodes de travail pour lesquelles le temps a été déterminé et faire de ce temps la norme applicable à ces activités et à ces méthodes.

Il ne faudra passer par toutes les étapes énumérées ci-dessus que si le temps calculé doit être publié comme norme. Lorsque la mesure du travail n'est qu'un instrument servant à l'étude des temps improductifs avant ou après une étude des méthodes, ou à la comparaison de l'efficacité des diverses méthodes, on pourra vraisemblablement se contenter des quatre premiers éléments.

5. Les techniques de la mesure du travail

Voici les principales techniques qui permettent d'effectuer la mesure du travail:

☐ La mesure du travail par sondage.

☐ L'étude des temps par chronométrage.

☐ Les normes de temps prédéterminées.

☐ Les données de référence.

Dans les chapitres suivants, nous décrirons chacune de ces techniques en détail.

Figure 65.   La mesure du travail

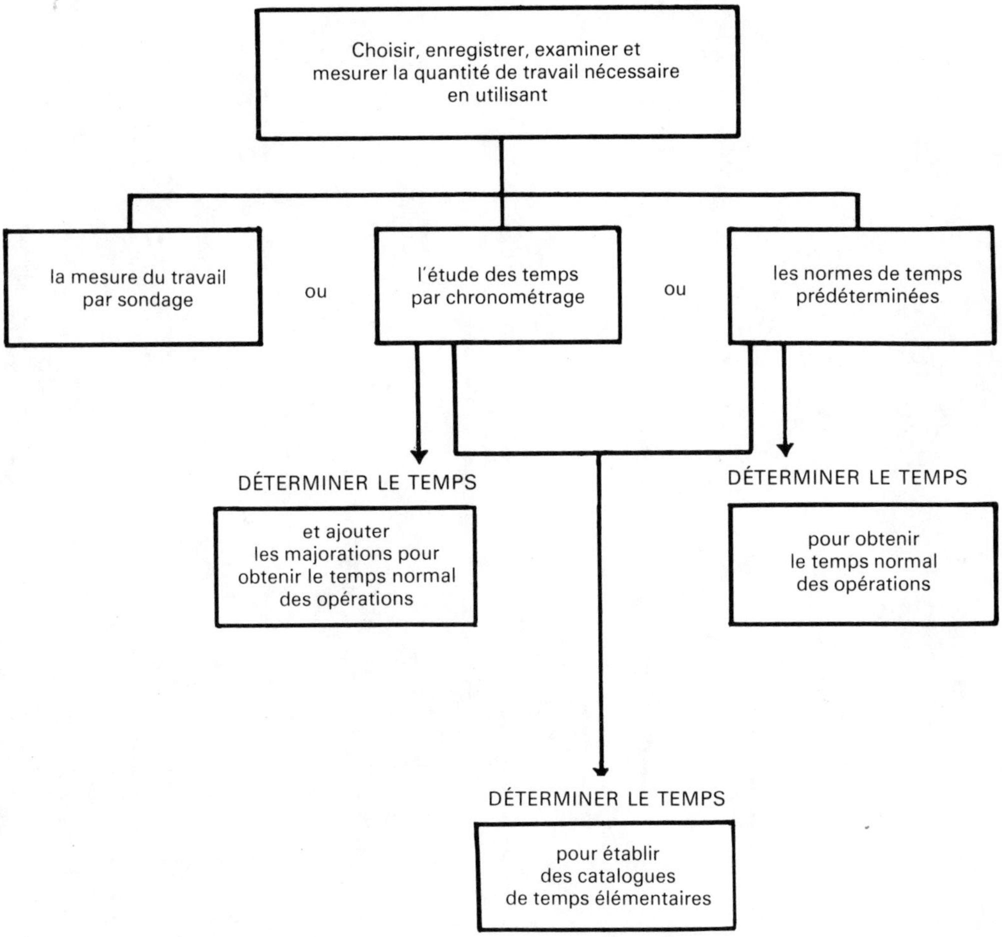

```
                    ┌──────────────────────────────────┐
                    │  Choisir, enregistrer, examiner et │
                    │  mesurer la quantité de travail     │
                    │  nécessaire en utilisant            │
                    └──────────────────────────────────┘
```

┌────────────────────┐   ┌────────────────────┐   ┌────────────────────┐
│ la mesure du travail│   ou   │   l'étude des temps │   ou   │ les normes de temps │
│   par sondage   │   │ par chronométrage │   │   prédéterminées   │
└────────────────────┘   └────────────────────┘   └────────────────────┘

DÉTERMINER LE TEMPS   DÉTERMINER LE TEMPS

┌────────────────────┐   ┌────────────────────┐
│   et ajouter   │   │   pour obtenir   │
│ les majorations pour│   │   le temps normal   │
│ obtenir le temps   │   │   des opérations   │
│ normal des opérations│   └────────────────────┘
└────────────────────┘

DÉTERMINER LE TEMPS

┌────────────────────┐
│   pour établir   │
│ des catalogues   │
│ de temps élémentaires│
└────────────────────┘

203

Chapitre 14
La mesure du travail par sondage

> **La mesure du travail par sondage est une méthode qui consiste à trouver la fréquence en pourcentage d'une opération déterminée au moyen d'un échantillonnage statistique et d'observations faites au hasard**

1. Nécessité de la mesure du travail par sondage

La mesure du travail par sondage ou «méthode des observations instantanées» est, comme son nom l'indique, une technique de sondage. Voyons d'abord les raisons de son utilité.

Pour avoir un tableau complet et précis des temps productifs et des temps morts des machines dans un secteur de production déterminé, il faudrait observer en permanence toutes les machines du secteur, enregistrer l'heure à laquelle on a arrêté chaque machine et noter la raison de chaque arrêt. Naturellement, semblable procédure est absolument impensable, à moins qu'un nombre important de travailleurs ne consacrent tout leur temps à cette seule tâche, ce qui est exclu.

Cependant, si l'on pouvait enregistrer d'un seul coup d'œil la situation de toutes les machines d'une usine en un instant donné, on pourrait par exemple constater que 80 pour cent d'entre elles sont en marche et 20 pour cent à l'arrêt. Si l'on répétait cette opération vingt fois ou davantage à des moments différents de la journée, et si chaque fois la proportion des machines en marche était de 80 pour cent, on pourrait dire avec quelque confiance qu'à n'importe quel moment il y avait toujours 80 pour cent de machines en marche.

Comme cela n'est généralement pas possible non plus, il faut se rabattre sur la meilleure méthode qui vient ensuite. Celle-ci consiste à faire plusieurs fois le tour de l'usine à intervalles irréguliers et à repérer les machines qui sont en marche et celles qui sont à l'arrêt, en notant également la raison de chaque arrêt. C'est cela qui constitue la base de la **mesure du travail par sondage.** Pour autant que la taille de l'échantillon soit suffisante et les observations vraiment faites au hasard, il est très probable que ces observations refléteront la situation réelle, avec une certaine marge d'erreur (lorsque c'est le phénomène étudié qui se produit au hasard, il est possible de procéder aux observations à des intervalles constants).

2. Quelques notions statistiques sur les sondages

Contrairement à la méthode coûteuse et peu pratique de l'observation continue, l'étude statistique par sondage se fonde essentiellement sur la **productivité.** La probabilité a été définie comme «les chances qu'un événement a de se produire». Un exemple simple et souvent cité est celui du jeu de «pile ou face». Lorsque nous lançons une pièce en l'air, de deux choses l'une: ou ce sera «pile» ou ce sera «face». La loi des probabilités dit qu'il est probable que nous aurons 50 piles et 50 faces pour 100 lancers. Notez bien que nous employons l'expression «il est probable que nous aurons». En effet, nous pourrions avoir 55-45, 48-52 ou toute autre proportion. Mais il a été prouvé que cette loi tend à devenir de plus en plus exacte au fur et à mesure qu'augmente le nombre de lancers. En d'autres termes, plus celui-ci est élevé, plus on a de chances d'avoir autant de piles que de faces. Cela indique que plus la taille de l'échantillon est grande, plus celui-ci sera représentatif de la «population» ou du groupe d'objets à examiner, en leur état initial.

Nous pouvons donc imaginer une échelle où, à une extrémité, nous aurons l'exactitude parfaite obtenue grâce à une observation continue et, à l'autre, des résultats fort douteux fournis par quelques observations seulement. La taille de l'échantillon est donc un facteur important, et nous pouvons exprimer notre confiance quant à la représentativité du sondage en faisant intervenir un certain **degré de confiance.**

3. Comment on établit le degré de confiance

Revenons à l'exemple précédent, lançons plusieurs fois en l'air cinq pièces en même temps et notons le nombre de piles et le nombre de faces obtenus à chaque lancer. Répétons cette opération cent fois. On peut présenter les résultats comme dans le tableau 12, ou sous la forme d'un graphique, comme à la figure 66.

Si nous augmentons considérablement le nombre de lancers et le nombre de pièces lancées à chaque fois, nous verrons apparaître une courbe lisse, semblable à celle de la figure 67.

Cette courbe, appelée **courbe de distribution normale** (ou courbe de distribution de Gauss ou encore courbe en cloche), peut également avoir l'aspect de celle de

Tableau 12.   Distribution des «piles» et des «faces» sur 100 lancers de cinq pièces chaque fois

Combinaison		Nombre de combinaisons
Pile (q)	Face (p)	
0	5	3
1	4	17
2	3	30
3	2	30
4	1	17
5	0	3
		100

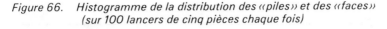

Figure 66. *Histogramme de la distribution des «piles» et des «faces»*
(sur 100 lancers de cinq pièces chaque fois)

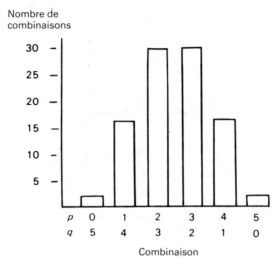

Figure 67. *Courbe de distribution montrant les probabilités de combinaisons*
lorsqu'on utilise de grands échantillons

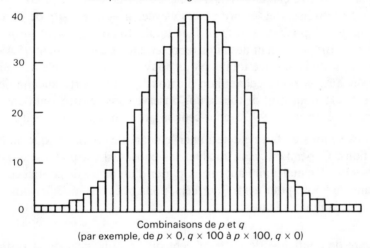

Combinaisons de p et q
(par exemple, de $p \times 0$, $q \times 100$ à $p \times 100$, $q \times 0$)

la figure 68. Fondamentalement, cette courbe nous indique que, dans la majorité des cas, le nombre de piles a tendance à être égal au nombre de faces pour n'importe quelle série de lancers (lorsque $p = q$ le nombre de lancers représente un maximum). Cependant, dans un petit nombre de cas, le hasard veut que p soit nettement différent de q.

Les courbes de distribution normale peuvent avoir des formes diverses. Certaines peuvent être plus aplaties, d'autres plus arrondies. Pour les décrire, on utilise deux paramètres: $\bar{x}$, qui est la moyenne ou la mesure de la dispersion centrale; σ, qui est l'écart à la moyenne, et que l'on appelle l'écart type. Etant donné que, dans le cas présent, il s'agit d'une proportion, nous utilisons le symbole σp pour désigner l'écart type de la proportion.

207

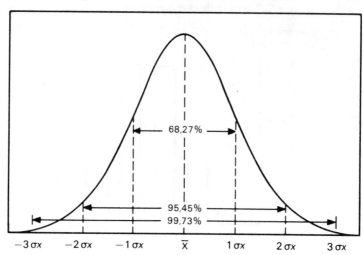

Figure 68.   Courbe de distribution normale

La surface de l'aire comprise entre l'axe des abscisses et la courbe de distribution normale peut être calculée. Dans le cas de la figure 68, l'aire comprise entre la courbe, l'axe des abscisses et les ordonnées élevées à $-\sigma p$ et $+\sigma p$ de part et d'autre de $\bar{x}$ représente 68,27 pour cent de la surface totale. Si l'on remplace $-\sigma p$ et $+\sigma p$ par $\pm 2\,\sigma p$ ou par $\pm 3\,\sigma p$, on obtient des aires représentant respectivement 95,45 pour cent et 99,73 pour cent de la surface totale. Nous pouvons exprimer cela de manière différente en disant que, si notre échantillon aléatoire ne comporte aucune déformation systématique, 95,45 pour cent de toutes nos observations se situeront dans l'intervalle compris entre $\bar{x} \pm 2\,\sigma p$ et que 99,73 pour cent se situeront dans l'intervalle $\bar{x} \pm 3\,\sigma p$.

Nous venons en fait de déterminer le degré de confiance que nous avons en nos observations. Cependant, pour faciliter les choses, il est préférable d'utiliser des pourcentages sans décimales; il vaut mieux parler d'un degré de confiance de 95 pour cent plutôt que de 95,45 pour cent. Pour cela, nous pouvons modifier nos calculs. On obtient alors les résultats suivants:

☐   degré de confiance de 95 pour cent ou 95 pour cent de la surface sous la courbe $= 1,96\ \sigma p$

☐   degré de confiance de 99 pour cent ou 99 pour cent de la surface sous la courbe $= 2,58\ \sigma p$

☐   degré de confiance de 99,9 pour cent ou 99,9 pour cent de la surface sous la courbe $= 3,3\ \sigma p$.

Dans ce cas, nous pouvons dire que, si nous utilisons un large échantillon fixé **au hasard,** nous pourrons être sûrs que nos observations se situeront dans l'intervalle $\pm 1,96\ \sigma p$ (et ainsi de suite pour les autres valeurs).

Pour la mesure du travail par sondage, c'est le degré de confiance de 95 pour cent qui est le plus souvent utilisé.

4. Détermination de la taille de l'échantillon

Outre le degré de confiance, nous devons aussi décider de la marge d'erreur que nous pouvons admettre dans nos observations. Il faut que nous puissions dire: «Nous sommes sûrs que dans 95 cas sur 100 cette observation est exacte à $\pm$ 5 pour cent près, ou à $\pm$ 10 pour cent près, etc., selon le degré de précision choisi.

Revenons maintenant à notre exemple sur les temps productifs et les temps morts des machines d'une usine. Il y a deux méthodes pour déterminer la taille de l'échantillon qui conviendra pour cet exemple: la méthode statistique et la méthode des nomogrammes.

LA MÉTHODE STATISTIQUE

Avec cette méthode, on utilise la formule:

$$\sigma p = \sqrt{\frac{pq}{n}}$$

où

σp = écart type sur le pourcentage p

p = pourcentage de temps morts

q = pourcentage de temps productifs

n = nombre d'observations ou taille de l'échantillon à déterminer.

Mais, avant de pouvoir utiliser cette formule, nous devons avoir au moins une idée des valeurs de p et de q. La première étape consiste donc à effectuer un certain nombre d'observations au hasard sur le lieu de travail. Supposons que 100 observations aient été faites au hasard, à titre d'étude préliminaire, et qu'elles révèlent qu'une machine était à l'arrêt dans 25 pour cent des cas ($p = 25$) et en marche dans 75 pour cent des cas ($q = 75$). Nous avons ainsi des valeurs approximatives de p et q; pour déterminer maintenant la valeur de n, ilnous faut trouver la valeur de σp.

Choisissons par exemple un degré de confiance de 95 pour cent avec une marge d'erreur absolue de 10 pour cent (ce qui signifie que, dans 95 pour cent des cas, nos estimations représenteront la valeur réelle à $\pm$ 10 pour cent près).

Avec un degré de confiance de 95 pour cent:

$$1,96 \, \sigma p = 10$$
$$\sigma p = 5 \text{ (approximativement)}.$$

Nous pouvons maintenant revenir à notre équation initiale pour calculer la valeur de n:

$$\sigma p = \sqrt{\frac{pq}{n}}$$

$$5 = \sqrt{\frac{25 \times 75}{n}}$$

$$n = \frac{25 \times 75}{5^2}$$

$$= 75 \text{ observations.}$$

209

Si nous réduisons la marge d'erreur absolue à ± 5 pour cent, nous avons :

$$1,96 \, \sigma p = 5$$

$$\sigma p = 2,5 \text{ (approximativement)}$$

$$2,5 = \sqrt{\frac{25 \times 75}{n}}$$

$$n = \frac{25 \times 75}{2,5^{\,2}}$$

$$= 300 \text{ observations.}$$

En d'autres termes, si nous réduisons la marge d'erreur absolue de moitié, la taille de l'échantillon devra être quadruplée.

LA MÉTHODE DES NOMOGRAMMES

Une façon plus commode de déterminer la taille de l'échantillon consiste à lire directement le nombre nécessaire d'observations sur un nomogramme comme celui de la figure 69. Considérons l'exemple précédent : prenons, sur l'échelle «pourcentage de probabilité», le point p dont l'ordonnée correspond à notre situation, soit 25-75 ; prenons ensuite, sur l'échelle «erreur (précision absolue requise)», la valeur de la précision désirée, soit 5 pour cent, et traçons une droite passant par ces deux points ; elle coupe l'échelle «nombre d'observations» en n, dont l'ordonnée nous dit immédiatement qu'avec un degré de confiance de 95 pour cent, le nombre d'observations requis est de 300. C'est un moyen très rapide de déterminer la taille de l'échantillon.

5. Constitution de l'échantillon

Nos conclusions précédentes sont valables pour autant que nous puissions procéder au nombre d'observations nécessaires pour arriver aux degrés de confiance et de précision voulus, et à la condition que ces observations soient faites **au hasard.**

Pour nous assurer que nos observations sont véritablement faites au hasard, nous pouvons utiliser une table de nombres tirés au hasard, comme celle du tableau 13. Il existe divers types de tables de hasard, et elles peuvent être utilisées de différentes manières. Dans notre cas, supposons que nous effectuons nos observations pendant les huit heures de travail d'une équipe de jour, disons de 7 heures du matin à 15 heures. Une journée de huit heures compte 480 minutes, que l'on peut diviser en 48 périodes de 10 minutes.

Nous pouvons commencer en choisissant au hasard un nombre de la table ; par exemple, on peut pointer un crayon sur la table en fermant les yeux. Supposons qu'en l'occurrence nous tombions sur le nombre 11 qui se trouve dans le second carré de chiffres, dans la quatrième colonne et dans la quatrième rangée (voir tableau 13). Choisissons maintenant un nombre quelconque entre 1 et 10. Supposons que ce soit le nombre 2 ; nous parcourons alors la colonne du nombre 11 de haut en bas en relevant

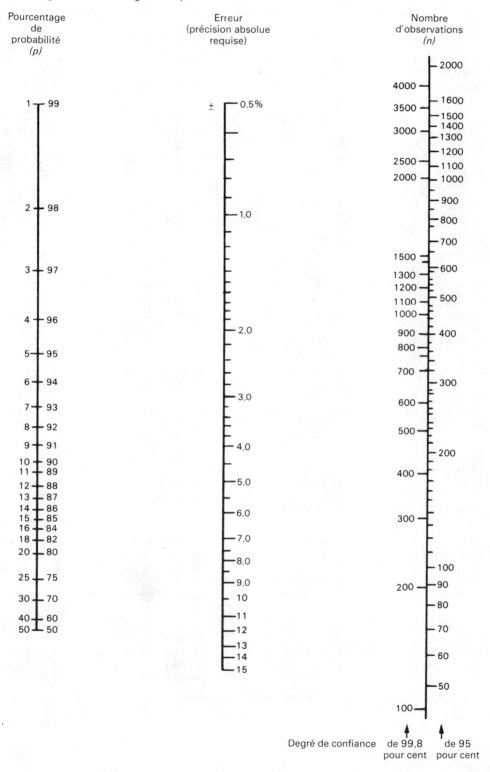

Figure 69. Nomogramme pour la détermination du nombre d'observations

Note. Ce nomogramme n'est pas applicable pour la détermination du nombre d'observations en fonction de la précision *relative* recherchée.

Tableau 13. Table de nombres tirés au hasard

49 54 43 54 82	17 37 93 23 78	87 35 20 96 43	84 26 34 91 64
57 24 55 06 88	77 04 74 47 67	21 76 33 50 25	83 92 12 06 76
16 95 55 67 19	98 10 50 71 75	12 86 73 58 07	44 39 52 38 79
78 64 56 07 82	52 42 07 44 38	15 51 00 13 42	99 66 02 79 54
09 47 27 96 54	49 17 46 09 62	90 52 84 77 27	08 02 73 43 28
44 17 16 58 09	79 83 86 19 62	06 76 50 03 10	55 23 64 05 05
84 16 07 44 99	83 11 46 32 24	20 14 85 88 45	10 93 72 88 71
82 97 77 77 81	07 45 32 14 08	32 98 94 07 72	93 85 79 10 75
50 92 26 (11) 97	00 56 76 31 38	80 22 02 53 53	86 60 42 04 53
83 39 50 08 30	42 34 07 96 88	54 42 06 87 98	35 85 29 48 39
40 33 20 38 26	13 89 51 03 74	17 76 37 13 04	07 74 21 19 30
96 83 50 87 75	97 12 25 93 47	70 33 24 03 54	97 77 46 44 80
88 42 95 45 72	16 64 36 16 00	04 43 18 66 79	94 77 24 21 90
33 27 14 34 09	45 59 34 68 49	12 72 07 34 45	99 27 72 95 14
50 27 89 87 19	20 15 37 00 49	52 85 66 60 44	38 68 88 11 80
55 74 30 77 40	44 22 78 84 26	04 33 46 09 52	68 07 97 06 57
59 29 97 68 60	71 91 38 67 54	13 58 18 24 76	15 54 55 95 52
48 55 90 65 72	96 57 69 36 10	96 46 92 42 45	97 60 49 04 91
66 37 32 20 30	77 84 57 03 29	10 45 65 04 26	11 04 96 67 24
68 49 69 10 82	53 75 91 93 30	34 25 20 57 27	40 48 73 51 92
83 62 64 11 12	67 19 00 71 74	60 47 21 29 68	02 02 37 03 31
06 09 19 74 66	02 94 37 34 02	76 70 90 30 86	38 45 94 30 38
33 32 51 26 38	79 78 45 04 91	16 92 53 56 16	02 75 50 95 98
42 38 97 01 50	87 75 66 81 41	40 01 74 91 62	48 51 84 08 32
96 44 33 49 13	34 86 82 53 91	00 52 43 48 85	27 55 26 89 62
64 05 71 95 86	11 05 65 09 68	76 83 20 37 90	57 16 00 11 66
75 73 88 05 90	52 27 41 14 86	22 98 12 22 08	07 52 74 95 80
33 96 02 75 19	07 60 62 93 55	59 33 82 43 90	49 37 38 44 59
97 51 40 14 02	04 02 33 31 08	39 54 16 49 36	47 95 93 13 30
15 06 15 93 20	01 90 10 75 06	40 78 78 89 62	02 67 74 17 33
22 35 85 15 33	92 03 51 59 77	59 56 78 06 83	52 91 05 70 74
09 98 42 99 64	61 71 62 99 15	06 51 29 16 93	58 05 77 09 51
54 87 66 47 54	73 32 08 11 12	44 95 92 63 16	29 56 24 29 48
58 37 78 80 70	42 10 50 67 42	32 17 55 85 74	94 44 67 16 94
87 59 36 22 41	26 78 63 06 55	13 08 27 01 50	15 29 39 39 43
71 41 61 50 72	12 41 94 96 26	44 95 27 36 99	02 96 74 30 83
23 52 23 33 12	96 93 02 18 39	07 02 18 36 07	25 99 32 70 23
31 04 49 69 96	10 47 48 45 88	13 41 43 89 20	97 17 14 49 17
31 99 73 68 68	35 81 33 03 76	24 30 12 48 60	18 99 10 72 34
94 58 28 41 36	45 37 59 03 09	90 35 57 29 12	82 62 54 65 60

un nombre sur deux. Nous obtiendrons la liste ci-dessous (si nous avions choisi le nombre 3, nous aurions noté un nombre sur 3, et ainsi de suite):

| 11 | 38 | 45 | 87 | 68 | 20 | 11 | 26 | 49 | 05 |

Si nous considérons ces nombres, nous constatons qu'il nous faut éliminer 87, 68 et 49 parce qu'ils sont trop élevés (puisque nous n'avons que 48 périodes de 10 minutes, nous devons rejeter tout nombre supérieur à 48). De même, le nombre 11 ayant été choisi une première fois, il devra être écarté. Nous devons donc poursuivre notre lecture pour remplacer les quatre nombres écartés. En procédant comme précédemment, c'est-à-dire en relevant un nombre sur deux à partir du dernier sélectionné (05), nous obtenons:

| 14 | 15 | 47 | 22. |

Ces quatre nombres se situent dans les limites voulues (1 à 48) et n'ont pas encore été retenus. Si nous disposons notre sélection par ordre numérique, nous obtiendrons ainsi les moments auxquels nous devons procéder à nos observations sur une journée de travail de huit heures. Ainsi notre plus petit nombre (05) représente la cinquième période de 10 minutes à compter du début de la journée (7 heures du matin). Notre première observation aura donc lieu à 7 h 50 du matin. On procédera de même pour tous les nombres retenus (voir tableau 14).

Tableau 14.   *Détermination de la séquence horaire des observations au hasard*

Nombres utilisables choisis au hasard sur table	Disposition par ordre croissant	Heure de l'observation[1]
11	05	07 h 50
38	11	08 h 50
45	14	09 h 20
20	15	09 h 30
26	20	10 h 20
05	22	10 h 40
14	26	11 h 20
15	38	13 h 20
47	45	14 h 30
22	47	14 h 50

[1] Multiplier chaque nombre par dix minutes et partir de 7 heures du matin.

6. Méthodologie

DÉTERMINATION DE LA PORTÉE DE L'ÉTUDE

Avant de faire nos observations, il importe de fixer l'**objectif** de notre mesure du travail par sondage. L'objectif le plus simple consiste à déterminer si une machine donnée est à l'arrêt ou en marche. Nos observations visent alors uniquement à étudier deux possibilités.

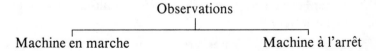

Observations

Machine en marche   Machine à l'arrêt

213

Nous pouvons cependant étendre le champ de notre investigation et essayer de découvrir pourquoi la machine est à l'arrêt:

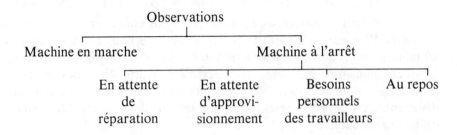

Il se peut également que nous désirions déterminer le pourcentage de temps consacré à chaque opération pendant que la machine fonctionne:

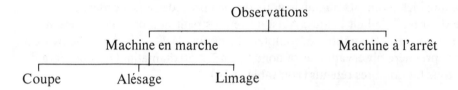

Nous pouvons ainsi souhaiter connaître la distribution des pourcentages de temps d'activité et de temps d'arrêt de la machine; dans ce cas, nous devrons combiner les deux modèles précédents.

Nous pouvons également chercher à nous faire une idée du temps passé par un ouvrier ou un groupe d'ouvriers sur un élément de travail donné. Si un travail se compose de dix éléments différents, nous pouvons, en observant un ouvrier à des moments bien déterminés, noter sur quel élément il travaille et, par conséquent, arriver à une distribution en pourcentage du temps passé sur chaque élément.

Les objectifs d'une étude déterminent donc le modèle de feuille d'enregistrement à utiliser pour chaque mesure du travail par sondage. Les figures 70, 71 et 72 donnent quelques exemples de ces feuilles d'enregistrement.

LE DÉROULEMENT DES OBSERVATIONS

Jusqu'à présent, nous avons étudié les cinq stades préliminaires qui s'imposent logiquement lorsqu'on veut mener à bien l'étude d'un travail par sondage. Récapitulons ces cinq étapes:

☐ Choisir le travail à étudier et déterminer les objectifs de l'étude.

☐ Faire une observation préliminaire pour déterminer les valeurs approximatives de p et de q.

☐ Déterminer n (le nombre d'observations requis) en fonction du degré de confiance et de la plage de précision choisis.

☐ Déterminer la fréquence des observations en utilisant des tables de nombres tirés au hasard.

214 ☐ Concevoir les feuilles d'enregistrement en fonction des objectifs de l'étude.

Figure 70.   Exemple de feuille d'enregistrement simple pour
la mesure du travail par sondage

Date:	Observateur:		Etude n°:	
Nombre d'observations: 75			Total	Pourcentage
Machine en marche	JHf JHf JHf JHf JHf JHf JHf JHf JHf JHf JHf JHf II		62	82,7
Machine à l'arrêt	JHf JHf III		13	17,3

Figure 71.   Feuille d'enregistrement pour la mesure du travail par sondage
montrant l'utilisation de la machine et la distribution des temps morts

Date:		Observateur:	Etude n°:	
Nombre d'observations: 75			Total	Pourcentage
Machine en marche		JHf JHf JHf JHf JHf JHf JHf JHf JHf JHf JHf JHf II	62	82,7
Machine à l'arrêt	Réparation	II	2	2,7
	Approvi-sionnement	JHf I	6	8,0
	Besoins personnels des travailleurs	I	1	1,3
	Au repos	IIII	4	5,3

Figure 72.   Feuille d'enregistrement pour la mesure du travail par sondage
montrant la distribution du temps lors d'un travail comportant dix éléments,
effectué par un groupe de quatre ouvriers

Date:		Observateur:				Etude n°:				
Nombre d'observations:										
	Eléments de travail									
	1	2	3	4	5	6	7	8	9	10
Ouvrier n° 1										
Ouvrier n° 2										
Ouvrier n° 3										
Ouvrier n° 4										

215

Il reste un travail à effectuer: réaliser et enregistrer les observations, et analyser les résultats. Lorsque l'agent d'étude du travail procède aux observations, il est essentiel qu'il ait une idée précise du but qu'il poursuit et qu'il en sache le pourquoi. Il devra éviter toute classification ambiguë des opérations. Par exemple, si le moteur d'un chariot élévateur à fourche tourne alors que le chariot attend d'être chargé ou déchargé, il devra décider auparavant si cela signifie que le chariot est en marche ou qu'il est à l'arrêt. Il est également essentiel que l'agent d'étude prenne contact avec les personnes qu'il veut observer, qu'il leur explique l'objet de l'étude, qu'il leur demande de travailler à leur rythme normal et qu'il s'efforce de gagner leur confiance et de s'assurer de leur coopération.

L'observation proprement dite devra s'effectuer en se plaçant toujours de la même façon par rapport à la machine. L'agent d'étude du travail devra s'abstenir de noter ce qui se passe aux machines situées plus loin car cela risque de fausser l'étude. Par exemple, dans un service de tissage, l'observateur peut remarquer un métier à l'arrêt juste derrière celui qu'il observe. Le tisserand l'aura peut-être remis en marche lorsqu'il arrivera à sa hauteur. S'il l'enregistrait comme étant à l'arrêt, il donnerait une fausse image de ce qui se passe.

L'enregistrement lui-même, comme on peut le voir, consiste simplement à tracer un trait en face de l'opération correspondante sur la feuille d'enregistrement au moment précis qui a été préalablement déterminé. On n'utilise aucun chronomètre.

L'analyse des résultats peut faire l'objet d'un calcul rapide grâce à la feuille d'enregistrement. On peut déterminer le pourcentage des temps productifs par rapport aux temps d'attente, analyser les causes des temps morts et établir le pourcentage du temps passé par un ouvrier, un groupe de travailleurs ou une machine sur un élément de travail donné. Ces résultats, en eux-mêmes, fournissent une information utile, de façon simple et relativement rapide.

7. Applications de la mesure du travail par sondage

La mesure du travail par sondage est très répandue. C'est une technique relativement simple qu'il y a avantage à utiliser dans une série de situations très diverses, telles que les opérations de fabrication, les prestations de services et les travaux de bureau. En outre, c'est une méthode relativement peu coûteuse, et moins controversée que l'étude des temps par chronométrage. L'information que fournit la mesure du travail par sondage peut être utilisée pour comparer l'efficacité de deux services, pour assurer une distribution du travail plus équitable dans un groupe et, en général, pour fournir à la direction une évaluation des pourcentages de temps improductifs et de leurs causes. Elle permet donc parfois de déceler les domaines où il y a lieu de procéder à une étude des méthodes, d'améliorer la manutention des matières ou d'introduire de meilleures méthodes de planification de la production, comme cela peut être le cas si la mesure du travail par sondage révèle que des machines sont à l'arrêt pour attente d'approvisionnement pendant un pourcentage de temps considérable.

Chapitre 15
Etude des temps: le matériel

1. Qu'est-ce que l'étude des temps?

Au chapitre 13, nous avons énuméré les principales techniques de la mesure du travail. Dans les chapitres suivants, nous étudierons l'une des plus importantes de ces techniques, l'**étude des temps.** L'annexe 4 expose la méthode suivie en France par le Bureau des temps élémentaires (BTE).

> **L'étude des temps est une technique de mesure du travail qui permet d'enregistrer les temps et les facteurs d'allure pour les éléments d'une tâche donnée, exécutée dans des conditions déterminées, et d'analyser les données recueillies afin d'obtenir le temps nécessaire pour exécuter cette tâche à un niveau de rendement bien défini**

2. Matériel de base

Lorsqu'on doit procéder à des études de temps, il faut disposer d'un matériel minimum. Ce matériel de base comprend:

☐ un chronomètre;

☐ une planchette de chronométrage;

☐ des feuilles d'observations.

L'agent d'étude des temps devra avoir cet équipement avec lui chaque fois qu'il procédera à une étude des temps. En outre, au bureau d'étude, il faudrait disposer du matériel suivant:

☐ une petite calculatrice;

☐ une pendule de précision avec une aiguille pour les secondes;

☐ des instruments de mesure tels qu'un mètre à ruban, une règle métallique, un micromètre, un peson et un tachymètre (compte-tours). On peut également employer d'autres instruments de mesure selon le type de travail étudié.

217

LE CHRONOMÈTRE

Deux modèles de chronomètres, à savoir le chronomètre avec retour à zéro et nouveau départ automatique et le chronomètre ordinaire, sont habituellement utilisés pour l'étude des temps. Parfois, on emploie également un chronomètre à rattrapante.

Ces appareils peuvent être livrés avec l'un des trois cadrans suivants :

1) cadran gradué en cinquièmes de seconde, la grande aiguille faisant un tour en une minute, avec un petit cadran pouvant compter trente minutes ;

2) cadran gradué en centièmes de minute, la grande aiguille faisant un tour en une minute, avec un petit cadran pouvant compter trente minutes (c'est le chronomètre à minutes décimales) ;

3) cadran gradué en dix millièmes d'heure, la grande aiguille faisant un tour en un centième d'heure, avec un petit cadran pouvant compter cent centièmes d'heure (c'est le chronomètre à heures décimales).

On peut également se procurer des chronomètres à minutes décimales avec, à l'extérieur du cadran principal, un cadran accessoire, imprimé d'habitude en rouge, gradué en secondes et en cinquièmes de seconde.

Le chronomètre à minutes décimales avec retour à zéro est très utilisé (voir fig. 73) ; l'aiguille du petit cadran fait un trentième de tour pour chaque tour de la

Figure 73.   Chronomètre à minutes décimales

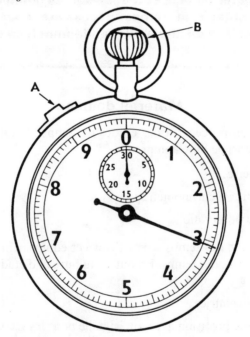

A = Poussoir pour arrêter et mettre en marche.
B = Remontoir. Une pression sur le remontoir
      ramène les deux aiguilles à zéro.

grande aiguille et un tour complet toutes les trente minutes. En France, l'instrument le plus employé est le chronomètre gradué en dix millièmes d'heure (dmh).

Avec ce genre de chronomètre, les aiguilles sont mises en marche et arrêtées au moyen d'un poussoir (A), situé de côté, à gauche du remontoir (B). Lorsqu'on appuie sur le remontoir, les deux aiguilles reviennent à zéro sans que le mécanisme s'arrête et elles repartent immédiatement. Si l'on utilise le poussoir latéral, les aiguilles peuvent être arrêtées à n'importe quel point du cadran et remises en marche aussitôt que la pression est relâchée, sans qu'elles reviennent à zéro. Ce chronomètre peut être utilisé aussi bien pour le chronométrage «avec retour à zéro» que pour le chronométrage «continu» (voir chap. 16, section 9).

Les aiguilles du chronomètre ordinaire sont commandées par pression sur le remontoir-poussoir. Une première pression déclenche le mécanisme; une deuxième l'arrête; une troisième ramène les aiguilles à zéro. Cet instrument ne se prête qu'au chronométrage continu.

Si l'on utilise un chronomètre à aiguille rattrapante, l'une des aiguilles s'arrête lorsqu'on appuie sur un poussoir supplémentaire, tandis que l'autre poursuit sa marche. Lorsqu'on appuie une deuxième fois sur ce poussoir, l'aiguille arrêtée rattrape celle qui est en mouvement et les deux continuent à avancer. De la sorte, les résultats sont lus aiguille arrêtée et non aiguille en mouvement, ce qui augmente évidemment la précision de la lecture.

Le chronomètre à rattrapante est plus facile à lire, mais aussi plus lourd, plus coûteux et, en raison de sa complexité, plus délicat à réparer. Des agents d'étude bien formés obtiennent des résultats tout aussi valables avec un chronomètre plus simple, plus léger et moins coûteux. A moins d'avoir des raisons particulières d'utiliser un de ces modèles plus élaborés, on pourra constater que le chronomètre à pression unique, avec retour à zéro et avec un cadran principal gradué en centièmes de minute (le petit cadran comptant jusqu'à trente minutes) rend des services fort précieux lors de l'étude des temps. C'est le modèle qui est représenté à la figure 73.

Quel que soit le modèle utilisé, il ne faut jamais oublier qu'un chronomètre est un instrument délicat qui doit être traité avec le plus grand soin. Les chronomètres doivent être remontés à fond avant chaque étude et il faut les laisser s'arrêter d'eux-mêmes à la fin de la journée. Il faudra les envoyer régulièrement à un horloger pour nettoyage et entretien courant.

LA PLANCHETTE DE CHRONOMÉTRAGE

Pour tenir la feuille d'observations, on se sert simplement d'une planchette de contre-plaqué, en général, ou d'une matière plastique appropriée. Elle doit être rigide et de dimensions supérieures à celles de la plus grande des feuilles que l'on aura à utiliser. Elle peut être munie d'un dispositif de fixation du chronomètre, de façon que l'agent d'étude du travail garde les mains relativement libres et qu'il puisse lire aisément le cadran de son chronomètre. Pour les droitiers, le chronomètre est normalement fixé à l'angle supérieur droit de la planchette, de façon que celle-ci puisse être appuyée sur l'avant-bras gauche, le bas contre le corps; le chronométreur peut alors se servir de l'index ou du médius de la main gauche pour actionner le remontoir (voir fig. 74). Certains agents d'étude du travail préfèrent fixer leur chronomètre à deux doigts de la main gauche, par de forts anneaux de caoutchouc ou de solides lanières de

Figure 74. *Planchettes de chronométrage*

a) Planchette pour feuille
d'observations générales

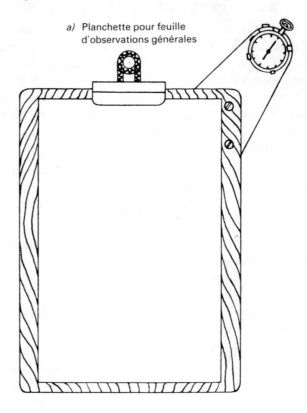

b) Planchette pour feuille d'observations pour cycle court

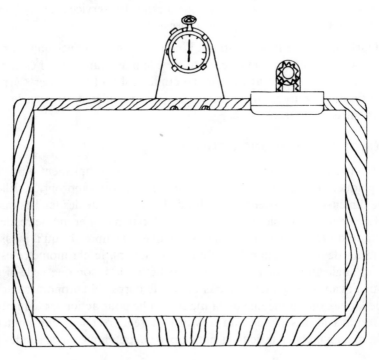

cuir, et le tenir ainsi au sommet de la planchette. C'est surtout une question de préférence personnelle, pourvu que le chronomètre ne risque pas de tomber et qu'il puisse être lu et manipulé aisément. Il est également indiqué d'adapter une forte pince à la planchette pour tenir la feuille d'observations.

Une planchette de chronométrage trop longue ou trop courte pour le bras de l'agent d'étude devient rapidement une cause de fatigue. D'ailleurs, lorsqu'ils ont acquis suffisamment de pratique, la plupart des agents d'étude savent quelles dimensions leur conviennent le mieux et possèdent leur propre planchette, construite pour eux, en fonction de la longueur de leur bras.

3. Les feuilles d'observations

Les études de temps peuvent être effectuées sur des feuilles de papier ordinaire mais il est ennuyeux d'avoir à régler de nouvelles feuilles chaque fois que l'on procède à une étude. Il est plus pratique de faire établir des formules imprimées de format normalisé, permettant un classement ordonné, et auxquelles on peut donc se reporter facilement, ce qui est important dans une étude des temps bien conduite. Des formules imprimées ou polycopiées garantissent en outre l'exécution normalisée des études de temps et évitent l'omission de données essentielles.

Il y a probablement presque autant de modèles de ces formules qu'il y a de services d'étude du travail dans le monde. La plupart des agents d'étude expérimentés ont d'ailleurs leur propre conception de la disposition idéale de ces formules. Les exemples que nous donnons ici représentent des formules qui se sont révélées satisfaisantes pour des études générales.

Les formules principalement utilisées pour l'étude des temps se divisent en deux catégories: les formules que l'on utilise pour effectuer les observations sur place, et qui doivent donc être d'un format compatible avec celui de la planchette de chronométrage; les formules dont on se sert ensuite au bureau d'étude pour dépouiller les informations relevées sur place.

FORMULES UTILISÉES SUR LA PLANCHETTE DE CHRONOMÉTRAGE

☐ **Feuille de chronométrage.** C'est à la fois la première feuille d'observations et la feuille d'introduction. On y enregistre toutes les informations essentielles à l'étude, la décomposition en éléments de l'opération étudiée et les «tops» utilisés. On peut également y noter les temps observés pour les premiers cycles de l'étude proprement dite. La feuille de chronométrage représentée à la figure 75 comporte dans l'en-tête des espaces réservés aux informations habituellement requises lors d'une étude du travail, à l'exception du croquis de l'implantation du poste de travail. Ce dernier doit être tracé au verso de la feuille si l'implantation est très simple ou sur une feuille séparée (de préférence sur du papier quadrillé) qui est jointe au dossier.

☐ **Feuille de relevé des temps.** Sert à enregistrer de nouveaux cycles. En examinant l'exemple de la figure 76, on constate que ces formules ne comportent que les colonnes de la formule précédente et deux espaces libres où on indique le numéro de l'étude et celui de la feuille. Habituellement, on imprime la réglure des deux côtés de la feuille mais on ne reprend pas les en-têtes sur le verso.

221

Figure 75.   Feuille de chronométrage (étude générale)

FEUILLE DE CHRONOMÉTRAGE

SERVICE:		ÉTUDE N°:
OPÉRATION:	E.M. N°:	FEUILLE N°: DE
INSTALLATION/MACHINE:	N°:	FIN:
OUTILS ET CALIBRES:		DÉBUT: DURÉE:
		EXÉCUTANT: N° DE POINTAGE:
PRODUIT/PIÈCE: DESSIN N°: QUALITÉ:	N°: MATIÈRE:	ÉTUDIÉ PAR: DATE: CONTRÔLÉ:

Note: Etablir CROQUIS DU POSTE DE TRAVAIL/RÉGLAGE/PIÈCE au verso, ou sur feuille séparée, jointe à l'étude

DESCRIPTION DES ÉLÉMENTS	FA	LC	TS	TB	DESCRIPTION DES ÉLÉMENTS	FA	LC	TS	TB

Note: FA = facteur d'allure. LC = lecture chronomètre. TS = temps soustrait. TB = temps de base.

Figure 76.   Feuille de relevé des temps (étude générale) (recto)

ÉTUDE N°:	**FEUILLE DE RELEVÉ DES TEMPS**				FEUILLE N°: DE			
DESCRIPTION ÉLÉMENTS	FA	LC	TS	TB	DESCRIPTION ÉLÉMENTS	FA	LC	TS	TB
Note: Le verso est semblable au recto mais ne comporte pas la ligne supérieure de l'en-tête.									

223

Ces deux formules sont les plus couramment employées. On les utilise conjointement dans la plupart des études des temps générales. Toutefois, pour enregistrer des opérations répétitives de courte durée (cycles courts), il est préférable d'utiliser des formules spécialement réglées à cet usage.

☐ **Feuilles de chronométrage pour cycle court.** Deux exemples de formules pour cycle court sont représentés aux figures 77, 78 et 79. L'exemple de la figure 77 constitue un modèle simple de formule qui convient très bien aux cycles courts les plus communément rencontrés. L'autre modèle dont le recto est représenté à la figure 78 et le verso à la figure 79 est plus sophistiqué et a été adapté d'une formule dont l'usage s'est généralisé aux Etats-Unis; cette formule peut se révéler pratique si l'observation des cycles courts est la règle plutôt que l'exception.

Le format standard international A4 convient parfaitement pour toutes ces feuilles, étant donné que c'est le plus grand format standard facilement adaptable aux planchettes de chronométrage. Le format papier ministre est généralement un peu trop allongé.

FORMULES UTILISÉES DANS LE BUREAU D'ÉTUDE

☐ **La feuille de dépouillement.** Cette formule sert à analyser les lectures effectuées pendant l'étude et à obtenir des temps représentatifs pour chaque élément de l'opération. Un exemple de ce genre de feuille est représenté à la figure 100 (chap. 20). Comme nous le verrons plus loin, il existe différentes méthodes d'analyse des résultats, chacune d'elles nécessitant une réglure différente de la feuille. C'est la raison pour laquelle de nombreux agents d'étude préfèrent utiliser pour leurs analyses de simples feuilles de papier rayé, d'un format identique à celui des feuilles de chronométrage. Une fois complétées, les feuilles de dépouillement sont agrafées aux feuilles de chronométrage.

☐ **La feuille de récapitulation.** On y reporte, pour tous les éléments, les temps retenus (après élimination des temps aberrants) ou les temps calculés. On indique également la fréquence de répétition de chaque élément. Comme son nom l'indique, cette feuille résume de façon claire et précise toutes les informations obtenues au cours de l'étude. L'en-tête reprend toutes les indications qui figurent sur la feuille de chronométrage. Une fois complétée, la feuille de récapitulation est agrafée avec toutes les autres feuilles de l'étude et est donc classée avec ces dernières, toujours en première page de l'étude. On choisira donc pour cette formule un format semblable à celui des autres feuilles. En examinant l'exemple de la figure 80, on peut constater que la partie centrale de la feuille comprend un espace libre, réservé à des colonnes supplémentaires au cas où l'étude à récapituler l'exigerait.

☐ **La feuille d'analyse des études.** Sur cette feuille on reporte, à partir des feuilles de récapitulation, les résultats de **toutes** les études effectuées sur une opération déterminée; peu importe quand ces études ont été faites et par qui. C'est à partir de la feuille d'analyse des études que l'on détermine les temps de base des différents éléments de l'opération. Cette feuille est généralement beaucoup plus grande que les formules habituelles (voir fig. 81 et, au chap. 20, fig. 102).

224

Figure 77. Feuille de chronométrage pour cycle court (modèle simple)

FEUILLE DE CHRONOMÉTRAGE POUR CYCLE COURT

SERVICE:	SECTION:	ÉTUDE N°:
		FEUILLE N°: DE
OPÉRATION:	E.M. N°:	FIN:
INSTALLATION/MACHINE:	N°:	DÉBUT: DURÉE:
OUTILS ET CALIBRES:		EXÉCUTANT:
PRODUIT/PIÈCE:	N°:	N° DE POINTAGE:
DESSIN N°:	MATIÈRE:	ÉTUDIÉ PAR: DATE:
QUALITÉ:	CONDITIONS DE TRAVAIL:	CONTRÔLÉ:

Note: Etablir croquis du poste de travail au verso

El. n°	DESCRIPTION DES ÉLÉMENTS	Temps observé										Total TO	Moy-enne TO	FA	TB
		1	2	3	4	5	6	7	8	9	10				

Note: FA = facteur d'allure. TO = temps observé. TB = temps de base.

Figure 78.   Feuille de chronométrage pour cycle court (recto)

DATE DE L'ÉTUDE _____

FIN _____
DÉBUT _____
DURÉE _____

SERVICE: _____

OPÉRATION: _____

OUTILS UTILISÉS: _____

MACHINE ET N° _____

COMMANDÉE: AUTOM. ☐   PIED ☐   MAIN ☐

MATIÈRE _____

FEUILLE DE CHRONOMÉTRAGE POUR CYCLE COURT

NOM DE LA PIÈCE: _____

DESSIN N° _____   PIÈCE N° _____

VITESSE: TPM _____

AVANCE _____   MM/MIN _____

NORME _____

RAISONS DE L'ÉTUDE

ÉTUDE ORIGINALE ☐
CHANGEMENT APRÈS
ÉTUDE MÉTHODES ☐
VÉRIFICATION NORME
ÉTABLIE ☐

ÉTUDE N° _____

FEUILLE N° _____   DE _____

TEMPS DE BASE DU CYCLE _____ MIN.
OU
TOTAL DES TEMPS MOYENS
PAR ÉLÉMENT _____ MIN.

FACTEUR D'ALLURE _____

TEMPS DE BASE DU CYCLE _____ MIN.

MAJORATIONS
BESOINS PERSONNELS _____ %
RETARDS _____ %
FATIGUE _____ %
AUTRES _____ %
_____ % _____ MIN.

TEMPS NORMAL PAR PIÈCE _____ MIN.

DESCRIPTION DE LA MÉTHODE

IMPLANTATION DU POSTE DE TRAVAIL

OBSERVATIONS

Figure 79. Feuille de chronométrage pour cycle court (verso)

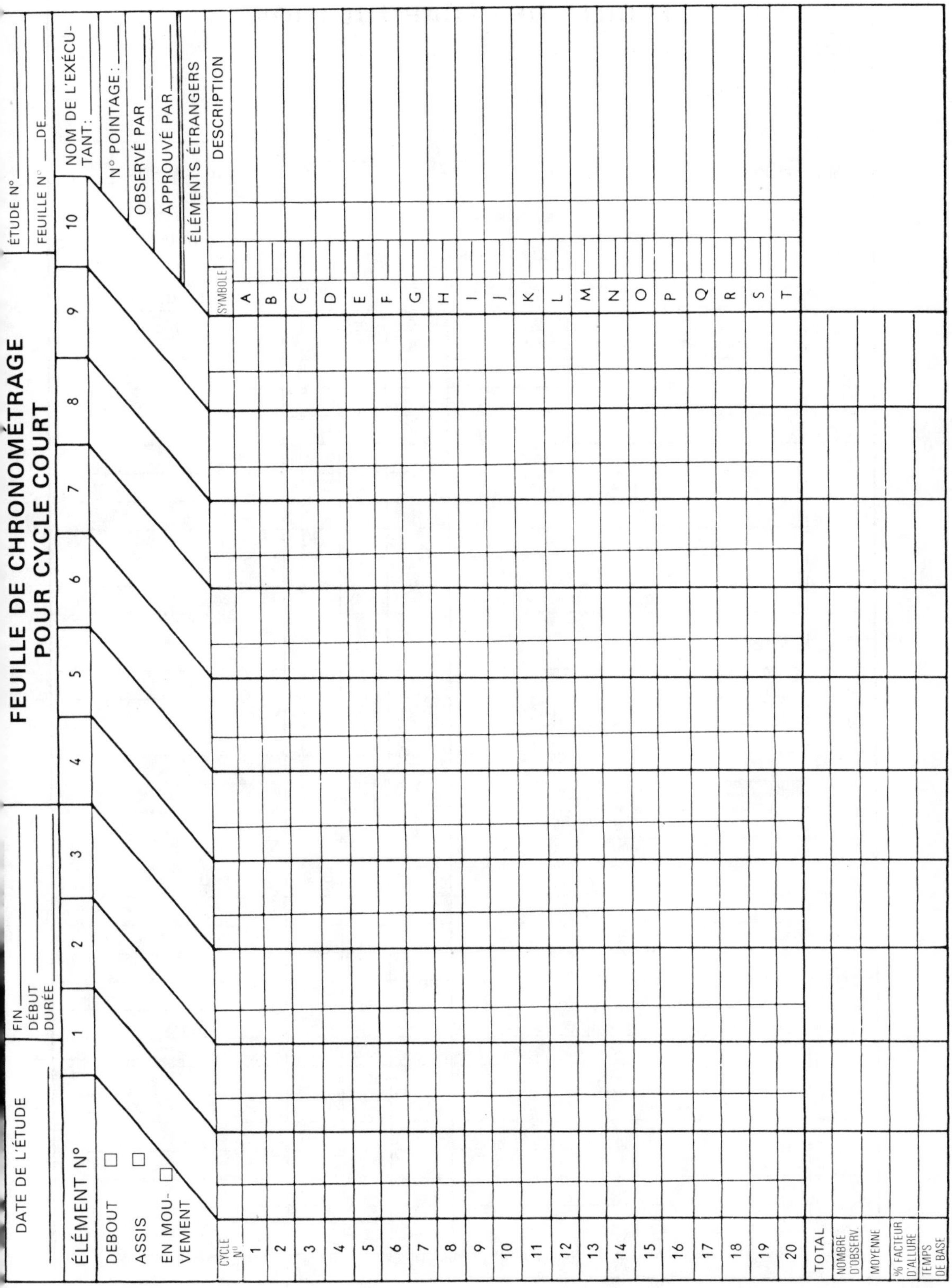

FEUILLE DE CHRONOMÉTRAGE POUR CYCLE COURT

DATE DE L'ÉTUDE ______

FIN ______
DÉBUT ______
DURÉE ______

ÉTUDE N° ______
FEUILLE N° ___ DE ______

ÉLÉMENT N° 1 2 3 4 5 6 7 8 9 10

NOM DE L'EXÉCUTANT: ______

DEBOUT ☐
ASSIS ☐
EN MOUVEMENT ☐

N° POINTAGE: ______
OBSERVÉ PAR ______
APPROUVÉ PAR ______

CYCLE N°: 1, 2, 3, 4, 5, 6, 7, 8, 9, 10, 11, 12, 13, 14, 15, 16, 17, 18, 19, 20

TOTAL
NOMBRE D'OBSERV.
MOYENNE
% FACTEUR D'ALLURE
TEMPS DE BASE

ÉLÉMENTS ÉTRANGERS

SYMBOLE: A, B, C, D, E, F, G, H, I, J, K, L, M, N, O, P, Q, R, S, T

DESCRIPTION

Figure 80.   Feuille de récapitulation

FEUILLE DE RÉCAPITULATION

SERVICE:	SECTION:	ÉTUDE N°:
OPÉRATION:	E.M. N°:	FEUILLE N°: DE
INSTALLATION/MACHINE:	N°:	DATE:
OUTILS ET CALIBRES:		DÉBUT: FIN:
PRODUIT/PIÈCE:	N°:	DURÉE: TEMPS DE CONTRÔLE:
DESSIN N°:	MATIÈRE:	TEMPS NET: TEMPS OBS.:
QUALITÉ:	CONDITIONS DE TRAVAIL:	TEMPS AUXILIAIRE: TA EN %
EXÉCUTANT: M/F: N° DE POINTAGE:		ÉTUDIÉ PAR: CONTRÔLÉ PAR:

Croquis et observations au dos de la feuille 1

El. n°	DESCRIPTION DES ÉLÉMENTS	TB	F	Obs.	

Note: TB = temps de base. F = fréquence de répétition par cycle. Obs. = nombre d'observations.

Figure 81. Feuille d'analyse des études

ANALYSE DES ÉTUDES

OPÉRATION:

DÉTAIL DES MACHINES, MATIÈRES, ETC.:

Etude n°

Date de l'étude:

Exécutant:

N° de pointage:

Machine n°:

Étude prise par:

Nbre de cycles étudiés:

SERVICE:

SECTION:

ÉLÉMENT

El. n°

TEMPS DE BASE

| | TOTAUX | | TEMPS DE BASE MOYEN OU RETENU PAR OBSERVATION | FRÉQUENCE PAR CYCLE | TEMPS DE BASE PAR CYCLE | MAJORATION { BESOINS PERSONNELS + FATIGUE DE REPOS | TEMPS NORMAL MS/HS PAR: |
| | MB | Cycles | MB | | MB | % | MS |

Note: El. = élément. MB = minutes de base. SM = minutes standards.

229

☐   Il est courant d'utiliser en outre une feuille spécialement réglée pour déterminer les **majorations de repos.**

On trouvera dans d'autres chapitres la description détaillée de l'utilisation de toutes ces formules, de celles que l'on emporte pour les observations sur place comme de celles qui servent ensuite à analyser et à enregistrer l'étude du travail.

4. Autres accessoires

Outre le chronomètre, on peut utiliser d'autres appareils de mesure des temps lorsqu'il faut obtenir des mesures très précises. Nous ne les étudierons pas en détail dans ce livre parce que le chronomètre donne une précision suffisante pour les travaux que, selon toute probabilité, la plupart des lecteurs seront appelés à entreprendre pendant leurs premières années de mise en application des techniques de mesure du travail. Nous mentionnons cependant au passage deux de ces appareils.

1. **La caméra de prise de vues** à vitesse constante, le film étant projeté à la même vitesse constante.

2. **Le chronographe enregistreur.** Cet appareil enregistre, par pression des doigts sur deux touches, des marques sur une bande de papier qui se déroule à vitesse constante. Son seul avantage sur le chronomètre est qu'il laisse l'agent d'étude du travail libre d'observer l'opération sans interruption, au lieu d'avoir à regarder et à lire le chronomètre. Il permet aussi de chronométrer des éléments très courts. On mesure la bande lorsque l'étude est achevée.

A la section 2, nous avions cité, parmi le matériel indispensable, une pendule de précision comportant une aiguille pour les secondes. Cette pendule est utilisée au bureau d'étude de la façon suivante: avant de quitter le bureau pour faire des relevés, l'agent d'étude déclenche son chronomètre et note sur sa feuille d'observations l'heure de départ du chrono d'après la pendule du bureau.

Le bureau d'étude des temps devra être équipé du matériel de bureau habituel: agrafeuses, perforatrices, classeurs, meubles de rangement pour les classeurs, etc. Il est en outre très utile de disposer d'un taille-crayon de bureau.

Dans certains cas particuliers, d'autres instruments de mesure que ceux que nous avons émunérés à la section 2 peuvent être utiles. On peut utiliser à maintes occasions l'enregistreur Servis, appareil que l'on fixe sur une machine ou un véhicule et qui enregistre les temps de marche et d'arrêt de la machine à laquelle il est attaché. Un micromètre est souvent utile, et on trouve actuellement sur le marché des appareils fiables à des prix raisonnables. Des thermomètres et des hygromètres sont souvent indispensables. Parmi les autres instruments employés, mentionnons les sonomètres, les luxmètres, les dynamomètres, etc.

Chapitre 16
Etude des temps: choisir et chronométrer le travail

1. Choisir le travail

Comme pour l'étude des méthodes, la première étape d'une étude des temps consiste à **choisir** le travail à étudier. En règle générale, il est rare qu'un agent d'étude du travail se rende dans un atelier ou dans un service pour y choisir un travail au hasard. Il y a presque toujours une raison qui fait qu'un travail déterminé appelle son attention, par exemple:

1. Il s'agit d'un nouveau travail qui n'a jamais été exécuté précédemment (nouveau produit, nouvelle pièce, nouvelle opération ou nouvelle série d'activités).

2. Un changement de matière ou de méthode de travail demande la fixation d'une nouvelle norme de temps.

3. Un travailleur ou un représentant du personnel s'est plaint du peu de temps alloué pour une opération.

4. Une opération constitue un goulet d'étranglement, elle bloque les opérations suivantes et freine éventuellement les opérations précédentes (par suite de l'accumulation du travail en retard).

5. Avant d'introduire un système de rémunération au rendement, la direction désire connaître les temps normaux.

6. Une partie de l'installation enregistre des temps morts apparemment exagérés ou ne fournit qu'une faible production: il devient donc nécessaire d'examiner son mode de fonctionnement.

7. Un travail nécessite une étude des temps préalablement à une étude des méthodes ou doit être examiné parce que l'on désire comparer l'efficacité de deux méthodes proposées.

8. Le coût d'un travail semble excessif.

Si l'étude des temps a pour objet de fixer des normes de rendement, elle ne devrait en général pas être entreprise avant l'achèvement d'une étude des méthodes ayant permis de définir et de mettre en place la meilleure façon d'effectuer le travail. La raison en est simple: si on n'a pas recherché systématiquement le meilleur mode opératoire possible, il n'est pas à exclure que le travailleur lui-même ou l'équipe technique trouve une méthode de loin supérieure, une méthode qui réduise considérablement le contenu de travail nécessaire pour parvenir aux résultats requis. La nature et l'ampleur de la réduction du contenu de travail peut d'ailleurs varier à différents moments, selon l'exécutant à qui l'on confie le travail et selon la méthode qu'il choisit d'employer. En fait, le contenu de travail d'un processus ou d'une opération peut augmenter si l'on confie la tâche à un travailleur moins habile que celui qui avait été chronométré au départ. Il en sera de même si l'exécutant utilise une méthode plus laborieuse que la méthode qui avait servi à fixer le temps imparti.

Tant qu'on n'a pas mis au point, défini et normalisé la meilleure méthode de travail possible, l'ampleur du travail requis par la tâche ou le processus étudié ne peut que varier. Les programmes établis seront de toute façon bouleversés et, si la norme de temps sert au calcul d'une prime, le montant versé à l'exécutant peut devenir économiquement irréaliste pour le travail fourni. L'ouvrier pourra trouver le temps fixé impossible à respecter ou estimera au contraire qu'il peut accomplir le travail dans un temps beaucoup plus court que le temps alloué. Dans ce dernier cas, il limitera très probablement sa production pour ne pas dépasser le niveau que, selon lui, la direction tolérera sans entreprendre d'enquête sur la validité de la norme de temps qu'elle avait fixée. La coutume veut, certes, que l'on insère dans les conventions collectives prévoyant une étude du travail une clause qui autorise un nouveau chronométrage lorsque le contenu de travail d'une tâche vient à augmenter ou à diminuer (et la direction pourrait, en théorie, se prévaloir de cette clause dans le deuxième cas, que la réduction du contenu de travail soit due à l'exécutant ou à la direction). Cependant, un nouveau chronométrage opéré dans ces conditions est toujours de nature à éveiller un certain ressentiment et, si on a fréquemment recours à ce système, on aura tôt fait d'ébranler la confiance des travailleurs dans la compétence des agents d'étude du travail et dans l'honnêteté de la direction. Ainsi donc, **commencez par vous assurer que la méthode est bonne.** N'oubliez pas, d'autre part, que chaque temps ne doit concerner qu'**une seule méthode bien déterminée.**

Le choix des travaux à étudier pose des problèmes qui n'ont rien à voir avec l'importance des tâches pour l'entreprise, ni avec l'habileté des exécutants. Un problème difficile peut surgir dans les usines qui appliquent déjà un système de travail aux pièces. Il se peut en effet que le temps fixé pour certaines tâches, soit à la suite de négociations, soit par voie d'estimation, ait été calculé si largement que les ouvriers ont gagné des primes élevées qu'il serait impossible de maintenir au même niveau après une réévaluation correcte des tâches. Toute tentative de modifier les méthodes, qui se traduirait automatiquement par une révision des temps alloués, risquerait de rencontrer une résistance telle qu'il serait peu prudent d'entreprendre les études nécessaires. En pareil cas, mieux vaut s'attaquer tout d'abord à quelques tâches pour lesquelles il est évident qu'une étude du travail permettrait d'**augmenter** les gains de la main-d'œuvre, même si ces tâches sont moins importantes que les autres en ce qui concerne la production de l'atelier considéré dans son ensemble. On pourra revenir aux tâches qui posent des problèmes lorsque le reste de l'atelier aura été étudié et qu'on aura pleinement confiance dans l'intégrité de l'agent d'étude du travail. Il sera presque certainement nécessaire de négocier, au sujet de ces tâches, avec les représentants des travailleurs et il faudra peut-être accorder une compensation aux intéressés, mais il est possible d'aboutir à un accord si chacun a bien compris l'objet du changement.

2. L'étude des temps et le travailleur

La question des rapports entre l'agent d'étude du travail d'une part et les cadres et les travailleurs d'autre part a été traitée assez longuement au chapitre 5. S'il convient de la rappeler ici, c'est que les considérations que nous avons fait valoir à propos de l'étude du travail en général s'appliquent, et même avec plus de force, à l'étude des temps, surtout en ce qui concerne les travailleurs.

Chacun comprend facilement le but d'une étude des méthodes — améliorer la façon de faire un travail —, et chacun se rend compte qu'il s'agit là d'une activité qui est vraiment du ressort de l'agent d'étude du travail. Il se peut même que les ouvriers se félicitent de son intervention s'il réussit à les libérer de tâches pénibles ou désagréables. L'objet des études de temps s'impose avec moins d'évidence et, si l'on n'a pas pris la précaution de l'expliquer avec beaucoup de soin à tous les intéressés, il risque d'être mal interprété et mal compris, d'où possibilités d'agitation si ce n'est de grève.

Mais admettons que notre spécialiste est devenu un personnage familier de l'atelier, où il a procédé à des études de méthodes, et que le contremaître et les représentants du personnel le connaissent fort bien. Néanmoins, si aucune étude des temps n'y a jamais été effectuée, il devra commencer par réunir les représentants des travailleurs et la maîtrise pour leur expliquer en termes simples ce qu'il va faire, et pourquoi; il les invitera ensuite à manipuler son chronomètre. Il répondra avec franchise à toutes les questions. C'est là que se manifestera l'intérêt que présentent les cours d'étude du travail organisés à l'intention des représentants du personnel et des contremaîtres.

Si on a le choix entre plusieurs ouvriers, il est d'excellente politique de demander au contremaître et aux représentants du personnel qui ferait le mieux l'affaire; il convient de souligner qu'il doit s'agir d'un travailleur compétent et sûr, d'habileté moyenne ou légèrement supérieure à la moyenne. Il ne faut pas oublier, d'autre part, que certaines personnes ont un caractère qui en fait de mauvais sujets d'étude: elles ne peuvent pas travailler normalement lorsqu'on les observe. Il convient donc d'éviter autant que possible de les choisir.

Il importe, lorsque le travail sera vraisemblablement exécuté «en grande série» (éventuellement par de nombreux ouvriers), d'étudier plusieurs travailleurs **qualifiés.**

Dans la pratique de l'étude des temps, on établit une distinction entre travailleurs «représentatifs» et travailleurs «qualifiés». Un travailleur **représentatif** possède une habileté et un rendement qui correspondent à la moyenne du groupe étudié. Mais un travailleur représentatif n'est pas nécessairement **qualifié.** La notion de travailleur qualifié est fondamentale pour l'étude des temps. Elle se définit comme suit:

> **On entend par travailleur qualifié celui qui est reconnu comme ayant les qualités physiques nécessaires, qui possède l'intelligence et l'instruction voulues et qui a acquis l'habileté et les connaissances requises pour exécuter le travail selon des normes satisfaisantes de sécurité, de quantité et de qualité**

233

Nous avons une bonne raison d'insister sur le choix de travailleurs qualifiés. Lorsqu'on fixe des normes de temps (surtout si elles doivent servir au calcul de primes), on doit s'efforcer de déterminer une norme qui peut être respectée par un travailleur qualifié, sans devenir une cause de fatigue exagérée. Etant donné que les ouvriers travaillent à des vitesses différentes, les temps observés doivent être corrigés, par l'application de certains facteurs, en vue d'aboutir à une telle norme. Le choix de ces facteurs repose sur le jugement de l'agent d'étude du travail. L'expérience a montré que ce jugement ne sera exact que pour un éventail assez serré de vitesses proches de l'allure d'exécution considérée comme normale pour un travailleur qualifié. Si on utilise des travailleurs lents ou peu qualifiés, ou au contraire des exécutants exceptionnellement rapides, les temps alloués seront soit trop longs (on les appelle temps «larges») et, partant, contraires aux exigences économiques, soit trop courts (on les appelle temps «serrés»), donc injustes pour les travailleurs et de nature à provoquer ultérieurement des plaintes.

L'agent d'étude du travail aura tout intérêt à se faire accompagner par le contremaître et le représentant du personnel lorsqu'il prendra contact avec le travailleur dont la tâche doit être étudiée en premier lieu. Il lui expliquera avec soin le but de l'étude et ce qu'il faut faire. Il le priera de travailler à son rythme usuel, en prenant les mêmes repos que d'habitude. Il lui demandera d'expliquer toute difficulté éventuelle. (Ce système devient inutile dès que l'étude du travail a acquis droit de cité dans l'entreprise et que son objet est bien compris. Il conviendra cependant de l'appliquer aux nouveaux travailleurs et de présenter aux cadres et aux travailleurs tout nouvel agent d'étude du travail avant le début de son activité.) Il est important de faire comprendre aux cadres que l'exécutant doit ensuite **être laissé tranquille.** En effet, certains travailleurs risquent de se sentir inquiets si l'un de leurs supérieurs directs reste près d'eux et regarde ce qu'ils font.

Si une nouvelle méthode a été adoptée, il importe que le travailleur ait assez de temps pour s'y habituer avant le chronométrage. La «courbe d'entraînement» de la figure 64 (p. 192) montre qu'il faut à un exécutant passablement de temps pour s'adapter et atteindre son allure régulière maximum. Il peut être nécessaire de laisser effectuer un travail pendant des jours, voire des semaines, avant qu'il soit prêt pour chronométrage en vue de la fixation de normes, selon la durée et la complexité de l'opération. De même, il ne faudra jamais prendre le travail effectué par de nouveaux exécutants comme sujet de chronométrage tant que ceux-ci ne seront pas parfaitement habitués à leur tâche.

L'agent d'étude du travail doit choisir avec soin l'emplacement où il se tiendra par rapport à l'exécutant. Il doit être en mesure de voir tout ce que fait le travailleur (surtout les mouvements de ses mains) sans gêner ses mouvements ni distraire son attention. L'agent d'étude ne doit pas se tenir directement devant le travailleur ni si près de lui qu'il lui donne le sentiment désagréable d'avoir «quelqu'un qui regarde pardessus l'épaule», grief fréquemment formulé contre l'étude du travail. L'agent d'étude du travail devra choisir son emplacement exact selon le genre d'opération à étudier, mais, en général, il fera bien de se placer à droite ou à gauche de l'exécutant, un peu en arrière, à 2 mètres environ. L'exécutant pourra le voir en tournant légèrement la tête et les deux hommes pourront s'entretenir aisément, s'ils ont une question à poser ou une explication à donner à propos de l'opération. L'agent veillera à tenir sa planchette et son chronomètre exactement dans la direction du travail observé, de façon à pouvoir lire et enregistrer les temps facilement et sans interrompre ses observations.

Il ne doit jamais, sous aucun prétexte, essayer de chronométrer l'exécutant sans que celui-ci le sache, en se cachant ou en gardant le chronomètre dans sa poche. C'est là une attitude malhonnête; d'ailleurs, quelqu'un le remarquerait certainement et la nouvelle s'en répandrait comme une traînée de poudre. **L'étude du travail ne doit rien avoir à cacher.**

Il est tout aussi important que l'agent d'étude du travail se tienne **debout** pendant qu'il procède à ses observations. Les exécutants ont tendance à croire qu'ils sont seuls à travailler tandis que l'agent se contente de tourner autour d'eux et de les observer. Cette impression sera plus vive encore si ce dernier s'installe confortablement. Très vite, il perdra son principal atout: le respect des travailleurs. Il ne doit ni s'asseoir ni s'appuyer, mais adopter une position aisée qu'il puisse garder, au besoin, pendant de longs moments. L'étude des temps exige une concentration intense et un esprit alerte, surtout lorsqu'il faut chronométrer des « éléments » ou des « cycles » très courts (voir définitions dans la suite de ce chapitre). De l'avis général, c'est la station debout qui permet le mieux d'y parvenir.

La plupart des exécutants trouveront très rapidement leur allure normale, mais des personnes nerveuses, les femmes surtout, ont une certaine tendance à travailler plus rapidement que de coutume et, ainsi, à commettre des maladresses et des erreurs. En pareil cas, l'agent d'étude du travail devrait interrompre ses observations, bavarder un instant avec l'exécutant pour le mettre à l'aise, ou même lui laisser un moment de répit pour se reprendre.

Il est plus difficile de venir à bout d'un « malin » qui s'est mis en tête de « jouer un tour » à l'agent d'étude du travail. Ce sera le plus souvent le cas lorsqu'on sait que la norme de temps à déterminer servira de base au paiement d'une prime. L'exécutant adoptera un rythme exagérément lent, ou fera des mouvements inutiles, dans l'espoir d'obtenir un temps plus « large ». Certains travailleurs, il s'agit d'habitude de jeunes gens, le feront par pure malice, pour jouer au plus fin avec l'agent d'étude du travail. Il est bien difficile de les en blâmer, car nombre d'emplois industriels sont, reconnaissons-le, assez ennuyeux, et ce petit jeu donne un peu de piquant à l'existence! Il n'en demeure pas moins que, du point de vue de l'agent d'étude du travail, ces gens-là sont extrêmement gênants.

En général, il est aisé de déceler si un exécutant travaille de propos délibéré à une cadence qui ne lui est pas naturelle lorsque sa tâche comporte des répétitions. En effet, si l'allure est naturelle, on ne constatera guère d'écart entre les temps des différents cycles, une fois que le travailleur est bien en train, tandis qu'il lui sera difficile de contrôler ses temps si la cadence est artificielle. Lorsqu'il y a d'amples variations dans les temps de cycles successifs et que ces variations ne proviennent pas de la matière usinée ni de l'outillage ou de la machine (si tel était le cas, le spécialiste de l'étude du travail devrait le signaler immédiatement au service compétent), ces différences doivent être attribuées à la volonté de l'exécutant. Dans ce cas, il faudra interrompre les observations et aller voir le contremaître. S'il est diplomate, l'agent d'étude du travail fera bien de ne pas accuser l'exécutant d'avoir cherché à se moquer de lui. Il devra tout simplement prier le contremaître de venir se rendre compte de ce qui se passe, car quelque chose semble ne pas « tourner rond ». Dans une telle situation, où les relations d'homme à homme sont si importantes, l'agent d'étude du travail doit s'adapter à la situation s'il ne veut pas courir le risque de se faire «mal voir» de façon parfaitement inutile. C'est là une des raisons pour lesquelles les qualités personnelles qu'il doit posséder, et que nous avons énumérées au chapitre 5, sont absolument indispensables.

Lorsque des considérations d'ordre technique jouent un grand rôle dans l'accomplissement du travail étudié, il peut être beaucoup moins facile de déceler les tentatives d'allonger les temps, sauf si l'agent d'étude du travail est lui-même un expert en la matière. Cela est particulièrement vrai lorsqu'il s'agit de tâches demandant de l'adresse et du métier (comme certains travaux sur métaux en feuille ou les opérations de tournage et de filetage au tour à pointes, avec de très faibles tolérances et un fini très poussé), même si les vitesses et les avances ont été imposées par le bureau de préparation du travail. Il est malaisé de discuter avec un ouvrier qualifié si l'on n'est pas soi-même un spécialiste! C'est pourquoi, notamment, il est si important de fixer avec précision la méthode et les conditions de travail avant tout chronométrage. Procéder, avant de chronométrer un travail, à une étude des méthodes vraiment satisfaisante simplifie énormément la détermination des temps de référence (ou normes de temps).

Nous avons cherché, dans les pages qui précèdent, à esquisser quelques-uns des problèmes pratiques que l'agent d'étude du travail aura à résoudre pour obtenir des temps représentatifs. Evidemment, il y en a beaucoup d'autres, dont la solution ne peut s'apprendre qu'à la rude école de l'expérience, dans l'atmosphère de l'atelier, au milieu des hommes et des femmes qui y travaillent. Ces difficultés ne sauraient être traduites par des mots. Ceux qui s'intéressent à autrui éprouveront beaucoup de joie à les surmonter; quant aux autres, ils feront mieux de ne pas se spécialiser dans l'étude du travail.

3. Les diverses étapes d'une étude des temps

Lorsque le travail à mesurer a été choisi, l'étude des temps se fait en général en huit étapes (voir aussi fig. 65):

1. Recueillir et enregistrer tous les renseignements disponibles sur la tâche, l'exécutant et les conditions dans lesquelles il travaille et qui peuvent influer sur l'accomplissement de la tâche.

2. Ecrire une description complète de la méthode et décomposer l'opération en «éléments».

3. Examiner la décomposition en éléments pour vérifier que la méthode et les mouvements les plus efficaces sont effectivement employés; déterminer la taille de l'échantillon à mesurer.

4. Mesurer au moyen d'un appareil approprié — on se sert habituellement d'un chronomètre — et enregistrer le temps mis par l'exécutant pour chacun des «éléments» de l'opération.

5. Evaluer en même temps la vitesse effective de travail de l'exécutant et la comparer à l'idée que l'observateur se fait de l'allure correspondant à l'allure de référence.

6. Convertir les temps observés en «temps de base».

7. Fixer les majorations à ajouter au temps de base de l'opération.

8. Déterminer le «temps normal» pour l'opération.

4. Recueillir et enregistrer les renseignements

Il y lieu d'enregistrer, d'après les observations faites avant le début de l'étude proprement dite, les renseignements mentionnés ci-après, ou ceux d'entre eux qui entrent en ligne de compte pour l'opération à étudier. D'habitude, ces renseignements sont inscrits au début de la feuille de chronométrage. Si les diverses rubriques ont été imprimées ou ronéotées, il est plus facile de ne pas omettre un renseignement important. Il va sans dire que le nombre exact des points énumérés plus loin que l'on pourra mentionner sur une feuille de chronométrage dépendra du genre de travail effectué dans l'entreprise qui utilisera la formule. Dans les entreprises de service, par exemple dans une entreprise de transports ou dans un restaurant, il ne sera pas nécessaire de prévoir des espaces pour le «produit», etc. Dans une fabrique où tout se fait à la main, il sera inutile d'insérer la rubrique «installation ou machine», mais il faudra un espace pour les «outils».

On peut enregistrer plus rapidement et avec plus de précision les détails de l'installation du poste de travail en le photographiant à l'aide d'un appareil à développement instantané raccordé à un flash (dans cette gamme d'appareils, même les modèles les plus simples sont maintenant équipés d'un contrôle automatique du temps de pose).

Il importe de noter **tous** les renseignements pertinents d'après les **observations directes,** pour le cas où il faudrait se reporter ultérieurement à l'étude. Toute lacune dans ces renseignements peut rendre l'étude pratiquement inutile quelques mois plus tard. Les formules reproduites aux figures 75 à 79 sont conçues pour les industries de transformation et comprennent toutes les rubriques nécessaires pour donner le maximum de renseignements habituellement requis.

Les renseignements à recueillir peuvent être groupés comme suit:

A. **Renseignements qui permettent de retrouver et d'identifier rapidement l'étude lorsque cela est nécessaire:**

numéro de l'étude;
numéro de la feuille et nombre de feuilles;
nom ou initiales de l'agent d'étude du travail;
date de l'étude;
nom de la personne qui approuve l'étude (chef du service d'étude du travail, chef du service de production ou autre membre du personnel de direction).

B. **Renseignements qui permettent d'identifier avec précision le produit ou la pièce en cours de fabrication:**

désignation du produit ou de la pièce;
numéro du dessin ou de la spécification;
numéro de la pièce (s'il est différent du numéro du dessin);

237

matière;

normes de qualité[1].

C. **Renseignements qui permettent d'identifier avec précision le processus, la méthode, l'installation ou la machine:**

service ou lieu dans lequel l'opération est effectuée;

description de l'opération ou de l'activité;

numéros de l'étude des méthodes et du dossier d'exécution (s'il y a lieu);

installation ou machine (nom du fabricant, modèle, dimensions ou capacité);

outils, supports, montages et calibres utilisés;

croquis de l'implantation du poste de travail, du réglage de la machine et/ou de la pièce montrant les surfaces usinées (au dos de la feuille de chronométrage ou, si besoin est, sur une feuille séparée jointe à l'étude);

vitesses et avances des machines ou autres indications de réglage dont dépend le rendement de la machine ou du processus (par exemple température, pression, débit, etc.). Il est bon de demander au contremaître d'apposer son paraphe sur la feuille d'étude à côté de ce genre d'indications afin d'en garantir l'exactitude.

D. **Renseignements qui permettent d'identifier l'exécutant:**

nom de l'exécutant;

numéro de pointage[2].

E. **Renseignements relatifs à la durée de l'étude:**

début;

fin;

durée.

F. **Conditions de travail:**

température, humidité, niveau d'éclairage, bruit, etc., en plus des renseignements notés sur le croquis de l'implantation du poste de travail.

5. Contrôle de la méthode

Avant de procéder à l'étude, il importe de contrôler la méthode suivie par l'exécutant. Si l'étude a pour objet de fixer un temps de référence, il faudrait commencer par étudier la méthode et établir un dossier d'exécution. Si tel a été le cas, le contrôle de la méthode consiste simplement à comparer ce qui se fait en réalité et ce qui

---

[1] Pour certains produits des industries mécaniques, il arrive que l'on modifie les pièces de temps à autre et que l'on établisse de nouveaux dessins; on devra donc parfois noter également le numéro du dessin.

En ce qui concerne les «normes de qualité», il suffira peut-être d'indiquer le numéro d'une spécification reconnue ou le «degré de fini». Dans les industries mécaniques, les tolérances et les finis sont en général spécifiés sur le dessin.

[2] S'il s'agit de tâches nouvelles ou de nouveaux exécutants, il peut être souhaitable de noter l'expérience que l'exécutant avait acquise de l'opération au moment où il a été chronométré, de façon à déterminer le point atteint sur la courbe d'entraînement (voir fig. 64).

est prévu dans le dossier. Si l'étude a été entreprise à la suite de la plainte d'un travailleur incapable d'atteindre la norme fixée après une étude antérieure, il convient de comparer minutieusement la méthode qu'il applique avec celle qui était suivie au moment de l'étude originale. On s'apercevra souvent que l'exécutant ne fait pas son travail comme on l'avait prescrit à l'origine, soit qu'il emploie d'autres outils, soit que la machine soit réglée différemment ou qu'il y ait des différences dans les vitesses, les avances, les températures, les débits ou d'autres éléments du processus, soit qu'un travail additionnel se soit glissé dans celui-ci.

Il arrive parfois que les outils de coupe soient émoussés ou qu'ils aient été faussés lors de l'affûtage. Les temps obtenus en observant un travail effectué avec des outils émoussés ou dans de mauvaises conditions opératoires ne doivent pas être utilisés pour déterminer les normes de temps.

Pour les travaux répétitifs à cycle court, par exemple ceux qui sont effectués au moyen de convoyeurs (montages légers, empaquetage de biscuits, triage de carreaux), on risque d'avoir beaucoup de peine à déceler les transformations apportées à la méthode, car elles peuvent entraîner des modifications des mouvements des bras et des mains de l'exécutant (séquence des mouvements) qu'il est difficile de saisir pour ainsi dire « à l'œil nu » et dont l'observation exige un équipement spécial.

Bien que nous ayons souligné à maintes reprises, dans cet ouvrage, la nécessité de procéder à une étude des méthodes bien comprise avant d'entreprendre l'étude des temps en vue de fixer des normes, il arrive que l'on doive déterminer les temps de référence sans que les méthodes aient fait l'objet, au préalable, d'une étude approfondie. Tel sera surtout le cas pour les travaux à effectuer en petite série, dont l'atelier ne reçoit commande que peu de fois par an. En pareille occurrence, l'agent d'étude du travail devra noter avec grand soin la méthode utilisée, une fois que les lacunes manifestes auront été comblées, en matière d'organisation notamment, par l'installation, à des emplacements judicieusement choisis, de récipients pour le produit fini ou par le contrôle de la vitesse des machines. Le dossier qu'il établira revêt une importance particulière, car il renferme les seules pièces que l'on puisse consulter et il est probable que les modifications de méthode interviendront surtout lorsque les exécutants n'auront pas été formés à l'emploi d'une méthode précise.

6. Décomposer le travail en éléments

Après avoir enregistré, au sujet de l'opération et de l'exécutant, tous les renseignements nécessaires à des fins d'identification ultérieure, et après s'être assuré que la méthode utilisée est bien la bonne, ou du moins la meilleure possible étant donné les circonstances, l'agent d'étude du travail doit décomposer cette méthode en **éléments.**

> **On entend par élément toute partie distincte d'un travail donné, choisie parce qu'elle se prête à l'observation, à la mesure et à l'analyse**

> **On entend par cycle de travail la série des éléments nécessaires à l'accomplissement d'une tâche ou à l'obtention d'une unité de production. La série comprend parfois des éléments occasionnels**

Le cycle de travail part du début du premier élément de l'opération ou de l'activité et se termine lorsqu'on se retrouve au même point en répétant l'opération ou l'activité. Là débute le deuxième cycle. Ce système ressort clairement de l'exemple détaillé d'une étude des temps donné au chapitre 20.

Il est nécessaire de décomposer le travail en éléments :

1) pour veiller à bien distinguer le travail productif (ou temps productif) d'une activité improductive (ou temps improductif);

2) pour permettre d'évaluer l'allure avec plus de précision qu'il ne serait possible de le faire si l'évaluation portait sur un cycle complet. L'exécutant peut ne pas travailler au même rythme pendant l'ensemble du cycle et avoir tendance à accomplir certains éléments plus vite que d'autres;

3) pour identifier et distinguer les différents types d'éléments (voir ci-dessous) de façon à appliquer à chaque élément un traitement approprié;

4) pour isoler les éléments provoquant une grande fatigue et fixer avec plus d'exactitude la majoration de fatigue;

5) pour faciliter le contrôle de la méthode de façon que l'on puisse plus tard déceler rapidement toute omission ou toute insertion d'un nouvel élément. Ce contrôle peut devenir indispensable si, par la suite, on met en question la norme de temps fixée pour le travail;

6) pour établir une spécification détaillée de la tâche (voir chap. 23);

7) pour déterminer des temps pour les éléments qui se retrouvent fréquemment, tels que la manipulation des commandes d'une machine, la mise en place des pièces dans un montage et leur enlèvement, afin de pouvoir isoler ces temps et de les utiliser lors de la détermination de données de référence (voir chap. 22).

TYPES D'ÉLÉMENTS

On distingue huit catégories d'éléments : répétitifs, occasionnels, constants, variables, manuels, «machine», prépondérants et étrangers. Ces catégories sont définies ci-dessous, avec des exemples à l'appui.

☐ Un **élément répétitif** est un élément qui se retrouve à chaque cycle de travail.

Exemples : saisir une pièce avant de procéder à un assemblage; placer une pièce à ouvrer dans un étau; ranger sur le côté une pièce ou un assemblage terminé.

☐ Un **élément occasionnel** est un élément qui ne se retrouve pas à chaque cycle de travail, mais qui peut intervenir à des intervalles réguliers ou irréguliers.

Exemples: ajuster le serrage ou régler une machine; recevoir des instructions du contremaître. Un élément occasionnel représente toujours un **travail** utile et fait partie intégrante de la tâche étudiée. Il sera incorporé dans le calcul définitif du temps normal fixé pour la tâche.

☐ Un **élément constant** est un élément dont le temps de base reste constant chaque fois qu'il intervient dans le même cycle.

Exemples: mettre une machine en circuit; calibrer un diamètre; visser et bloquer un écrou; insérer un outil coupant déterminé dans le mandrin d'une machine.

☐ Un **élément variable** est un élément dont le temps de base varie en fonction de certaines caractéristiques du produit, du matériel ou du processus (telles que les dimensions, le poids, la qualité, etc.).

Exemples: débiter des bûches avec une scie à main (le temps d'exécution varie avec la dureté et le diamètre du bois); balayer le plancher (varie avec la surface); pousser le chariot des pièces détachées jusqu'à l'atelier suivant (varie avec la distance).

☐ Un **élément manuel** est un élément accompli par un travailleur.

☐ Un **élément «machine»** est un élément accompli automatiquement par une machine mue par un moteur ou un processus physico-chimique.

Exemples: détremper des tubes; cuire des carreaux; souffler des bouteilles de verre; emboutir des carrosseries de voitures; la plupart des éléments de coupe sur les machines-outils.

☐ Un **élément prépondérant** est un élément qui s'étale sur une durée plus longue que tous les autres éléments concomitants.

Exemples: commander l'avance d'un tour pour amener une pièce à un diamètre déterminé, tout en vérifiant de temps à autre ce diamètre à l'aide d'un calibre; faire bouillir de l'eau dans une bouilloire pendant que l'on dispose la théière et les tasses; développer un négatif photographique tout en agitant de temps en temps le bain.

☐ Un **élément étranger** est un élément observé au cours d'une étude mais qui, à l'analyse, ne se révèle pas être une partie indispensable du travail.

Exemples: dans l'industrie du meuble, poncer l'arête d'une planche avant d'avoir fini de la raboter; dégraisser une pièce qui devra encore être usinée ultérieurement.

Il ressort de ces définitions qu'un élément répétitif peut aussi être un élément constant, ou variable. De même, un élément constant peut être également répétitif ou occasionnel, et un élément occasionnel peut être constant ou variable et ainsi de suite. En effet, les définitions de ces catégories d'éléments ne s'excluent pas mutuellement.

241

7. Choisir les éléments

Certaines règles générales président à la décomposition d'un travail en éléments:

☐ Les éléments doivent être aisément identifiables, le début et la fin étant bien marqués, de façon que l'élément puisse toujours être reconnu une fois qu'il est déterminé. Très souvent, le début et la fin de l'élément se signalent par un bruit (arrêt de la machine, déclic de la fixation d'un montage, pose d'un outil, etc.) ou par un changement de direction de la main ou du bras. On les appelle «tops» et ils doivent être clairement définis sur la feuille d'observations. Un top est donc l'instant où finit un élément d'un cycle de travail et où commence l'élément suivant.

☐ Les éléments doivent être de la durée la plus courte qui puisse être convenablement mesurée par un observateur entraîné. Les avis diffèrent quant à l'unité la plus petite qui puisse, en pratique, être mesurée au moyen d'un chronomètre, mais on estime en général qu'elle est de l'ordre de 0,04 minute (2,4 secondes). Pour un observateur moins habile, on peut la fixer entre 0,07 et 0,10 minute. Pour que le chronométrage et l'enregistrement soient précis, il faudrait si possible que les éléments très courts suivent des éléments plus longs. L'allure des éléments manuels longs doit être évaluée environ toutes les 0,33 minute (20 secondes). (Le jugement d'allure sera traité dans le chapitre suivant.)

☐ Dans la mesure du possible, on choisira les éléments, et en particulier les éléments manuels, de façon qu'ils représentent des segments de l'opération distinctement reconnaissables et formant naturellement un tout. Considérons par exemple une action consistant à étendre la main vers une clé anglaise, à la saisir, à la déplacer pour l'amener près de la pièce à usiner et à la positionner pour serrer un écrou. Il est possible de décomposer cette action en «chercher», «saisir», «déplacer», «changer la position de la clé dans la main» pour obtenir la meilleure prise et «positionner». Mais, en réalité, le travailleur accomplira probablement tous ces gestes comme une série de mouvements naturellement enchaînés et non comme une succession d'actes indépendants. Il est donc préférable de traiter ce groupe de mouvements comme une entité et de le définir comme l'élément «prendre la clé» ou «prendre et positionner la clé». On pourra alors chronométrer l'ensemble des mouvements qui forment ce groupe plutôt que de choisir un top se situant, par exemple, à l'instant où les doigts touchent la clé pour la première fois, ce qui aurait pour effet de couper en deux un groupe de mouvements naturellement enchaînés.

☐ Les éléments manuels doivent être distingués des éléments «machine». Les temps des machines à avance automatique ou à vitesse constante peuvent être calculés et utilisés pour contrôler les données fournies par le chronométrage. Quant aux temps humains, ils dépendent d'habitude entièrement de l'exécutant. Cette distinction est particulièrement importante si l'on détermine les temps normaux.

242 ☐ Il convient de séparer les éléments constants des éléments variables.

☐ Les éléments occasionnels et les éléments étrangers à l'opération, qui ne se retrouvent pas à chaque cycle, doivent être distingués des éléments proprement cycliques.

La nécessité d'une décomposition très poussée des éléments dépend, dans une large mesure, du genre de fabrication, de la nature de l'opération et des résultats désirés. Les opérations d'assemblage, dans l'industrie électrique légère et dans l'électronique par exemple, sont en général à cycle court et se composent d'éléments très brefs.

Il y a lieu de souligner une fois de plus l'importance d'une sélection, d'une définition et d'une description judicieuses des éléments. L'abondance des détails donnés dans la description sera dictée par divers facteurs, tels que:

☐ le laps de temps pendant lequel l'atelier aura à effectuer le travail. De petites séries, qui ne sont lancées que de temps en temps, appellent une description moins détaillée que les grandes séries de longue durée;

☐ le genre de mouvement: les déplacements d'un endroit à un autre demandent en général une description moins fouillée que les mouvements des mains et des bras.

Les éléments doivent être contrôlés pendant plusieurs cycles et enregistrés par écrit **avant** le début du chronométrage.

Les figures 95 et 97 donnent des exemples de description d'éléments et de divers types d'éléments.

8. La taille de l'échantillon

L'essentiel de ce que nous avons dit au chapitre 14 sur l'étude par sondage, le degré de confiance et l'utilisation des tables de nombres tirés au hasard s'applique également à l'étude des temps. Toutefois, dans le cas présent, nous ne traitons plus de proportions mais nous recherchons la valeur du temps moyen représentatif pour chaque élément. Le problème consiste donc à déterminer, avec un degré de confiance et une marge d'erreur fixés à l'avance, la taille de l'échantillon, c'est-à-dire le nombre de lectures qui doivent être effectuées pour chaque élément.

Ici aussi, nous pouvons employer au choix la méthode statistique ou la méthode conventionnelle.

Avec la méthode statistique, nous devons tout d'abord procéder à un certain nombre (n') de lectures préliminaires. Cela fait, pour un degré de confiance de 95, 45 pour cent et une marge d'erreur de ± 5 pour cent, nous obtenons la formule suivante[1]:

$$n = \left(\frac{40 \sqrt{n' \quad \Sigma x^2 - (\Sigma x)^2}}{\Sigma x} \right)^2$$

---

[1] La démonstration de cette formule sort du cadre de cet ouvrage. Le lecteur intéressé pourra se reporter à Raymond Mayer: *Production and operations management* (New York et Londres, McGraw-Hill, 3e édition, 1975), pp. 516-517. *(Fin de la note à la page suivante)*

où

n = taille de l'échantillon à déterminer
n' = nombre de lectures effectuées lors de l'étude préliminaire
x = valeur des lectures
Σ = somme des valeurs.

Pour être plus clairs, prenons l'exemple suivant : supposons que nous ayons effectué cinq lectures pour un élément donné et que les durées mesurées soient respectivement de 7, 6, 7, 7 et 6 centièmes de minute. Nous pouvons maintenant calculer la somme de ces nombres ainsi que les carrés et la somme des carrés :

x	x^2
7	49
6	36
7	49
7	49
6	36
$\Sigma x = 33$	$\Sigma x^2 = 219$

$$n' = 5 \text{ lectures}$$

En introduisant ces valeurs dans la formule précédente, nous obtenons la valeur de n :

$$n = \left(\frac{40 \sqrt{5 \times 219 - 33^2}}{33} \right)^2 = 8,81 \text{ ou } 9 \text{ lectures}$$

Etant donné que n', le nombre des lectures préliminaires que nous avons effectuées, est inférieur à 9, qui est la taille requise de l'échantillon, nous devons donc accroître notre échantillonnage. Mais nous ne pouvons pas en déduire qu'il nous faut simplement quatre observations supplémentaires. En effet, si nous additionnons les valeurs obtenues lors de ces quatre observations complémentaires, nous obtiendrons des valeurs différentes de x et de x^2, ce qui peut modifier la valeur de n. En fin de compte, nous pouvons fort bien constater qu'il faut encore accroître la taille de l'échantillon ou au contraire que l'échantillon était suffisant ou plus que suffisant.

Si nous choisissons un degré de confiance et une marge d'erreur différents, la formule change également. Toutefois, on choisit habituellement le coefficient de confiance de 95 ou 95,45 pour cent.

Si y est la marge d'erreur *relative,* ou précision, et k le nombre d'écarts types correspondant au degré de confiance recherché, la formule générale est :

$$n = \left(\frac{k \sqrt{n' \Sigma x^2 - (\Sigma x)^2}}{y \Sigma x} \right)^2$$

Pour un degré de confiance de 0,997 et une précision de $\pm$ 10 pour cent, on aurait :

$$n = \left(\frac{30 \sqrt{n' \Sigma x^2 - (\Sigma x)^2}}{y \Sigma x} \right)^2$$

Tableau 15. Nombre recommandé de cycles à observer lors d'une étude des temps

Durée maximum du cycle (en minutes)	0,10	0,25	0,50	0,75	1,0	2,0	5,0	10,0	20,0	40,0	Plus de 40
Nombre recommandé de cycles à observer	200	100	60	40	30	20	15	10	8	5	3

Source: A. E. Shaw: «Stop-watch time study» dans H. B. Maynard (publié sous la direction de): *Industrial engineering handbook, op. cit.* Reproduit avec l'aimable autorisation de la McGraw-Hill Book Company.

La méthode statistique de détermination de la taille de l'échantillon n'est valable que dans la mesure où le sont aussi les hypothèses qui ont permis d'établir la formule ci-dessus — en d'autres termes, dans la mesure où les variations observées d'une lecture à une autre sont uniquement dues au hasard et ne proviennent pas de la volonté délibérée de l'exécutant. La méthode statistique peut se révéler d'un emploi fastidieux, étant donné qu'un cycle de travail se compose de plusieurs éléments. Comme la taille de l'échantillon varie selon les lectures effectuées pour chaque élément, il peut très bien arriver que, pour un même cycle de travail, la taille des échantillons diffère pour chaque élément, sauf, bien entendu, si tous les éléments ont approximativement la même durée moyenne. En conséquence, dans le cas d'un chronométrage cumulatif, nous pourrons être amenés à calculer la taille de l'échantillon sur la base de l'élément qui demande le plus grand échantillon.

Certains auteurs et certaines entreprises, comme General Electric, ont donc adopté une table qui fournit des nombres conventionnels de cycles à chronométrer, en fonction du nombre total de minutes que comporte chaque cycle (voir tableau 15).

D'autre part, il est très important que les lectures se poursuivent pendant un certain nombre de cycles afin que les éléments occasionnels (tels que la manutention de caisses de produits finis, le nettoyage périodique des machines et l'affûtage des outils) soient bien observés plusieurs fois.

Au cours de l'étude, on peut utiliser une table de nombres tirés au hasard (voir chap. 14) pour déterminer les moments auxquels il faut procéder aux lectures.

9. Mesurer chaque élément en temps : chronométrage

Lorsque les éléments ont été choisis et enregistrés, la mesure des temps peut commencer.

Si l'on utilise un chronomètre, on a le choix entre deux méthodes principales :

☐ Le chronométrage cumulatif, ou à la volée.

☐ Le chronométrage répétitif, ou avec retour à zéro.

Dans le chronométrage **cumulatif,** les aiguilles courent sans arrêt durant toute l'étude. Elles sont mises en marche au début du premier élément du premier cycle à chronométrer et ne s'arrêtent pas avant la fin de l'étude. A la fin de chaque élément, l'agent d'étude du travail enregistre le temps lu. Les divers temps élémentaires sont obtenus par soustractions successives après achèvement de l'étude. Cette

245

méthode a pour objet d'assurer l'enregistrement de la totalité des temps pendant lesquels le travail est observé.

Dans le **chronométrage avec retour à zéro,** les aiguilles du chronomètre sont ramenées à zéro à la fin de chaque élément et repartent immédiatement, ce qui permet de lire directement le temps de chaque élément. Le mécanisme n'est jamais arrêté et l'aiguille repart immédiatement pour mesurer le temps de l'élément suivant.

Dans toute étude de temps, on procède habituellement à un contrôle indépendant du temps global, au moyen, soit d'une montre-bracelet, soit de la pendule du bureau d'étude. De surcroît, on aura ainsi noté le moment de la journée où l'étude a été faite, ce qui peut avoir son importance si l'on doit calculer plus tard un nouveau temps. En effet, le temps nécessaire à un ouvrier affecté à un travail répétitif, pour accomplir un cycle, sera peut-être plus court au début de la matinée, alors que l'exécutant est dispos, qu'à la fin de l'après-midi, lorsque la fatigue se fait sentir.

Pour les chronométrages avec retour à zéro, l'agent d'étude du travail va jusqu'à la pendule; juste à l'instant où la grande aiguille marque une minute, de préférence à l'une des douze subdivisions principales, il déclenche son chronomètre et note l'heure précise sous «début» dans l'en-tête de sa feuille de chronométrage. Il revient au poste de travail qu'il doit étudier, avec son chronomètre en mouvement, et le laisse fonctionner continuellement jusqu'à ce qu'il soit prêt à commencer le chronométrage. Au début du premier élément du premier cycle de travail, il renvoie l'aiguille à zéro après avoir noté le temps qui s'est écoulé; ce temps est donc la première indication à être enregistrée dans la partie principale de la feuille de chronométrage. A la fin de l'étude, l'aiguille est remise à zéro une fois achevé le dernier élément du dernier cycle, puis continue de marcher jusqu'au moment où l'agent peut revenir près de la pendule et y noter l'heure de la fin de l'étude. Il arrête alors définitivement le mouvement du chronomètre. Il inscrit dans l'espace ménagé à cet effet («fin»), sur sa feuille, l'heure lue sur le cadran de la pendule. Les deux temps enregistrés avant et après l'étude sont appelés «temps de contrôle». Il suffit de déduire l'heure lue sur la pendule au début de l'étude de l'heure lue à la fin pour obtenir la «durée», qui est également notée sur la feuille.

La somme des temps de tous les éléments et des autres activités enregistrés, plus les temps improductifs, plus les temps de contrôle, est appelée «temps enregistré». L'agent en prend également note. En théorie, ce temps devrait coïncider avec la «durée», mais, dans la pratique, il est souvent légèrement différent, en raison de la perte de très petites fractions de temps lors du retour de l'aiguille à zéro et, peut-être, d'erreurs de lecture ou d'éléments omis. Dans certaines entreprises, l'usage est de ne pas tenir compte d'une étude lorsque l'écart entre la durée et le temps enregistré atteint 2 pour cent en plus ou en moins.

Si l'on procède de la même manière avec le chronométrage cumulatif, la durée devrait être égale au temps enregistré, étant donné que l'on se contente de lire le chronomètre sans renvoyer l'aiguille à zéro.

Le chronométrage cumulatif présente l'avantage suivant: même si l'on manque un élément ou si l'on n'enregistre pas une activité occasionnelle, le temps global ne s'en trouve pas modifié. Plusieurs syndicats, surtout aux Etats-Unis, se sont prononcés avec force en faveur de cette méthode, qui est plus précise, à leur avis, que le chronométrage avec retour à zéro, et qui ne permet pas d'altérer les temps au profit de la direction par omission de certains éléments ou d'autres activités. Son désavantage est, évidemment, que ce système exige des séries de soustractions pour la détermination des divers temps élémentaires, ce qui augmente beaucoup la durée du travail nécessaire pour le dépouillement des observations.

Le chronométrage avec retour à zéro est toujours très répandu. Si le chronométreur est compétent, cette méthode est presque aussi précise que le chronométrage cumulatif. Mundel cite les résultats de tests effectués, afin de comparer les deux méthodes, par Lazarus au Laboratoire d'étude des mouvements et des temps de l'Université Purdue, avec plusieurs observateurs expérimentés. L'erreur moyenne de lecture a été de +0,000097 minute par lecture pour le chronométrage cumulatif, et de −0,00082 minute par lecture pour le chronométrage avec retour à zéro[1]. Des erreurs de cet ordre ne sont pas assez importantes pour fausser les calculs ultérieurs. Il convient cependant de relever que ces erreurs moyennes minimes ont été commises par des observateurs expérimentés. Il y a lieu de supposer que les personnes que l'on forme à l'emploi du chronomètre atteignent une précision satisfaisante plus rapidement avec la méthode cumulative qu'avec le chronométrage avec retour à zéro.

En fait, l'expérience acquise par les missions du BIT dans l'enseignement et l'application de l'étude des temps nous permet de recommander l'emploi du chronométrage cumulatif pour les raisons suivantes:

1. L'expérience montre que les stagiaires acquièrent plus rapidement une précision raisonnable dans l'emploi du chronomètre s'ils utilisent le chronométrage cumulatif.

2. Peu importe si, parfois, un temps élémentaire échappe à l'attention d'un observateur inexpérimenté, car la détermination du temps global n'en souffre pas. Les éléments étrangers à l'opération et les interruptions sont automatiquement compris dans l'étude puisque le chronomètre n'est jamais arrêté.

3. En déterminant la cadence de travail de l'exécutant («jugement d'allure»), on cède moins facilement à la tension d'ajuster l'allure au temps élémentaire que si l'on applique la méthode du retour à zéro, étant donné que l'on enregistre uniquement des lectures et non des temps effectifs.

4. Les travailleurs et leurs représentants auront vraisemblablement plus de confiance dans l'étude des temps, comme base équitable d'un système de primes, s'ils peuvent voir qu'aucun temps n'a pu être omis. L'application de l'étude des temps dans une entreprise ou dans une branche d'activité donnée peut s'en trouver facilitée.

Si l'on emploie la méthode du chronométrage répétitif, les erreurs de lecture du chronomètre peuvent s'ajouter au léger retard que provoque la remise à zéro des aiguilles. Le pourcentage d'erreurs devient donc beaucoup plus grand pour les éléments courts. Aussi le chronométrage cumulatif sera-t-il probablement bien plus précis pour les travaux à éléments et à cycles courts, la méthode du retour à zéro pouvant être utilisée avec plus de sécurité pour les tâches comportant des éléments et des cycles longs, puisque l'erreur n'est alors plus assez grande pour influer sur le résultat. Le problème de la confiance des travailleurs est évidemment très important.

---

[1] L. P. Lazarus: «The nature of stop-watch time study errors», *Advanced Management,* mai 1950, pp. 15-16.

Il existe une troisième méthode de chronométrage qu'on emploie pour des travaux à éléments et à cycles courts. Cette méthode peut en fait être le seul moyen d'obtenir des temps précis avec un chronomètre lorsque les éléments sont tellement courts que l'agent d'étude n'a matériellement pas le temps d'effectuer une lecture et de l'enregistrer sur sa feuille de chronométrage. Il s'agit de la méthode connue sous le nom de **chronométrage différentiel.** Avec cette méthode, les éléments sont chronométrés par groupes, en incluant puis en excluant chaque micro-élément. On obtient ensuite par soustraction le temps correspondant à chaque élément. Par exemple, si la tâche étudiée comporte sept éléments courts, l'agent d'étude chronomètre uniquement les éléments 1 à 3 et 4 à 7 pendant les premiers cycles et n'enregistre que ces deux lectures par cycle. Puis il chronomètre uniquement les éléments 1 à 4 et 5 à 7 pendant quelques cycles, et ainsi de suite. Lorsqu'on procède au chronométrage différentiel de cette manière, on peut utiliser indifféremment la méthode cumulative ou celle du retour à zéro pour la manipulation du chronomètre.

Nous sommes arrivés au bout de notre examen des phases préliminaires des études des temps, depuis le choix du travail jusqu'à l'enregistrement des temps élémentaires effectifs, en passant par la collecte de toutes les informations utiles, la décomposition du travail en éléments et l'examen des méthodes utilisées. Dans le prochain chapitre, nous aborderons l'étude des moyens utilisés pour modifier les temps observés de façon à tenir compte des différences dans l'allure d'exécution du travail.

Chapitre 17
Etude des temps: jugement d'allure

Nous avons vu, à la section 3 du chapitre précédent, qu'une étude des temps comporte huit étapes ou phases, dont les quatre premières ont déjà été examinées. Nous allons passer à la cinquième étape: «évaluer la vitesse effective de travail de l'exécutant et la comparer à l'idée que l'observateur se fait de l'allure correspondant à l'allure de référence».

L'exposé de la question du jugement d'allure que le lecteur trouvera ci-après a été mis au point à la lumière de l'expérience acquise en matière d'enseignement par les missions de perfectionnement des cadres dirigeants et de productivité du BIT; cette expérience a démontré, en effet, que cette façon d'aborder le sujet était la mieux adaptée aux conditions régnant dans la plupart des pays auxquels notre étude s'adresse tout particulièrement.

Le jugement d'allure et les «majorations» (qui seront traitées dans le prochain chapitre) sont, parmi tous les aspects de l'étude des temps, ceux qui prêtent le plus à controverse. Le plus souvent, les entreprises font procéder à de telles études en vue de déterminer des temps normaux pour fixer les charges de travail et pour servir de base à des systèmes de primes. Ainsi, la méthode appliquée influe directement sur les gains des travailleurs comme sur la productivité, et peut-être aussi sur les bénéfices de l'entreprise. L'étude des temps n'est pas une science exacte, encore que de nombreuses recherches aient été effectuées et continuent de l'être afin de l'établir sur une base scientifique. Le jugement d'allure, c'est-à-dire l'évaluation de la cadence de travail effectif de l'exécutant, de même que les majorations à prévoir pour les repos compensant la fatigue qui découle du travail et à d'autres fins sont encore largement affaire d'appréciation, donc de négociation entre la direction et le personnel.

Diverses méthodes d'évaluation de la cadence de travail ont été élaborées, dont chacune présente des avantages et des inconvénients. Celles qui sont exposées ci-après reflètent de bonnes pratiques et, convenablement appliquées, elles sont susceptibles d'être acceptées par la direction aussi bien que par les travailleurs, surtout lorsqu'elles servent à déterminer des normes pour la production en séries moyennes, qui est la plus courante (si ce n'est aux Etats-Unis et, ailleurs, dans quelques entreprises très importantes ou spécialisées). Elles donneront certainement au lecteur les éléments d'un système qui est parfaitement applicable à la plupart des études générales et qui pourra être perfectionné ultérieurement si la nature particulière de certaines opérations exige qu'on le modifie, afin d'évaluer un autre paramètre que la vitesse effective. L'annexe 4 donne des précisions sur la méthode suivie en France par le Bureau des temps élémentaires (BTE).

1. Le travailleur qualifié

Les études des temps, nous l'avons dit précédemment, devraient si possible porter sur un certain nombre de travailleurs qualifiés; il faut en outre éviter de prendre pour sujets des travailleurs excessivement rapides ou excessivement lents, du moins lorsqu'on procède aux toutes premières études d'une opération. Qu'est-ce qu'un «travailleur qualifié»?

Les aptitudes que l'on exige d'un exécutant varient selon les tâches à effectuer. Certaines opérations nécessitent par exemple de la vivacité d'esprit, de la concentration, une bonne acuité visuelle; d'autres demandent de la force physique; pour la plupart, il faut avoir acquis de l'habileté ou des connaissances particulières. Les travailleurs ne possèdent pas tous les aptitudes requises pour effectuer une tâche déterminée, mais, si la direction emploie des méthodes de sélection judicieuses et met en place des programmes de formation adéquats, on peut normalement arriver à ce que la plupart des travailleurs affectés à cette tâche aient les qualités voulues pour l'accomplir. La définition du travailleur qualifié, qui figure dans le chapitre précédent, est redonné ci-dessous:

> **On entend par travailleur qualifié celui qui est reconnu comme ayant les qualités physiques nécessaires, qui possède l'intelligence et l'instruction voulues et qui a acquis l'habileté et les connaissances requises pour exécuter le travail selon des normes satisfaisantes de sécurité, de quantité et de qualité**

L'«habileté» technique demande tout un apprentissage. L'observation[1] a montré que les qualités qui permettent de distinguer le travailleur expérimenté du travailleur débutant sont notamment les suivantes. Le travailleur expérimenté:

effectue des mouvements uniformes et réguliers;

acquiert un rythme de travail;

réagit plus rapidement aux signaux;

prévoit les difficultés et est mieux préparé à les surmonter;

accomplit le travail sans donner l'impression d'un effort d'attention conscient et est donc plus détendu.

Un ouvrier a parfois besoin de beaucoup de temps pour acquérir la pleine maîtrise de son travail. Au cours d'une étude (voir fig. 64), on a noté qu'il avait fallu aux ouvriers quelque 8 000 cycles de travail pour arriver à un temps d'exécution qui soit à peu près constant — et qui représentait par ailleurs la moitié du temps qu'il leur

---

[1] W. D. Seymour: *Industrial training for manual operations* (Londres, Pitman, 1966).

fallait au début de leurs essais. Par conséquent, des normes de temps que l'on établirait sur la base de l'allure d'exécutants inexpérimentés pourraient se révéler totalement fausses dans le cas d'un travail nécessitant une longue période d'apprentissage. Certaines tâches, bien entendu, s'apprennent très rapidement.

L'idéal serait donc que l'agent d'étude des temps puisse être certain que, quelle que soit la tâche qu'il a choisi d'étudier, il ne trouvera que des travailleurs qualifiés chargés de l'accomplir. Dans la pratique, il serait vain d'en espérer autant. En fait, il se peut même qu'aucun des travailleurs affectés à une opération ne soit, à proprement parler, parfaitement qualifié pour l'effectuer; avec de l'entraînement, bien entendu, la situation peut s'améliorer après quelque temps; il se peut aussi que certains des travailleurs soient qualifiés mais qu'ils soient si peu nombreux qu'on ne peut les considérer comme des exécutants moyens ou représentatifs du groupe. On entend par travailleur représentatif celui dont l'habileté et le rendement correspondent au niveau moyen du groupe considéré. Ce n'est donc pas nécessairement un travailleur qualifié.

Si le groupe est constitué dans sa totalité ou dans sa majeure partie de travailleurs qualifiés, un ou peut-être plusieurs de ces exécutants pourront également être considérés comme des travailleurs représentatifs. L'idée que l'on se fait du temps normal est, au fond, celle du temps qui est normalement nécessaire à un travailleur qualifié moyen pour exécuter un travail ou une opération à son allure habituelle, à condition qu'il soit suffisamment motivé pour se donner à la tâche. En théorie, l'agent d'étude des temps devrait donc chercher à étudier le travailleur qualifié moyen. Dans la pratique, cela n'est pas aussi simple qu'il y paraît. Il est donc intéressant d'approfondir la signification de «moyen» dans ce contexte.

2. Le travailleur moyen

Le travailleur vraiment moyen est une pure vue de l'esprit. Il n'y a pas plus de travailleur moyen qu'il n'y a de «famille moyenne» ou d'«homme moyen». Ce sont là des abstractions de statisticiens. Tous les hommes sont des individus, dont aucun n'est exactement semblable à un autre. Néanmoins, si l'on prend un grand nombre de personnes provenant d'un même pays ou d'une même région, par exemple, les variations des traits caractéristiques mesurables, tels que la taille et le poids, tendent à s'ordonner et peuvent être représentées graphiquement par une courbe appelée «courbe normale de distribution». Prenons un de ces éléments, la taille: dans plusieurs pays d'Europe occidentale, la taille moyenne est, pour les hommes, d'environ 1 m 72. Dans une foule d'Europe occidentale, il y aura donc beaucoup d'hommes mesurant entre 1 m 70 et 1 m 75, puis de moins en moins lorsque les tailles s'écartent de ces deux chiffres.

Il en va exactement de même des cadences des exécutants. Le diagramme de la figure 82 met cela en évidence. Si, dans une usine donnée, 500 travailleurs accomplissent la même opération dans les mêmes conditions et en employant les mêmes méthodes, chaque travailleur gardant le contrôle de l'ensemble de l'opération, les temps d'exécution se distribueront ainsi que l'indique la figure. Afin de simplifier celle-ci, les temps ont été divisés en classes, à intervalles de 4 secondes. Les travailleurs se distribuent par groupes de temps de la façon indiquée au tableau 16.

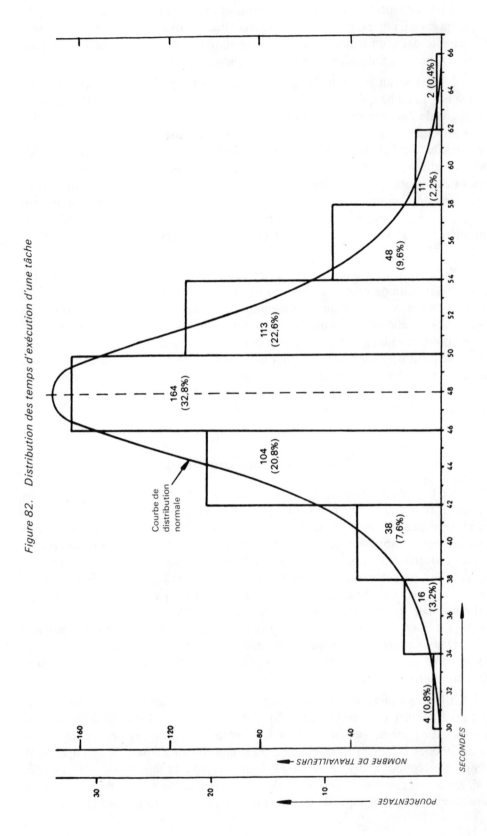

Figure 82. Distribution des temps d'exécution d'une tâche

Tableau 16.   Exemple de distribution des temps de travail

Classes de temps (secondes)	Nombre d'exécutants (sur 500)	Pourcentage du nombre total d'exécutants	
30-34	4	0,8	
34-38	16	3,2	
38-42	38	7,6	*32,4*
42-46	104	20,8	
46-50	164	32,8	*32,8*
50-54	113	22,6	
54-58	48	9,6	
58-62	11	2,2	*34,8*
62-66	2	0,4	
	500	100,0	*100,0*

Si l'on examine les divers groupes de temps, on constate que 32,4 pour cent des temps sont inférieurs à 46 secondes et 34,8 pour cent supérieurs à 50 secondes. Le groupe le plus important (32,8 pour cent) se situe entre 46 et 50 secondes. On serait donc fondé à affirmer que, pour cet ensemble de 500 travailleurs, il a fallu en moyenne, pour exécuter l'opération, entre 46 et 50 secondes, soit 48 secondes, c'est-à-dire que 48 secondes constituent le temps nécessaire au travailleur qualifié moyen pour exécuter sa tâche dans les conditions données. Ce temps pourra ne pas être valable dans une autre entreprise. Les usines bien dirigées, où les conditions de travail et de rémunération sont bonnes, tendent à attirer et à garder les meilleurs travailleurs de sorte que, dans un établissement de ce genre, le temps du travailleur moyen sera peut-être inférieur — 44 secondes par exemple — tandis que dans une fabrique mal gérée, à la main-d'œuvre moins capable, il pourra être supérieur (disons 52 secondes).

Si l'on représente cette distribution par une courbe, on constate qu'elle épouse la forme de la courbe donnée à la figure 82. C'est ce qu'on appelle la «courbe de distribution normale». En général, plus l'échantillon est grand, plus la courbe tend à être symétrique par rapport à son sommet, mais cette tendance peut être modifiée si des conditions spéciales entrent en ligne de compte. Par exemple, si les exécutants les plus lents étaient affectés à une autre tâche, le côté droit de la courbe s'étalerait probablement moins loin, car il y aurait moins d'exécutants ultralents.

3. Allure de référence et rendement normal

Nous avons dit au chapitre 13 que la mesure du travail (et, partant, l'étude des temps) servait surtout à fixer des normes de temps, pour les diverses tâches effectuées dans l'entreprise, qui pourront être utilisées à de nombreuses fins, notamment pour l'élaboration des programmes et pour les évaluations, ou comme base de systèmes de primes[1]. Evidemment, si l'on veut que ces normes soient utiles, il faut que la plupart des travailleurs occupés dans l'entreprise puissent les tenir. Il ne servirait à rien

---

[1] Pour une étude détaillée de divers systèmes de primes couramment appliqués, voir BIT: *La rémunération au rendement*, Etudes et documents, nouvelle série, n° 27 (Genève, 2ᵉ édition, 1961).

de fixer des normes si élevées que seuls les meilleurs travailleurs pourraient les atteindre, car les programmes ou les évaluations fondées sur leur application resteraient toujours lettre morte. En revanche, l'efficacité de la main-d'œuvre se ressentirait de normes que les travailleurs les plus lents respecteraient sans peine.

Comment l'agent d'étude du travail parvient-il à déterminer un temps équitable?

Nous avons déjà vu que, dans la mesure du possible, les études des temps doivent porter sur des travailleurs qualifiés. Si l'on pouvait, pour une opération, prendre les temps de 500 exécutants qualifiés et les représenter par une courbe, comme à la figure 82, on obtiendrait un temps moyen sûr. Malheureusement, cela n'est guère faisable. En outre, il n'est pas toujours possible de chronométrer un travailleur qualifié moyen; d'ailleurs, même si on le pouvait la cadence de travail n'est jamais parfaitement régulière et varie d'un jour à l'autre, voir d'une minute à l'autre. L'agent d'étude du travail doit donc disposer de moyens qui lui permettent d'évaluer la cadence de l'exécutant qu'il observe et de la comparer à l'allure normale. C'est ce qu'on appelle le **jugement d'allure.**

> **Le jugement d'allure est l'évaluation de la cadence de travail d'un exécutant par rapport à l'idée que l'observateur se fait de la cadence correspondant à l'allure normale d'exécution**

Par définition, le jugement d'allure est une comparaison entre la cadence de travail observée par l'agent d'étude du travail et l'idée que celui-ci se fait d'un niveau normal. Ce niveau normal est l'allure moyenne que tiennent naturellement des travailleurs qualifiés pour exécuter une tâche déterminée lorsqu'ils utilisent la méthode voulue et qu'ils sont suffisamment motivés pour se donner à leur travail. Cette allure correspond à ce que l'on appelle généralement l'**allure de référence.** Elle correspond à la valeur 100 sur l'échelle d'évaluation qui est recommandée aux lecteurs de ce livre (voir section 7 ci-dessous)[1]. Le **rendement normal** est celui d'un exécutant qui, pendant toute la journée de travail ou tout le poste, maintient la cadence normale et prend les temps de repos appropriés.

> **Le rendement normal est la cadence de production que soutiennent en moyenne, naturellement et sans surmenage, des travailleurs qualifiés pendant la journée de travail ou le poste, à condition qu'ils connaissent et appliquent la méthode spécifiée et qu'ils soient suffisamment motivés pour se donner à leur tâche**
> **On donne à ce rendement la valeur 100 sur les échelles d'évaluation**

---

[1] Pour la définition de l'allure de référence selon la méthode du Bureau des temps élémentaires (BTE), voir annexe 4.

Selon une opinion généralement admise aux Etats-Unis et au Royaume-Uni, l'allure normale équivaut à la vitesse des mouvements des membres d'un homme de force physique moyenne marchant sans charge, en ligne droite, sur sol uni et à la vitesse de 6,4 kilomètres à l'heure. C'est là une allure de marche alerte et vive qu'un individu qui possède les aptitudes physiques requises et est habitué à la marche peut soutenir pour autant qu'il s'accorde des pauses pour se reposer aussi souvent que nécessaire. Cette allure a été choisie à la suite d'une longue expérience en tant que point de comparaison correspondant à l'allure d'exécution qui permettra à un travailleur qualifié moyen disposé à se donner à sa tâche de gagner une prime équitable, sans effort excessif dommageable pour sa santé, et cela même s'il poursuit son effort pendant une longue période. (Il n'est pas sans intérêt de signaler qu'un homme marchant à la vitesse de 6,4 kilomètres à l'heure donne l'impression d'avoir une destination, un but. Les personnes pressées, celles qui veulent attraper un train, par exemple, marchent souvent beaucoup plus vite avant de se mettre à courir, mais c'est là une allure qu'elles ne pourraient pas soutenir très longtemps.)

Toutefois, il convient de noter que cette allure normale est prévue pour l'Europe et l'Amérique du Nord, où l'on travaille dans un climat tempéré. Elle peut fort bien ne pas être applicable dans d'autres parties du monde. D'une façon générale, cependant, s'il s'agit de travailleurs ayant les aptitudes physiques nécessaires, convenablement nourris, bien entraînés et suffisamment motivés, il serait peu justifié de suggérer que les normes devraient être différentes selon les régions; toutefois, la période de temps pendant laquelle les travailleurs devraient pouvoir tenir en moyenne l'allure normale variera à l'extrême selon les conditions du milieu. A tout le moins, l'allure que nous avons définie ci-dessus offre un point de repère qui permet de comparer les cadences adoptées dans différentes parties du monde et de déterminer si un ajustement paraît nécessaire. La donne d'un jeu de 52 cartes à jouer en 0,375 minute constitue aussi un exemple reconnu de travail effectué à l'allure normale.

Il est probable que le rendement normal d'un travailleur qualifié moyen, c'est-à-dire d'un travailleur qui possède l'intelligence et les aptitudes physiques requises pour l'exécution de sa tâche, a reçu une formation appropriée et acquis l'expérience nécessaire, n'apparaîtra comme tel que sur une période de plusieurs heures. Quiconque exécute un travail manuel fait en général ses gestes directement professionnels à son rythme naturel, qui peut être légèrement différent de l'allure normale, étant donné que certaines personnes travaillent plus vite que d'autres. Il faut, bien entendu, fixer des allures normales (ou des vitesses de mouvements) distinctes pour des activités différentes, compte tenu, entre autres choses, de la complexité ou de la difficulté de l'élément de travail étudié, si bien que travailler à l'allure normale ne signifie pas nécessairement garder continuellement la même vitesse de déplacement des mains ou des membres. De toute manière, il n'est pas rare que les ouvriers travaillent plus vite à certaines périodes de la journée qu'à d'autres. Le rendement normal n'est donc que rarement le résultat d'un travail effectué sans qu'il y ait la moindre variation de l'allure normale pendant toute la durée du poste, mais est plutôt le résultat cumulatif de périodes de travail exécutées à des cadences différentes.

Lorsque les normes de temps servent à la fixation de primes, nombreuses sont les conventions conclues entre syndicats et employeurs qui précisent que ces normes doivent être telles qu'un travailleur représentatif ou un travailleur qualifié moyen, rémunéré au rendement, puisse gagner 20 à 35 pour cent de plus que s'il était payé au

255

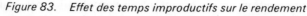

Figure 83. Effet des temps improductifs sur le rendement

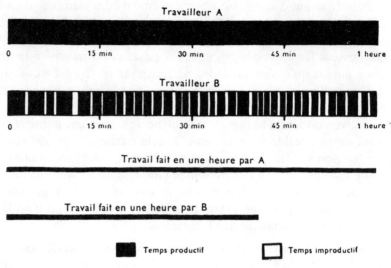

temps lorsqu'il réalise le rendement normal. Si le travailleur n'a ni objectif à atteindre ni stimulant qui lui fasse souhaiter accroître sa production il tolérera, indépendamment du temps qu'il peut perdre consciemment, l'intrusion de temps improductifs, qui ne dureront souvent que quelques secondes ou fractions de seconde, entre les éléments de son travail ou dans ces éléments. De ce fait, son rendement risque fort, au bout d'une heure environ, de retomber bien au-dessous du niveau de rendement normal. Si, en revanche, une prime suffisante l'incite à augmenter sa production, il ne voudra plus de ces petites périodes de temps improductif, et les intervalles entre ses mouvements productifs se resserreront. Cette attitude pourra également modifier la ligne de ses mouvements[1]. Le diagramme de la figure 83 met en évidence l'élimination de ces temps improductifs sous l'influence d'un stimulant approprié.

Pour comprendre ce qui se passe, nous prendrons le cas d'un tourneur qui doit, de temps à autre, calibrer la pièce en travail. Son calibre est placé à côté de lui, sur le casier à outils. S'il n'a aucune raison particulière de se hâter, il se tournera entièrement chaque fois qu'il aura besoin du calibre, reprendra sa position devant sa machine, calibrera la pièce et se retournera de nouveau pour remettre le calibre en place, tous ces mouvements étant effectués à sa cadence naturelle. Dès qu'il a un motif d'accélérer l'allure, il se contentera, au lieu de se tourner entièrement, de tendre le bras, en jetant peut-être un rapide coup d'œil pour voir exactement où se trouve le calibre, saisira l'instrument, calibrera la pièce et remettra le calibre à sa place d'un mouvement du bras, sans même regarder. Ni dans un cas ni dans l'autre il n'y aura arrêt délibéré du travail, mais, dans le second, certains mouvements — improductifs du point de vue de l'exécution de l'opération — auront été éliminés.

L'effet de l'application, pour l'ensemble d'un atelier ou d'une usine (par exemple les 500 travailleurs de la figure 82), d'un système de primes ressort de la figure 84.

---

[1] C'est ce que semblent confirmer les études de M. T. U. Matthew†, professeur à l'Université de Birmingham (Royaume-Uni).

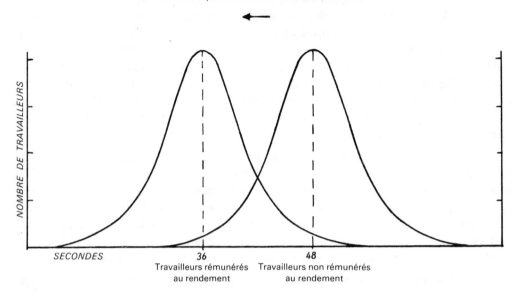

Figure 84. *Effet de la rémunération au rendement
sur le temps d'exécution d'une opération*

Stimuler la main-d'œuvre par une rémunération proportionnelle au rendement ne fera pas du travailleur non qualifié ou lent l'égal d'un exécutant qualifié ou naturellement rapide. Cependant, si tous les travailleurs d'un atelier bénéficient d'un système de primes bien compris, toutes autres conditions restant les mêmes, il en résultera que chacun d'eux tendra à travailler plus régulièrement. Les petites périodes de temps improductif dont nous avons parlé disparaîtront, et le temps moyen d'exécution de la tâche diminuera pour tous les travailleurs. (Il s'agit là, de toute évidence, d'un tableau schématisé à l'extrême, mais assez fidèle pour fournir une illustration valable.) La courbe de distribution normale de la figure 82 s'inscrira plus **à gauche** dans le système de coordonnées, tout en conservant à peu près la même forme. Tout cela ressort clairement de la figure 84, où le sommet de la courbe (le temps moyen) se place à 36 secondes au lieu de 48, faisant ainsi apparaître une diminution de 25 pour cent.

Il convient d'ajouter que, si l'allure normale est celle que le travailleur qualifié moyen soutient naturellement pour ses mouvements lorsqu'il est suffisamment motivé pour se donner à sa tâche, il est tout à fait possible et d'ailleurs bien normal qu'il dépasse, s'il le désire, cette allure. On s'apercevra que les exécutants adoptent, pendant de courtes périodes, un rythme de travail tantôt inférieur, tantôt supérieur à l'allure normale. C'est en travaillant pendant la durée du poste à des rythmes dont la moyenne est égale à l'allure normale que l'exécutant aura un rendement normal.

4. Comparaison de l'allure de travail observée
avec la norme

Comment peut-on convenablement comparer l'allure de travail observée avec la norme théorique? Par une longue pratique.

Revenons à notre marcheur de tout à l'heure. La plupart des gens seraient en état, si on le leur demandait, de juger l'allure à laquelle quelqu'un marche, et se mettraient à classer les vitesses en trois catégories: lente, moyenne ou rapide. Avec un peu de pratique, ils pourraient dire: «La vitesse est d'environ 4 kilomètres à l'heure, d'environ 6 kilomètres à l'heure, ou d'environ 8 kilomètres à l'heure.» Si une personne normalement douée se consacrait à observer des hommes marchant à des vitesses différentes, elle en arriverait bientôt à pouvoir préciser: «Celui-ci fait 4,5 kilomètres à l'heure, celui-là 7,5 kilomètres à l'heure», et ne se tromperait que de très peu. Mais, pour aboutir à pareille précision, l'observateur devrait garder présente à l'esprit une vitesse déterminée, à laquelle il comparerait les allures observées.

C'est exactement ce que fait l'agent d'étude du travail quand il procède à un jugement d'allure, mais, comme les opérations qu'il observe sont beaucoup plus complexes qu'une simple marche sans charge, sa formation exige beaucoup plus de temps. Les futurs agents d'étude du travail ne sont appelés à juger l'allure d'un marcheur qu'au cours des premières étapes de leur formation, car cette activité ne ressemble que de très loin à la plupart des tâches qu'ils auront à évaluer. On a donc préféré utiliser des films ou recourir à des démonstrations pratiques d'opérations industrielles.

La confiance dans la précision de son propre jugement ne peut s'acquérir que par une longue expérience pratique des divers types d'opérations. Or cette confiance est indispensable à l'agent d'étude du travail. Il lui faudra peut-être défendre son opinion dans des discussions avec la direction, les contremaîtres ou les représentants des travailleurs. Faute de pouvoir le faire avec assurance, il perdra vite la confiance de tous les intéressés et, en pareil cas, il fera tout aussi bien de changer de métier. C'est là une des raisons pour lesquelles les débutants peuvent entreprendre une étude des méthodes après une formation relativement brève, tandis qu'ils ne doivent jamais, sous aucun prétexte, tenter de fixer des normes de temps — sauf sous la direction de praticiens expérimentés — avant d'avoir acquis une longue pratique, surtout si les normes doivent servir à l'établissement de systèmes de primes.

5. Que juge-t-on?

Le jugement d'allure a pour objet de déterminer, d'après le temps mis effectivement par l'exécutant observé, le temps normal que le travailleur qualifié moyen peut respecter et qui offre une base réaliste pour l'élaboration des plans, les contrôles et la fixation des primes. Ce qui intéresse donc l'agent d'étude du travail, c'est la vitesse à laquelle l'exécutant effectue sa tâche et que l'agent doit comparer avec la vitesse qu'il estime «normale». En fait, la vitesse d'exécution du travail, telle qu'elle ressort des temps pris pour les divers éléments de l'opération, est la seule chose qui puisse être mesurée à l'aide du chronomètre. Les avis de la plupart des autorités en matière d'étude des temps concordent sur ce point.

Mais de quelle vitesse s'agit-il? Il ne s'agit certainement pas uniquement de la vitesse des mouvements, car un exécutant non qualifié peut faire des mouvements extrêmement rapides et, pourtant, prendre plus de temps pour accomplir une opération qu'un exécutant qualifié qui semble travailler sans hâte aucune. Le premier fera toute une série de mouvements inutiles que le deuxième aura supprimés depuis longtemps. Une seule chose compte: la **vitesse effective** d'exécution de l'opération. Seules l'expérience et une bonne connaissance des opérations observées peuvent apprendre à juger cette vitesse effective. Il est très facile, pour un agent d'étude inexpérimenté, de se laisser tromper par une succession de mouvements précipités au point de croire que l'exécutant travaille à une allure rapide, ou au contraire de sous-estimer le rythme de travail d'un ouvrier qualifié, chez lequel la lenteur apparente des mouvements est en réalité une grande économie de gestes.

L'évaluation de l'**effort** provoque des discussions sans fin dans les études du travail. Convient-il d'évaluer les efforts et, dans l'affirmative, comment faut-il procéder? Le problème se pose dès qu'il devient nécessaire d'étudier des tâches qui ne sont plus des travaux très légers n'exigeant que peu de force musculaire. L'effort est très difficile à évaluer. En général, le résultat de l'effort accompli ne se remarque que dans la vitesse.

L'ampleur de l'effort à accomplir et les difficultés rencontrées par l'exécutant doivent être appréciées par l'agent d'étude du travail à la lumière de sa connaissance du travail en cause. Si, par exemple, un ouvrier doit soulever un moule pesant pour l'enlever de la table de remplissage, le transporter à travers l'atelier et le déposer sur le sol près de la poche de coulée, seule l'expérience dira à l'observateur si l'intéressé travaille à une vitesse normale, supérieure à la normale ou inférieure à la normale. Celui qui n'a jamais étudié d'opérations nécessitant le transport d'objets pesants éprouvera beaucoup de difficultés à procéder à une évaluation la première fois qu'il observera un travail de ce genre.

Les opérations qui demandent de la **réflexion** — juger du fini lors du contrôle d'un produit, par exemple — sont extrêmement difficiles à apprécier. Il faut avoir une longue expérience de ce genre de travail avant de pouvoir faire des évaluations satisfaisantes. Un agent d'étude du travail inexpérimenté peut donc, en pareil cas, se rendre absolument ridicule et, de plus, risque de se montrer injuste envers des travailleurs consciencieux et d'un niveau supérieur à la moyenne.

Pour n'importe quelle tâche, l'observateur doit comparer la vitesse d'exécution avec sa propre conception de la vitesse normale pour le même type de travail. C'est là un argument de poids en faveur d'une étude judicieuse des méthodes, effectuée préalablement à toute tentative de fixation d'une norme de temps. En effet, l'agent d'étude du travail est mis ainsi en mesure de bien comprendre la nature de la tâche effectuée et, fréquemment, peut s'épargner certaines évaluations et certains efforts, rapprochant ainsi le jugement d'allure d'une simple évaluation de la vitesse.

Nous examinerons, dans la section suivante, quels sont les facteurs qui influent sur l'allure de l'exécutant.

6. Facteurs influant sur l'allure d'exécution du travail

Pour un élément donné, les variations des temps réels sont dues, soit à des facteurs qui échappent à la volonté de l'exécutant, soit à des facteurs sur lesquels celui-ci peut agir. Parmi les premiers, on peut citer:

☐ Les variations de la qualité et d'autres caractéristiques de la matière utilisée, même si elles restent dans les limites des tolérances prescrites.

☐ Les modifications intervenant dans l'efficacité des outils ou du matériel pendant leur durée de vie utile.

259

☐ Les changements mineurs et inévitables apportés aux méthodes ou aux conditions dans lesquelles s'effectue l'opération.

☐ Les variations de l'attention nécessaire à l'exécution de certains éléments.

☐ Les modifications survenant dans certaines conditions de climat et d'environnement: lumière, température, etc.

On peut en général tenir compte de ces facteurs en procédant à un nombre suffisant d'études, de façon à garantir la prise d'un échantillon représentatif des temps.

Parmi les facteurs sur lesquels l'exécutant peut agir, nous pouvons mentionner:

☐ Les variations acceptables de la qualité du produit.

☐ Les variations dues à l'habileté plus ou moins grande qu'il déploie.

☐ Les variations provenant de son attitude mentale, notamment de ses sentiments envers l'entreprise pour laquelle il travaille.

Les facteurs de cette deuxième catégorie peuvent influer sur les temps d'éléments de travail par la modification:

☐ soit de la séquence des mouvements de l'exécutant;

☐ soit de sa cadence de travail;

☐ soit de l'une et de l'autre, dans des proportions variables.

L'agent d'étude du travail doit donc concevoir clairement quelle devrait être la séquence des mouvements d'un travailleur qualifié, et comment cette séquence pourrait être modifiée pour répondre aux diverses conditions dans lesquelles l'exécutant peut se trouver. Les travaux à caractère extrêmement répétitif qui s'effectueront vraisemblablement pendant de longues périodes devraient avoir été étudiés dans le détail, à l'aide des techniques raffinées de l'étude des méthodes, et les exécutants devraient avoir reçu une formation judicieuse de façon à connaître, pour chaque élément, les séquences de mouvements appropriées.

L'allure optimum de travail dépend:

☐ de l'effort physique exigé par le travail;

☐ du soin que l'exécutant doit apporter à sa tâche;

☐ de sa formation et de son expérience.

Un effort physique accru tend à ralentir l'allure. La facilité avec laquelle l'effort peut être accompli influe aussi sur la cadence. Ainsi, un effort demandé dans des conditions telles que l'exécutant ne peut pas déployer sa force avec le maximum d'aisance sera accompli beaucoup plus lentement qu'un effort tout aussi grand, mais fourni sans que rien vienne gêner le travailleur (par exemple pousser une automobile avec une main appuyée sur le volant, le bras glissé par la portière, ou, au contraire, pousser la voiture par-derrière). Il faut veiller à bien faire la distinction entre un ralentissement de l'allure dû à l'effort et un ralentissement dû à la fatigue.

Lorsqu'on est en présence d'un élément de travail pendant lequel l'exécutant est lourdement chargé et doit donc fournir, sans le relâcher, un effort physique considérable, il est peu probable que le travailleur adopte une allure autre que l'allure la plus rapide que sa constitution physique lui permet. Dans ces conditions, le jugement d'allure peut être superflu: on peut se contenter de déterminer la moyenne des temps réels sur un nombre approprié d'observations. Ce point a été clairement mis en évidence lors d'une étude du BIT en Inde qui portait sur des opérations de terrassement. Les travailleurs — des hommes, des femmes et des jeunes — transportaient sur la tête jusqu'à 38 kg de terre dans un panier en osier. Avec 38 kg sur la tête, il n'est pas question de flâner; le travailleur est pressé d'arriver à destination et de se débarrasser de son fardeau, et accomplit donc sa tâche aussi rapidement qu'il le peut. Pour cela, il raccourcit ses enjambées et marche à petits pas très rapides, donnant presque l'impression de vouloir à tout moment se mettre au trot. Or le chronométrage montra que le temps mis pour effectuer le parcours avec le panier rempli de terre était nettement plus long que le temps pris pour effectuer sans se presser le trajet de retour à vide, de sorte qu'un agent d'étude peu au courant de l'effort nécessité par l'opération aurait pu facilement émettre des jugements d'allure erronés. En fait, les jugements d'allure étaient superflus pour les trajets effectués avec le panier chargé, sauf lorsqu'il se produisait des imprévus. On rencontre dans l'industrie le même genre d'éléments de travail pendant lesquels l'exécutant est lourdement chargé, lorsqu'il faut, par exemple, transporter des sacs, les soulever ou les jeter pour les empiler sur des tas. Ces opérations ont toutes les chances d'être effectuées à l'allure la plus rapide que sa constitution physique permet au travailleur.

L'allure diminuera si le travailleur doit apporter plus de soin à l'exécution d'un élément (par exemple, s'il doit enfoncer une cheville ayant les côtés parallèles, il procédera plus soigneusement que s'il doit introduire une cheville conique).

Les maladresses et les hésitations d'un travailleur constituent des facteurs que l'agent d'étude doit apprendre à reconnaître et à prendre en compte. L'habileté et la dextérité naturelles d'un ouvrier, combinées à la formation et à l'expérience, réduisent les variations mineures dans la méthode employée (maladresses) et aussi les hésitations. On peut tenir compte des écarts minimes par rapport à la méthode normale en formulant un jugement d'allure légèrement inférieur, mais les maladresses et les hésitations sont généralement l'indice qu'un complément de formation est nécessaire.

L'agent d'étude doit veiller à ne pas surévaluer l'allure lorsque:

☐ le travailleur est préoccupé ou paraît pressé;

☐ le travailleur est manifestement trop méticuleux;

☐ le travail semble difficile à l'agent d'étude;

☐ l'agent d'étude lui-même opère très vite, par exemple lorsqu'il enregistre un élément de travail très court.

Inversement, l'agent d'étude risque de sous-évaluer l'allure lorsque:

☐ le travailleur donne l'impression que sa tâche est facile;

☐ le travailleur effectue des mouvements réguliers et rythmés;

☐ le travailleur ne s'arrête pas pour réfléchir aux moments que prévoyait l'agent d'étude;

☐   le travailleur accomplit une tâche manuelle pénible;

☐   l'agent d'étude est lui-même fatigué.

L'agent d'étude du travail doit prendre tous ces facteurs en considération. Le jugement d'allure est beaucoup plus facile si l'on a tout d'abord procédé à une bonne étude des méthodes au cours de laquelle les activités demandant des qualifications ou des efforts spéciaux ont été réduites au minimum. Plus la méthode a été simplifiée, moins il y aura lieu d'apprécier la part qui revient à l'habileté professionnelle, et plus le jugement d'allure se ramènera à une simple évaluation de la vitesse de travail.

7. Echelles d'évaluation

Afin de pouvoir comparer effectivement l'allure de travail observée et la norme, il est indispensable de disposer d'une échelle numérique permettant de chiffrer l'appréciation. Le jugement d'allure sera alors un coefficient ou facteur par lequel on pourra multiplier le temps observé pour obtenir le temps de base, c'est-à-dire le temps qui serait nécessaire au travailleur qualifié moyen pour effectuer l'élément de travail considéré à l'allure normale, pour autant qu'il soit suffisamment motivé pour se donner à sa tâche.

On utilise diverses échelles d'évaluation, dont les plus courantes sont les échelles 100-133, 60-80, 75-100, et l'échelle 0-100 de la British Standards Institution, qui est adoptée comme étalon dans notre ouvrage et qui est en fait une nouvelle version de l'échelle 75-100. L'annexe 4 indique la définition de l'allure de référence 100 selon la méthode du Bureau des temps élémentaires (BTE).

Le tableau 17 donne des exemples d'allures de travail chiffrées d'après les diverses échelles que nous venons de mentionner.

Dans les échelles 100-133, 60-80 et 75-100, le chiffre inférieur représente l'allure de travail d'un exécutant payé au temps; le chiffre supérieur (d'un tiers dans chaque cas) représente l'allure de travail que nous avons appelée l'allure normale, c'est-à-dire celle d'un travailleur qualifié qui est suffisamment motivé pour se donner à sa tâche, par exemple grâce à un système de primes. Ces échelles reposent donc sur l'hypothèse que les travailleurs payés au rendement ont une productivité supérieure, en moyenne, d'un tiers à celle des autres. Cette hypothèse est confirmée par des années d'expérience concrète, mais elle n'a guère sa place lorsqu'il s'agit de construire une échelle d'évaluation. Toutes les échelles sont linéaires. Il n'est donc pas nécessaire de désigner sur l'échelle un point intermédiaire entre zéro et la valeur numérique attribuée à l'allure normale telle que nous l'avons définie. Quelle que soit l'échelle utilisée, les normes de temps finales qui en seront tirées devront être équivalentes, car le travail en soi ne change pas, même si l'on utilise des échelles différentes pour évaluer l'allure à laquelle il est exécuté.

La nouvelle échelle 0-100 présente toutefois de grands avantages qui ont conduit à son adoption au Royaume-Uni. Nous l'utilisons dans tous les exemples qui suivent. Dans cette échelle, 0 représente l'activité nulle et 100 l'allure de travail normale de l'exécutant qualifié et motivé, c'est-à-dire l'allure de référence.

Tableau 17.   Exemples de différentes allures de travail
selon les principales échelles d'évaluation

Echelles				Description de l'allure	Vitesse de marche comparable[1] (km/h)
60-80	75-100	100-133	**0-100** **Etalon**		
0	0	0	0	Activité nulle.	
40	50	67	**50**	Très lente; mouvements maladroits et hésitants; l'exécutant semble être à moitié endormi et ne pas s'intéresser à sa tâche	3,2
60	75	100	**75**	Mesurée, sans hâte, comme celle d'un travailleur non rémunéré aux pièces, sous surveillance appropriée; paraît lente, mais aucun gaspillage de temps délibéré pendant l'observation	4,8
80	100	133	**100** (Allure de référence)	Gestes vifs et précis d'un travailleur qualifié moyen rémunéré aux pièces; les normes prescrites de qualité et de précision sont atteintes sans hésitation	6,4
100	125	167	**125**	Très rapide; l'exécutant fait preuve d'une assurance, d'une dextérité et d'une coordination des mouvements bien supérieures à celles d'un travailleur moyen expérimenté	8,0
120	150	200	**150**	Exceptionnellement rapide; l'allure demande un effort et une concentration intenses et ne pourra vraisemblablement pas être soutenue longtemps; performance de «virtuose», à laquelle seuls quelques travailleurs remarquables peuvent prétendre	9,6

[1] Vitesse atteinte par un homme de taille et de force physique moyennes, libre de tout fardeau, marchant en ligne droite sur un sol uni, sans pente et dépourvu d'obstacles. Voir Barnes: *Etude des mouvements et des temps, op. cit.*, p. 425, et Jean Gerbier: *Organisation. Méthodes et techniques fondamentales*, Aide-mémoire Dunod (Paris, Bordas, 1975).

Source: Librement adapté d'un tableau publié par l'Engineering and Allied Employers (West of England) Association, Department of Work Study.

8. Comment employer le facteur d'allure

Le nombre 100 correspond au rendement normal. Si l'agent d'étude du travail estime que l'allure d'exécution de l'opération qu'il observe n'atteint pas le niveau qu'il juge normal, il choisira un facteur inférieur à 100, par exemple 90, ou tout autre chiffre qu'il estimera juste. Si, en revanche, il pense que l'allure du travailleur dépasse le niveau normal, il prendra pour facteur un chiffre supérieur à 100, par exemple 110, 115 ou 120.

La pratique habituelle consiste à arrondir l'évaluation au multiple de 5 le plus proche: si l'agent estime que l'allure dépasse de 13 pour cent le niveau normal, il inscrira donc sur l'échelle 115 comme facteur d'allure. Durant leurs premières semaines de stage, c'est au multiple de 10 le plus proche que les agents d'étude, faute d'entraînement, devront probablement arrondir leurs évaluations.

Si les jugements d'allure de l'agent d'étude étaient toujours parfaitement exacts, le résultat, quel que soit le nombre de jugements d'allure et de chronométrages du même élément, serait le suivant:

$K = T_0 \times F_A$

Temps observé × Facteur d'allure = Constante

pour autant que l'élément observé appartienne à la catégorie précédemment décrite des constants (voir section 6 du chapitre précédent) et qu'il soit toujours effectué de la même manière.

Voici ce que donne un exemple numérique:

Cycle	Temps observé (minute décimale)		Facteur d'allure		Constante
1	0,20	×	100	=	0,20
2	0,16	×	125	=	0,20
3	0,25	×	80	=	0,20

et ainsi de suite.

Le lecteur pourra s'étonner de voir dans cet exemple que $0,20 \times 100 = 0,20$ et non 20. Il convient toutefois de se rappeler que l'allure n'est jamais évaluée absolument, mais qu'elle l'est par rapport à l'allure de référence (100), de sorte que, lors du calcul du temps modifié, le facteur d'allure est le numérateur d'une fraction dont l'allure de référence est le dénominateur; pour l'échelle « 100 = allure de référence », nous obtenons donc un pourcentage. Ce pourcentage, multiplié par le temps observé, donne, pour l'élément, le «temps de base».

$$\text{Temps observé} \times \frac{\text{Facteur d'allure}}{\text{Allure de référence}} = \text{Temps de base}$$

Par exemple:

$$0,16 \text{ minute} \times \frac{125}{100} = 0,20 \text{ minute.}$$

Le temps de base (0,20 minute dans notre exemple) représente le temps qu'il faudrait pour effectuer l'élément de travail (d'après le jugement de l'observateur) si l'exécutant travaillait à l'allure normale et non à la vitesse plus rapide qui a été effectivement observée.

En revanche, si l'on avait jugé que l'exécutant travaillait plus lentement que la normale, on aurait abouti à un temps de base inférieur au temps observé, par exemple:

$$0,25 \text{ minute} \times \frac{80}{100} = 0,20 \text{ minute.}$$

Dans la réalité, il est très rare que le produit du temps observé par le facteur d'allure soit absolument constant lorsqu'on fait entrer en ligne de compte un grand nombre de lectures, et cela pour diverses raisons, dont:

☐ les variations du contenu de travail de l'élément;

☐ les inexactitudes de lecture et d'enregistrement des temps observés;

☐ les inexactitudes dans le jugement d'allure;

□ les variations dues au fait que le facteur a été arrondi au multiple de 5 le plus proche.

9. Enregistrement du jugement d'allure

Nous avons examiné assez longuement la théorie du jugement d'allure et nous sommes désormais en mesure d'entreprendre une étude complète.

En général, chaque élément d'activité doit être évalué pendant qu'il est accompli et **avant l'enregistrement du temps,** sans qu'il soit tenu compte des éléments précédents ni des éléments suivants. Il n'y a pas lieu de prendre en considération la fatigue, puisque la majoration de repos sera évaluée séparément (voir chap. 18).

Pour les éléments et les cycles très brefs, cette évaluation peut se révéler difficile. S'il s'agit d'un travail répétitif, on peut procéder à une évaluation pour chaque cycle ou pour l'ensemble. C'est ce que l'on fait lorsqu'on utilise la feuille de chronométrage pour cycle court reproduite à la figure 77 (p. 225).

Il importe au plus haut point de procéder aux jugement d'allure pendant l'exécution de l'élément de travail et d'enregistrer le résultat avant que le temps ait été noté. Sans cela, on courrait un très grand risque de voir l'évaluation influencée par les temps et les facteurs d'allure précédemment enregistrés pour le même élément. C'est pourquoi la colonne «facteur d'allure» est placée à gauche de la colonne «lecture du chronomètre» dans la feuille de chronométrage reproduite aux figures 75 et 76. La méthode du chronométrage cumulatif offre peut-être un avantage supplémentaire en ce sens que le temps élémentaire n'apparaît sous la forme d'un chiffre porté séparément sur la feuille de chronométrage que lorsque les soustractions ont été effectuées au bureau d'étude. S'il apparaissait immédiatement, il pourrait influencer le jugement d'allure ou donner à l'agent d'étude du travail la tentation de «juger l'allure au chronomètre».

Le jugement d'allure consiste à évaluer, pour un élément donné, la vitesse d'exécution par rapport à une allure de référence. Plus l'élément est long, plus il devient difficile, pour l'agent d'étude du travail, de juger en fonction de cette moyenne. C'est là un argument puissant en faveur du choix d'éléments courts, sous réserve des conditions dont nous avons fait état au chapitre 16. Dans le cas d'éléments de longue durée, il faut évaluer l'allure toutes les demi-minutes, même lorsqu'on les chronomètre comme un tout entre le top initial et le top final.

Il apparaît, à l'usage, que l'on obtient un résultat final suffisamment précis avec des facteurs d'allure arrondis au multiple de 5 le plus proche. Une précision supérieure ne peut être atteinte qu'à la suite d'une longue formation et avec beaucoup de pratique.

Nous pouvons maintenant revenir aux feuilles d'observations des figures 75 et 76. Nous venons de voir comment on remplit deux de leurs colonnes, à savoir celles qui sont intitulées «LC» (lecture du chronomètre) et «FA» (facteur d'allure), les deux chiffres devant figurer sur la même ligne.

L'agent d'étude du travail continue de noter les indications lues sur son chronomètre pendant un nombre suffisant de cycles, puis il laisse courir le chronomètre jusqu'à ce qu'il puisse comparer le temps écoulé avec l'heure donnée par la pendule qui lui a déjà servi à relever l'heure du déclenchement du chronomètre. L'heure précise de la «fin» de l'étude peut alors être relevée et enregistrée. L'étude est donc terminée. L'agent d'étude du travail prend alors congé de l'exécutant en le remerciant de sa collaboration. Il lui faut maintenant calculer le temps de base pour chaque élément. Nous examinerons dans le chapitre suivant cette nouvelle phase de sa tâche.

Chapitre 18
Etude des temps: de l'étude au temps normal

1. Récapituler l'étude

Au stade que nous atteignons maintenant, l'agent d'étude a terminé ses observations sur le lieu de travail et est rentré au bureau d'étude avec ses relevés. Il ne fait aucun doute qu'il procédera ultérieurement à de nouvelles observations de la même tâche ou opération, effectuée par des exécutants différents, mais, pour le moment, nous nous bornerons à examiner comment il dépouille les observations qu'il vient de recueillir et comment il inscrit les résultats obtenus sur la **feuille d'analyse**. Dans la suite de ce chapitre, nous verrons comment on détermine les temps normaux à partir des indications portées sur cette feuille d'analyse.

Jusqu'à présent, toutes les indications qui figurent sur la feuille de chronométrage (fig. 75) et les feuilles de relevé des temps (fig. 76) ont été inscrites au crayon. Outre les détails indiqués dans les rubriques d'en-tête de la feuille de chronométrage, on a noté le temps «Avant», qui est le premier des temps notés, le temps «Après», qui est le dernier, et deux inscriptions pour chaque chronométrage effectué: le facteur d'allure et la lecture du chronomètre proprement dite. Tous les facteurs d'allure figurent dans la colonne intitulée «FA» et se présentent sous la forme de nombres terminés par zéro ou cinq tels que 95, 115, 80, 100, 75, 105, etc. Toutefois, tant que l'agent d'étude n'aura pas acquis une longue habitude de son travail, il devra limiter la précision de ses appréciations aux dizaines, et la colonne FA comportera alors des nombres tels que 80, 90, 100, etc. Dans la colonne suivante, intitulée «LC», sont notées les lectures du chronomètre en minutes décimales. Etant donné que ces lectures ont été effectuées à des intervalles inférieurs ou égaux à 30 secondes (les éléments longs étant chronométrés et évalués toutes les demi-minutes pendant toute la durée de l'élément et au top final), la plupart des nombres figurant dans cette colonne ne comportent que deux chiffres, un nombre de trois chiffres intervenant chaque fois qu'une minute entière s'est écoulée. On omet habituellement la virgule indiquant les décimales, ce qui raccourcit le travail d'écriture et, dans la pratique, ne donne lieu à aucune ambiguïté.

Supposons que le temps «Avant» était de 2,15 minutes (c'est-à-dire que l'observateur a procédé à un premier chronométrage de l'élément 2,15 minutes après avoir déclenché son chronomètre au bureau d'étude). Le premier temps de l'étude proprement dite est donc 215. Le nombre suivant sera, par exemple, 27, ce qui signifie qu'on a lu le chronomètre 2,27 minutes après l'avoir déclenché. Si, dans la colonne LC, figurent ensuite les nombres 39, 51 et 307, cela signifie que l'agent d'étude a lu le chronomètre 2,39, 2,51 et 3,07 minutes après l'avoir déclenché. Cette énumération de nombres de deux ou trois chiffres se poursuivra jusqu'à ce que dix minutes se soient écoulées. La lecture suivante comportera quatre chiffres. La plupart des agents d'étude reviennent ensuite aux inscriptions à deux et à trois chiffres jusqu'à ce que dix minutes se soient de nouveau écoulées. Des nombres de quatre chiffres ne sont donc employés que pour la première observation de chaque période de dix minutes. L'étude se terminera avec l'inscription du temps «Après» au bas de la colonne LC et de l'heure de la «Fin» de l'étude dans la case prévue à cet usage sur l'en-tête de la feuille de chronométrage. En parcourant les feuilles, on pourra trouver çà et là des lectures du chronomètre non accompagnées d'un jugement d'allure, qui correspondent à l'observation de retards ou d'arrêts de l'opération. On ne peut naturellement pas évaluer l'allure de ces phénomènes puisqu'ils ne constituent pas un travail.

On devrait adopter pour règle de ne jamais effacer et modifier l'un de ces nombres écrits au crayon. Il peut arriver qu'une étude contienne une erreur flagrante que l'on peut corriger sans remettre en question la valeur de l'étude. Dans ce cas, la correction doit être faite à l'encre en surchargeant l'inscription initiale au crayon. De cette façon, on pourra toujours constater ultérieurement qu'il s'agit d'un changement apporté au bureau d'étude et non sur le lieu des observations. Chaque fois qu'une étude contient une erreur que l'on ne sait pas bien comment corriger, il faut négliger complètement la partie incriminée de l'étude. Il peut même être nécessaire de détruire l'étude et de la refaire.

Il est préférable d'exécuter tous les travaux d'écriture ultérieurs sur les feuilles d'étude soit à l'encre soit au crayon, mais en utilisant alors une couleur différente de celle qui a été employée pour les enregistrements initiaux. De nombreux bureaux d'étude des temps font aussi de cette pratique une règle absolue. Il ne peut ainsi y avoir aucune confusion entre l'enregistrement des observations directes et le résultat des calculs ultérieurs. Cette pratique, qui permet de traiter méthodiquement les données enregistrées, contribue également à préserver la confiance des travailleurs et de leurs représentants parce qu'elle interdit toute irrégularité lors du dépouillement des études.

2. Préparer la feuille de récapitulation

Comme nous le verrons un peu plus loin, une bonne part du travail qu'il faut effectuer avant de commencer à remplir la feuille de récapitulation se réduit à des calculs relativement simples qui peuvent être effectués par un employé de bureau pendant que l'agent d'étude se consacre à d'autres tâches. Toutefois, au début de sa carrière, l'agent d'étude fera de préférence toutes les opérations de dépouillement lui-même jusqu'à ce qu'il soit parfaitement au courant de toutes les méthodes utilisées et puisse ainsi non seulement expliquer à l'employé ce qu'il doit faire, mais aussi vérifier ses calculs facilement et rapidement. Il peut être bon de fournir à l'employé une machine à calculer, afin de réduire le nombre d'erreurs et d'accroître le volume d'informations utiles que l'on peut tirer de l'étude.

La première étape consiste à compléter l'en-tête de la feuille de récapitulation (fig. 80), en y inscrivant, proprement et à l'encre, toutes les indications portées sur la feuille de chronométrage. A partir de l'heure de la fin et de l'heure du début de l'étude, on calcule la «durée», que l'on inscrit dans la case prévue. Lorsqu'on a utilisé la méthode du chronométrage cumulatif, la durée doit évidemment coïncider avec la dernière lecture du chronomètre. Si tel n'est pas le cas, la seule explication possible est qu'il s'est produit une erreur qu'il faut immédiatement déceler. Il ne sert à rien de poursuivre le dépouillement tant que ce point n'a pas été éclairci, car une erreur grave peut enlever toute valeur à l'étude et obliger à tout recommencer. En soustrayant de la «durée» le «temps de contrôle» total (la somme de «Avant» et de «Après»), on obtient le «temps net». Ce dernier doit concorder avec la somme de tous les temps observés lorsqu'on a utilisé la méthode du chronométrage avec retour à zéro ou avec la somme de tous les temps soustraits si l'on a procédé à un chronométrage cumulatif. Dans le cas d'un chronométrage avec retour à zéro, il faut procéder à ce contrôle avant de poursuivre; pour ce faire, on additionnera tous les temps élémentaires enregistrés et on comparera le total obtenu au temps net. Il est peu probable qu'il y ait concordance absolue pour les raisons indiquées plus haut, mais l'écart entre ces deux résultats ne devrait pas excéder ± 2 pour cent. Si la différence est plus importante, certains services d'étude ont pour règle de rejeter le travail et de recommencer les observations.

Lorsqu'on a procédé par chronométrage cumulatif, il n'est pas possible d'effectuer ce contrôle tant que les temps soustraits n'ont pas été calculés et totalisés. La comparaison sert alors au contrôle de la précision des soustractions. Toute erreur doit être étudiée et corrigée avant les conversions.

L'étape suivante consiste à dresser sur la partie principale de la feuille de récapitulation la liste de tous les éléments répétitifs observés, dans l'ordre où ils se sont succédé. L'agent d'étude note les tops utilisés au verso de la feuille de récapitulation.

Certains de ces éléments répétitifs peuvent être des éléments variables, qu'on ne peut pas traiter comme les éléments constants. On reprend donc ces éléments variables dans une nouvelle liste qui figurera sous l'énumération complète des éléments répétitifs. Sous cette nouvelle liste, l'agent d'étude énumérera ensuite tous les éléments occasionnels observés, y compris les éléments de travail imprévus qui sont effectivement intervenus au cours de l'étude. Enfin, sous ces derniers, il dressera la liste de tous les éléments étrangers et des temps improductifs. Lorsque toutes ces inscriptions seront terminées, il disposera d'une formule permettant l'enregistrement condensé de tout ce qui a été observé durant l'étude.

INSCRIRE LES FRÉQUENCES

L'étape suivante consiste à noter la fréquence de chaque élément; on le fait en regard de sa description sur la feuille de récapitulation. Les éléments répétitifs, par définition, se produisent au moins une fois lors de chaque cycle de l'opération de sorte qu'il faudra inscrire, en face de ce type d'élément, des indications telles que 1/1 ou 2/1, etc., pour signaler que l'élément se produit une fois par cycle (1/1), deux fois (2/1), etc. Les éléments occasionnels (par exemple l'élément «affûtage des outils») peuvent ne se présenter qu'une fois tous les 10 ou 50 cycles. Dans ce cas, les indications de fréquence seront par exemple 1/10 ou 1/50. Ces inscriptions figurent dans la colonne F de la feuille de récapitulation.

3. Calcul du temps de base

L'agent d'étude est maintenant arrivé au terme des opérations préliminaires: il a complété l'en-tête de la feuille de récapitulation, dressé les listes d'éléments, noté les fréquences, et (si cela est nécessaire) il a tracé un croquis bien clair de l'implantation du poste de travail au verso de la feuille (le cas échéant, il est beaucoup plus rapide et plus économique d'utiliser un modèle simple d'appareil photographique à développement instantané; dans ce cas, il est généralement nécessaire d'inclure sur la photographie une échelle rudimentaire des distances, en plaçant par exemple dans le champ de l'appareil une règle sur laquelle on a peint des bandes colorées de 1 centimètre. Ensuite, il faut que l'agent d'étude procède aux calculs qui doivent être effectués sur les feuilles d'observations mêmes avant de pouvoir continuer la récapitulation de son étude. Les résultats de ses calculs seront notés sur les feuilles d'observations, à l'encre ou à l'aide d'un crayon d'une couleur différente de celle qui a été utilisée pour enregistrer les observations faites au poste de travail.

S'il a effectué un chronométrage avec retour à zéro, l'agent d'étude peut passer immédiatement aux conversions. Par contre, s'il a utilisé la méthode du chronométrage cumulatif, il lui faut d'abord soustraire chaque lecture du chronomètre de la lecture **suivante,** afin d'obtenir le temps observé pour chaque élément. Ces temps doivent être appelés «temps soustraits» plutôt que «temps observés», eu égard à leur mode d'obtention. On les inscrit sur la feuille de chronométrage ou sur les feuilles de relevé, dans la troisième colonne, qui est intitulée «TS». Les temps soustraits calculés à partir du chronométrage cumulatif sont bien entendu égaux aux temps observés qui sont notés directement sur le lieu de travail lors d'un chronométrage avec retour à zéro; aussi, par souci de simplicité, nous ne parlerons, dans la suite de ce chapitre, que

Figure 85. *Effet de la conversion sur le temps d'un élément*

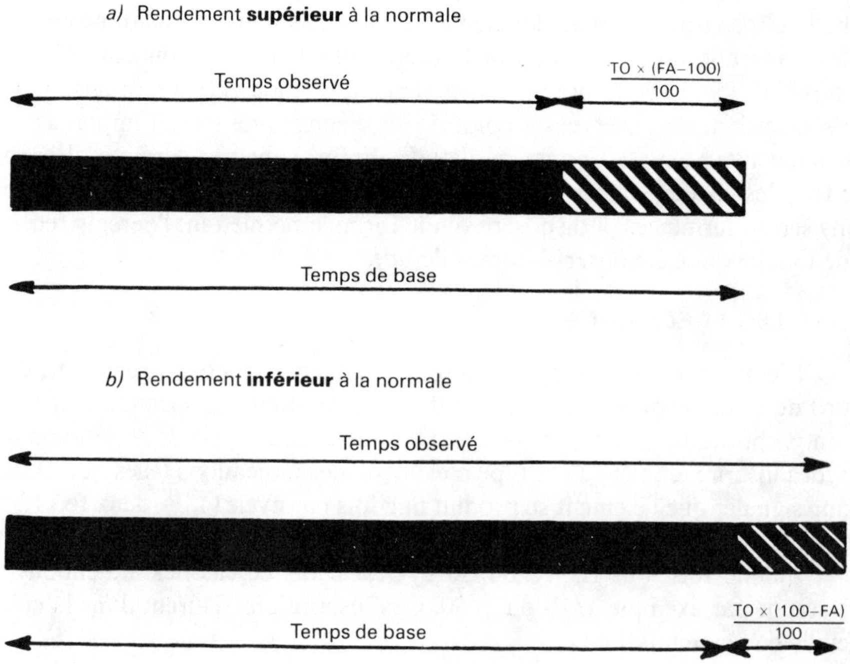

a) Rendement **supérieur** à la normale

Temps observé

$$\frac{TO \times (FA-100)}{100}$$

Temps de base

b) Rendement **inférieur** à la normale

Temps observé

$$\frac{TO \times (100-FA)}{100}$$

Temps de base

de « temps observés », étant entendu qu'il peut s'agir indifféremment de temps sous-traits ou de temps directement observés.

L'étape suivante consiste à convertir chaque temps observé en un temps de base, et à inscrire le résultat de cette opération dans la colonne intitulée « TB ».

> **Le temps de base est le temps d'exécution d'un élément de travail à l'allure de référence et est donc égal à :**
>
> $$\frac{\text{Temps observé} \times \text{Allure observée}}{\text{Allure de référence}}$$
>
> **La conversion est le calcul du temps de base à partir du temps observé**

La figure 85 représente l'effet de la conversion en temps de base du temps observé pour un élément.

4. Le temps retenu

> **Le temps retenu est le temps choisi comme représentatif d'un groupe de temps correspondant à un élément ou à un groupe d'éléments. Ces temps peuvent être soit des temps observés soit des temps de base et doivent être désignés sous le nom de temps observés retenus ou de temps de base retenus**

ÉLÉMENTS CONSTANTS

En théorie, tous les temps de base calculés pour un même élément constant devraient être identiques ; mais, pour les raisons que nous avons indiquées au chapitre 17, il en est rarement ainsi. Il est indispensable de choisir, parmi tous les temps de base inscrits sur les feuilles d'observations, un temps représentatif pour chaque élément. Ce dernier sera ensuite noté sur la feuille de récapitulation, en regard de la description de l'élément correspondant et sera reporté ultérieurement sur la feuille d'analyse des études, en tant que résultat final de l'étude, du moins en ce qui concerne cet élément particulier.

Les calculs à faire pour obtenir les temps de base retenus s'effectuent sur la feuille de dépouillement. Comme nous l'avons vu au chapitre 15, on utilise habituellement pour ces opérations de simples feuilles de papier rayé (ou de papier quadrillé s'il s'agit d'éléments variables), sans faire imprimer de formules spéciales. Une fois remplies, les feuilles de dépouillement sont agrafées aux feuilles d'observations et classées

271

avec elles. On peut gagner beaucoup de temps et améliorer considérablement la précision des résultats en utilisant une calculatrice de poche ou une machine à calculer.

On peut employer différentes méthodes pour étudier et choisir le temps de base représentatif pour un élément constant. La plus courante peut-être, et, à bien des égards, souvent la plus satisfaisante, consiste à faire la moyenne arithmétique des temps élémentaires obtenus, en additionnant tous les temps de base calculés et en divisant leur somme par le nombre d'enregistrement de l'élément considéré. Toutefois, avant d'effectuer ce calcul, on dresse habituellement la liste de tous les temps de base calculés pour l'élément, on l'étudie attentivement et on entoure d'un cercle tous les temps manifestement trop longs ou trop courts par rapport à la normale. Ces temps, que l'on appelle temps aberrants, doivent être soigneusement examinés.

Un temps exceptionnellement long peut être dû à une erreur de chronométrage. Dans le cas d'un chronométrage cumulatif, on décèlera ce genre d'erreur en examinant l'étude, parce qu'un temps anormalement long pour un élément entraîne automatiquement une diminution du temps enregistré pour l'élément suivant. Une erreur dans les calculs de conversion peut aussi expliquer un temps trop long. Mais, les erreurs mises à part, ce sont sans doute les variations de la matière à usiner ou d'un autre aspect de la méthode de travail qui sont la cause la plus fréquente des temps excessivement longs, du fait qu'elles ont accru le contenu de travail lors de l'enregistrement considéré. Il est alors indispensable d'établir la cause et de déterminer si elle est susceptible de se produire fréquemment ou bien très rarement. Dans le deuxième cas, on exclut habituellement le temps de base de l'élément du total dont on a tiré la moyenne, puis, après avoir recalculé la moyenne pour l'élément, on transfère les temps en excédent de la moyenne dans la liste des éléments occasionnels et imprévus qui ont pu être observés et enregistrés au cours de l'étude. De cette façon, on tient entièrement compte du temps supplémentaire, mais en le traitant comme un phénomène exceptionnel ou imprévu, ce qu'il est réellement. Par contre, lorsque de petites variations du contenu de travail d'un élément se produisent fréquemment, il est nettement préférable de n'exclure aucun calcul lorsqu'on établit la moyenne. Si elles sont fréquentes, les petites variations doivent toujours être considérées par l'agent d'étude comme des signaux d'alarme. Lorsqu'elles sont inévitables, elles signifient pour le moins que l'étude devra être poursuivie jusqu'à ce qu'on ait recueilli un grand nombre d'observations sur l'élément considéré, afin d'obtenir une moyenne de tous les temps de base suffisamment représentative. Toutefois, ces variations indiquent très souvent qu'il faut procéder à une autre étude de l'opération afin de déterminer la raison des variations et, si la chose est possible, de la supprimer.

Des temps anormalement courts devront également être examinés avec le plus grand soin. Eux aussi peuvent être imputables à une erreur de l'agent d'étude. Mais ils peuvent également indiquer qu'une légère amélioration de la façon de procéder a été adoptée au moment où l'on enregistrait ce temps exceptionnellement bref. Si tel était bien le cas, il conviendrait de réétudier l'opération en accordant une attention toute particulière aux méthodes de travail utilisées.

La ligne de conduite que nous venons de tracer est valable pour autant que les temps anormaux restent très rares ou, dans le cas contraire, qu'ils n'aient qu'un caractère mineur. Des variations importantes et fréquentes indiquent que l'élément n'est pas constant, mais variable, et qu'il doit donc être traité comme tel.

Lors d'une étude des temps portant sur une opération qui consistait à contrôler un livre et à le recouvrir d'une jaquette en papier, un élément avait été décrit dans les termes suivants: «Prendre un livre, contrôler, parapher le rabat arrière de la jaquette (top final: livre fermé).» Cet élément fut observé trente et une fois et les temps de base calculés en minutes se présentèrent comme suit:

Minutes de base

27	26	28
26	25	25
27	29	27
27	28	27
26	28	26
27	27	25
26	27	26
25	26	26
26	27	(49) (Partie défectueuse)
27	26	26
		28

Nous constatons qu'un des nombres ci-dessus a été entouré d'un cercle; en effet, le temps de base de 0,49 minute a été relevé lorsque l'exécutant a trouvé un livre défectueux, l'a examiné puis rejeté. Si l'on exclut ce temps, le total des trente temps de base restants s'élève à 7,97 minutes, soit une moyenne de 0,266 minute pour l'élément. A ce stade des opérations de dépouillement, on inscrirait le nombre 266 sur la feuille de récapitulation et on le reporterait sur la feuille d'analyse des études; toutefois, au stade terminal des calculs, le temps de base finalement retenu pour l'élément serait arrondi aux deux premières décimales, soit, dans le cas présent, à 0,27 minute. Le travail excédentaire correspondant au temps entouré d'un cercle (0,49−0,27 = 0,22) serait enregistré avec les imprévus.

Ce mode de sélection par calcul de la moyenne est facile à enseigner et à comprendre, et les agents d'étude comme les travailleurs l'acceptent sans difficulté. Lorsque le nombre total des observations concernant un élément est relativement limité, la sélection par calcul de la moyenne donne habituellement un résultat plus exact que toute autre méthode. Toutefois, elle nécessite un travail d'écritures considérable lorsqu'il faut traiter un grand nombre d'observations, tout particulièrement si des éléments courts ont été enregistrés à de très nombreuses reprises. C'est pour cette raison que l'on a mis au point d'autres méthodes de sélection qui nécessitent moins de calculs.

Une méthode, qui permet d'éviter la conversion des temps observés en temps de base, consiste à classer les temps observés pour l'élément sous le facteur d'allure correspondant à chaque observation; on obtient ainsi un tableau de distribution des temps en fonction des facteurs d'allure. On peut dresser ce tableau directement à partir des indications notées au poste de travail sur les feuilles d'observations. Pour l'élément de l'exemple précédent, le tableau de distribution se présenterait comme suit:

Facteurs d'allure:	80	85	90	95	100	105	
Temps observés	31	32	30	28	28	27	
		31	30	30	27		
		30	30	27	27		
		31	26	28	26		
		31	27	27	27		
			28	26	28		
			29	29	27		
			29				
			29				
	31	155	258	195	190	27	Temps observés totaux
Temps de base	**25**	**132**	**232**	**185**	**190**	**28**	**Total = 792**

Dans ce tableau, on a fait figurer les trente temps observés qui avaient servi au calcul des temps de base indiqués précédemment, exception faite du temps observé aberrant. On a ensuite calculé le total des temps figurant sous chaque facteur d'allure. Ces totaux sont ensuite convertis en temps de base en les multipliant par le facteur d'allure correspondant. On obtient ainsi, sur la dernière rangée horizontale du tableau, les temps de base totaux dont la somme s'élève à 7,92 minutes. Ce nombre, divisé par 30 (le nombre d'observations), fournit le temps de base retenu pour l'élément, soit 0,264 minute. Ce résultat est comparable à celui qui a été obtenu par calcul de la moyenne des temps de base individuels (0,266 minute).

Une troisième méthode de sélection évite également d'avoir à convertir chaque temps observé. On trace un graphique (voir fig. 86) qui comporte deux parties distinctes; chaque observation nécessite deux inscriptions, mais celles-ci ne sont que des croix ou des tirets. L'axe de référence vertical de la partie gauche représente l'échelle des temps et indique l'éventail des temps observés pour l'élément; dans notre exemple, les temps s'échelonnent de 26 à 32. L'échelle horizontale de la partie droite du graphique représente les facteurs d'allure observés, qui vont de 80 à 105. Pour tracer le graphique, l'agent d'étude parcourt ses feuilles d'observations et, chaque fois que l'élément considéré est enregistré, il trace une croix sur la partie gauche du graphique en face du temps observé, puis une seconde croix, toujours en face du temps observé, mais dans la partie droite du graphique, sous le facteur d'allure observé.

Lorsque tous ces relevés seront terminés, la partie gauche du graphique représentera la distribution des fréquences des temps observés. Sur la partie droite, on ajuste une droite qui passe au milieu des croix. Le temps de base retenu pour l'élément est déterminé en abaissant verticalement, à partir du facteur d'allure 100, une droite qui coupe la droite ajustée et en lisant, sur l'échelle des temps observés, le temps correspondant au point d'intersection.

Il est absolument indispensable de faire entièrement la partie gauche du graphique, afin de vérifier si la distribution a la configuration normale. Si elle ne l'a pas, la méthode ne doit pas être utilisée. Des distributions irrégulières, dissymétriques, ou présentant deux sommets doivent être considérées comme l'indice que la méthode ne sera pas fiable, du moins dans la forme simplifiée que nous venons de décrire. Les différentes structures de distribution que l'on peut rencontrer ont toutes une significa-

Figure 86.   Méthode graphique de sélection du temps de base[1]

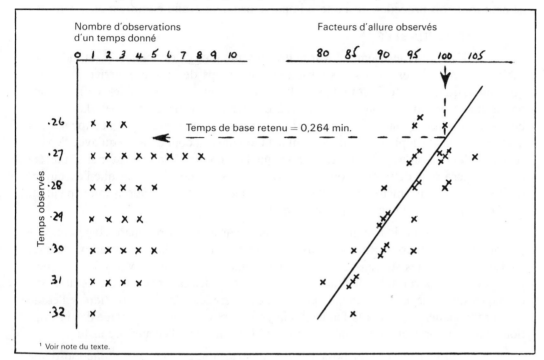

tion précise: elles traduisent des variations du travail lui-même, du rythme de travail de l'exécutant ou de la valeur du jugement d'allure de l'observateur; toutefois, il est préférable de ne pas se lancer dans des analyses aussi poussées tant que l'on n'a pas acquis une grande expérience de ces études. Si nous avons brièvement décrit cette méthode, c'est parce qu'elle est typique des nombreux procédés graphiques de sélection des temps de base représentatifs sans conversion de tous les temps observés[1]. La plupart d'entre eux ne sont valables que si la distribution est normale ou si la signification précise d'une éventuelle anomalie est bien comprise. Il est préférable d'éviter les méthodes graphiques, sauf si l'on bénéficie des conseils d'un spécialiste. Les deux méthodes que nous avons exposées en premier lieu suffisent dans la plupart des cas et ont l'avantage d'être comprises plus facilement par les travailleurs ou par leurs représentants.

Avant d'abandonner le sujet des éléments constants, le lecteur pourra relire utilement les commentaires du chapitre 17 relatifs à certains éléments manuels impliquant le déplacement d'une charge. Lorsqu'un travailleur est lourdement chargé, disions-nous, il est très probable qu'il effectuera le travail aussi rapidement que sa constitution physique le lui permet. De tels éléments sont relativement rares, mais, lorsqu'ils se présentent, il suffit généralement de calculer le temps de base retenu, sim-

---

[1] Théoriquement, pour que l'on puisse trouver l'allure 100 en traçant une droite au milieu du nuage de points représentant les couples allure-temps, il faut utiliser des coordonnées logarithmiques, car la relation est de la forme:

$$A \times t = k \text{ (allure} \times \text{temps = constante).}$$

Sur la figure 86, les échelles sont dessinées en coordonnées cartésiennes. Toutefois, dans le cas présent, la différence n'est pas sensible: en fait, on a assimilé une portion d'hyperbole à une portion de droite.

plement en faisant la moyenne des temps observés sans passer par la conversion. On ne peut toutefois procéder ainsi que si l'on dispose d'un grand nombre d'observations.

ÉLÉMENTS VARIABLES

L'analyse des éléments variables présente plus de difficultés. Il est indispensable de découvrir les causes des variations des temps de base et il arrive assez fréquemment qu'il faille tenir compte simultanément de plusieurs variables. Considérons par exemple une opération qui consiste à débiter transversalement des planches de bois avec une scie à main. Le temps de base nécessaire pour effectuer la coupe variera avec la largeur de la planche, qui détermine la longueur à couper, ainsi qu'avec l'épaisseur des planches et avec la dureté du bois que l'on coupe. Si la scie est mal affûtée, la coupe exigera plus de temps; toutefois, dans ce cas, on considérerait que l'exécutant utilise une mauvaise méthode et on rejetterait donc toutes observations faites pendant que l'ouvrier se sert d'une scie qui coupe mal.

Lorsqu'on doit analyser des éléments variables, la première étape consiste presque toujours à convertir les temps observés en temps de base. Les temps de base sont ensuite reportés sur une feuille de papier quadrillé en face des variables connues. Pour les éléments variables, la feuille d'analyse des études est donc toujours établie sur du papier quadrillé, et le graphique qui est tracé au stade de la récapitulation de l'étude sera probablement agrafé à la feuille d'analyse des études, en lieu et place des inscriptions que l'on porte sur cette feuille d'analyse lorsqu'il s'agit d'éléments constants.

Dans la mesure du possible, on construira le graphique en fonction d'une variable qui donnera une ligne droite lorsqu'on y reportera les temps de base. Dans certains cas, on peut parvenir à ce résultat en utilisant du papier à coordonnées logarithmiques. En général, la relation entre le temps et la variable principale (ou la combinaison de variables que l'on essaie) ne peut se traduire par une droite et on obtient en fin de compte une courbe que l'on tracera de façon aussi régulière que possible entre les points obtenus à partir de toutes les études effectuées sur l'élément considéré. La sélection des temps de base retenus pour cet élément se fera ensuite en relevant directement sur la courbe les coordonnées des points correspondant aux situations pour lesquelles on doit déterminer le temps normal.

Revenons maintenant à notre exemple de débit de planches. L'agent d'étude traitera différemment les temps tirés de l'observation de cette opération selon qu'il s'agit d'un travail occasionnel, effectué très rarement, ou au contraire d'un élément qui doit être exécuté chaque jour à de nombreuses reprises et qui représente donc une part importante du travail accompli. Dans ce dernier cas, il devra probablement établir une série de graphiques correspondant aux différents degrés de dureté du bois. Chaque graphique comportera en outre plusieurs courbes, pour les différentes épaisseurs des planches. Les temps de base seront portés sur ces graphiques en face de la longueur coupée. Dans ce cas, la relation devrait être linéaire et, une fois qu'on l'aura établie, les droites pourront être mises en équations, ce qui permettra de calculer directement les temps de base retenus sans passer par les graphiques. Si l'élément considéré n'est pas suffisamment important pour justifier une méthode aussi détaillée, l'agent d'étude tentera probablement de porter les temps de base sur le graphique en face de l'indication du produit (largeur de la planche × épaisseur de la planche), c'est-à-dire qu'il combinera deux des variables principales. Il essaiera également de déterminer un coefficient multiplicateur afin de tenir compte des différences de dureté du bois. Une méthode statistique, celle des coefficients de régression multiple, est tout à fait appropriée au traitement mathématique des temps variables, mais l'étude détaillée de cette technique de calcul sort du cadre de notre ouvrage.

On aura compris que, d'une façon générale, il faut effectuer beaucoup plus d'observations sur un élément variable que sur un élément constant pour être en mesure de déterminer des temps de base représentatifs auxquels on peut se fier. Il est préférable de l'admettre dès le début afin que l'étude porte bien sur toutes les différentes conditions et variables qui peuvent se présenter dans la pratique. Il est également bon de s'attacher dès le départ à déterminer en fonction de quelle échelle de grandeurs il est préférable de représenter graphiquement les temps de base. Pour cela, on procédera par tâtonnements, en constituant plusieurs graphiques, jusqu'à ce qu'on ait trouvé une grandeur qui rende compte de façon satisfaisante des variations des temps élémentaires. Cela fait, on pourra poursuivre l'étude en remédiant aux lacunes que peuvent présenter les renseignements recueillis à ce stade. En effet, si l'analyse essentielle est remise à un stade ultérieur, bon nombre des études feront peut-être double emploi.

Il n'est pas possible de préconiser une méthode d'approche qui donnera des résultats satisfaisants lors de l'analyse de n'importe quel élément variable. Chaque élément doit être traité en fonction de ses particularités. C'est peut être à ce niveau, plus qu'à tout autre stade de l'étude des temps, que l'on tire le plus grand profit d'une étude minutieuse des méthodes de travail; si ce point a été négligé, on ne pourra pas souvent découvrir la cause exacte des variations des temps de base. Même lorsque les causes sont connues, il faut souvent faire preuve de beaucoup d'ingéniosité pour établir une méthode simple, qui prendra en compte les variables principales et permettra de dégager une relation précise et itérative.

5. Compléter la feuille de récapitulation

Après avoir terminé ses calculs, l'agent d'étude peut commencer à inscrire sur la feuille de récapitulation toutes les données qui lui permettront d'obtenir un tableau clair et concis de l'ensemble des résultats qu'ont donnés ses observations sur le lieu de travail. En face des éléments constants énumérés sur la feuille, il note le temps de base retenu pour chaque élément et le nombre de fois que l'élément a été observé. Les fréquences sont déjà inscrites. En face des éléments variables, il inscrit la formule algébrique qui traduit la relation entre le temps de base et la variable dominante, lorsqu'il a pu l'établir; dans le cas contraire, il indique simplement un renvoi à la feuille de papier quadrillé ou à une autre feuille d'analyse des études sur laquelle il a analysé les temps de base obtenus à partir des temps observés.

Pour que la récapitulation soit complète, il doit encore enregistrer tous les éléments occasionnels observés qui n'ont pas encore été mentionnés, ainsi que tous les éléments étrangers qui se sont produits au cours de l'étude. Il faut en outre indiquer les éléments imprévus, ou aléatoires, et tous les temps auxiliaires qui auraient été extraits des temps observés au cours des calculs. On exprime habituellement les minutes de base « auxiliaires » en pourcentage des minutes de base de travail répétitif observées pendant toute la durée de l'étude. On dispose ainsi d'un point de repère pour comparer l'importance des éléments aléatoires dans différentes études.

Toutes les inscriptions faites jusqu'ici représentent l'accomplissement d'un travail sous une forme ou une autre. A l'exception de celles qui concernent les éléments étrangers, toutes ces indications entreront plus tard dans le calcul du temps normal attribué à l'opération et, puisqu'elles représentent un travail, elles devront être affectées de majorations de repos (voir section 11). Toutefois, à côté des éléments de travail, l'étude peut également avoir mis en évidence des périodes où aucun travail n'a été effectué, soit parce que l'exécutant se reposait, soit parce qu'il se consacrait à l'une ou l'autre des activités que nous avons précédemment qualifiées de «temps improductifs». Les temps ainsi occupés doivent maintenant être additionnés, et leur somme notée sur la feuille de récapitulation. Il est utile de les décomposer en quelques grandes catégories, telles que «repos», «temps improductif», etc. Les indications représenteront des temps observés, bien entendu, car on ne peut attribuer un facteur d'allure à des périodes où aucun travail n'est exécuté.

6. Combien d'études faut-il effectuer?

Nous avons traité de ce problème au chapitre 16, en esquissant une méthode statistique et une méthode conventionnelle de détermination du nombre d'éléments et de cycles à étudier. Lorsque les conditions de travail varient, il faut effectuer une étude pour chacune des séries de conditions qui se présenteront dans la réalité. On fera, par exemple, des études à différents moments de la journée si les conditions atmosphériques changent notablement pendant le travail et on en fera pour tous les types de la matière à usiner si les caractéristiques n'en sont pas strictement uniformes.

L'agent d'étude doit être prêt à étudier le travail de mise en route au début du poste ainsi que le travail de mise à l'arrêt à la fin du poste. Les temps de mise en marche et de mise à l'arrêt font partie intégrante du travail étudié et peuvent nécessiter une évaluation distincte. Lorsque la situation le permet, on peut aussi tenir compte de ces temps en allouant une majoration spéciale lors du calcul du temps normal attribué à tel ou tel travail. Dans les imprimeries, par exemple, on ne laisse généralement pas les presses encrées pendant la nuit parce que l'encre sécherait. On peut être amené à allouer un temps pour le nettoyage des machines et du poste de travail, ou encore pour le changement de vêtements, dans les industries où le port de vêtements spéciaux est obligatoire. En général, on ne fait pas intervenir ce genre d'activité dans le calcul du temps normal alloué à une tâche; le plus souvent, on préfère en tenir compte par l'attribution d'une majoration de temps. Les majorations seront examinées dans la suite de ce chapitre; pour le moment, contentons-nous de noter qu'avant de pouvoir les étudier sérieusement, on doit procéder à l'examen de toutes les activités accessoires et fortuites qui interviennent au cours de la journée de travail.

Pour déterminer que l'on a observé un nombre suffisant de cycles d'un élément constant (c'est-à-dire un nombre permettant de retenir un temps de base représentatif pour l'élément), on dispose d'une méthode simple, qui consiste à représenter, sur un graphique, le temps de base moyen **pondéré** chaque fois qu'une étude de l'élément est effectuée et récapitulée. On commence le graphique en indiquant par un point le temps de base obtenu avec la première étude. La seconde étude permet d'obtenir le point suivant. Il représente la moyenne pondérée, qui est la somme du temps de base obtenu avec la première étude multiplié par le nombre d'observations faites à cette

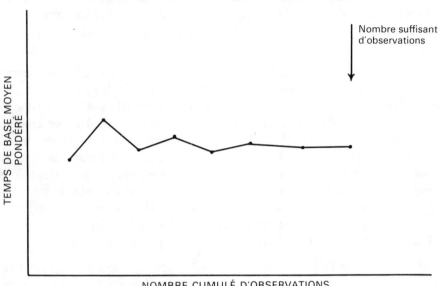

Figure 87. *Graphique du temps de base moyen d'un élément*
(détermination du nombre suffisant d'observations)

occasion et du temps de base obtenu avec la seconde étude semblablement multiplié, somme que l'on divise ensuite par le nombre total d'observations des deux études[1]. Les points suivants sont obtenus de la même façon, au fur et à mesure que les études se succèdent. On relie ces points par des segments de droite; lorsque la ligne cesse de zigzaguer et se stabilise parallèlement à l'axe des abscisses, on peut considérer que l'on a effectué suffisamment d'études sur l'élément considéré. La figure 87 donne un exemple de ce type de graphique.

Lorsqu'on est en présence d'éléments variables, il est préférable de commencer par faire plusieurs courtes études qui couvrent à elles toutes l'éventail complet des variations, afin d'essayer de découvrir rapidement la relation entre le temps de base et la variable dominante. La suite des études peut alors être orientée vers la recherche des informations dont on a besoin pour compléter, modifier ou confirmer la relation apparente suggérée par les premières études.

7. La feuille d'analyse des études

La figure 81 (chap. 15) donne un exemple de «feuille d'analyse des études». Pour une opération donnée, les résultats de chaque étude sont reportés sur cette feuille à partir des indications de la feuille de récapitulation, et cela dès que l'étude a été mise

---

[1] La formule est la suivante:

$$TB = \frac{TB_1 \times n_1 + TB_2 \times n_2}{n_1 + n_2}$$

où TB = temps de base moyen pondéré
TB_1 = temps de base calculé pour l'étude 1
TB_2 = temps de base calculé pour l'étude 2
n_1 = nombre d'observations de l'étude 1
n_2 = nombre d'observations de l'étude 2.

au point. Une formule comme celle de la figure 81 permet de dresser la liste de tous les éléments constitutifs d'une tâche ou d'une opération; de noter aussi tous les détails concernant les éléments répétitifs et occasionnels et d'enregistrer les temps auxiliaires et les temps improductifs observés. Des graphiques sont annexés à la feuille pour enregistrer les résultats de l'étude des éléments variables.

Lorsqu'on estime que le nombre d'observations est suffisant, l'étape suivante consiste à calculer les temps de base représentatifs finals pour chaque élément, ce que l'on fait sur la feuille d'analyse des études. Le procédé de sélection est le même, pour l'essentiel, que celui que nous avons décrit à la section 4 de ce chapitre: la méthode consiste habituellement à calculer la moyenne générale pondérée de tous les temps de base enregistrés pour chaque élément en négligeant les temps dont les études effectuées après leur enregistrement ont montré qu'ils étaient inexacts. Rappelons que la moyenne pondérée est calculée en multipliant le temps de base que donne une étude par le nombre de fois que l'on a observé l'élément considéré au cours de cette étude, en additionnant les produits ainsi obtenus pour toutes les études et en divisant le total par le nombre total d'observations effectuées au cours de l'ensemble des études.

Une fois que l'on a calculé un temps de base représentatif final pour chaque élément constant, il est facile de calculer le temps de base correspondant à ces éléments au cours d'un cycle, d'une tâche ou d'une opération. Pour cela, il suffit de multiplier le temps de base correspondant à une intervention de l'élément par sa fréquence de répétition par cycle. Les éléments variables doivent, bien entendu, être traités différemment. Il faut parfois lire les temps de base de ces éléments sur le graphique approprié ou, si l'on a établi une relation linéaire, les calculer à partir de la formule algébrique qui exprime cette relation, ou encore les obtenir par le calcul des coefficients de régression.

Lorsqu'il semble approprié de prévoir, dans le temps imparti à un travail, un temps réservé aux imprévus, la majoration nécessaire est également calculée sur la feuille d'analyse des études. Pour cela, on calcule d'abord le pourcentage que représente l'ensemble des imprévus observés par rapport au travail total observé moins ces imprévus. Le temps pris par les imprévus est en fait du travail, comme le temps consacré aux éléments répétitifs et occasionnels; il sera donc enregistré, lui aussi, en minutes de base. Si le pourcentage est très faible, il sera permis d'en faire le pourcentage de majoration à allouer; s'il dépasse 4 à 5 pour cent, il sera préférable de rechercher les causes des imprévus afin de les éliminer ou de les réduire le plus possible. Si l'opération est modifiée en conséquence, le pourcentage observé lors des premières études ne sera plus valable et il faudra procéder à de nouvelles observations.

A ce stade, nous avons établi un temps de base pour la tâche ou l'opération considérée, en y incluant tous les éléments répétitifs et occasionnels ainsi que les petits suppléments de travail occasionnellement rencontrés en raison d'un imprévu. La détermination du temps de base s'est faite élément par élément. De cette manière, si, par la suite, on modifie légèrement la tâche en supprimant ou en changeant un élément, ou en introduisant un élément nouveau, on ne sera pas obligé de réétudier toute l'opération. Les données figurant sur la feuille d'analyse des études garderont leur valeur pour tous les éléments inchangés du nouveau mode opératoire et il sera donc possible de déterminer le nouveau temps de base de l'opération après avoir étudié uniquement les éléments nouveaux.

Toutefois, le temps de base ne constitue qu'une partie du temps normal qui doit être déterminé pour une tâche ou une opération. Avant de pouvoir le calculer, il faut ajouter certaines majorations au temps de base. Nous allons examiner maintenant ces majorations, mais, au préalable, il nous faut donner le sens exact de deux termes qui reviennent fréquemment dans les pages précédentes mais que nous n'avons pas encore définis avec précision: le **contenu de travail,** puis le **temps normal.**

8. Le contenu de travail

Dans les premiers chapitres, l'expression «contenu de travail» apparaît souvent pour indiquer ce que les termes mêmes suggèrent, à savoir la somme de travail à effectuer pour mener à terme une tâche ou une opération, et non les temps improductifs qui peuvent se produire. En revanche, dans le cadre de l'étude des temps, on donne au mot «travail» une signification légèrement différente de son sens habituel. Un observateur qui ne connaîtrait que l'acception habituelle du mot «travail» dirait, pendant qu'il suit les activités d'un ouvrier, que ce dernier travaille lorsqu'il fait effectivement quelque chose et qu'il ne travaille pas lorsqu'il se repose ou qu'il ne fait rien. Pour l'étude des temps, toutefois, on mesure le travail en termes numériques. Il faut donc élargir le sens du mot «travail», qui couvre alors non seulement le travail physique, mais aussi la somme de détente ou de repos nécessaire pour se remettre de la fatigue causée par l'effort. Nous verrons plus loin que les majorations de repos sont conçues à d'autres fins que cette seule récupération; mais, pour l'instant, l'important est de noter que, lorsque nous parlons de «travail» et que nous entreprenons de le mesurer dans le contexte de l'étude des temps, nous comprenons dans la définition du «travail» les majorations de repos appropriées. Le contenu de travail d'une tâche veut dire alors non seulement le temps nécessaire pour effectuer à une allure normale tout ce que requiert la tâche, mais aussi le temps additionnel jugé nécessaire pour le repos.

> **Le contenu de travail d'une tâche ou d'une opération est défini comme suit: temps de base + majoration de repos + toute majoration pour travail additionnel (par exemple la partie d'une majoration auxiliaire qui représente un travail)**

9. Les majorations

Nous avons vu qu'au cours de l'étude des méthodes d'une opération qui doit toujours précéder l'étude des temps il convient de réduire au minimum l'énergie que dépense l'exécutant pour accomplir sa tâche, en améliorant les méthodes et les processus conformément aux principes de l'économie des mouvements et, dans la mesure du possible, à l'aide de la mécanisation. Toutefois, l'accomplissement d'un travail exige toujours de l'exécutant la dépense d'un certain effort, même lorsqu'on a mis en place la méthode d'exécution la plus pratique, la plus économique et la plus efficace. Il faut donc prévoir une majoration de temps pour lui permettre de se reposer et de se détendre. Une majoration doit également être prévue pour tenir compte des

281

besoins personnels du travailleur, et d'autres majorations (les majorations auxiliaires, par exemple) s'ajouteront peut-être encore au temps de base. Tout cela constitue le contenu de travail.

La détermination des majorations est probablement l'aspect de l'étude du travail qui est le plus sujet à controverse. Pour des raisons que nous expliquerons plus loin, il est très difficile de fixer avec précision les majorations que nécessite une tâche donnée. Il faut donc s'efforcer d'évaluer objectivement les majorations que l'on peut appliquer régulièrement aux divers éléments de travail ou à diverses opérations.

Le fait que le calcul des majorations ne peut pas être rigoureusement exact en toutes circonstances ne doit pas être prétexte à faire des majorations un «fourre-tout» pour les facteurs que l'on a oubliés ou passés sous silence au cours de l'étude des temps. Nous avons vu que l'agent d'étude ne néglige rien pour arriver à fixer des normes de temps équitables et précises. Ces normes ne doivent pas être gâchées par l'addition hâtive ou inconsidérée de quelques points de pourcentage par-ci par-là, «pour le cas où...». Il ne faut surtout pas que les majorations servent à «élargir» les normes.

Les difficultés que pose l'élaboration d'un système de majorations accepté par tous et applicable à toutes les situations de travail n'importe où dans le monde sont dues à diverses raisons. Les plus importantes sont les suivantes:

1. **Facteurs liés à l'exécutant.** Si l'on devait examiner le cas individuel de chaque ouvrier d'une certaine zone de travail, on constaterait peut-être qu'un travailleur mince, vif, actif et au mieux de sa condition physique n'a pas besoin de la même majoration de repos qu'un travailleur obèse et incompétent. Nous savons également qu'à chaque travailleur correspond une courbe d'entraînement qui lui est propre et qui peut influer sur la manière dont il exécute son travail. En outre, il y a des raisons de penser que le degré de fatigabilité varie parfois avec l'appartenance ethnique des travailleurs, en particulier lorsqu'il s'agit de travaux de force. Des travailleurs sous-alimentés mettent plus de temps que les autres à se remettre de la fatigue.

2. **Facteurs liés à la nature du travail.** Bon nombre des barèmes de calcul des majorations donnent des chiffres qui peuvent être acceptables pour l'exécution de travaux industriels légers ou moyens mais qui sont insuffisants pour un travail intense et pénible comme celui des ouvriers affectés aux hauts fourneaux des aciéries. En outre, chaque situation a ses caractéristiques propres qui exercent leurs effets sur le degré de fatigue ressenti par le travailleur ou qui peuvent entraîner un retard inévitable dans l'accomplissement d'une tâche. Donnons quelques exemples de ces facteurs: l'exécutant doit rester debout, ou bien assis, pour travailler; il se tient normalement, ou doit adopter une position anormale; il doit faire une dépense de force pour déplacer ou transporter un fardeau d'un endroit à un autre, ou il n'a pas à le faire; le travail entraîne ou non une fatigue oculaire ou mentale excessive, etc. D'autres facteurs inhérents au travail peuvent également contribuer à justifier des majorations, mais pour d'autres raisons. Il en est ainsi, par exemple, lorsque les ouvriers sont obligés de porter des gants ou des vêtements de protection, lorsqu'il y a un danger permanent ou que l'on risque de gâcher ou d'endommager le produit.

3. **Facteurs liés à l'environnement.** Les majorations, et en particulier les majorations de repos, doivent être déterminées en tenant compte de différents facteurs d'envi-

ronnement tels que la chaleur, le degré hygrométrique de l'air, le bruit, la saleté, les vibrations, l'intensité lumineuse, la poussière, le travail en milieu humide, etc. Chacun de ces facteurs a une incidence sur l'importance des majorations de détente nécessaires. Parmi les facteurs d'environnement, les saisons peuvent également jouer un rôle, en particulier pour ceux qui travaillent en plein air comme les ouvriers du bâtiment et des chantiers de construction navale.

Le lecteur comprend sans doute mieux maintenant pourquoi il est si difficile d'établir un système international de majorations applicable à toutes les situations de travail. Il nous faut souligner très nettement que **l'OIT n'a pas adopté et n'a pas l'intention d'adopter des normes quelconques relatives à la détermination des majorations.** Dans la suite de cet exposé, nous nous bornerons à citer des exemples de calcul des majorations dans différentes conditions de travail. Nous insistons sur le fait qu'il s'agit là d'exemples mentionnés dans un but didactique et non d'une prise de position de l'OIT sur ce problème.

Il nous faut également signaler que plusieurs organismes se sont livrés à des recherches très poussées sur cet aspect particulier de l'étude du travail et qu'ils ont préconisé leurs propres systèmes de calcul des majorations. Parmi les travaux les plus marquants, citons les recherches effectuées en République fédérale d'Allemagne par le Max Planck Institut für Arbeitsphysiologie[1] et par le REFA Verband für Arbeitsstudien[2] et, en Australie, par G. C. Heyde[3].

10. Calcul des majorations

La figure 88 représente le schéma de base du calcul des majorations. On peut constater que les majorations de repos (qui sont destinées à aider à se remettre de

Figure 88.   Majorations

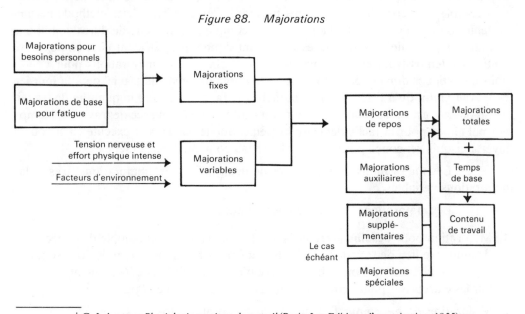

---

[1] G. Lehmann: *Physiologie pratique du travail* (Paris, Les Editions d'organisation, 1955).

[2] REFA: *Methodenlehre des Arbeitsstudiums,* vol.2: *Datenermittlung* (Munich, Carl-Hanser-Verlag, 1971), pp. 299-335.

[3] Chris Heyde: *The sensible taskmaster* (Sydney, Heyde Dynamics, 1976).

la fatigue) sont le seul complément important du temps de base. Les autres majorations (auxiliaires, supplémentaires ou spéciales) ne sont appliquées que dans certaines conditions.

11. Majorations de repos

> **Une majoration de repos est un complément ajouté au temps de base afin de donner au travailleur la possibilité de se remettre des effets physiologiques et psychologiques de l'accomplissement d'une tâche déterminée dans des conditions données et afin de tenir compte de ses besoins personnels. L'ampleur de la majoration dépend de la nature du travail**

Les majorations de repos sont calculées de façon à permettre au travailleur de se remettre de sa **fatigue.** On entend par fatigue un état de lassitude physique ou mentale, objective ou subjective, qui compromet la capacité de travail de l'exécutant. Les effets de la fatigue peuvent être atténués par l'octroi de pauses pendant lesquelles le corps peut reprendre des forces ou par le ralentissement de la cadence de travail, ce qui diminue la dépense d'énergie.

Les majorations de fatigue sont habituellement ajoutées **élément par élément** aux temps de base. De cette façon, on établit séparément le temps de travail imparti à chaque élément et on obtient ensuite le temps normal de la tâche ou opération complète en combinant les temps normaux élémentaires. Cette méthode permet de tenir compte d'une éventuelle majoration complémentaire que de dures conditions climatiques pourraient rendre nécessaire, étant donné que l'élément peut être exécuté tantôt par temps froid et tantôt par temps très chaud. Les majorations pour conditions climatiques doivent être attribuées à la **durée du poste de travail** ou à la **journée de travail** plutôt qu'à l'élément ou à la tâche, de façon à réduire la quantité de travail qu'un ouvrier est censé fournir au cours du poste ou de la journée de travail. Le temps normal alloué pour la tâche demeure le même, que le travail soit exécuté en été ou en hiver, puisqu'il est conçu pour mesurer le travail contenu dans la tâche.

Les majorations de repos sont de deux ordres: les **majorations fixes** et les **majorations variables.**

Les **majorations fixes** se composent de:

1. Majoration pour **besoins personnels.** Cette majoration tient compte de la nécessité de quitter le lieu de travail pour des besoins personnels, par exemple pour se laver, se rendre aux toilettes ou boire un verre d'eau. Les chiffres couramment accordés par les entreprises pour cette majoration oscillent entre 5 et 7 pour cent.

2. **Majoration de base pour fatigue**[1]. Cette majoration, toujours une constante, est accordée pour tenir compte de l'énergie dépensée lors de l'exécution du travail et

---

[1] Voir aussi annexe 4 (méthode du Bureau des temps élémentaires (BTE)).

pour rompre la monotonie. Elle représente habituellement 4 pour cent du temps de base. Ce chiffre est jugé suffisant pour un exécutant qui travaille assis, effectue des travaux légers dans de bonnes conditions de travail et doit faire uniquement un usage normal de ses mains, de ses jambes et de ses facultés sensorielles.

Les **majorations variables** sont ajoutées aux majorations fixes lorsque les conditions d'exécution diffèrent nettement de celles que nous venons de décrire, en raison, par exemple, de mauvaises conditions de travail qu'il n'est pas possible d'améliorer, d'un surcroît d'effort physique et de tension nerveuse pour l'accomplissement de la tâche étudiée, etc.

Comme nous l'avons dit plus haut, divers organismes de recherche ont effectué des études importantes pour tenter de mettre au point une approche plus rationnelle du calcul des majorations variables. La majorité des consultants en organisation de tous les pays ont établi leurs propres barèmes. A l'annexe 3, nous donnons un exemple de tables de majorations de repos fondées sur un système de points. La plupart de ces tables semblent fonctionner de façon satisfaisante; toutefois, selon des observations récentes, les barèmes de majorations de fatigue construits empiriquement en laboratoire sont souvent satisfaisants sur le plan physiologique pour des travaux demandant un effort normal ou modérément intensif, mais ils aboutissent à des majorations insuffisantes si on les applique à des travaux très pénibles, comme ceux du personnel des hauts fourneaux.

Pour les diverses raisons que nous avons mentionnées plus haut dans ce chapitre, il est toujours préférable, lorsqu'on utilise un de ces barèmes, de contrôler le temps de repos fourni par les tables en effectuant des études d'une journée entière sur le lieu de travail, en notant les moments effectifs de repos (d'une forme ou d'une autre) des travailleurs et en comparant ces moments à la majoration qui avait été calculée. Des contrôles de ce genre montrent à tout le moins si les temps indiqués sur le barème sont, d'une façon générale, ou trop larges ou trop serrés.

Les majorations de repos sont données en pourcentage du temps de base. Comme nous l'avons vu, on les calcule habituellement élément par élément, en particulier lorsque l'effort à fournir varie largement d'un élément à un autre (par exemple s'il faut soulever une pièce très lourde pour la poser sur une machine ou la retirer, au début ou à la fin d'une opération). En revanche, lorsqu'on estime que tous les éléments de travail ne sont pas plus fatigants les uns que les autres, le plus simple est d'additionner d'abord tous les temps de base élémentaires et d'appliquer ensuite un pourcentage de majoration unique que l'on ajoute à ce total.

LES PAUSES

Les majorations de repos peuvent être prises sous forme de pauses. Bien qu'il n'y ait pas de règle absolue en la matière, la question des pauses est fréquemment réglée par l'octroi, au milieu de la matinée et de l'après-midi, de 10 à 15 minutes d'interruption pendant lesquelles les travailleurs ont souvent la possibilité de manger un peu et de boire du thé, du café ou des boissons froides, le personnel étant autorisé à prendre à sa convenance le reste du repos prévu.

L'importance des pauses est due aux raisons suivantes:

☐ Les pauses diminuent les écarts de rendement dans le courant de la journée et tendent à maintenir la production près de son niveau optimum.

285

☐   Elles rompent la monotonie de la journée de travail.

☐   Elles donnent aux travailleurs la possibilité de se remettre de leur fatigue et de s'occuper de leurs besoins personnels.

☐   Elles réduisent la durée des moments de liberté qui sont pris pendant les heures de travail.

12. Autres majorations

En dehors des majorations de repos, il faut parfois introduire d'autres majorations dans le calcul du temps normal. Trois d'entre elles sont décrites ci-dessous.

MAJORATIONS AUXILIAIRES

> **On entend par majoration auxiliaire une faible majoration que l'on peut inclure dans un temps normal pour tenir compte d'un travail ou d'un retard qui est justifié et prévisible mais dont la mesure précise est économiquement peu judicieuse parce qu'il se produit trop rarement ou trop irrégulièrement**

Nous avons déjà mentionné les majorations auxiliaires quand nous avons décrit les calculs à faire pour compléter la feuille de récapitulation et la feuille d'analyse des études. La majoration auxiliaire peut tenir compte des petits retards ou attentes inévitables aussi bien que d'un léger supplément occasionnel de travail. On devrait donc la diviser en ces deux éléments: une majoration auxiliaire pour le travail imprévu qui donne droit à une majoration de fatigue comme tout autre travail et une majoration pour retard ou attente qui ne serait accordée que dans le cas d'un accroissement des besoins personnels. En réalité, c'est là une distinction dont on ne s'occupe pas souvent. Les majorations auxiliaires sont toujours très faibles et il est d'usage de les exprimer en pourcentage du temps total de travail répétitif prévu pour l'opération, calculé en minutes de base; ce pourcentage est ajouté au reste du travail contenu dans la tâche étudiée et on ajoute un pourcentage de repos à l'ensemble de la majoration auxiliaire. Cette majoration auxiliaire ne doit pas dépasser 5 pour cent et elle n'est accordée que si l'agent d'étude a acquis la certitude qu'il est impossible d'éliminer les aléas et qu'il s'agit d'activités justifiées. Elles ne doivent jamais, sous aucun prétexte, servir à «élargir» les temps ou à éviter de pratiquer l'étude des temps comme il se doit. Il convient de spécifier les tâches pour lesquelles la majoration auxiliaire est octroyée. Cependant, l'équité peut obliger à accorder la majoration d'office dans les entreprises où le travail de production n'est pas bien organisé. Cela montre une fois de plus combien il importe d'améliorer dans toute la mesure possible les conditions et l'organisation du travail **avant** de fixer des normes de temps, et cela devrait inciter la direction à agir dans ce sens.

MAJORATIONS SUPPLÉMENTAIRES

> **On entend par majoration supplémentaire une augmentation du temps normal (ou d'une de ses parties, par exemple le contenu de travail) permettant d'obtenir un niveau de rémunération satisfaisant pour un seuil de rendement déterminé dans des circonstances exceptionnelles. Les augmentations du temps normal accordées à titre de prime de rendement sont exclues de cette définition**

A vrai dire, ces majorations n'entrent pas dans le cadre de l'étude des temps. Il convient de les utiliser avec la plus grande prudence et seulement dans des circonstances bien définies. Elles devraient toujours être examinées indépendamment des temps de base et, lorsqu'on les applique, il faudrait de préférence les présenter comme une adjonction aux temps normaux, de façon à ne pas influer sur les normes de temps fixées au moyen de l'étude des temps.

L'attribution d'une majoration supplémentaire vise habituellement à harmoniser les temps normaux avec les dispositions des conventions de salaires conclues entre employeurs et syndicats. Dans plusieurs entreprises du Royaume-Uni, par exemple, le seuil de la prime de rendement est généralement fixé à un niveau tel que le travailleur qualifié moyen (tel que nous l'avons défini) puisse gagner une prime de $33^1/_3$ pour cent de son salaire horaire de base s'il atteint le niveau de rendement normal. En France, le temps alloué a souvent été calculé de façon que le travailleur (selon la définition donnée) puisse percevoir une prime de 20 pour cent. Il n'est pas nécessaire d'appliquer une majoration supplémentaire pour parvenir à ce résultat; il suffit que la rémunération par minute standard de travail produit représente $133^1/_3$ pour cent de la rémunération du temps de base par minute. En général, il vaut mieux incorporer des dispositions salariales particulières de cette façon, en ajustant le salaire payé par unité de travail plutôt que le temps normal.

Toutefois, certaines conventions collectives prévoient la possibilité de primes d'un pourcentage plus élevé et il pourrait être maladroit de chercher à obtenir une révision des dispositions de ces conventions pour être en mesure de les respecter en modifiant les taux de salaire plutôt que les temps fixés. On alloue alors une majoration supplémentaire pour combler la différence. Cette majoration sera fixée en fonction du contenu de travail ou du temps normal.

Cette méthode peut se révéler appropriée lorsque les temps normaux ne sont appliqués qu'à une faible proportion des travailleurs visés par la convention salariale. Des majorations supplémentaires analogues sont parfois accordées à titre temporaire pour tenir compte de situations anormales, telles que le fonctionnement imparfait d'une partie de l'installation ou un bouleversement des conditions de travail normales dû à des réorganisations ou à des modifications.

MAJORATIONS SPÉCIALES

Des majorations spéciales peuvent être allouées pour les activités qui, normalement, ne font pas partie du cycle de l'opération, mais qui sont indispensables à la

287

bonne exécution du travail. Ces majorations peuvent être permanentes ou temporaires, ce qu'il convient de préciser. Autant que possible, elles devraient être déterminées par une étude des temps.

Lorsqu'on se fonde sur les normes de temps pour établir un système de rémunération au rendement, il peut être nécessaire d'allouer une **majoration de démarrage,** ou de mise en route, pour compenser le travail et le temps d'attente forcée qui interviennent inévitablement au début du poste ou de la journée de travail, avant que la production puisse vraiment commencer. De même, on peut attribuer une **majoration d'arrêt** pour tenir compte du travail ou du temps d'attente intervenant en fin de journée. La **majoration de nettoyage,** de la même manière, est accordée lorsque le travailleur doit s'occuper de temps à autre du nettoyage de sa machine ou de son poste de travail. La **majoration d'outillage** est un temps alloué pour le réglage et l'entretien des outils.

Après avoir déterminé le temps qui est nécessaire pour accomplir l'une ou l'autre ou l'ensemble de ces activités, il est possible d'exprimer le résultat en pourcentage du temps de base total des opérations qu'il est prévu d'accomplir au cours d'une journée et d'accorder la majoration sous forme d'une augmentation dont il est tenu compte dans le calcul des temps normaux. Effectivement, c'est la solution qu'on juge parfois la meilleure pour la majoration d'outillage; mais, en général, il vaut mieux octroyer toutes ces majorations sous forme de périodes de temps *par jour* plutôt que de les incorporer dans les temps normaux. Cela est habituellement plus équitable pour les exécutants, et présente aussi le grand avantage d'attirer l'attention de la direction sur le temps total qui doit être consacré à ces activités et, par conséquent, d'inciter à rechercher les moyens de le réduire.

Certaines majorations sont généralement octroyées *par intervention* ou *par lot*[1]. C'est le cas de la **majoration de préparation,** correspondant au temps qu'exige la préparation de la machine ou du processus de production, opération qui a lieu chaque fois que l'on entame la fabrication d'un lot de nouveaux produits ou de nouveaux composants. Le temps de préparation est parfois appelé temps de réglage, ou de mise en train; il s'oppose au temps de démontage, pour lequel on peut octroyer une **majoration de démontage** couvrant le temps qui est nécessaire pour modifier les réglages de la machine ou du processus à la fin de la production d'un lot. La **majoration de changement de travail,** très analogue, est généralement accordée à des travailleurs qui ne sont pas effectivement chargés de la préparation ou du démontage, pour compenser le temps qu'ils passent à effectuer des activités nécessaires ou à attendre au début et/ou à la fin d'une tâche ou de la production d'un lot. On appellera ces majorations, selon le cas, «majorations de changement de tâche» ou «majorations de changement de lot».

On peut inclure une **majoration pour rebut** dans le temps normal quand la production d'un certain pourcentage de produits défectueux est *inhérente* au processus de fabrication, mais il est plus habituel de l'octroyer sous forme d'une adjonction temporaire aux temps normaux, par tâche complète ou par lot, lorsque la matière à usiner se trouve être de mauvaise qualité. Le cas échéant, on donnera aussi une **majoration pour surplus de travail** sous forme d'adjonction au temps normal pour compenser le surcroît de travail qu'occasionne une modification temporaire des conditions normales.

[1] Voir annexe 6.

Les **majorations de débutant** sont données à titre de compensation temporaire à de nouveaux exécutants auxquels on confie un travail pour lequel le temps normal a été déterminé, pendant qu'ils apprennent à s'acquitter de leur tâche avec l'efficacité voulue. De même type, la **majoration de formation** est accordée au travailleur expérimenté qui passe du temps à former un «nouveau» lorsque l'un et l'autre effectuent des tâches pour lesquelles le temps normal a été fixé. Ces majorations sont souvent données sous la forme de tant de minutes par heure, selon un barème dégressif, et tendent donc progressivement vers zéro pendant la période prévue pour l'apprentissage. La **majoration de mise en œuvre** n'est pas très différente. Elle est octroyée aux travailleurs auxquels on demande d'adopter une nouvelle méthode ou un nouveau processus pour les encourager à se donner sans réserve à l'application des «nouveautés» et pour les protéger des pertes de gains que, ce faisant, ils risquent de subir. Dans certains cas, on s'arrange même pour que leur rémunération augmente pendant la période de transition afin de donner à la nouvelle méthode toutes les chances de succès. Un des systèmes de majoration pour mise en œuvre crédite les travailleurs de dix minutes par heure le premier jour, de neuf le second et ainsi de suite jusqu'à zéro.

On doit octroyer une **majoration pour fabrication de petites séries** à l'exécutant qui travaille sur de petits lots de fabrication afin de lui permettre de définir soigneusement son mode opératoire (grâce aux instructions reçues, à son expérience ou par tâtonnements successifs) et d'atteindre ensuite peu à peu, par la pratique et par la répétition de l'opération, le niveau de rendement normal. Le mode de calcul de cette majoration varie selon qu'il s'agit ou non d'un lot unique et en fonction de l'importance du lot ou de la série, de la période qui est consacrée à sa fabrication, de la fréquence de ce genre de travail et de son degré de complexité.

13. Le temps normal

Nous pouvons maintenant nous représenter exactement ce qu'est le **temps normal** attribué à une opération ou à une tâche manuelle simple, ne nécessitant que les deux majorations que nous avons étudiées dans le détail: la majoration auxiliaire et la majoration de repos. Le temps normal imparti à la tâche est la somme des temps normaux correspondant à tous les éléments dont se compose la tâche, compte dûment tenu de la fréquence d'intervention de ces éléments, plus la majoration auxiliaire (augmentée de la majoration de détente). En d'autres termes:

> **On entend par temps normal le temps total que doit prendre l'exécution complète d'une tâche pour un rendement normal**

C'est ce que représente graphiquement la figure 89.

Si l'allure avait été inférieure à l'allure normale, le facteur d'allure serait pris sur le temps observé. La majoration auxiliaire et la majoration de repos seraient toujours des pourcentages du temps de base. Le temps normal est exprimé en minutes standards ou en heures standards.

289

Figure 89.   Composition du temps normal pour une tâche manuelle simple

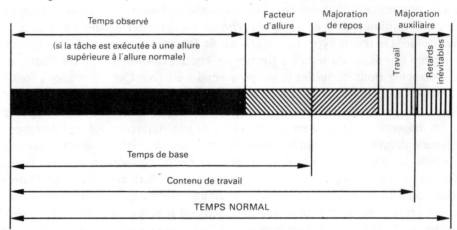

Au chapitre 19, nous verrons comment on applique l'étude des temps aux opérations partiellement mécanisées, où une partie du temps de l'opération est occupée par le travail de la machine, sans intervention active de l'exécutant. Le chapitre 20 donne un exemple pratique d'une étude des temps complète.

Chapitre 19
Fixation de normes de temps pour le travail avec des machines

Dans les chapitres 15 à 18, nous avons décrit les procédures de base employées pour l'étude des temps des travaux manuels. Grâce aux techniques et aux méthodes que nous avons analysées, il est possible de déterminer des normes de temps pour toutes les tâches qu'un exécutant accomplit avec des outils à main ou avec des outils mus par moteur qu'il manœuvre lui-même, par opposition aux machines qui effectuent automatiquement une partie de l'opération. Ce genre de travail est appelé **travail libre** (ou sans contrainte) parce que la production de l'exécutant n'est limitée que par des facteurs qu'il peut contrôler. L'ouvrier qui affûte un outil de coupe à l'aide d'une meule actionnée par un moteur électrique effectue un travail libre tout comme celui qui polit une pièce métallique en la maintenant contre la brosse d'une polisseuse électrique parce que, dans les deux cas, l'exécutant ne fixe pas la pièce en position d'usinage pour laisser ensuite la machine poursuivre automatiquement l'opération.

Mais, actuellement, on est très souvent confronté à des tâches industrielles constituées à la fois d'éléments manuels, entièrement effectués par le travailleur, et d'éléments accomplis automatiquement par des machines ou par le matériel de fabrication pendant que le travailleur est contraint de rester inactif ou de se consacrer à une autre tâche. Pour fixer des normes de temps convenant à ce genre d'opérations, il faut des méthodes de conversion des temps de base quelque peu différentes. Pour certaines opérations extrêmement complexes, on a mis au point des techniques spéciales. Dans le présent chapitre, nous nous bornerons à décrire les méthodes applicables à la grande généralité des cas[1].

1. Contrôle de l'installation et des machines

> Le contrôle de l'installation et des machines est le nom donné aux procédés et aux moyens employés pour planifier et contrôler l'utilisation et l'efficacité des machines et des unités de production

---

[1] Voir aussi annexe 4.

Dans de nombreuses entreprises, les machines, les installations et le matériel représentent à eux seuls et de loin la plus grande partie de l'investissement total. Dans ce cas, le coût du loyer du capital, de l'entretien des machines, de l'amortissement et du renouvellement du matériel peut dépasser au total les autres postes de dépense pour l'usine (à l'exclusion du coût des matières premières et des éléments achetés à d'autres entreprises, qui constitue une dépense faite à l'extérieur et non dans l'usine). Très souvent, les coûts liés aux machines sont bien supérieurs à la masse salariale de l'usine, si bien qu'il est primordial d'assurer un usage aussi intensif que possible des machines et des installations, serait-ce au détriment de la productivité de la main-d'œuvre. Dans certains cas, il peut être judicieux d'augmenter le nombre des ouvriers affectés aux machines si c'est le moyen d'accroître l'utilisation de celles-ci.

Avant de passer à l'étude des tâches individuelles, l'agent d'étude du travail fera donc bien d'examiner en premier lieu l'utilisation générale des machines dans la branche d'activité, dans l'ensemble de l'entreprise, dans les différents services, et machine par machine dans le cas des éléments particulièrement coûteux. Au terme de cette analyse, il pourra fixer en connaissance de cause des objectifs adéquats pour la mise en œuvre de l'étude du travail et il verra clairement ce qui doit avoir priorité: la productivité de la main-d'œuvre ou l'utilisation des machines

Les termes et concepts — très parlants en soi — de l'étude de l'utilisation des machines (ou des installations ou des processus de fabrication) sont définis ci-dessous. Leurs relations ressortent du schéma de la figure 90.

Temps machine maximum — Temps possible maximum d'utilisation d'une machine ou d'un groupe de machines au cours d'une période déterminée, par exemple les 168 heures d'une semaine ou les 24 heures d'une journée.

Temps machine disponible — Temps pendant lequel on peut utiliser une machine, calculé d'après le temps de présence des exécutants (c'est-à-dire la journée ou la semaine de travail plus les heures supplémentaires).

Temps d'inactivité de la machine — Temps pendant lequel une machine est disponible pour la production ou pour des travaux accessoires mais n'est pas utilisée parce qu'il n'y a pas de travail à faire, pas de matières ou pas de personnel. Ce temps comprend les périodes d'arrêt dues à une panne d'autres machines entraînant un goulet d'étranglement dans l'usine.

Temps machine accessoire – Temps pendant lequel une machine ne peut être employée à la production en raison d'un changement de travail, d'un réglage, d'un nettoyage, etc.

Temps de mise hors service de la machine – Temps pendant lequel on ne peut employer une machine à la production ou à un travail accessoire en raison d'une panne, d'exigences d'entretien ou d'autres circonstances analogues.

Temps de fonctionnement de la machine – Temps de fonctionnement réel de la machine, c'est-à-dire le temps machine disponible **moins** le temps de mise hors service de la machine, le temps d'inactivité de la machine ou le temps machine accessoire.

Figure 90.   *Composition schématique du temps machine*

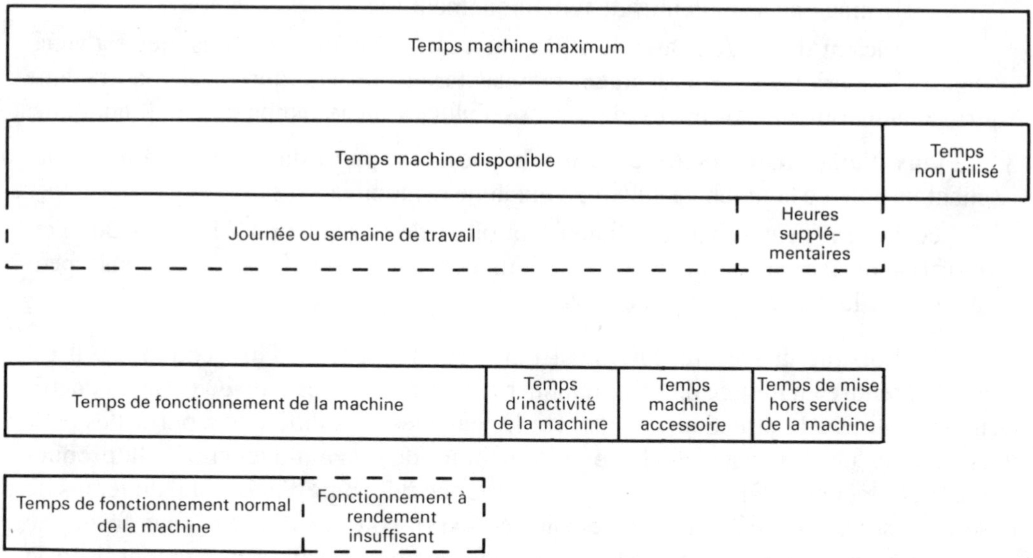

Temps machine maximum

Temps machine disponible	Temps non utilisé

Journée ou semaine de travail	Heures supplé- mentaires

Temps de fonctionnement de la machine	Temps d'inactivité de la machine	Temps machine accessoire	Temps de mise hors service de la machine

Temps de fonctionnement normal de la machine	Fonctionnement à rendement insuffisant

Note: Ce schéma concerne des machines employées dans des fabrications discontinues. C'est ainsi que les chaînes d'usinage avec machines-transferts, ou le travail posté, ne présentent pas les mêmes temps d'inactivité.

Source: D'après un schéma du *B. S. Glossary* (British Standards Institution: *Glossary of terms used in work study* (Londres, 1969)).

Le temps de fonctionnement de la machine est un fait concret que l'étude directe au poste de travail permet d'observer. Toutefois, ce n'est pas parce qu'une machine est en marche qu'elle fonctionne correctement ou qu'elle est réglée de façon à être utilisée au maximum de ses possibilités. Il est donc utile d'introduire un autre concept:

> **Temps de fonctionnement normal de la machine** – Temps de fonctionnement nécessaire pour obtenir une production donnée lorsque la machine travaille dans des conditions optimales.

La méthode de mesure du travail qui se prête le mieux à l'étude de l'utilisation des machines est la **mesure du travail par sondage** que nous avons décrite au chapitre 14. Cette technique permet d'obtenir les informations nécessaires et exige beaucoup moins d'efforts que l'étude des temps, en particulier lorsqu'il y a un nombre important de machines.

Pour des raisons de commodité, on exprime souvent les résultats tirés des études de l'utilisation des machines sous forme de taux ou coefficients. On utilise couramment trois coefficients:

1. Le **taux d'occupation de la machine,** qui est le rapport du temps de fonctionnement de la machine au temps machine disponible.

   C'est un coefficient qui représente la fraction du total des heures de travail pendant laquelle la machine n'a pas cessé de fonctionner.

293

2. Le **taux d'efficience de la machine** est le rapport du temps de fonctionnement normal de la machine à son temps de fonctionnement réel.

Un coefficient de 1,0 (ou taux de 100 pour cent, car cette caractéristique est généralement exprimée en pourcentage) représenterait une situation idéale, la machine travaillant toujours au mieux de ses possibilités tout le temps qu'elle fonctionne.

3. Le **taux d'utilisation efficace de la machine** est le rapport du temps de fonctionnement normal de la machine au temps machine disponible.

Ce coefficient peut servir à indiquer l'ampleur de la réduction des coûts que l'on pourrait réaliser si les machines fonctionnaient avec une efficience optimale pendant toute la durée du temps de travail.

Lorsque la mesure du travail porte sur l'ensemble d'une entreprise, il est facile de prendre l'habitude de communiquer régulièrement ces taux ou d'autres coefficients similaires à la direction, car on peut les calculer sans difficulté à partir des données fournies par les systèmes de contrôle continu de la main-d'œuvre, de la production et des machines. On fera ressortir l'importance du temps d'inactivité, du temps de mise hors service ou du temps accessoire en exprimant ces données sous forme de coefficients analogues aux précédents, en utilisant comme base de comparaison le temps machine disponible ou le temps de fonctionnement de la machine.

Dans les industries à processus de fabrication continu, les études d'utilisation sont menées de façon semblable et les termes et les concepts sont appliqués de la même manière, mais on remplace «machine» par «processus» ou tout autre mot approprié. Les principes sont exactement les mêmes lorsqu'on étudie l'utilisation dans les entreprises de prestation de services: dans une entreprise de transport de voyageurs, par exemple, on peut s'attendre à tirer de précieux enseignements de l'étude de l'utilisation des autobus et autocars ou des trains, et les résultats obtenus seront exprimés sous la forme de coefficients analogues à ceux que nous venons de décrire.

2. Le travail à allure limitée

> **On entend par travail à allure limitée une situation dans laquelle la production de l'exécutant est limitée par des facteurs indépendants de sa volonté**

Un exemple courant de travail à allure limitée est celui d'un exécutant conduisant une seule machine qui accomplit automatiquement une partie du cycle de travail. L'exécutant peut effectuer les éléments manuels de sa tâche à une allure égale, inférieure ou supérieure à l'allure normale et peut donc influer sur l'allure à laquelle l'opération est menée à bien, mais il ne peut pas la contrôler puisque le temps durant lequel la machine accomplit automatiquement son travail reste constant quoi qu'il fasse.

Cela ne signifie pas, bien entendu, que l'on ne peut rien faire pour raccourcir la durée du cycle. L'exemple du finissage d'une pièce de fonte sur fraiseuse verti-

Figure 91. *Résultat de l'étude des méthodes sur une opération de fraisage*

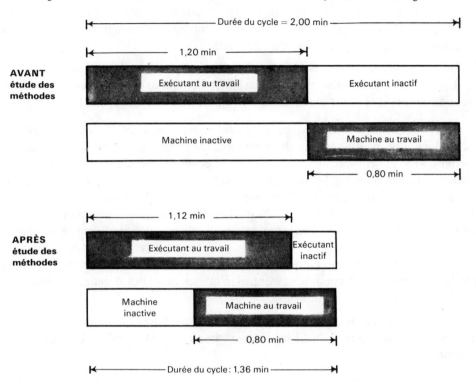

cale que nous avons étudié au chapitre 10 (pp. 144 et 145, fig. 46 et 47) montre les résultats que l'on peut obtenir en modifiant le mode opératoire. En l'occurrence, on a fait en sorte que certains des éléments manuels précédemment accomplis pendant les temps d'arrêt de la machine soient exécutés pendant que la machine fonctionne automatiquement et coupe la pièce suivante. La réduction de la durée du cycle ainsi obtenue est représentée graphiquement dans la figure 91, où l'on compare la situation existant avant et après l'étude des méthodes. (On trouvera dans le chapitre suivant tous les détails de l'étude des temps qui a porté sur cette opération.)

Dans notre exemple, l'élément machine est identique dans les deux cas et nécessite 0,80 minute, mais la durée du cycle a été ramenée de 2 minutes à 1,36 minute, soit une réduction de 32 pour cent. Avec la méthode améliorée, il faut à l'exécutant 1,12 minute pour accomplir à l'allure normale les éléments manuels de l'opération, mais il en effectue certains pendant que la machine fonctionne. Même s'il exécutait tous les éléments manuels à une vitesse *double* de l'allure normale, cela ne réduirait pas la durée du cycle de moitié, mais de quelque 20 pour cent seulement. La production du travailleur est donc limitée par des facteurs indépendants de sa volonté: il s'agit de travail à allure limitée.

Il y a également d'autres exemples de travail à allure limitée dans les cas suivants:

1. Un ou plusieurs exécutants conduisent plusieurs machines dans des conditions analogues à celles que nous venons de décrire.

295

2. Les exécutants contrôlent les processus de fabrication et leur tâche principale consiste à observer le comportement des processus ou à surveiller les instruments qui enregistrent ce comportement; ils n'interviennent directement qu'en cas de variations de comportement, d'état ou d'indications lues.

3. Deux ou plusieurs exécutants travaillant en équipe dépendent les uns des autres et il se révèle impossible de répartir exactement la charge de travail entre eux, de sorte que certains sont contraints à l'inaction en divers points du cycle de travail.

Le travail en équipe peut donner naissance à du travail à allure limitée même lorsqu'on n'emploie pas de machines. De même, le travail d'assemblage synchronisé avec le déplacement d'un convoyeur produit généralement un travail à allure limitée. En effet, même si le convoyeur ne sert qu'à déplacer des pièces d'un poste de travail au suivant, chaque exécutant prenant une pièce sur la bande pour la travailler puis la reposant sur le convoyeur dès qu'il a terminé, il peut néanmoins y avoir contrainte du fait que certains exécutants sont obligés d'attendre la pièce suivante. De même, lorsque les travaux d'assemblage s'effectuent directement sur le convoyeur, comme cela se fait sur les chaînes de montage de véhicules automobiles, le convoyeur produit également des conditions contraignantes, analogues à celles qu'imposent les machines de production statiques.

Avant d'examiner le travail d'un exécutant intervenant sur plusieurs machines, nous envisagerons d'abord le cas plus simple où le travailleur conduit une seule machine.

3. Un homme, une machine

Les opérations impliquant un homme et une machine sont généralement représentées graphiquement en fonction d'une échelle des temps comme dans la figure 92, qui illustre la méthode améliorée pour le travail de finissage sur fraiseuse verticale que nous venons de mentionner.

La période pendant laquelle la machine travaille est appelée «temps machine».

> **Le temps machine (ou le temps de processus) est le temps nécessaire pour exécuter la partie du cycle de travail qui est conditionnée exclusivement par les caractéristiques techniques de la machine (ou du processus)**

Comme on le voit, l'exécutant accomplit une partie de son travail manuel pendant que la machine fonctionne et l'autre partie pendant qu'elle est à l'arrêt. Ces deux composantes du travail manuel sont appelées respectivement «travail homme-machine» et «travail humain».

> **Le travail humain comprend les éléments qui doivent nécessairement être effectués par l'exécutant en dehors du temps machine (ou processus)**
> **Le travail homme-machine comprend les éléments qui peuvent être effectués pendant le temps machine (ou processus)**

Enfin, il nous faut définir le temps pendant lequel l'exécutant doit attendre que la machine termine son travail de coupe, c'est-à-dire le «temps d'inactivité» ou «temps résiduel».

> **Le temps d'inactivité ou temps résiduel comprend les périodes de temps machine (ou processus) pendant lesquelles l'exécutant n'est pas occupé lui-même à un travail et ne prend pas un repos autorisé**

Sur ce type de diagramme, on représente les périodes de travail de l'exécutant (temps humain et temps homme-machine) calculées pour un rendement normal. Dans la figure 92, on n'a pas encore tenu compte de la majoration de repos ou d'autres majorations: le travail manuel a été calculé à l'allure normale; il est donc représenté en minutes de base. Le temps machine est bien entendu représenté en minutes réelles, de sorte que, si l'on utilise l'échelle d'évaluation 0-100 recommandée dans le présent ouvrage, les minutes de base de travail manuel et les minutes réelles de fonctionnement de la machine sont comparables et peuvent être représentées à la même échelle.

Lorsqu'on calcule le temps d'inactivité de l'exécutant, il faut avoir préalablement calculé le temps de travail correspondant à un rendement normal, c'est-à-dire à l'allure normale, en ajoutant la majoration de repos appropriée (le calcul des majorations de repos sera examiné plus loin). Dans des circonstances spéciales, les éléments de travail manuel associés à l'utilisation d'une machine peuvent être calculés pour une allure différente de l'allure normale, mais nous ne nous pencherons pas sur ce problème dans le présent ouvrage.

Le diagramme de la figure 92, ou simogramme, fait penser un peu à une pompe de bicyclette. C'est pourquoi les agents d'étude du travail parlent souvent de «diagramme en pompe». Lorsqu'il cherche à améliorer la méthode de travail, l'agent d'étude procède principalement de deux façons. Dans un premier temps, il essaie «d'enfoncer le piston dans le corps de la pompe», c'est-à-dire de modifier l'opération pour que certains éléments manuels de travail puissent être effectués pendant le temps de fonctionnement de la machine. On aboutit ainsi à une réduction du cycle de travail

297

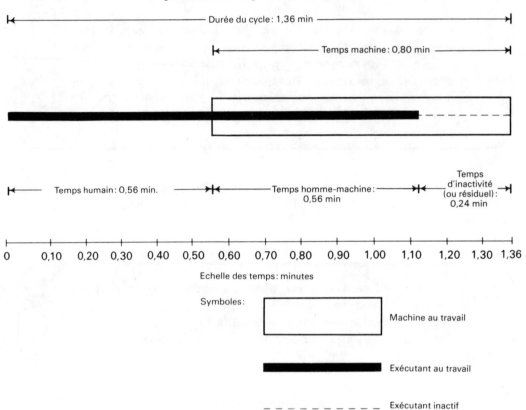

Figure 92. Fraisage: méthode améliorée

(ce qui a été fait pour l'exemple de la figure 92). Dans un second temps, l'agent étudie attentivement les possibilités de «raccourcir le corps de la pompe», c'est-à-dire de réduire au minimum le temps machine en veillant à ce que la machine soit utilisée de façon à donner les meilleurs résultats, avec la bonne vitesse et la bonne avance, avec des outils de coupe bien affûtés et en la meilleure qualité d'acier pour le travail à exécuter, de telle sorte que le temps de fonctionnement de la machine soit le temps de fonctionnement normal.

4. Calcul des majorations de repos

Lorsqu'on analyse un travail à allure limitée, il est indispensable de calculer séparément la majoration de fatigue et la majoration pour besoins personnels. La raison de cette distinction tient à ce que la majoration pour besoins personnels doit être calculée non pas uniquement sur la base des éléments manuels contenus dans le cycle de travail, mais pour la totalité du cycle, y compris le temps machine. En effet, les pourcentages de majoration pour besoins personnels sont toujours calculés d'après le temps de présence au poste de travail et non sur la base du temps effectivement consacré au travail. En revanche, la majoration de fatigue est nécessitée par le travail et calculée d'après le nombre de minutes de base de travail effectivement accompli.

Cette différence mise à part, le calcul de la majoration de repos suit exactement la méthode décrite au chapitre 18.

Toutefois, le problème n'est pas pour autant résolu. Après avoir calculé la majoration, il faut voir si l'exécutant peut l'absorber dans le cycle de travail, en totalité ou en partie, ou s'il faut l'ajouter à la somme du temps humain et du temps machine pour calculer la durée véritable du cycle.

Si le cycle de travail est très long et s'il comporte des périodes d'inactivité relativement importantes, la majoration pour besoins personnels et la majoration de fatigue pourront parfois être absorbées dans le cycle, lorsque l'exécutant ne travaille pas. Toutefois, ces périodes ne peuvent être considérées comme suffisantes en ce qui concerne la majoration pour besoins personnels que si elles sont assez longues (de l'ordre de 10 à 15 minutes), si elles sont ininterrompues et si l'exécutant peut laisser sa machine sans surveillance pendant ces périodes-là. De telles conditions peuvent être réunies sans nuire à la sécurité si la machine est équipée d'un système d'arrêt automatique et peut fonctionner sans surveillance; d'autre part, lorsque les exécutants travaillent en groupe, on peut parfois faire en sorte qu'un travailleur voisin utilise une partie de son temps d'inactivité pour surveiller la machine de son collègue momentanément absent. Dans les usines textiles et dans les industries où les machines de production fonctionnent en continu, parfois 24 heures sur 24, on utilise fréquemment des travailleurs «volants» chargés de «boucher les trous» aux différents postes de travail. On peut ainsi laisser les machines en marche pendant les pauses repas pour autant que ces pauses soient brèves et échelonnées dans le temps.

Toutefois, en règle générale et surtout lorsque les cycles de travail sont courts, la pause correspondant à la majoration pour besoins personnels est prise entièrement en dehors du cycle de travail. Dans l'exemple du fraisage d'une pièce de fonte (durée du cycle: 1,36 minute), il serait manifestement impossible à l'ouvrier d'en prendre la moindre partie pendant le cycle.

Le problème de la majoration de fatigue est assez différent. Des temps d'inactivité relativement courts peuvent être utilisés pour récupérer, pour autant que l'opérateur puisse réellement se détendre et dispose d'un siège à proximité de la machine et à condition qu'il ne doive pas exercer une surveillance constante ou se tenir continuellement sur le qui-vive. On estime généralement que toute période d'inactivité inférieure ou égale à 0,50 minute est trop courte pour pouvoir être utilisée comme temps de repos et que toute période ininterrompue de 1,5 minute ou plus peut servir parfaitement à se remettre de la fatigue. Les temps d'inactivité inférieurs ou égaux à 0,50 minute seront donc négligés lors du calcul. Pour des temps intermédiaires, compris entre 0,50 et 1,50 minute, on calcule habituellement le temps que l'on considère comme vraiment utilisable pour le repos en déduisant 0,50 minute du temps d'inactivité réel et en multipliant le résultat obtenu par 1,5. En procédant de la sorte, on obtient pour quatre temps d'inactivité compris entre 0,50 et 1,50 minute les temps suivants effectivement utilisables pour le repos:

Temps d'inactivité réel (période ininterrompue) (min)	Temps effectivement utilisable pour récupérer (min)
0,50	néant
1,00	0,75
1,25	1,12
1,50	1,50

Dans l'exemple précité, le temps d'inactivité ne durait que 0,24 minute par cycle, ce qui est trop court pour permettre le repos. Dans ce cas particulier, le travail homme-machine était effectué en une seule période ininterrompue de 0,56 minute, mais, dans les ateliers mécaniques, il arrive fréquemment que les exécutants doivent faire un réglage, surveiller périodiquement la marche de la machine ou effectuer occasionnellement des éléments manuels sur d'autres pièces pendant le fonctionnement de la machine, de sorte que le temps machine est fait de temps homme-machine alternant avec des temps d'inactivité.

La longueur du cycle et la répartition du travail homme-machine à l'intérieur du cycle conditionnent donc la manière de calculer la majoration de repos. On distingue quatre cas:

1. Le temps octroyé à titre de majoration pour besoins personnels et de majoration de fatigue doit être pris en dehors du cycle de travail.

2. Le temps octroyé à titre de majoration pour besoins personnels doit être pris en dehors du cycle de travail, mais la majoration de fatigue peut être prise intégralement dans le cycle.

3. Le temps octroyé à titre de majoration pour besoins personnels et une partie du temps alloué à titre de majoration de fatigue doivent être pris en dehors du cycle de travail, mais le reste de la majoration de fatigue peut être pris dans le cycle.

4. Le temps octroyé à titre de majoration pour besoins personnels et de majoration de fatigue peut être pris intégralement dans le cycle de travail.

La figure 93 représente quatre opérations différentes qui illustrent ces quatre possibilités. Ces opérations ont toutes en commun les caractéristiques suivantes:

Temps machine	15 minutes
Travail humain	10 minutes de base
Travail homme-machine	5 minutes de base
Majoration pour besoins personnels: 5 pour cent du total du temps humain plus temps machine	1,25 minute
Majoration de fatigue: 10 pour cent des minutes de base totales	1,50 minute

Dans le cas 3, le temps machine comporte une période de 1,0 minute durant laquelle l'exécutant reste inactif. En appliquant la méthode de calcul décrite plus haut, on trouve qu'une partie de ce temps d'inactivité (0,75 minute) peut être utilisée par l'exécutant pour se reposer. Le reste du temps alloué à titre de majoration de fatigue (0,75 minute) doit être pris en dehors du cycle de travail. Dans le cas 4, on a supposé qu'un travailleur voisin pourra surveiller la machine de son collègue, si ce dernier est obligé de quitter son poste pour une période excédant les dix minutes de temps d'inaction comprise dans l'élément machine.

L'examen de la figure 93 montre que la **durée totale du cycle** diffère dans chaque cas, de sorte que le nombre d'unités de production auquel on s'attendrait normalement sur une journée de huit heures de travail varie également d'une opération à l'autre:

	Durée totale du cycle (min)	Production journalière prévue (unités)	
Cas 1	27,75	17,3 ——▶ 17	
Cas 2	26,25	18,3 ——▶ 18	
Cas 3	27,00	17,7 ——▶ avec heures	supplémentaires = 18
Cas 4	25,00	19,2 ——▶ 19	

La **durée totale du cycle** est le temps total que doit prendre l'exécution complète d'une tâche pour un rendement normal. Ce temps se compose (pour des opérations que nous avons analysées jusqu'ici) du temps d'exécution du travail humain effectué à l'allure normale, du temps machine et des fractions de la majoration de repos qui doivent éventuellement être octroyées en dehors du temps machine. Lorsqu'il n'y a pas d'autre majoration à prendre en considération (une majoration auxi-

Figure 93.   Quatre opérations comportant des éléments machine

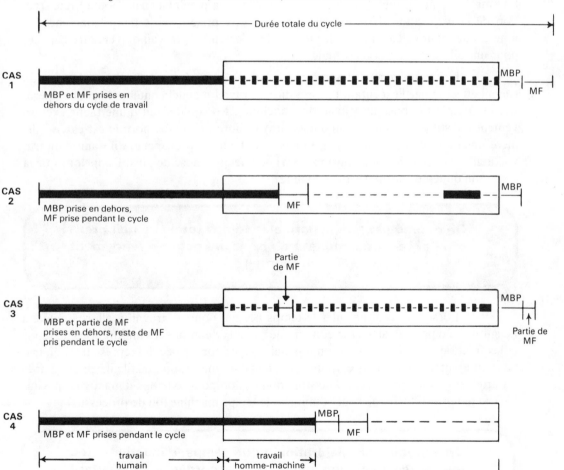

MBP = Majoration pour besoins personnels
MF = Majoration de fatigue

301

liaire, par exemple) et lorsqu'une majoration est allouée en minutes réelles pour tenir compte du temps d'inactivité, la durée totale du cycle est numériquement égale au temps normal fixé pour l'opération.

5. Majoration pour temps d'inactivité

Lorsque l'on construit des diagrammes à l'échelle schématisant des cycles de travail à allure limitée, comme les diagrammes des figures 92 et 93, on représente habituellement tous les éléments manuels par leurs temps d'exécution à l'allure normale. Ce procédé facilite l'étude des méthodes et les calculs nécessaires à la détermination des majorations de repos et à leur répartition dans le cycle, après quoi on peut calculer les durées totales des cycles et les productions auxquelles on peut théoriquement s'attendre.

L'étape suivante consiste à calculer le temps d'inactivité total, exprimé en minutes réelles. Pour les catégories d'opérations que nous avons analysées jusqu'ici, on calcule le temps d'inactivité en soustrayant du temps machine la somme des temps homme-machine en minutes de base, à laquelle on a préalablement ajouté toute fraction de la majoration de repos qui aurait pu être prise dans le temps machine. On notera que, pour ce calcul, tous les temps des éléments de travail doivent être calculés pour une allure d'exécution normale.

Le temps normal d'une tâche ou d'une opération se calcule sur la base du travail effectué par l'exécutant (c'est-à-dire le travail manuel contenu dans une opération) et non sur la base du travail des machines. Lorsqu'il s'agit d'une tâche exclusivement constituée d'éléments manuels (travail libre), le temps normal est essentiellement une mesure du travail contenu dans cette tâche. En revanche, s'il s'agit d'un travail à allure limitée, le temps normal exprime quelque chose de plus. Rappelons que la définition du temps normal est la suivante:

> **On entend par temps normal le temps total que doit prendre l'exécution complète d'une tâche pour un rendement normal**

Lorsqu'on veut calculer le temps normal pour un travail à allure limitée, il ne suffit donc pas de calculer le contenu de travail (y compris les majorations de repos et les fractions de toute majoration auxiliaire jugée appropriée qui représentent un travail) en ajoutant aussi dans certains cas une petite majoration auxiliaire pour retards ou attentes. Il faut en outre ajouter une majoration pour le temps d'inactivité inévitable (ou temps résiduel) que peut comporter le temps machine (ou de processus).

> **On entend par majoration pour temps d'inactivité (ou temps résiduel) une majoration accordée à l'exécutant lorsque le temps machine (ou processus) comporte un temps d'inactivité**

Avant d'accorder cette majoration, l'agent d'étude du travail doit d'abord s'assurer que le temps d'inactivité est vraiment inévitable, et qu'il est impossible de le réduire encore en améliorant la méthode de travail ou en modifiant la répartition du travail ou des machines. Nous avons relevé précédemment que, du point de vue de la gestion, il peut être bon de tolérer un certain temps d'inactivité si l'on peut ainsi augmenter l'utilisation de machines qui coûtent cher. En effet, dans le travail à allure limitée, l'utilisation des machines est souvent beaucoup plus importante que la productivité de la main-d'œuvre.

Les majorations pour temps d'inactivité sont exprimées en minutes réelles.

RÉMUNÉRATION DU TEMPS D'INACTIVITÉ

Lorsque les temps normaux servent de base à des systèmes de rémunération au rendement, l'inclusion des majorations pour temps d'inactivité dans les temps normaux fixés pour le travail à allure limitée peut donner lieu à des anomalies de rémunération, à moins de prendre des dispositions spéciales pour les éviter.

Pour mieux comprendre les difficultés qui peuvent se présenter, prenons un exemple. Supposons qu'il y a dans une entreprise trois tâches différentes dont les temps normaux sont identiques et ont été établis à 100 minutes. Alors que l'une de ces tâches est constituée exclusivement d'éléments manuels, les deux autres appartiennent à la catégorie du travail à allure limitée et leurs temps normaux comportent des majorations pour temps d'inactivité de — disons — 15 et 45 minutes respectivement.

Si les trois ouvriers concernés accomplissent les éléments manuels de leur tâche à l'allure normale et qu'ils prennent tous les temps de repos accordés, les trois tâches seront exécutées dans le même temps (100 minutes). Mais l'exécutant opérant en travail libre aura travaillé sans interruption (sauf bien entendu pendant la période de repos) alors que les deux autres auront été inactifs pendant 15 et 45 minutes respectivement. Si le temps d'inactivité et le temps de travail sont rémunérés au même taux, les ouvriers dont la charge de travail est plus élevée seront vite mécontents; on classera les tâches en «bonnes» ou «mauvaises» selon l'importance du temps d'inactivité qu'elles comportent, et l'on répugnera à exécuter les tâches contenant davantage de travail.

On résout généralement ce problème, non en modifiant les temps normaux, mais en fixant des taux de rémunération différents pour le travail et pour les temps d'inactivité. Pour cela on exprime habituellement les temps normaux non seulement en totaux mais également en points pour travail majorés de points pour temps d'inactivité (ou en termes analogues).

Ainsi, dans l'exemple cité, on verrait que le temps normal (100 minutes dans chaque cas) se composerait respectivement de 100, 85 et 55 points pour travail et de 0, 15 et 45 points pour temps d'inactivité. Notons en passant que les points pour temps d'inactivité compris dans un temps normal ne sont pas toujours octroyés uniquement pour tenir compte des temps d'inactivité que nous avons précédemment analysés. En effet, il arrive que des points pour temps d'inactivité doivent être accordés pour compenser les retards qui se produisent lorsque des machines tombent en panne ou que les ouvriers doivent attendre le travail ou les instructions.

Le choix du système de paiement différencié du travail et des temps d'inactivité est plus une question d'administration des salaires que d'étude du travail et, de ce

303

fait, sort du cadre de ce manuel. Signalons toutefois qu'il est indispensable, quelle que soit la formule retenue, que le système soit clair, faute de quoi les travailleurs comprendront mal que des tâches exigeant le même temps d'exécution soient rémunérées différemment. La formule choisie devra donc être négociée avec les représentants des travailleurs et faire l'objet d'un accord avant d'entrer en application. Avec un système typique, on peut payer les points pour temps d'inactivité représentant moins de 5 pour cent des points pour travail au même taux que les points pour travail; les points pour temps d'inactivité représentant plus de 40 pour cent des points pour travail à un taux égal aux trois quarts du taux appliqué au travail; les points pour temps d'inactivité représentant de 5 à 40 pour cent des points pour travail à des taux intermédiaires.

Le système de rémunération le plus approprié pour une entreprise dépend des circonstances qui lui sont propres et, en particulier, de la fréquence — faible ou forte — des tâches comportant une part importante de temps d'inactivité. Dans certains cas, on utilise un système de taux variables qu'on lit sur une courbe, mais, en général, on préfère une relation linéaire, et toujours une relation linéaire simple.

L'agent d'étude du travail s'occupe surtout de la mesure du temps nécessaire pour mener à bien une tâche ou une opération plutôt que des dispositions convenues pour rémunérer ce temps. Dans l'industrie, les conventions salariales tiennent généralement compte des divers niveaux de qualification nécessaires pour exécuter des opérations différentes en fixant des salaires à la minute ou à l'heure qui sont différenciés[1]. D'autres facteurs peuvent également être pris en considération pour l'établissement des taux de rémunération, mais rien de tout cela n'affectera le calcul d'une majoration *de temps* pour inactivité que l'agent d'étude peut être amené à effectuer pour établir le temps normal applicable à une tâche. Cette majoration de temps sera exprimée en minutes ou en heures, dont la rémunération pourra être négociée de façon totalement distincte.

Dans le système de rémunération décrit ci-dessus, les périodes d'inactivité relativement longues sont payées à des taux inférieurs à ceux qui sont fixés pour les temps de travail. Toutefois, dans certaines circonstances, il peut être justifié de payer des salaires élevés aussi bien pour les temps d'inactivité que pour les temps de travail; lorsqu'il en est ainsi, la rémunération effective d'une minute de temps d'inactivité versée à un exécutant donné peut être supérieure à celle qui est payée à un autre pour une minute de travail.

Ce genre de situation se rencontre par exemple au dernier stade de l'usinage d'un arbre de générateur électrique à turbine. Une telle pièce peut avoir plusieurs mètres de long et représente, au stade de la finition, un investissement considérable, qu'il s'agisse de la main-d'œuvre ou du coût élevé des matières utilisées. Il suffit d'une erreur de coupe pour que le diamètre de l'arbre soit inférieur à la norme et que toute la pièce doive être mise au rebut. L'exécutant assume donc une très lourde responsabilité, bien que l'opération proprement dite ne soit pas particulièrement complexe. C'est pour cette raison que les taux de rémunération alloués à l'exécutant tant pour son travail que pour tout temps d'inactivité inévitable peuvent être supérieurs aux taux

---

[1] Relevons qu'en France, dans la métallurgie, les définitions de qualification attachent la rétribution à l'exécutant et non au poste de travail. Voir l'accord national sur la classification conclu en juillet 1975 avec l'Union des industries métallurgiques et minières et l'extension de cet accord le 30 janvier 1980.

payés pour la généralité des opérations de tournage. Ces opérations ou tâches «clés» sont fréquentes dans l'industrie.

6. Le travail sur plusieurs machines

> **On entend par travail sur plusieurs machines un travail qui oblige l'exécutant à conduire deux ou plusieurs machines (analogues ou de genres différents) fonctionnant simultanément**

Dans la section 3 du présent chapitre, nous avons envisagé le cas simple d'un homme conduisant une seule machine. Toutefois, il arrive souvent que les travailleurs soient appelés à surveiller plusieurs et même un grand nombre de machines en même temps, ce qui pose des problèmes particuliers lors de l'étude des temps. Cette situation se présente couramment dans les ateliers de tissage des usines textiles où un travailleur peut avoir à surveiller de 4 à 40 métiers en même temps (voire davantage), selon le type de métier installé et selon les caractéristiques du tissu fabriqué. Le travail à plusieurs machines est également fréquent dans les industries mécaniques, par exemple, lorsque des ouvriers font marcher des batteries de décolleteuses ou de bobineuses. Dans des conditions de travail de ce genre, les machines sont habituellement équipées de coupe-circuit automatiques qui les mettent à l'arrêt dès que le travail est terminé ou en cas de panne ou de mauvais fonctionnement.

Ce genre de travail entre évidemment dans la catégorie du travail à allure limitée, car la production de l'exécutant est susceptible d'être limitée par des facteurs indépendants de sa volonté. Tel est également le cas de certaines opérations en équipe, que les membres de l'équipe soient affectés au fonctionnement d'une seule machine (ce qui est parfois le cas aux postes d'estampage), qu'ils en surveillent plusieurs (phénomène fréquent dans l'industrie textile), ou qu'ils n'en conduisent aucune, car il peut y avoir contrainte s'il n'y a pas équilibre entre les tâches manuelles que les différents membres de l'équipe doivent exécuter.

LE FACTEUR DE CHARGE

> **On entend par facteur de charge la proportion de la durée totale du cycle qu'occupe l'intervention du travailleur, pour un rendement normal, pendant un cycle comprenant un temps machine (ou processus)**

Le **facteur de charge** est connu également sous le nom de «charge de travail». Dans le cas le plus simple, celui d'un opérateur conduisant une seule machine, comme dans les exemples des figures 92 et 93, si la durée totale du cycle est de dix minutes et si le travail manuel contenu dans le cycle ne totalise qu'une minute standard, le facteur de charge est d'un dixième, ou de 10 pour cent.

305

Par conséquent, l'inverse du facteur de charge représente le nombre de machines que l'opérateur pourrait théoriquement faire marcher simultanément ; dans le cas de l'exemple précité, ce serait dix machines. Dans la pratique, d'autres facteurs entrent en ligne de compte, de sorte que le facteur de charge ne constitue qu'une première indication très grossière du nombre de machines que l'on peut utilement confier à un même travailleur. On trouve des cas où les éléments de travail manuel consistent uniquement à retirer les pièces finies, après l'arrêt automatique des machines, à fixer de nouvelles pièces en position de travail et à remettre les machines en marche. Si les machines sont toutes semblables et les pièces usinées identiques, l'exécutant arrive parfois à réaliser l'opération dans l'ordre idéal et à conduire le nombre de machines correspondant à l'inverse du facteur de charge. Toutefois, dans la grande majorité des cas, les machines ne sont pas toutes semblables et le travail manuel présente des variations, de sorte que l'opérateur ne peut pas toujours se trouver devant chaque machine exactement au moment voulu. Les retards ainsi occasionnés constituent ce que l'on appelle le **déséquilibre du cycle de travail.**

PROBLÈMES D'INTERFÉRENCE DES MACHINES

> **Il y a déséquilibre du cycle de travail lorsque plusieurs machines (ou processus) attendent simultanément l'intervention de l'opérateur, par exemple lorsqu'un travailleur est chargé de surveiller deux ou plusieurs machines. Des phénomènes semblables se produisent dans le travail en équipe, où des retards aléatoires en un point quelconque peuvent affecter la production de l'équipe**

Lorsqu'il étudie le travail sur plusieurs machines ou le travail en équipe (avec ou sans machines), l'agent d'étude doit d'abord examiner les méthodes de travail pour mettre au point l'ordre d'enchaînement des opérations qui permettra de répartir au mieux les tâches, donc de réduire le déséquilibre au minimum. Ensuite, il utilisera les techniques de l'étude des temps pour mesurer l'importance du déséquilibre qui subsiste après adoption de la meilleure méthode de travail. Ces études sont parfois extrêmement délicates et nécessitent souvent l'utilisation de techniques spécialisées qui sortent du cadre du présent ouvrage.

Si l'équipe ne comporte qu'un petit nombre de travailleurs ou si un ou deux opérateurs se partagent la conduite d'un petit nombre de machines, on pourra se contenter de méthodes d'analyse plus simples. On représentera l'enchaînement des opérations sous forme de schéma et l'étude se fera sur un graphique d'activités multiples (voir chap. 10) complété par des diagrammes de cycle analogues à ceux des figures 92 et 93. Les diagrammes correspondant aux différentes machines sont dessinés les uns au-dessous des autres, selon la même échelle des temps. La figure 94 représente un exemple simple, celui d'un opérateur faisant fonctionner trois machines.

Dans cet exemple, il n'y a pas de travail homme-machine, de sorte que, dès qu'une machine est mise en marche, l'opérateur peut s'occuper de la machine suivante. L'ordre des opérations est indiqué par les petites flèches verticales. L'examen de

Figure 94. Interférence des machines

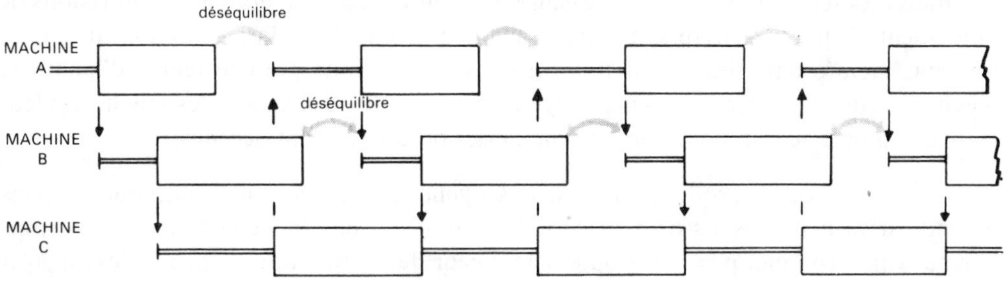

la figure montre qu'ainsi le fonctionnement de la machine C ne subit aucun retard; mais pour arriver à ce résultat, on est obligé de laisser les machines A et B s'arrêter d'elles-mêmes à la fin de chaque période de fonctionnement, et il s'écoule chaque fois un certain temps avant que l'opérateur puisse s'occuper de ces machines. Ces déséquilibres sont représentés sur les diagrammes de cycle des machines A et B par des arcs grisés.

TEMPS D'ÉQUILIBRAGE

On entend par temps d'équilibrage une majoration de temps correspondant aux pertes inévitables de production dues à la coïncidence de l'arrêt de deux ou plusieurs machines (ou processus) que surveille un seul travailleur. Des phénomènes semblables se produisent dans le travail en équipe

En utilisant les mêmes méthodes et les mêmes conventions et principes de représentation graphique, on peut établir des séquences de travail et calculer les temps d'équilibrage pour une gamme passablement étendue d'opérations sur plusieurs machines, dont beaucoup sont fréquentes dans les industries mécaniques et les industries connexes, surtout celles où les arrêts de machines sont non point aléatoires mais réguliers et prévisibles. Dans le cas des bobineuses, par exemple, les machines s'arrêtent automatiquement lorsque la bobine est terminée, et les imprévus (tels que la rupture du fil) sont rares.

Pour ces formes simples de travail sur plusieurs machines, lorsqu'un opérateur ne doit surveiller que quelques machines et que le travail a un caractère cyclique, tous les cycles présentent un début et une fin clairement marqués, on peut calculer les temps normaux et les exprimer exactement comme dans le cas d'un travail libre, c'est-à-dire en minutes (ou heures) standards par pièce, par tâche ou par opération. Ce procédé est utilisé couramment pour l'étude des ateliers de machines-outils, surtout lorsque les travailleurs conduisent plusieurs machines en séquence. Les temps normaux sont alors déterminés selon les méthodes précédemment décrites, en fonction du contenu de travail de chaque tâche ou opération. **Il n'est pas nécessaire de tenir**

307

compte des temps d'équilibrage du cycle de travail lors de la détermination des temps normaux; toutefois, il peut être nécessaire de le faire lorsqu'on établit des prévisions de rendement et qu'on se livre à d'autres calculs de contrôle de la production. Il faut en tout cas inclure dans les temps normaux les majorations pour le **temps d'inactivité inévitable** qui peut intervenir dans le cycle en raison de l'utilisation des machines; leur prise en compte se fait alors selon les méthodes précédemment décrites.

Lorsque la production n'est pas cyclique mais continue, notamment dans les industries à processus de fabrication continu, on établit généralement les temps normaux **par volume, par poids** ou **par longueur de production,** au lieu de les calculer par pièce ou par opération. Dans le cas du tissage, par exemple, les temps normaux peuvent être calculés et exprimés en minutes standards par 100 mètres de tissu obtenu (mais ce n'est là qu'une formule parmi bien d'autres). Une fois déterminée la quantité de travail manuel contenue dans une opération, on peut essayer de prévoir la production des machines, encore que les calculs doivent naturellement tenir compte de la quantité de travail manuel consacrée à s'occuper des machines. Le temps d'inactivité n'est pas à négliger et doit presque toujours être déterminé, non pour introduire une majoration dans le temps normal, mais pour avoir une indication du nombre de machines dont un même opérateur peut s'occuper. **Pour le calcul des temps normaux, la majoration à prendre en compte est la majoration d'équilibrage,** c'est-à-dire les périodes pendant lesquelles une partie des machines restent à l'arrêt en attendant que l'opérateur puisse venir s'en occuper.

Une situation typique à cet égard est celle de l'ouvrier chargé de surveiller un groupe de métiers à tisser. Les arrêts des machines dépendent de nombreux facteurs. La solidité du fil et, partant, la fréquence des ruptures dépendent du mode de préparation des matières formant la chaîne et la trame ainsi que de la température et de l'humidité ambiantes, l'une et l'autre pouvant varier notablement sur la durée d'un poste. L'état d'entretien des métiers influera également sur la fréquence des arrêts de même que la célérité et l'habileté de l'opérateur, car un ouvrier bien formé peut souvent éviter les arrêts en intervenant avant que l'incident se produise.

Dans des situations de ce genre, il faut évaluer les temps d'inactivité (pour établir la charge de travail et équilibrer les tâches dans l'équipe) et les temps d'équilibrage (pour déterminer les temps normaux) en procédant à des études sur l'ensemble de l'atelier, qui porteront sur toutes les conditions de travail possibles et toutes les matières utilisées (les différents calibres de fil dans le cas du tissage). Les études doivent parfois s'étendre sur plusieurs jours, plusieurs semaines, voire plusieurs mois. La mesure du travail par sondage convient particulièrement pour ce type d'étude et c'est d'ailleurs pour l'industrie textile qu'elle avait été mise au point. Cette méthode est d'un emploi beaucoup moins coûteux que l'étude des temps qui serait beaucoup trop longue et trop détaillée pour ce genre d'observation, sauf dans de très petits ateliers. En utilisant la mesure du travail par sondage dans un atelier de tissage, l'agent d'étude peut, par exemple, enregistrer toutes les informations nécessaires en observant seulement le fonctionnement de dix à douze métiers, ce qui serait tout à fait impossible avec l'étude des temps ordinaire.

Dans un manuel d'initiation comme celui-ci, il n'est pas possible de décrire en détail les techniques de pointe d'étude du travail qui sont utilisées pour évaluer les déséquilibres et calculer les temps d'équilibrage dans des situations complexes faisant intervenir plusieurs machines. Ces techniques se fondent pour la plupart sur des méthodes statistiques et sur la théorie des probabilités, et sont destinées à fournir des prévisions fiables sans passer par l'étude des temps ou la mesure du travail par sondage. A cet effet, on a mis au point un certain nombre de formules, de courbes et de tables qui facilitent le calcul des déséquilibres et de la production probable, avec différentes combinaisons opérateur-machines. Ces techniques, à condition d'être utilisées avec soin, permettent des gains de temps considérables lorsqu'il faut étudier certains cas spéciaux et complexes de travail en équipe ou sur plusieurs machines. Toutefois, il est essentiel que les prévisions obtenues avec ces tables et ces formules soient confirmées par des observations directes au poste de travail, de façon qu'il soit tenu pleinement compte des conditions de travail locales.

Les méthodes d'étude des temps décrites précédemment dans ce chapitre, complétées par la mesure du travail par sondage (décrite au chapitre 14) permettent de calculer des normes de temps valables dans la plupart des cas de travail avec des machines que les agents d'étude rencontrent dans l'industrie. Les lecteurs qui auraient à établir des normes pour opérations complexes faisant intervenir plusieurs machines auront peut-être intérêt à consulter des ouvrages plus spécialisés. Toutefois, il est recommandé de ne pas utiliser les méthodes les plus spécialisées tant que l'agent d'étude n'a pas une expérience suffisante de l'étude des temps et de la mesure du travail par sondage qui lui donne la certitude qu'il pourra, grâce à ces techniques, vérifier les prévisions statistiques.

* * *

Dans le chapitre suivant, nous donnons un exemple d'étude des temps complète. Cette étude porte sur le fraisage d'une pièce de fonte qui avait déjà été choisi pour illustrer un graphique d'activités multiples au chapitre 10 et dont le diagramme de cycle figure dans la section 3 de ce chapitre.

Chapitre 20
Exemple
d'une étude des temps

Au cours des quatre chapitres précédents, consacrés à l'examen de l'exécution d'une étude des temps, nous avons mentionné à plusieurs reprises un exemple fondé sur le fraisage d'une pièce de fonte qui était le sujet du graphique d'activités multiples étudié au chapitre 10. Nous allons maintenant décrire l'étude complète des temps. Un examen attentif des formules reproduites dans les figures du présent chapitre permettra au lecteur de suivre dans le détail la procédure de dépouillement d'une étude des temps et de détermination d'un temps normal.

Nous avons retenu cet exemple pour diverses raisons :

a) il est simple ;

b) il a déjà fait l'objet d'une étude des méthodes ;

c) il comprend à la fois des éléments manuels et des éléments machine ;

d) il est typique du genre d'opérations que l'on rencontre partout dans les industries mécaniques et dans d'autres industries qui utilisent des machines et des processus semi-automatiques.

Les formules utilisées sont simples et prévues pour des études générales, comme celles qui figurent au chapitre 15. Bien que toutes les indications y soient portées à la main, on espace habituellement les lignes de façon à pouvoir les remplir à la machine à écrire. En effet, il est parfois nécessaire de mettre au net les enregistrements originaux pour faciliter la discussion ou pour communiquer les résultats des études.

L'étude que nous donnons ici en exemple n'était pas la première à porter sur l'opération dont il s'agit. Les tops et les éléments avaient été définis au cours de l'étude des méthodes, puis inscrits sur une fiche établie et classée par le service d'étude du travail. Il est très utile de procéder ainsi lorsqu'on prévoit que l'opération donnera lieu à plusieurs études, qu'effectueront peut-être des agents d'étude différents. Grâce à la fiche, les données enregistrées seront toujours comparables. La figure 95 donne la liste des tops et des éléments.

Bien que l'exemple simple d'étude des temps que nous présentons dans le détail intéresse une entreprise industrielle, la procédure serait exactement la même pour les opérations des entreprises de service ou pour tout autre travail étudié en vue de la fixation de normes de temps, et des opérations entièrement manuelles, comme les travaux d'assemblage, ne seraient pas traitées différemment.

Figure 95. Fiche descriptive des éléments et des tops de l'opération

	Fiche n° 1264

Pièce: B.239 carter   *Dessin:* 239/1

Matière: IIS 2 fonte

Opération: Finissage deuxième face

Machine: Fraiseuse verticale Cincinnati n° 4

Support: F.239

Outil de coupe: 25 cm TLF

Calibre: 239/7   Plaque d'ajustage

Tops et éléments

A. Prendre pièce, poser dans montage, serrer deux écrous, poser garde, démarrer machine et avance automatique.
Profondeur de coupe: 2,5 mm - Vitesse: 80 t/min. Avance 40 cm/min.
Top: machine entame la pièce.

B. Tenir pièce, limer arête de la face usinée, nettoyer à l'air comprimé.
Top: pistolet à air comprimé pendu à son crochet.

C. Déplacer calibre d'épaisseur vers pièce, contrôler surface usinée, écarter calibre.
Top: main gauche lâche calibre.

D. Prendre pièce usinée, la transporter vers boîte des pièces finies et la déposer dans boîte, prendre pièce suivante, la positionner sur table de la machine.
Top: pièce touche la table.

E. Attendre que machine ait terminé coupe.
Top: machine cesse de couper.

F. Arrêter machine, ramener table, ouvrir garde, déverrouiller montage, enlever pièce usinée et placer sur plaque d'ajustage.
Top: pièce touche plaque d'ajustage.

G. Enlever limaille de table de la machine à l'air comprimé.
Top: pistolet à air comprimé pendu à son crochet.

Note: Les éléments B, C et D constituent le travail homme-machine et sont exécutés sur une pièce qui a déjà été usinée pendant que la fraiseuse coupe la pièce suivante. L'élément D inclut l'opération consistant à prendre une nouvelle pièce et à la placer dans une position permettant de l'usiner immédiatement après celle qui se trouve sur la machine.

*Figure 96. Croquis de la pièce et du poste de travail
(au verso de la feuille de chronométrage)*

La nécessité de faire une esquisse du poste de travail est, en général, plus grande pour les études portant sur des travaux d'assemblage ou de manutention que pour les études d'opérations sur machines-outils, pour lesquelles le poste de travail sera vraisemblablement le même quels que soient les travaux effectués sur ces machines; il y aura lieu de faire une esquisse de la pièce montrant les surfaces usinées et, s'il s'agit de tours revolver, le montage des outils. Le mieux est de faire cette esquisse sur du papier quadrillé, éventuellement au dos de la feuille de chronométrage si l'on tient à avoir tous les renseignements concernant l'étude sur une même feuille. Pour faciliter le tracé du croquis, on imprime souvent un quadrillage au dos de la feuille de chronométrage.

a) Croquis du carter de fonte montrant la surface à usiner
et les dimensions

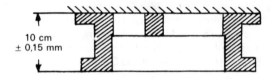

b) Implantation du poste de travail

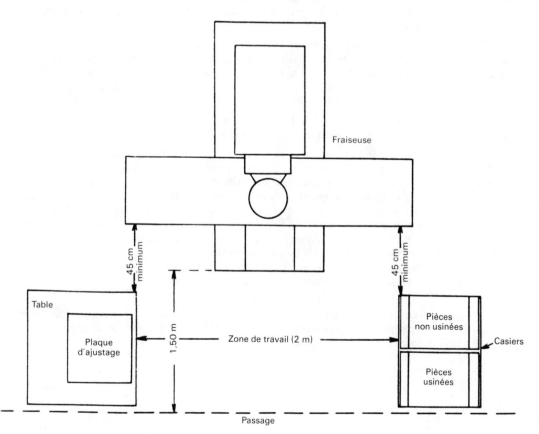

313

Figure 97.   Feuille de chronométrage

Les enregistrements ont nécessité trois feuilles d'observation : la feuille de chronométrage et deux feuilles de relevé des temps. S'y ajoutent une feuille de dépouillement et une feuille de récapitulation, soit cinq en tout. La feuille de chronométrage porte donc le numéro 1 de 5.

Toutes les données figurant dans l'en-tête de cette feuille (sauf la fin et la durée) ont été notées avant de déclencher le chronomètre et de commencer l'étude.

Si l'étude avait été la première à porter sur cette opération, l'agent d'étude aurait noté de façon détaillée la description des différents éléments et les tops dans la colonne intitulée « Description élément », sur la partie gauche de la feuille. Dans le cas présent, il n'était pas nécessaire de le faire puisque tous les détails figurent sur la fiche reproduite à la figure 95. L'agent d'étude observe l'opération pendant quelques cycles avant de commencer à enregistrer, pour s'assurer que l'on utilise effectivement la méthode décrite et pour se familiariser avec les tops. Les éléments sont représentés simplement par les lettres A à G.

L'étude a démarré à 9 h 47 précises selon la pendule du bureau d'étude (ou la montre-bracelet de l'agent d'étude). Il s'est écoulé 1,72 min avant le démarrage de l'élément A du premier cycle ; ce temps est donc inscrit au début de l'étude, en face de « Temps avant ». Le système du chronométrage cumulatif ayant été adopté, le chronomètre a fonctionné sans interruption. Ayant interrompu l'étude après avoir observé dix-huit cycles, l'agent d'étude a laissé fonctionner son chronomètre jusqu'à ce que l'aiguille de la pendule du bureau d'étude ait atteint une minute entière (à 10 h 25) ; il a noté « Temps après » et il a arrêter son chronomètre. Ces inscriptions finales figurent à la fin des enregistrements (voir fig. 99).

Les quatre colonnes utilisées lors d'un chronométrage cumulatif sont les suivantes : « Facteur d'allure » (FA) (ou jugement d'allure (JA)), « Lecture chronomètre » (LC), « Temps soustrait » (TS) et « Temps de base » (TB). Il est logique de placer le facteur d'allure dans la première colonne et cela encourage l'observateur à procéder au jugement d'allure pendant l'exécution de l'élément au lieu d'attendre d'avoir relevé le temps. Si l'on avait utilisé la méthode du chronométrage avec retour à zéro, la colonne LC aurait été inutile.

Seules les inscriptions figurant dans les colonnes intitulées FA et LC ont été effectuées pendant les observations au poste de travail. Les deux autres colonnes ont été complétées au bureau d'étude après interruption des observations. Dans la pratique, sous « Facteur d'allure » et « Lecture chronomètre », les indications seraient notées au crayon tandis que les chiffres des colonnes « Temps soustrait » et « Temps de base » seraient écrits à l'encre ou avec un crayon d'une couleur différente.

L'agent d'étude a numéroté de 1 à 18 les cycles observés ; les numéros, entourés d'un cercle, figurent tout à gauche dans la colonne « Description élément ».

Quand on inscrit les lectures du chronomètre, on peut omettre la virgule indiquant les décimales. La première inscription (Temps avant : 172) représente donc un temps de 1,72 minute. La lecture suivante a été effectuée 1,95 minute après le déclenchement du chronomètre mais on la représente en abrégé par 95. La troisième inscription (220) indique que la lecture a été faite 2,20 minutes après avoir déclenché le chronomètre ; on revient ensuite à des inscriptions à deux chiffres jusqu'à ce qu'une minute entière se soit de nouveau écoulée. Au cours du cycle nᵒ 15 (enregistré sur la figure 99), le temps total de l'étude a dépassé 30 minutes, qui est le temps que met l'aiguille du petit cadran des secondes à faire un tour complet. Comme l'étude s'est poursuivie pendant un deuxième tour de la petite aiguille, on repart à 1 pour enregistrer les lectures suivantes. Par conséquent, le nombre 106 inscrit en face de l'élément F du cycle nᵒ 15 signifie que 31,06 minutes se sont écoulées depuis le déclenchement du chronomètre.

L'élément E — « Attendre que la machine ait terminé la coupe » — ne constitue pas un travail et on n'a donc pas jugé son allure. On peut constater qu'il n'y a pas d'inscription en regard de cet élément dans la colonne des « Temps de base ».

FEUILLE DE CHRONOMÉTRAGE

SERVICE: Machines-outils SECTION: Fraisage		ÉTUDE n° 17	
OPÉRATION: Finissage deuxième face EM n° 9		FEUILLE n° 1 de 5	

OPÉRATION: Finissage deuxième face   EM n° 9

INSTALLATION/MACHINE: Fraiseuse verticale Cincinnati n° 4   N° 26

OUTILS ET CALIBRES: Montage F. 239: Outil de coupe 25 cm TLF
                    Calibre 239/7: Plaque d'ajustage

FIN: 10 h 25
DÉBUT: 9 h 47
DURÉE: 38 min.

EXÉCUTANT:
N° DE POINTAGE: 1234

PRODUIT/PIÈCE: B. 239 carter   N° 239/1
DESSIN N° B. 239/1   MATIÈRE: Fonte IIS 2
QUALITÉ: Selon dessin

ÉTUDIÉ PAR:
DATE:
CONTRÔLÉ:

NOTE: Etablir croquis du poste de TRAVAIL/MONTAGE/PIÈCE au verso ou sur feuille séparée jointe à l'étude

DESCRIPTION ÉLÉMENT		FA	LC	TS	TB	DESCRIPTION ÉLÉMENT		FA	LC	TS	TB
Temps avant		–	172	–	–	④	A	80	622	32	26
①	A	110	95	23	25		B	85	50	28	24
	B	100	220	25	25		C	85	63	13	11
Eléments et tops	C	100	32	12	12		D	85	83	20	17
selon fiche	D	95	52	20	19		E	–	703	20	–
n° 1264	E	–	77	25	–		F	105	26	23	24
	F	110	300	23	25		G	85	38	12	10
	G	110	08	08	09						
						⑤	A	80	70	32	26
②	A	110	31	23	25		B	85	97	27	23
	B	95	58	27	26		C	85	810	13	11
	C	95	71	13	12		D	85	30	20	17
	D	100	89	18	18		E	–	53	23	–
	E	–	412	23	–		F	105	76	23	24
	F	105	37	25	26		G	85	88	12	10
	G	100	47	10	10						
						⑥	A	95	915	27	26
③	A	105	72	25	26		B	95	42	27	26
	B	105	97	25	26		C	105	54	12	13
	C	95	510	13	12		D	80	77	23	18
	D	110	28	18	20		E	–	97	20	–
	E	–	53	25	–		F	95	1020	23	22
	F	100	78	25	25		G	100	30	10	10
	G	95	90	12	11						
				418						440	

Figure 98.   Première feuille de relevé des temps

La figure 98 représente la première des deux feuilles de relevé des temps, qui fait suite à la feuille de chronométrage (fig. 97). On a indiqué le numéro de la feuille dans le coin supérieur droit: 2 de 5. La feuille de dépouillement et la feuille de récapitulation sont venues s'y ajouter, et les cinq feuilles ont été agrafées ensemble, une fois le dépouillement de l'étude terminé.

En dehors des facteurs d'allure et des chronométrages que l'on a continué de noter pour chaque élément comme sur la feuille de chronométrage, la première feuille de relevé signale deux interruptions: «Parler au contremaître» et «Pause pour le thé». Bien entendu, ces interruptions n'ont fait l'objet d'aucun jugement d'allure. On a tenu compte de la première lors de l'examen des irrégularités et la seconde a été couverte par la majoration de repos qui a été octroyée lorsqu'on a calculé le temps normal de l'opération.

ÉTUDE N° 17		FEUILLE DE RELEVÉ DES TEMPS				FEUILLE N° 2 de 5			
DESCRIPTION ÉLÉMENT		FA	LC	TS	TB	DESCRIPTION ÉLÉMENT	FA	LC	TS	TB
⑦	A	105	55	25	26	⑪ A	115	86	25	29
	B	115	78	23	26	B	95	1713	27	26
	C	95	91	13	12	C	75	28	15	11
	D	85	1113	22	19	D	85	50	22	19
	E	–	36	23	–	E	–	68	18	–
	F	80	68	32	26	F	115	90	22	25
	G	95	80	12	11	G	80	1803	13	10
⑧	A	75	1218	38	28	⑫ A	95	30	27	26
	B	110	40	22	24	B	95	55	25	24
	C	105	52	12	13	C	100	67	12	12
	D	100	70	18	18	D	95	87	20	19
	E	–	1300	30	–	E	–	1902	15	–
	F	115	25	25	29	F	95	30	28	27
	G	105	35	10	10	G	75	42	12	09
Parler au contremaître		–	75	40	–	Pause pour le thé	–	2554	612	–
⑨	A	105	1400	25	26	⑬ A	85	86	32	27
	B	100	25	25	25	B	80	2618	32	26
	C	95	38	13	12	C	85	33	15	13
	D	95	56	18	17	D	100	53	20	20
	E	–	81	25	–	E	–	68	15	–
	F	100	1509	28	28	F	85	96	28	24
	G	85	21	12	10	G	95	2708	12	11
⑩	A	95	43	22	21	⑭ A	80	40	32	26
	B	80	75	32	26	B	100	65	25	25
	C	95	88	13	12	C	85	80	15	13
	D	95	1608	20	19	D	95	2800	20	19
	E	–	25	17	–	E	–	22	22	–
	F	105	48	23	24	F	80	54	32	26
	G	85	61	13	11	G	105	64	10	10
				631					1203	

Figure 99.   Deuxième feuille de relevé des temps

La première inscription portée sur cette feuille enregistre une autre interruption de l'opération : ayant vérifié trois pièces, le contrôleur volant attira l'attention de l'exécutant sur certains détails et en discuta avec lui. Le temps consacré à cette interruption, comme celui qui est enregistré sur la feuille précédente en regard de «Parler au contremaître», a été classé par la suite comme irrégularité.

Après le cycle n° 16, un nouvel élément de travail est intervenu : aider le manœuvre à charger des boîtes de pièces sur le chariot et à en décharger. Il s'agit d'un élément occasionnel, à la différence des éléments répétitifs A à G. L'agent d'étude a jugé l'allure de l'élément et l'a chronométré ; on notera que, la durée de cet élément dépassant une minute, il l'a fait à la fin de chacune des deux premières demi-minutes ainsi que pendant la dernière partie de l'élément. Ce procédé, qui fournit une plus grande précision, est mentionné à la section 9 du chapitre 17.

De retour à son bureau après avoir interrompu les observations, l'agent d'étude a d'abord rempli les cases «Fin» et «Durée» de l'en-tête de la feuille de chronométrage, puis il a procédé au calcul des temps soustraits en déduisant chaque lecture du chronomètre de la suivante ; il a inscrit les résultats ainsi obtenus dans la colonne intitulée TS. On peut constater qu'il a inscrit le total de ces temps soustraits au bas de chaque page et qu'il a reporté les sous-totaux sur la feuille ci-contre, où leur addition a donné un total de 35,20 minutes. En ajoutant à ce total le temps avant et le temps après, il a obtenu le résultat de 38,00 minutes, qui correspond exactement à la «durée» ; il a eu ainsi la preuve que les soustractions avaient été effectuées correctement.

L'étape suivante consiste à «convertir», c'est-à-dire à multiplier chaque temps soustrait par le facteur d'allure correspondant (en pourcentage) pour obtenir le temps de base que l'on inscrit dans la quatrième colonne. La conversion s'effectue facilement et rapidement avec une calculatrice de poche. On calcule à la deuxième décimale la plus proche, c'est-à-dire au centième de minute le plus proche ; par exemple, un résultat de 0,204 minute sera arrondi à 20 et un résultat de 0,206 minute à 21. Il reste à savoir ce que l'on fait lorsque le calcul donne 0,205. De toute évidence, dans ce bureau d'étude, la règle permanente était d'arrondir les demi-centièmes de minute au centième inférieur, ainsi qu'on peut le constater pour l'élément G du cycle n° 15 : ici, le facteur d'allure était de 105 et le temps soustrait de 10, de sorte que la conversion a donné trois fois un temps de 0,105 minute. Dans ces trois cas, le résultat a été arrondi à 10 en négligeant le demi-centième de minute. On trouvera d'autres exemples dans l'étude. La plupart des bureaux d'étude appliquent la règle inverse et arrondissent les demi-centièmes de minute au centième supérieur.

ÉTUDE N° 17	FEUILLE DE RELEVÉ DES TEMPS					FEUILLE N° 3 de 5			
DESCRIPTION ÉLÉMENT	FA	LC	TS	TB	DESCRIPTION ÉLÉMENT	FA	LC	TS	TB
Contrôleur volant vérifie					⑱ A	100	71	27	27
trois pièces: discussion	–	2966	102	–	B	100	96	25	25
					C	95	609	13	12
⑮ A	95	93	27	26	D	75	34	25	19
B	80	3023	30	24	E	–	52	18	–
C	100	36	13	13	F	100	77	25	25
D	100	56	20	20	G	75	92	15	11
E	–	74	18	–					
F	80	106	32	26			148		
G	105	16	10	10					
⑯ A	80	49	33	26	Chronomètre arrêté à		800		
B	85	77	28	24	10 h 25				
C	105	89	12	13	(durée 38,00 min)				
D	100	207	18	18	Temps après		108		
E	–	30	23	–					
F	95	57	27	26					
G	85	70	13	11					
Aider manœuvre à déchar-	85	320	50	43					
ger boîtes de nouvelles	95	70	50	48					
pièces et à charger pièces	95	90	20	19	Contrôle du calcul des		418		
finies sur chariot (30 nou-					temps soustraits		440		
velles + 30 finies en							631		
boîtes de 10)							1203		
⑰ A	100	417	27	27			680		
B	85	49	32	27			148		
C	85	64	15	13			3520		
D	85	86	22	19					
E	–	509	23	–	Temps avant		172		
F	100	34	25	25	Temps après		108		
G	105	44	10	10					
					Durée		3800		
		680							

319

Figure 100. Feuille de dépouillement

Les éléments répétitifs A, B, C, D, F et G étant tous des éléments constants, les temps de base retenus pour chacun d'eux ont été obtenus par calcul de la moyenne. Ainsi que nous l'avons vu au chapitre 15, les analyses d'étude prennent des formes diverses et c'est pour cette raison qu'on n'imprime généralement pas de formules spéciales à cet effet. De simples feuilles de papier rayé ou quadrillé conviennent parfaitement. On peut même se contenter d'utiliser le verso d'une feuille de chronométrage, lorsqu'on a imprimé sur ce dernier un quadrillage (pour faciliter le tracé des croquis), en indiquant dans le haut le numéro de l'étude et le numéro de la feuille. Lorsque l'étude est simple, l'analyse se fait souvent directement sur la feuille de récapitulation, en traçant quelques colonnes supplémentaires dans l'espace intitulé «Description élément».

Nous avons analysé au chapitre 18 les méthodes de sélection des temps de base. Dans notre exemple, les temps de base correspondant aux éléments A, B, C, D, F et G ne présentaient, à l'examen, aucune anomalie et il n'a donc pas été nécessaire d'entourer d'un cercle des temps aberrants. On a additionné pour chaque élément tous les temps de base calculés, et leur somme divisée par le nombre d'observations (18) a donné le temps de base retenu.

Aucun chiffre n'a été inscrit pour l'élément E, «Attendre que la machine ait terminé la coupe». Il s'agit en effet d'un temps d'inactivité qui n'a pas fait l'objet d'un jugement d'allure. La longueur du temps d'inactivité effectivement rencontré au cours des différents cycles observés est liée à la vitesse d'exécution du travail que l'exécutant effectuait sur une autre pièce pendant que la machine coupait automatiquement la pièce précédente.

Le temps pris par la machine pour couper une pièce alors qu'elle était réglée sur l'avance automatique n'a pas varié d'un cycle à l'autre puisqu'il ne dépendait que du réglage initial de l'avance automatique et de la longueur de la coupe à effectuer. Ce temps peut donc être aisément calculé. Dans l'étude qui nous sert d'exemple, le temps machine commençait à la fin de l'élément A et se terminait à la fin de l'élément E. Le temps machine peut donc être obtenu à partir des feuilles d'observations en soustrayant le chronométrage de l'élément A du chronométrage de l'élément E. C'est ce qui a été fait, et les résultats ont été transcrits sous «TM» à l'extrême droite de la feuille de dépouillement. Ces temps sont bien entendu des minutes réelles, et non des temps de base.

En parcourant la colonne TM, on constate que deux temps ont été entourés d'un cercle. L'agent d'étude n'a pas mentionné de phénomènes inhabituels sur ses feuilles d'étude et l'examen des observations concernant les cycles où sont intervenus ces temps aberrants ne fournit aucune explication concluante. Le temps plus court vient peut-être du fait que l'exécutant peut entamer la coupe en laissant la machine réglée sur l'avance manuelle avant de la bloquer sur l'avance automatique. Lors du cycle considéré, il aurait donc maintenu la machine plus longtemps que d'habitude sur l'avance manuelle, sans que l'agent d'étude s'en aperçoive. En ce qui concerne le temps plus long, on peut supposer que l'exécutant n'a pas arrêté la machine aussi vite qu'à l'accoutumée et que de nouveau cela n'a pas été remarqué. Ces deux temps aberrants furent exclus du total des temps machine, qui est de 13,05 minutes réelles. Ce total a donc été divisé par 16 au lieu de 18, et a fourni un TM moyen de 0,816.

Pour l'élément E, qui est le temps d'inactivité, on a soustrait du TM moyen le total des temps de base retenus pour les éléments de travail homme-machine (B, C et D), ce qui a donné un temps d'inaction moyen de 0,257 minute.

A ce stade des calculs, on utilise en général trois décimales pour les temps de base retenus, et l'on conserve la troisième sur la feuille de récapitulation et sur la feuille d'analyse des études.

Etude n° *17*	**FEUILLE DE DÉPOUILLEMENT**						Feuille n° *4* de *5*

Elément:	A	B	C	D	E	F	G	TM
		(Temps de base)						(Minutes réelles)

Cycle n°

Cycle n°	A	B	C	D	E	F	G	TM
1	25	25	12	19		25	09	82
2	25	26	12	18		26	10	81
3	26	26	12	20		25	11	81
4	26	24	11	17		24	10	81
5	26	23	11	17		24	10	83
6	26	26	13	18		22	10	82
7	26	26	12	19		26	11	81
8	28	24	13	18		29	10	82
9	26	25	12	17		28	10	81
10	21	26	12	19		24	11	82
11	29	26	11	19		25	10	82
12	26	24	12	19		27	09	(72)
13	27	26	13	20		24	11	82
14	26	25	13	19		26	10	82
15	26	24	13	20		26	10	81
16	26	24	13	18		26	11	81
17	27	27	13	19		25	10	(92)
18	27	25	12	19		25	11	81
Totaux	**4,69**	**4,52**	**2,20**	**3,35**		**4,57**	**1,84**	**13,05**
Nombre d'observations	**18**	**18**	**18**	**18**		**18**	**18**	**16**
Moyennes	**0,261**	**0,251**	**0,122**	**0,186**		**0,254**	**0,102**	**0,816**

$$TM = 0,816 \quad \text{minutes réelles}$$
$$B + C + D = 0,559 \quad \text{minutes de base}$$

$$\text{Elément E (temps d'inactivité)} = 0,257$$

Figure 101.   Feuille de récapitulation

Une fois remplie, la feuille de récapitulation a été agrafée sur les quatre autres feuilles que comporte l'étude, pour être classée avec elles par la suite. Les feuilles utilisées pour enregistrer les observations au poste de travail se salissent souvent, dans les conditions où on les utilise. De plus, en raison de la vitesse à laquelle il doit transcrire ses observations, l'agent d'étude écrit parfois les mots en abrégé et il est possible que ses annotations hâtives soient difficiles à déchiffrer par quelqu'un d'autre. La feuille de récapitulation ne présente donc pas seulement de façon concise tous les résultats de l'étude mais enregistre également dans l'en-tête, à l'encre et lisiblement, toutes les informations concernant l'opération qui figuraient initialement sur la feuille de chronométrage.

Les éléments répétitifs A à G, à l'exclusion de l'élément E, ont été notés en premier lieu et on a indiqué que trois d'entre eux représentaient un travail homme-machine et les trois autres un travail humain. Les données de la colonne TB représentent les temps de base relevés et sont repris de la feuille de dépouillement (fig. 100). Pour tous ces éléments, on a indiqué une fréquence de répétition de 1/1, ce qui signifie que chaque élément est intervenu une seule fois au cours de chaque cycle. Le temps calculé pour l'élément machine et le temps d'inaction qui en dérive (élément E) figurent au-dessous. Dans la colonne intitulée Nombre obs., on a indiqué le nombre d'observations de l'élément dont on a tenu compte pour sélectionner les temps de base. Ce renseignement sera reporté sur la feuille d'analyse des études et on s'en servira lorsqu'on calculera les temps de base définitifs retenus en vue de la détermination du temps normal.

Dans la colonne «Description élément», et sous le titre «Eléments occasionnels et imprévus», apparaît l'élément qui a consisté à aider le manœuvre à charger et à décharger des boîtes de pièces. On a noté que cet élément n'a été observé qu'une seule fois et que sa fréquence devrait être de 1/30, étant donné que trois boîtes de dix nouvelles pièces ont été apportées et que trois boîtes de dix pièces finies ont été chargées. Les deux autres activités non répétitives observées au cours de l'étude étaient «Parler au contremaître» et «Contrôleur vérifie trois pièces et discute». Ces deux périodes n'ayant fait ni l'une ni l'autre l'objet d'un jugement d'allure, les temps sont exprimés en minutes réelles (mr).

Enfin, l'agent d'étude a enregistré, en minutes réelles, le temps de détente pris par l'exécutant pendant la durée de l'étude.

Les temps de base ont été indiqués à la troisième décimale et ont été transcrits sous cette forme sur la feuille d'analyse des études. On peut penser que cette recherche de l'exactitude ne se justifie pas, car les observations de base n'ont pas été enregistrées avec autant de précision. Il y a toutefois de bonnes raisons d'agir de la sorte. Si, par la suite, on décide de procéder à la sélection finale des temps de base, sur la feuille d'analyse des études, en calculant les moyennes, on multipliera chaque enregistrement par le nombre correspondant d'observations et on obtient ainsi le nombre total de minutes de base observées pour l'élément dont il s'agit. On additionne les totaux tirés de toutes les études de l'opération et on obtient la moyenne en divisant la somme par le nombre global d'observations. A ce stade, lorsque tous ces calculs arithmétiques sont terminés, les sélections finales ne sont arrondies qu'à la deuxième décimale la plus proche, c'est-à-dire au plus proche centième de minute.

FEUILLE DE RÉCAPITULATION

SERVICE: *Machines-outils*	SECTION: *Fraisage*	ÉTUDE N° *17*	
OPÉRATION: *Finissage deuxième face* EM n° *9*		FEUILLE N° *5 de 15*	
INSTALLATION/MACHINE: N° *26*		*DATE:*	
Fraiseuse verticale Cincinnati n° 4 Outil de coupe: *25 cm TLF*		FIN:	*10 h 25*
OUTILS ET CALIBRES:		DÉBUT:	*9 h 47*
Montage F. 239 – Calibre 239/7 – Plaque d'ajustage		DURÉE:	*38,00*
PRODUIT/PIÈCE: *B. 239 carter* N°:		Temps de contrôle:	*2,80*
DESSIN N° *B. 239/1* MATIÈRE: *Fonte IIS/2*		TEMPS NET:	*35,20*
QUALITÉ: *selon dessin*		TEMPS OBS.:	*35,20*
	CONDITIONS DE TRAVAIL:	TEMPS AUXILIAIRE:	*–*
	outil de coupe 9 : OK;	TA EN %:	*–*
	bon éclairage	ÉTUDIÉ PAR:	
EXÉCUTANT: M/F:	N° DE POINTAGE: *1234*	CONTRÔLÉ PAR:	

Croquis et observations au dos de la feuille 1

El. n°	DESCRIPTION ÉLÉMENT	TB	F	Nombre obs.	
	Répétitifs				
A	*travail humain*	*0,261*	*1/1*	*18*	
B	*travail homme-machine*	*0,251*	*1/1*	*18*	
C	*selon fiche n° 1264 travail homme-machine*	*0,122*	*1/1*	*18*	
D	*travail homme-machine*	*0,186*	*1/1*	*18*	
F	*travail humain*	*0,254*	*1/1*	*18*	
G	*travail humain*	*0,104*	*1/1*	*18*	
	Elément machine	*0,816*	*1/1*	*16*	
E	*Temps d'inactivité compris dans TM*	*0,257*	*1/1*	*18*	
	Eléments occasionnels et imprévus:				
	Aider à décharger boîtes de nouvelles				
	pièces et à charger boîtes de pièces				
	finies sur chariot	*1,100*		*1*	*Fréquence: 1/30 pièces*
	(travail humain)				*(boîtes contiennent 10 pces)*
	Parler au contremaître (TH) (mr)	*0,400*	*1/18*	*Obs.*	
	Contrôleur vérifie 3 pièces et				
	discute (TH) (mr)	*1,020*	*1/18*	*Obs.*	
	Temps de repos (mr)	*6,120*			

Figure 102.   Extrait de la feuille d'analyse des études

Chaque fois que l'on dépouillait et récapitulait une étude des temps portant sur l'opération, on transcrivait les données de la feuille de récapitulation sur une feuille d'analyse des études comme celle de la figure 81. Ces formules sont souvent imprimées sur une feuille de format A3 ou sur une feuille encore plus grande, si bien que nous ne pouvons en reproduire qu'une partie.

On peut constater que l'opération a donné lieu à cinq études et que l'on a observé 92 cycles au total. Les études, menées par quatre agents d'étude différents, ont porté sur le travail de trois exécutants différents. Pour les opérations habituelles des ateliers de mécanique, les temps normaux sont généralement calculés à partir de normes de temps prédéterminées (voir chap. 21) et, lorsqu'on dispose au départ d'une somme appréciable de données, il est souvent possible de fixer des normes de temps précises en procédant à un moins grand nombre d'études ou en observant moins de cycles de l'opération.

En examinant les résultats des différentes études, on a constaté que les chiffres obtenus pour les éléments A, B, C, D, F et G concordaient de façon satisfaisante et qu'aucun résultat n'appelait des recherches supplémentaires. Par conséquent, on a pu passer directement à la sélection finale des temps de base élémentaires. Cette sélection s'est faite en calculant la moyenne pondérée pour chaque élément. Tous les éléments répétitifs étant des éléments constants, il n'a pas été nécessaire d'employer des méthodes graphiques. Tout à fait à droite, dans la première du groupe de quatre colonnes, on a inscrit le temps de base total en regard de chaque élément. En divisant ces totaux par 92, c'est-à-dire par le nombre global de cycles observés, on a obtenu les temps de base par observation, exprimés en minutes de base, que l'on a portés dans la colonne suivante. Ils sont maintenant arrondis à la seconde décimale, c'est-à-dire au centième de minute le plus proche.

La troisième du groupe de quatre colonnes enregistre la fréquence de répétition par cycle — qui est de 1/1 pour tous les éléments répétitifs. C'est pour cette raison que les chiffres de la quatrième et dernière colonne, qui représentent les minutes de base par cycle, sont identiques à ceux de la deuxième colonne. Le temps d'inactivité (élément E) a été calculé de la même façon que sur la feuille de récapitulation, en soustrayant du temps machine la somme des minutes de base de travail homme-machine. Habituellement, on n'évalue pas le temps d'inactivité tant que la majoration de repos n'a pas été ajoutée aux éléments de travail mais, dans le cas présent, cette précaution était inutile. Nous reviendrons sur ce point à la page suivante, à propos des majorations.

L'élément occasionnel «Aider manœuvre» n'a été observé qu'à trois reprises, dans trois études différentes. Etant donné que le chariot transporte trois boîtes contenant chacune dix pièces, il est clair que la fréquence de cet élément est d'une fois toutes les trente pièces (ou cycles). Le temps de base moyen par observation a donc été divisé par 30 pour obtenir un temps de base par cycle de 0,04 minute.

Pour l'interruption «Parler au contremaître» on a divisé le temps total observé par le nombre des cycles observés (92), ce qui a fourni un temps de 0,01 minute par cycle. L'élément «Contrôleur vérifie» a été traité de façon analogue; toutefois, dans ce cas, on a attribué une fréquence de 1/100 parce que le contremaître a signalé à l'agent d'étude que le rôle du contrôleur était de vérifier trois pièces sur cent. Comme ces deux temps, exprimés l'un et l'autre en minutes réelles, sont extrêmement courts, on a jugé préférable, dans la suite de l'analyse, de les traiter comme des irrégularités; ils ont donc été couverts par l'octroi de la majoration auxiliaire.

		Etude: 3	9	17	25	28		TOTAUX	TEMPS DE BASE RETENU PAR OBSERVATION	FRÉQUENCE DE RÉPÉTITION PAR CYCLE	MINUTES DE BASE PAR CYCLE
		Date: 27/4	1/5	4/5	7/5	11/5					
		Exécutant: CAA	TBN	CAA	TBN	CRW					
		N° de pointage: 1234	1547	1234	1547	1846					
		Machine n°: 26	34	26	127	71					
		Etude faite par: BDM	CEP	MN	DFS	BDM		Cycle			
		Nombre de cycles étudiés: 15	26	18	13	20		92			
El. n°	ÉLÉMENTS	TEMPS DE BASE PAR OBSERVATION						TB	MB		MB
A	Prendre pièces, positionner, bloquer, régler	0,276	0,257	0,261	0,270	0,281		24,645	0,27	1/1	0,27
B	Tenir, limer, arête, nettoyer	0,240	0,266	0,251	0,252	0,244		23,305	0,25	1/1	0,25
C	Calibrer	0,114	0,127	0,122	0,128	0,111		11,089	0,12	1/1	0,12
D	Mettre de côté pièce finie, positionner nouvelle pièce	0,197	0,196	0,186	0,191	0,180		17,485	0,19	1/1	0,19
E	Attendre que la machine ait terminé la coupe (minutes réelles)	0,264	0,222	0,257	0,253	0,275				1/1	0,26
F	Arrêter machine, débloquer, mettre de côté la pièce	0,271	0,270	0,254	0,250	0,245		23,820	0,26	1/1	0,26
G	Enlever la limaille	0,096	0,112	0,104	0,090	0,092		9,240	0,10	1/1	0,10
	Temps machine (minutes réelles)	0,821	0,811	0,816	0,824	0,810		75,000	0,82	1/1	0,82
	Aider manœuvre à décharger et à charger boîtes de pièces	–	–	1,100 (1 obs.)	1,420 (1 obs.)	1,310 (1 obs.)		3,830	1,28	1/30	0,04
	Parler au contremaître (minutes réelles)	1,140	–	0,400	0,870	–		2,410	0,80	1/92	0,01
	Contrôleur vérifie, discute (minutes réelles)	–	1,470 (1 obs.)	1,020 (1 obs.)	–	1,770 (1 obs.)		4,260	1,42	1/100	0,01

Figure 103. Calcul de la majoration de repos

Une formule comme celle qui est reproduite ci-dessous est souvent utilisée pour déterminer les majorations de repos. C'est un moyen commode de s'assurer que rien n'a été oublié. Le calcul des majorations de repos se fait à partir des données des tables reproduites à l'annexe 3 (attention! Le poids des charges a été converti de kilos en livres (1b), les tables de l'annexe 3 utilisant cette dernière unité). Le chiffre total des majorations de repos (qui englobe majorations fixes et majorations variables) comprend aussi une majoration additionnelle de 5 pour cent pour besoins personnels. En soustrayant ce pourcentage de la majoration totale attribuée à chaque élément, on peut isoler les majorations de fatigue.

Comme il s'agit ici de travail à allure limitée, la majoration de fatigue a été calculée à part.

L'unique période d'inactivité comprise dans le temps machine totalise 0.26 minute réelle. On a estimé que cette période était trop courte pour permettre à l'exécutant de se remettre de sa fatigue

MAJORAT

		EFFORTS PHYSIQUES										
PRODUIT: *B. 239 carter* POIDS: *6,8 kg pièce (15 livres (lb))* OPÉRATION: *Finissage deuxième face* CONDITIONS DE TRAVAIL: *bonnes*		FORCE DÉVELOPPÉE MOYENNE		POSITION		VIBRATIONS		CYCLE COURT		TENUE DE TRAVAIL GÊNANTE		
El. n°	DESCRIPTION ÉLÉMENT	Eff.[2]	Pts.	Eff.	Pts.	Eff.	Pts.	Eff.	Pts.	Eff.	Pts.	Eff.
A	*Prendre pièce, poser dans montage, serrer 2 écrous, poser garde, démarrer machine*	M	20	B	1	—	—	—	—	—	—	B
B	*Limer arêtes et nettoyer*	B	—	B	1	—	—	—	—	—	—	B
C	*Calibrer*	B	—	B	1	—	—	—	—	—	—	B
D	*Prendre pièce, placer dans boîte, prendre nouvelle pièce et placer à côté machine*	M	20	B	1	—	—	—	—	—	—	B
E	*Attendre machine (temps d'inaction)*	—	—	—	—	—	—	—	—	—	—	—
F	*Arrêter machine, ouvrir garde, déverrouiller montage, enlever pièce et placer sur plaque d'ajustage*	M	20	B	1	—	—	—	—	—	—	B
G	*Nettoyer montage à l'air comprimé*	—	—	B	3	—	—	—	—	—	—	—
	Aider manœuvre à charger et à décharger boîte de pièces (10 pièces par boîte = 68 kg/2 hommes, fréquence par cycle: 1/30)	H	89	H	12	—	—	—	—	—	—	—

[1] Les pourcentages des majorations totales, calculés à l'aide du tableau de conversion des points donné à l'annexe 3, couvrent à la fois les majorations fixes e majorations variables, ainsi qu'une majoration automatique de 5 pour cent pour les besoins personnels. [2] Intensité de l'effort: B = basse; M = moye H = haute.

(voir chap. 19, section 4), si bien que la majoration de repos dans son ensemble (la fraction correspondant aux besoins personnels et la majoration de fatigue) a été considérée comme une addition au travail humain et a été ajoutée au temps de cycle.

La majoration de 5 pour cent pour besoins personnels a été calculée sur la somme du travail humain et du temps machine. Par contre, on n'a majoré pour fatigue que les seuls éléments de travail humain et de travail homme-machine.

En examinant la figure 104, on constate que la majoration totale de repos s'élevait à 0,17 minute. Ce temps est inférieur au temps d'inactivité (0,26 minute), mais il faut cependant l'ajouter en plus du temps machine car on ne tient pas compte des périodes d'inactivité égales ou inférieures à 0,50 minute pour le calcul des majorations de fatigue.

REPOS

(ON MENTALE)	EFFORTS VISUELS		BRUIT		TEMPÉRATURE - DEGRÉ HYGROMÉTRIQUE		VENTILATION		FUMÉES ET VAPEURS		POUSSIÈRE		SALETÉ		HUMIDITÉ		TOTAL DES POINTS	MAJORATION DE REPOS TOTALE[1] (pourcentage)	MAJORATION DE FATIGUE (moins 5 pour cent)
Pts.	Eff.	Pts.	Eff.	Pts.	Eff.	Pts.	Eff.	Pts.	Eff.	Pts.	Eff.	Pts.	Eff.	Pts.	Eff.	Pts.			
1	B	2	B	1	M	6	B	1	—	—	—	—	—	—	—	—	33	16	11
1	B	2	B	1	M	6	B	1	—	—	—	—	—	—	—	—	13	11	6
1	B	2	B	1	M	6	B	1	—	—	—	—	—	—	—	—	13	11	6
1	B	2	B	1	M	6	B	1	—	—	—	—	—	—	—	—	33	16	11
—	—	—	—	—	—	—	—	—	—	—	—	—	—	—	—	—	—	—	—
1	B	2	B	1	M	6	B	1	—	—	—	—	—	—	—	—	33	16	11
—	—	—	B	1	M	6	B	1	—	—	—	—	—	—	—	—	11	11	6
—	—	—	B	1	M	6	B	1	—	—	—	—	—	—	—	—	109	74	69

Figure 104.   Calcul final de la majoration de repos

Ce tableau indique la majoration qui a été déterminée à partir des pourcentages établis à la figure 103. On peut constater qu'une majoration auxiliaire de 2,5 pour cent, repos compris, a été incluse sous la rubrique «Travail humain» pour couvrir les périodes passées à discuter avec le contremaître et avec le contrôleur.

Majoration de fatigue		Temps de base	Fatigue (%)	Majoration (minutes)
Eléments de travail homme-machine:	B	0,25	6	0,0150
	C	0,12	6	0,0070
	D	0,19	11	0,0209
		0,56		0,0429
Eléments de travail humain:	A	0,27	11	0,0297
	F	0,26	11	0,0286
	G	0,10	6	0,0060
Elément occasionnel (aider manœuvre)		0,04	69	0,0276
Majoration auxiliaire — 2,5 pour cent du temps de base total, majoration de repos comprise		0,03	–	–
		0,70		0,0919
Majoration totale de fatigue				0,1348

Majoration pour besoins personnels

5 pour cent de (travail humain + temps machine):
5 pour cent de (0,70 + 0,82) 0,0760

Majoration totale de repos

Majoration de fatigue +
majoration pour besoins personnels 0,2108

soit: 0,21 min.

Figure 105.   Calcul et publication du temps normal

La méthode de calcul indiquée ci-dessous convient pour le travail à allure limitée. Lorsqu'on fixe les temps normaux pour des tâches uniquement composées d'éléments manuels, on ajoute habituellement les majorations de repos appropriées, élément par élément, obtenant ainsi le temps normal pour chaque élément. La somme de ces temps élémentaires représente bien entendu le temps normal de la tâche complète. Dans de tels cas, il est d'usage d'indiquer les calculs définitifs sur une feuille de synthèse de la tâche qui donne la liste des éléments, accompagnés de leur description complète, et tous les détails de la tâche pour laquelle le temps normal a été déterminé. On pourrait aussi le faire pour un travail à allure limitée comme celui de notre exemple, mais il faudrait alors indiquer séparément le travail humain et le travail homme-machine. Il est recommandé d'ajouter un diagramme du cycle à la feuille de synthèse de la tâche.

Les méthodes adoptées pour publier — ou communiquer — les temps normaux varient selon les circonstances de la situation de travail. Dans les établissements travaillant à la commande ou par petites séries et dans le cas de travaux non répétitifs (bien des tâches d'entretien, par exemple), on peut étudier les opérations pendant leur déroulement et communiquer directement les normes de temps aux travailleurs intéressés, en les notant sur la feuille de travail ou autre feuille d'instructions après avoir eu l'agrément du contremaître de l'atelier. Lorsque le travail est essentiellement répétitif et que les mêmes opérations se succèdent sans fin, peut-être pendant des semaines ou des mois entiers, le service d'étude du travail peut publier des tables de valeurs établies sur la base de nombreuses études.

Calcul du temps normal

Travail humain	0,70 minute de base
Travail homme-machine	0,56 minute de base
Majoration de repos	0,21 minute
Majoration pour temps d'inactivité . . .	0,26 minute
Temps normal	1,73 **minute standard**

ou bien:

Travail humain	0,70 minute de base
Temps machine	0,82 minute
Majoration de repos	0,21 minute
	1,73 **minute standard**

Figure 106.   Durée totale du cycle

La durée totale du cycle est évidemment égale au temps normal. Le diagramme final du cycle est représenté ci-dessous.

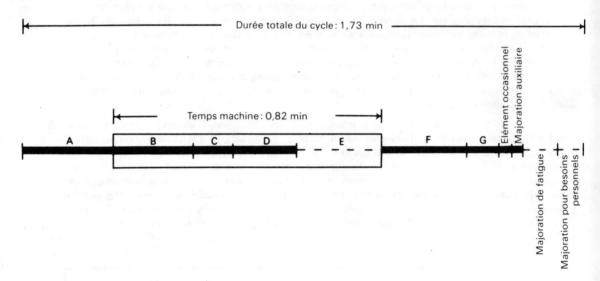

Nous examinerons dans le chapitre 23 l'utilisation des normes de temps. Rappelons que, si l'exemple simple d'étude des temps que nous venons de présenter intéresse une entreprise industrielle, la méthode serait la même pour les opérations des entreprises de service ou pour tout autre travail étudié en vue de la fixation de normes de temps.

Chapitre 21
Les normes de temps prédéterminées

1. Définition

Les systèmes de normes de temps prédéterminées sont des systèmes visant à établir les temps nécessaires pour exécuter diverses opérations en se fondant, non pas sur l'observation et la mesure directes, mais sur des normes préalablement établies pour divers mouvements. En principe, ces méthodes ne sont pas destinées au débutant qui n'a pas encore une connaissance approfondie et une grande expérience pratique de l'étude du travail. En outre, l'utilisation des normes de temps prédéterminées nécessite une formation spécialisée. Nous exposerons dans le présent chapitre le caractère essentiel de ces normes.

> **Un système de normes de temps prédéterminées est un système de mesure du travail qui utilise des temps préétablis pour chaque mouvement fondamental du corps humain (classé selon la nature du mouvement et les conditions dans lesquelles il s'accomplit) afin de construire le temps que demande l'exécution d'une tâche à un niveau de rendement bien défini**

Ainsi que l'indique la définition, les systèmes de normes de temps prédéterminées permettent de synthétiser la durée d'une opération à partir de tables indiquant le temps normal des mouvements fondamentaux. Nous examinerons la méthode de synthèse et les données de référence de façon plus approfondie dans la suite du présent ouvrage.

On peut illustrer le principe des systèmes de normes de temps prédéterminées en prenant l'exemple d'un cycle de travail simple, comme la pose d'une rondelle sur un boulon. L'opérateur va **atteindre** la rondelle, la **saisir**, la **mouvoir** jusqu'au boulon, la **positionner** sur le boulon et la **lâcher**.

De nombreuses opérations consistent grosso modo en quelques-uns ou en la totalité de ces cinq mouvements fondamentaux, auxquels il faut ajouter d'autres mouvements du corps et quelques autres éléments. Le tableau 18 reprend les composants d'un système fondamental de normes de temps prédéterminées.

Tableau 18. Composants d'un système fondamental de normes de temps prédéterminées

Mouvement	Description
ATTEINDRE	Déplacer la main jusqu'à une certaine destination
SAISIR	S'assurer le contrôle d'un objet avec les doigts
MOUVOIR	Déplacer un objet
POSITIONNER	Aligner et engager des objets
LÂCHER	Abandonner le contrôle d'un objet
MOUVEMENTS DU CORPS	Mouvements du tronc et des membres inférieurs

Si l'on examine une opération donnée, et si l'on identifie les mouvements fondamentaux qui la composent, on peut, en consultant les tables de normes de temps prédéterminées qui donnent les temps normaux pour chaque type de mouvement accompli dans des circonstances déterminées, déduire un temps normal pour l'opération complète.

2. Historique

Le pionnier de la classification des mouvements, Frank B. Gilbreth, avait établi des subdivisions des mouvements de la main ou de la main et de l'œil qu'il avait appelées «therbligs» (voir chap. 11, section 9), notion qui fut la clé du développement de l'étude des mouvements. La démarche de Gilbreth repose sur deux idées principales: d'une part, le fait même de se livrer à une analyse critique fouillée des méthodes de travail est générateur de nouvelles idées d'amélioration de ces méthodes; d'autre part, l'évaluation des diverses méthodes de travail possibles peut s'opérer par simple comparaison du nombre de mouvements, la meilleure méthode étant celle qui nécessite le moins de mouvements.

C'est à A. B. Segur que revient le mérite d'avoir introduit la dimension temporelle dans l'étude des mouvements. Segur déclara en 1928 que, «dans la pratique, le temps nécessaire à n'importe quelle personne expérimentée pour accomplir des mouvements véritablement fondamentaux est une constante»[1]. Il élabora les premières normes de temps prédéterminées et désigna son système du nom d'«Analyse des temps de mouvements». Son système est peu connu du public car il l'exploita en tant que conseiller de gestion et imposa le secret à ses clients.

Une nouvelle étape importante fut franchie lorsque J. H. Quick et ses collaborateurs mirent au point en 1934 le système *Work Factor*[2], diffusé parfois sous le nom de QSK[3].

Comme le système Segur, cette méthode fut exploitée en clientèle privée, et peu d'informations ont été publiées à son sujet. Cependant, elle fut par la suite adoptée par un grand nombre d'entreprises et elle est aujourd'hui largement utilisée dans les pays anglo-saxons; elle est également employée en France.

---

[1] A. B. Segur: «Labour costs at the lowest figure», *Manufacturing Industries* (New York), vol. 13, 1927, p. 273.

[2] *Work factors* = facteurs de travail ou facteurs de contrainte.

[3] Du nom des promoteurs: J. H. Quick, W. J. Shea et R. E. Koehler.

Toutes sortes de systèmes de normes de temps prédéterminées, de conceptions très diverses, furent élaborés pendant et après la seconde guerre mondiale. Il s'en détacha un système qui s'imposa dans le monde entier: Le MTM (*Methods-Time Measurement* – Méthodes de travail et tables de temps). En raison de son importance, nous utiliserons le MTM pour illustrer la manière dont on établit des normes de temps prédéterminées.

A l'origine, le MTM fut mis au point par trois hommes qui faisaient des recherches sur ce système à la Westinghouse Electric Corporation, aux Etats-Unis: H. B. Maynard, G. J. Stegemerten et J. L. Schwab. Leurs conclusions furent publiées et, pour la première fois, le public eut donc à sa libre disposition tous les détails d'un système de normes de temps prédéterminées. En outre, le MTM a sucité dans divers pays la création d'associations MTM indépendantes et sans but lucratif (il existe une association française, dont le siège est à Paris), qui contrôlent le respect des normes de formation et d'utilisation et poursuivent la recherche ou étudient de nouvelles applications du MTM. Ces associations se sont regroupées sous l'égide d'un organe de coordination, le Directoire international MTM. En 1965, les chercheurs mirent au point une forme dérivée du MTM dénommée MTM-2, qui accéléra l'utilisation du système.

3. Avantages des systèmes de normes de temps prédéterminées

Les systèmes de normes de temps prédéterminées présentent un certain nombre d'avantages par rapport à l'observation directe par chronométrage. Dans ces systèmes, à un mouvement déterminé correspond un temps préétabli, indépendamment du lieu où le mouvement s'accomplit. Lors d'une étude chronométrique, on mesure le temps que demande une séquence de mouvements constitutifs d'une opération plutôt que le temps correspondant à un mouvement particulier. La détermination des temps par observation directe et jugement d'allure peut parfois conduire à des résultats contradictoires. Les systèmes de normes de temps prédéterminées, qui ne nécessitent ni jugement d'allure ni observation directe, peuvent donner plus de cohérence à la détermination des temps normaux.

Puisque les temps correspondant aux différentes opérations peuvent être calculés à partir de tables de temps normaux, on peut établir le temps normal d'une opération donnée avant même que la production ne commence ou, comme cela se fait souvent, au stade de la conception du processus. C'est là un des grands avantages des systèmes de normes de temps prédéterminées, car ils permettent à l'agent d'étude du travail de modifier l'implantation et la conception d'un poste de travail, ainsi que des montages et des supports, afin d'obtenir le temps de production optimal. En outre, ils permettent, avant même la mise en route d'une opération, de calculer un coût de production approximatif, ce qui est évidemment du plus grand intérêt lorsqu'on doit faire des estimations et présenter des soumissions, ou établir un budget. L'application des systèmes de normes de temps prédéterminées n'est pas trop ardue et demande souvent moins de temps que d'autres méthodes lorsqu'il faut déterminer les normes de temps pour certaines opérations. Ils sont particulièrement utiles pour étudier des cycles de travail répétitifs très courts comme les travaux de montage dans l'industrie de l'électronique.

333

4. Critiques formulées à l'encontre des systèmes de normes de temps prédéterminées

Etant donné la valeur des systèmes de normes de temps prédéterminées, il est surprenant qu'ils ne se soient pas imposés plus rapidement dans la pratique générale de l'étude du travail. L'explication réside sans doute dans le nombre considérable et l'extrême diversité des systèmes qui ont été proposés. A cela s'ajoute le fait que l'on ne pouvait profiter de la plupart de ces systèmes qu'en faisant appel à des ingénieurs-conseils. Actuellement, on dénombre plus de deux cents systèmes de normes de temps prédéterminées. Cette prolifération a d'ailleurs soulevé des protestations de la part des directions d'entreprise, des syndicats et des agents d'étude du travail.

En outre, tout système de normes de temps prédéterminées est assez compliqué. Il n'est pas facile à apprendre et l'agent d'étude du travail devra en avoir acquis une large expérience pratique avant de pouvoir l'appliquer correctement. Il est presque impossible de connaître suffisamment tous les systèmes existants pour être en mesure de comparer les avantages que leurs auteurs leur attribuent et leurs qualités respectives. Certains, par exemple, ne définissent pas avec assez de précision tel ou tel mouvement. C'est ainsi qu'ils peuvent affecter le même temps élémentaire au déplacement d'une tasse vide et d'une tasse remplie d'eau, ou au mouvement d'un pinceau sec et d'un pinceau trempé dans la peinture, alors que la tasse remplie d'eau et le pinceau imprégné doivent être déplacés avec précaution. La situation a été rendue plus complexe encore en raison du manque d'informations librement accessibles concernant de nombreux systèmes dont les tables étaient considérées comme la propriété de leurs auteurs et ne pouvaient donc être publiées.

Certains chercheurs en matière d'étude du travail ont mis en cause le principe même des systèmes de normes de temps prédéterminées. Leurs critiques étaient partiellement justifiées, bien que parfois elles paraissent plutôt dues à des malentendus ou à des informations erronées. Les systèmes de normes de temps prédéterminées ne suppriment pas, comme on l'a prétendu, la nécessité des chronométrages, pas plus qu'ils ne rendent l'étude des méthodes ou la mesure du travail par sondage superflues. Les temps machine, les temps d'exécution et les temps d'attente ne sont pas des grandeurs que l'on peut mesurer avec les systèmes de normes de temps prédéterminées, et certains éléments occasionnels ou accessoires peuvent souvent être mesurés de façon moins coûteuse en utilisant d'autres techniques. En fait, il est difficile de couvrir à 100 pour cent tous les problèmes qui se posent dans une usine en utilisant uniquement un système de normes de temps prédéterminées et, dans le cas de certaines opérations comme la production par lots et les travaux non répétitifs, le recours à ces systèmes pourrait se révéler très coûteux.

D'autres critiques proviennent d'une interprétation trop littérale de l'hypothèse fondamentale de Segur citée plus haut. En fait, il **ne** s'agit **pas** de constantes absolues : les temps indiqués dans les tables de normes de temps prédéterminées sont des **moyennes,** mais leurs limites de variation sont suffisamment faibles pour pouvoir être systématiquement négligées dans la pratique.

Selon une autre objection courante, il serait faux d'additionner les temps de petits mouvements pris séparément, selon la méthode des normes de temps prédéterminées, car le temps mis à accomplir un mouvement déterminé est influencé par les mouvements qui le précèdent et ceux qui le suivent. C'est là une critique injuste à

334

l'égard des grands systèmes de normes de temps prédéterminées parce que, d'une part, leurs auteurs avaient clairement reconnu ces interdépendances et que, d'autre part, des dispositions spéciales avaient été prises pour s'assurer que les corrélations essentielles n'étaient pas perdues de vue. Dans le cas du MTM, par exemple, ce problème fut résolu en établissant des subdivisions pour les principales catégories de mouvements et en créant des définitions et des règles d'application spéciales qui permettent de tenir compte des liaisons essentielles entre les mouvements. Les systèmes dérivés comme le MTM-2 respectent également ces relations.

On a également affirmé que la direction d'un mouvement influe sur son temps de réalisation (par exemple, pour parcourir une même distance, il faut plus de temps si le mouvement est ascendant que s'il est descendant) et qu'aucun système de normes de temps prédéterminées ne distingue cette variable. Les spécialistes du MTM reconnaissent en effet que la direction du mouvement est une variable importante. Mais ils répondent à cela que, dans un cycle de travail isolé, si l'opérateur doit lever la main ou l'écarter du corps ou opérer une rotation en sens inverse des aiguilles d'une montre, il devra aussi abaisser la main, la ramener vers le corps et opérer une autre rotation dans le sens des aiguilles d'une montre. Cela justifie l'emploi de valeurs moyennes.

5. Les différents types de systèmes de normes de temps prédéterminées

L'agent d'étude du travail risque fort de rencontrer différents types de systèmes de normes de temps prédéterminées et, par conséquent, il peut lui être utile de connaître les différences fondamentales entre les uns et les autres. Les différences touchent aussi bien le degré de regroupement que le champ d'application des tables, la classification des mouvements et les unités de temps.

DEGRÉS DE REGROUPEMENT

La figure 107 illustre les degrés de regroupement d'un système de normes de temps prédéterminées dans le cas des systèmes internationaux officiels du MTM: MTM-1, MTM-2 et MTM-3.

Le premier degré comprend les mouvements *LÂCHER, ATTEINDRE, SAISIR, MOUVOIR, POSITIONNER, LÂCHER*. Au second degré, ces mouvement sont combinés: dans le MTM-2, par exemple, les mouvements de base sont *OBTENIR* et *PLACER*. Au troisième degré, les mouvements sont encore plus regroupés et on aboutit au terme *MANIPULER* pour décrire un cycle de travail complet. Au-delà du troisième degré, il n'y a pas toujours de règles bien définies, et les méthodes de regroupement varient selon la zone de travail à étudier.

CHAMP D'APPLICATION

Les systèmes de normes de temps prédéterminées varient en ce qui concerne l'«universalité» de leur application. Ce concept est malaisé à expliquer, mais on trouvera au tableau 19 un essai de clarification.

Tout d'abord, il existe des systèmes d'application universelle qui peuvent être utilisés pour analyser tout travail n'importe où dans le monde. C'est le cas pour

335

Figure 107. Différents degrés de regroupement des systèmes de normes
de temps prédéterminées: mouvements de base

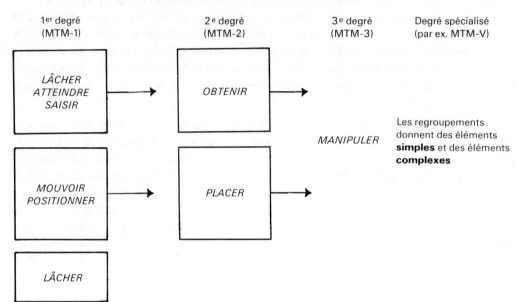

les tables de mouvements des systèmes MTM-1, 2 ou 3 et pour les systèmes *Work Factor*. Ensuite, nous trouvons des systèmes qui s'appliquent principalement à une catégorie d'emplois bien déterminés comme les travaux administratifs, les travaux d'entretien ou certains types de travaux de production. Citons, par exemple, le *Master Clerical Data* pour les travaux administratifs et le MTM-V mis au point par l'Association suédoise MTM pour les travaux de mécanique de précision. Enfin, dans la dernière catégorie, qui est la moins générale, nous trouvons des systèmes qui sont conçus spécifiquement pour être utilisés dans une usine ou un service déterminé. Ces systèmes ne peuvent pas être appliqués à d'autres situations sans études de validation préalables.

Tableau 19. Champ d'application des systèmes de normes de temps
prédéterminées

Degré	Systèmes de normes de temps prédéterminées	Champ d'application
1. Universel	MTM-1, 2, 3; *Work Factor* et *Work Factor Mental*	Applicable partout dans le monde et pour toutes les catégories de travail manuel et intellectuel
2. Général	*Master Clerical Data;* MTM-V	Applicable partout pour une catégorie de tâches bien déterminée (travaux administratifs; mécanique de précision)
3. Spécifique	Systèmes conçus pour des services déterminés dans une usine	Non transposable sans études de validation préalables

CLASSIFICATION DES MOUVEMENTS

Les renseignements que nous fournissent les systèmes de normes de temps prédéterminées sur les cycles de travail manuel concernent les mouvements fondamentaux du corps humain. Les critères adoptés pour classer ces mouvements varient d'un système à un autre. On distingue en gros deux grands types de classifications:

☐   Classification fondée sur l'objet du travail.

☐   Classification fondée sur la manière d'opérer.

La classification fondée sur l'objet du travail est employée dans la majorité des systèmes de normes de temps prédéterminées (y compris le *Work Factor,* le *Dimensional Motion Times* et le MTM-1) et dans la quasi-totalité des systèmes qui s'appliquent à des grands groupes de professions ou qui ont été spécialement conçus pour être utilisés dans une certaine usine. Dans cette classification, on peut se référer, soit aux caractéristiques de l'objet (par exemple saisir un objet de 6 × 6 × 6 mm), soit à la nature de l'environnement immédiat de l'objet (par exemple atteindre un objet mêlé à d'autres objets ou atteindre un objet qui repose à plat sur une surface). Toutefois, cette classification n'est pas entièrement liée à l'objet puisqu'elle inclut des mouvements comme «Lâcher charge» ou «Désengager», dont la définition se rapporte à la manière d'opérer.

Contrairement à la plupart des systèmes, le MTM-2 fait exclusivement appel à la notion de mode opératoire. Il en est de même pour le MTM-3, le *Master Standard Data* et quelques systèmes moins connus. Les systèmes liés à la manière d'opérer classent les mouvements selon la façon dont un observateur les perçoit: par exemple, un mouvement de la main vide sur une distance de 5 à 15 cm suivi d'une préhension réalisée simplement en refermant les doigts est définie par le terme *OBTENIR* dans le système MTM-2 (voir ci-dessous).

UNITÉS DE TEMPS

Il n'y a pas deux systèmes de normes de temps prédéterminées qui comportent la même série de valeurs exprimant le temps des mouvements. Cette diversité tient en partie à ce que chaque système a sa propre classification des mouvements et à ce que les tables des temps se rapportent, de ce fait, à des phénomènes différents. De même, le choix de l'unité de base (fractions de seconde, minute, heure) est variable et certains systèmes indiquent en outre dans leurs tables des majorations auxiliaires qui s'ajoutent aux temps des mouvements, alors que d'autres ne le font pas. Enfin, une autre cause importante de variations provient de ce que les niveaux correspondant aux temps indiqués diffèrent eux aussi. Les méthodes employées pour normaliser les temps des mouvements ou calculer leur moyenne ne sont pas uniformes. Les tables de normes de temps prédéterminées peuvent se répartir en deux catégories, selon qu'elles portent sur des micromouvements ou sur des macromouvements. C'est ainsi que les systèmes *Work Factor* expriment leurs temps en dix millièmes de minute, unité correspondant à 0,006 seconde, tandis que les systèmes MTM utilisent le tmu (*Time Measurement Unit*), c'est-à-dire une unité valant un centimilliheure (cent millième d'heure, cmh), soit 0,036 seconde. Les temps MTM, qui ont été obtenus essentiellement à partir de l'analyse de l'enregistrement cinématographique de toutes sortes d'opérations industrielles (la méthode employée consistait à compter le nombre d'images occupées par chaque mouvement), furent normalisés en utilisant le système du jugement d'effi-

337

cacité (*Levelling,* ou nivellement, ou Westinghouse). Les temps doivent être considérés comme les temps nécessaires à un opérateur expérimenté, d'habileté moyenne, qui fournit un effort moyen et régulier dans des conditions moyennes. L'allure de référence 100 dans le système MTM est inférieure à l'allure 100 dans l'échelle BSI (British Standards Institute). Au Royaume-Uni, l'Institut britannique des praticiens de l'étude du travail et l'Association MTM ont publié une déclaration à ce sujet dans laquelle ils suggèrent que le chiffre 100 dans l'échelle MTM soit considéré comme équivalant au chiffre 83 dans l'échelle BSI [1]. L'allure de référence 100 dans le système MTM est très légèrement supérieure à l'allure 100 dans le système du Bureau des temps élémentaires (BTE), 100 MTM équivalent à 103 BTE.

AUTRES CONSIDÉRATIONS

Certains aspects importants des systèmes de normes de temps prédéterminées sont beaucoup moins aisés à déterminer et à comparer que ceux que nous venons d'examiner dans les sous-sections qui précèdent. Citons par exemple la précision et l'exactitude des temps indiqués, la rapidité avec laquelle on peut appliquer ces systèmes, la capacité de description des méthodes et la durée de l'apprentissage. Le manque d'informations fiables et détaillées et, dans une certaine mesure, l'absence de critères convenus quant à la conception rendent difficile toute comparaison de ces aspects.

6. Utilisation des systèmes de normes de temps prédéterminées

Le système le plus susceptible d'être utilisé par l'agent d'étude du travail est le MTM-2. Il se compose des catégories énumérées ci-après, dont chacune sera exposée en détail dans la sous-section suivante.

Catégorie de mouvement	Code
OBTENIR	GA
	GB
	GC
PLACER	PA
	PB
	PC
RESSAISIR	R
APPLIQUER PRESSION	A
MOUVEMENTS DES YEUX	E
DÉPLACEMENT DU PIED	F
EFFECTUER UN PAS	S
S'INCLINER ET SE REDRESSER	B
FACTEURS DE POIDS	
— prendre poids	GW
— porter poids	PW
MOUVEMENTS DE MANIVELLE	C

[1] «MTM and the BSI rating scale», *Work Study and Management Services* (Londres), fév. 1969, p. 97.

Le système MTM-2 comporte une série de temps qui vont de 3 à 61 tmu. Ces temps figurent sur la carte MTM représentée au tableau 20. Comme nous l'avons indiqué précédemment, un tmu est égal à un cent-millième d'heure.

DESCRIPTION DES CATÉGORIES DE MOUVEMENTS DU MTM-2

☐   *OBTENIR* (G)

OBTENIR est une action dont le but premier est d'atteindre un objet avec la main ou avec les doigts, de le saisir et de le lâcher ensuite.

L'action d'*OBTENIR*

        commence : avec le déplacement vers l'objet ;

        comprend : le fait d'atteindre l'objet, de s'assurer le contrôle puis d'abandonner le contrôle de l'objet ;

        finit : lorsqu'on lâche l'objet.

Pour choisir une action d'*OBTENIR* sur la carte, on tient compte de trois variables :

1) cas d'*OBTENIR* – les cas se distinguent selon le genre de préhension ;

2) distance à parcourir pour atteindre l'objet ;

3) poids de l'objet ou résistance de l'objet au mouvement.

Il existe trois cas (A, B et C) d'*OBTENIR*. On choisit le cas en utilisant le modèle de décision suivant :

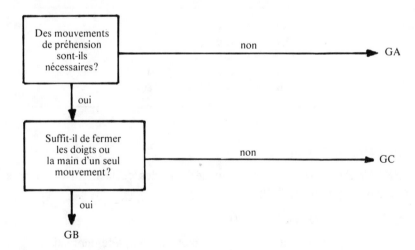

Un exemple de GA : poser la paume de la main sur le côté d'une boîte afin de la pousser transversalement sur une table.

Un exemple de GB : saisir un objet facile à manipuler comme un cube isolé de 2 à 3 cm de côté.

Un exemple de GC : saisir le coin d'une page de ce livre pour la tourner.

La distance est une variable principale de l'action d'*OBTENIR* et cinq classes de distances ont été prévues. Les distances sont codifiées d'après les limites supé-

339

Tableau 20.   Schéma de la carte MTM-2
Temps en tmu

Code	GA	GB	GC	PA	PB	PC
5	3	7	14	3	10	21
15	6	10	19	6	15	26
30	9	14	23	11	19	30
45	13	18	27	15	24	36
80	17	23	32	20	30	41
	GW: 1 par kg			PW: 1 par 5 kg		
A	R	E	C	S	F	B
14	6	7	15	18	9	61

rieures de ces classes: 5, 15, 30, 45 cm et plus de 45 cm. Le code 80 est affecté à la classe supérieure. Les distances sont évaluées d'après le trajet parcouru par la main, déduction faite d'un concours éventuel du corps.

cm		Code
Plus de	Ne dépassant pas	
0,0	5,0	5
5,0	15,0	15
15,0	30,0	30
30,0	45,0	45
45,0	—	80

☐   *PRENDRE POIDS* (GW)

PRENDRE POIDS est l'action des muscles de la main et du bras nécessaire pour soulever le poids de l'objet.

L'action de *PRENDRE POIDS*

commence: lorsque l'objet est complètement saisi;

comprend: l'exercice de la force musculaire requise pour s'assurer le contrôle parfait du poids de l'objet;

finit: lorsque l'exécutant contrôle suffisamment le poids de l'objet pour pouvoir le déplacer.

L'action de *PRENDRE POIDS* se produit une fois que les doigts se sont refermés sur l'objet lors de l'action d'*OBTENIR* qui l'a précédée. Elle doit être exécutée avant qu'un mouvement effectif puisse se produire. Lorsque le poids ou la résistance au mouvement est inférieur à 2 kg par main, on n'attribue aucun GW. Lorsque la résistance dépasse 2 kg, on attribue 1 tmu pour chaque kg, y compris les deux premiers.

☐   *PLACER* (P)

PLACER est une action dont le but essentiel est de déplacer un objet jusqu'à une destination donnée à l'aide des doigts ou de la main.

L'action de *PLACER*

         commence :   lorsque l'objet est saisi et bien tenu à son emplacement initial ;

         comprend :   tous les mouvements de transport, y compris les corrections nécessaires pour mettre l'objet à la place voulue ;

         finit :   lorsque l'objet est en place et que l'opérateur maintient encore sa prise.

Pour choisir une action de *PLACER* sur la carte, on tient compte de trois variables :

1) cas de *PLACER* – les cas se distinguent selon les mouvements de correction à faire ;

2) distance de déplacement de l'objet ;

3) poids de l'objet ou résistance de l'objet au mouvement.

Il existe trois cas (A, B et C) de *PLACER*. On choisit le cas en utilisant le modèle de décision suivant :

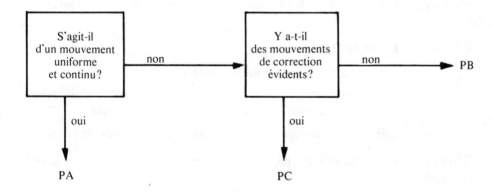

Un exemple de PA : jeter un objet de côté.

Un exemple de PB : faire entrer une bille de 12 mm de diamètre dans un trou de 15 mm de diamètre.

Un exemple de PC : introduire une clé Yale ou du même type dans une serrure.

Il y a peu de chances que l'on confonde un mouvement de correction avec un court PA. Une correction est un mouvement non intentionnel de très faible ampli-

341

tude qui intervient au point terminal; un PA est un mouvement intentionnel et qui s'étend habituellement sur une distance facile à discerner.

La distance parcourue est évaluée et codifiée de la même façon que pour l'action d'*OBTENIR*.

Lorsque, à la suite d'une correction, on engage des composants, on admettra un *PLACER* supplémentaire si la distance dépasse 2,5 cm.

☐ *PORTER POIDS* (PW)

PORTER POIDS est une action qui complète un mouvement de *PLACER* lorsqu'il faut tenir compte du poids de l'objet déplacé.

L'action de *PORTER POIDS*

> commence: avec le début du déplacement;
>
> comprend: le temps supplémentaire, en sus du temps de déplacement inclus dans l'action de *PLACER,* qui compense la différence entre les temps de déplacement sur la même distance d'un objet lourd et d'un objet léger;
>
> finit: avec la fin du déplacement.

On attribue un PW dans tous les cas où la résistance au mouvement dépasse 2 kg par main. Les poids sont calculés de la même façon que pour l'action *PRENDRE POIDS*. Entre 2 kg et 5 kg, on attribue 1 tmu par kg et on code PW 5; entre 5 kg et 10 kg, on attribue 2 tmu par kg et on code PW 10; et ainsi de suite.

☐ *RESSAISIR* (R)

RESSAISIR est une action de la main dont le but est de modifier la préhension de l'objet.

L'action de *RESSAISIR*

> commence: lorsque l'objet est dans la main;
>
> comprend: action des muscles des doigts et de la main pour ajuster la position de l'objet dans la main;
>
> finit: lorsque l'objet est placé autrement dans la main.

Une action de *RESSAISIR* unique ne comporte pas plus de trois mouvements fractionnels.

Les rajustements opérés par les muscles des doigts et de la main lors de l'action d'*APPLIQUER PRESSION* font partie intégrante de cette action. Une action de *RESSAISIR* ne doit donc jamais être attribuée en combinaison avec une action d'*APPLIQUER PRESSION*.

Lorsque la main cesse de bien tenir un objet puis s'assure une autre prise de ce même objet, il s'agira d'une action d'*OBTENIR* et non de *RESSAISIR*.

Un exemple de R: changer la préhension d'un crayon pour se préparer à écrire.

☐   *APPLIQUER PRESSION* (A)

APPLIQUER PRESSION est une action qui a pour but d'exercer une force musculaire sur un objet.

L'action d'*APPLIQUER PRESSION*

commence:	lorsqu'un membre du corps est en contact avec l'objet;
comprend:	l'application d'une force musculaire contrôlée et croissante, un temps de réaction physiologique pour permettre l'annulation de cette force, suivi du relâchement de la contraction musculaire;
finit:	lorsque le membre du corps est en contact avec l'objet mais que la contraction musculaire est relâchée.

Le temps d'arrêt minimum correspond uniquement au temps de réaction nécessaire au cerveau. Des arrêts plus longs observés lors d'actions consistant à tenir un objet doivent être évalués séparément.

L'action d'*APPLIQUER PRESSION* ne concerne que l'exercice d'une force musculaire sur un objet dans le but de s'en assurer le contrôle, de le retenir ou de vaincre sa résistance au mouvement. L'objet ne peut pas être déplacé de plus de 6 mm pendant l'action d'*APPLIQUER PRESSION*.

L'action d'*APPLIQUER PRESSION*, qui peut être accomplie par n'importe quel membre du corps, se reconnaît à une hésitation marquée lors de l'application de la force.

Un exemple de A: terminer le serrage avec un tournevis ou une clé plate pour bloquer une vis ou un écrou.

☐   *MOUVEMENTS DES YEUX* (E)

Les *MOUVEMENTS DES YEUX* sont des actions qui ont pour but

soit:	de reconnaître dans un objet une caractéristique facilement discernable;
soit:	de déplacer l'axe oculaire vers un nouveau champ de vision.

Un *MOUVEMENT DES YEUX*

commence:		lorsque les autres actions doivent cesser parce qu'il faut reconnaître une caractéristique dans un objet;
comprend:		
	soit:	l'accommodation du cristallin et les processus cérébraux nécessaires pour reconnaître dans un objet une caractéristique facilement discernable;
	soit:	le mouvement de l'œil pour déplacer l'axe oculaire vers un nouveau champ de vision;
finit:		quand les autres actions peuvent reprendre.

343

Le champ de vision d'un œil a 10 cm de diamètre à une distance de 40 cm. Le temps d'identification inclus suffit seulement pour une décision binaire simple.

Un exemple de E : déterminer si une pièce de monnaie est du côté «pile» ou du côté «face».

☐ *MOUVEMENT DU PIED* (F)

Un *MOUVEMENT DU PIED* est un mouvement de faible amplitude effectué par le pied ou par la jambe dans un but autre que de déplacer le corps.

Un *MOUVEMENT DU PIED*

commence : lorsque le pied ou la jambe est au repos ;

comprend : un mouvement dont l'amplitude ne dépasse pas 30 cm, qui s'opère par pivotement au niveau de la cuisse, du genou ou du cou-de-pied ;

finit : lorsque le pied est dans un endroit différent.

Pour choisir sur la carte le *MOUVEMENT DU PIED,* on utilise le modèle de décision donné pour *MOUVEMENT DU PIED* et *PAS*.

☐ *PAS* (S)

Le *PAS* est

soit : un mouvement de la jambe qui a pour but de déplacer le corps ;

soit : un mouvement de la jambe dont l'amplitude dépasse 30 cm.

Un *PAS*

commence : lorsque la jambe est au repos ;

comprend :

soit : un mouvement de la jambe visant à opérer un déplacement du tronc ;

soit : un mouvement de la jambe dont l'amplitude dépasse 30 cm ;

finit : lorsque la jambe est dans un endroit différent.

Pour choisir sur la carte le *PAS* ou le *MOUVEMENT DU PIED,* on utilise le modèle de décision suivant :

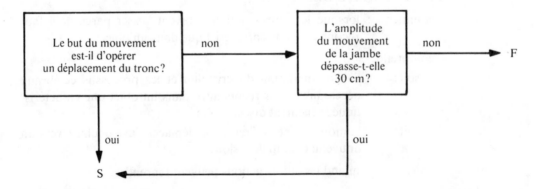

Pour évaluer la marche, on compte le nombre de fois que le pied touche le sol.

Un exemple de F: appuyer sur une pédale de commande dans une automobile.

Un exemple de S: faire un seul pas de côté pour allonger la portée du bras.

☐ *S'INCLINER ET SE REDRESSER* (B)

S'INCLINER ET SE REDRESSER consiste à pencher le tronc en avant puis à le redresser.

L'action de *S'INCLINER ET SE REDRESSER*

commence:	par un mouvement du tronc vers l'avant en partant d'une position verticale;
comprend:	un mouvement du tronc et des autres membres du corps afin d'opérer un changement vertical de la position du corps qui permettra aux mains d'atteindre un objet situé au niveau des genoux ou plus bas, suivi d'un mouvement de redressement;
finit:	lorsque le corps est en position verticale.

Le critère pour qu'il y ait action de *S'INCLINER ET SE REDRESSER* est que l'opérateur puisse atteindre un objet situé plus bas que les genoux, qu'il le fasse effectivement ou non.

Le mouvement qui consiste à s'agenouiller complètement doit être codé 2B.

☐ *MOUVEMENTS DE MANIVELLE* (C)

Les *MOUVEMENTS DE MANIVELLE* ont pour but de déplacer un objet avec la main ou avec le doigt selon une trajectoire circulaire comportant plus d'une demi-révolution.

L'action de *MOUVEMENTS DE MANIVELLE*

commence:	lorsque la main est sur l'objet;
comprend:	tous les mouvements de déplacement nécessaires pour mouvoir un objet selon une trajectoire circulaire;
finit:	lorsque la main est sur l'objet après qu'un tour complet a été effectué.

Pour choisir sur la carte les *MOUVEMENTS DE MANIVELLE,* on tient compte de deux variables:

1) le nombre de tours;

2) le poids ou la résistance à vaincre.

Quel que soit le diamètre de la rotation, on peut attribuer un temps de 15 tmu pour chaque tour complet, que l'action soit continue ou intermittente. Les

345

MOUVEMENTS DE MANIVELLE s'appliquent aux déplacements suivant une trajectoire circulaire, que l'axe du mouvement soit perpendiculaire ou non au plan de rotation.

Le nombre de tours devra être arrondi au nombre entier le plus proche.

Le poids ou la résistance au mouvement influe sur le temps nécessaire pour déplacer un objet. Les règles qui consistent à ajouter des GW ou des PW à des *PLACER* s'appliquent également aux *MOUVEMENTS DE MANIVELLE*. Le PW s'applique à chaque tour complet, que l'action soit continue ou intermittente. Le GW s'applique une seule fois pour une série continue de tours complets, mais on l'ajoute à chaque tour complet lorsque l'action est intermittente.

A l'inverse de l'action de *PLACER*, celle de *MOUVEMENTS DE MANIVELLE* n'inclut pas de mouvements de correction. Si des mouvements de correction interviennent lorsque l'on met l'objet à l'endroit prévu, il faut alors introduire une action de *PLACER* supplémentaire.

Un exemple de C: faire exécuter un tour complet à un volant.

FORMATION

Dans la sous-section qui précède, nous avons esquissé les caractéristiques essentielles du système MTM-2. Toutefois, pour parvenir à un niveau de compréhension convenable, le stagiaire devra suivre des cours théoriques et pratiques sur le MTM-2 pendant deux semaines au moins, puis effectuer un stage en atelier, sous la conduite d'un instructeur spécialiste du MTM[1]. Le stagiaire qui possède déjà une bonne expérience pratique de l'étude du travail devrait être assez capable d'utiliser le MTM-2 après un mois d'application pratique sous la surveillance d'un instructeur. Le MTM-1 nécessite une période de formation plus longue. L'apprentissage sera facilité si le stage peut se dérouler en partie dans une usine où l'on applique déjà les normes MTM. Lorsqu'un stagiaire constate que ses propres analyses sont très proches des normes établies dans l'usine, son assurance augmente rapidement. Sans une période de stage dirigé, il n'apprendrait que très difficilement à bien utiliser les systèmes MTM.

7. Mode d'utilisation des systèmes de normes de temps prédéterminées

Les systèmes de normes de temps prédéterminées ont deux champs d'application principaux:

1) l'observation directe des mouvements de l'exécutant;
2) la représentation mentale des mouvements que demandera une méthode de travail nouvelle ou de remplacement.

La ligne de conduite à adopter, lorsqu'on utilise un système de normes de temps prédéterminées comme le MTM-2 pour l'observation directe, ne diffère pas sensiblement de la méthode employée lors d'une étude des temps (voir chap. 16,

---

[1] L'Association française MTM estime que la formation au MTM-2 doit être précédée d'une formation au moins théorique au MTM-1.

notamment p. 234). En réalité, quiconque a l'expérience des procédures décrites dans ce chapitre — choisir le travail, prendre contact avec le travailleur, enregistrer les renseignements concernant la tâche, décomposer le travail en éléments, majorations, déterminer les temps totaux — a déjà un bagage très suffisant pour devenir un bon utilisateur des systèmes de normes de temps prédéterminées. La principale différence de méthode consiste en ceci: au point de l'étude des temps totaux où l'observateur est prêt à chronométrer et à juger l'allure du cycle de travail, on effectuera à la place une analyse MTM-2 et on reportera sur la feuille d'analyse les temps de mouvements tirés de la carte MTM-2. Ensuite, pour calculer les majorations, compléter le dossier et publier les temps de la tâche, on procédera très sensiblement de la même manière que lors d'une étude des temps. Il n'y aura qu'avantage, si cela est possible, à utiliser les mêmes feuilles de récapitulation que pour une étude des temps. La feuille de récapitulation reproduite à la figure 80 (p. 226) et la feuille de chronométrage pour cycle court (fig. 78 et 79, pp. 224 et 225) peuvent être adaptées pour résumer les renseignements portés sur les feuilles d'analyse MTM-2.

CHOIX DE L'EXÉCUTANT

Lorsqu'on choisit l'exécutant que l'on se propose d'observer pour une analyse des normes de temps prédéterminées, il faut s'efforcer, comme pour une étude des temps, de trouver un travailleur dans la bonne moyenne et désireux de coopérer. Des cadences exceptionnellement rapides ou anormalement lentes sont difficiles à évaluer pour les agents d'étude des temps et posent également des problèmes aux analystes des normes de temps prédéterminées. Un exécutant d'une habileté très supérieure à la moyenne combine et enchaîne ses mouvements d'une manière qui n'est pas à la portée du travailleur moyen; par contre, une personne anormalement lente ou qui opère à contrecœur devant l'observateur exécutera des mouvements non enchaînés, hésitants, et n'utilisera qu'une main à la fois, alors que le travailleur moyen effectuera ces mêmes mouvements simultanément et sans à-coups. Les règles et les tables de combinaisons des mouvements du système MTM et d'autres systèmes comme le *Work Factor* fournissent les renseignements nécessaires pour adapter la séquence de mouvements observés à celle qui est applicable au travailleur qui se situe dans la bonne moyenne; ce travail supplémentaire peut toutefois être évité si, au départ, on choisit intelligemment l'exécutant. Bien entendu, s'il est très expérimenté, l'analyste des normes de temps prédéterminées peut également tirer profit de l'observation de cadences anormales. Le rythme de travail d'un exécutant exceptionnellement rapide peut fournir des indications sur la manière dont tous les exécutants devraient être formés pour arriver à une vitesse d'exécution supérieure à la moyenne. D'autre part, l'étude des opérateurs lents peut mettre en évidence les difficultés rencontrées et dire si une formation complémentaire permettrait de les éliminer.

ENREGISTREMENT DE RENSEIGNEMENTS SUR LE TRAVAIL ÉTUDIÉ

Lorsqu'on rassemble les données concernant le travail étudié, il faut se rappeler que la distance est une variable significative dans les systèmes de normes de temps prédéterminées. Les croquis de l'implantation du poste de travail doivent donc être dessinés à l'échelle avec précision. Cela facilitera l'évaluation ou le contrôle de l'amplitude des mouvements indiqués dans les analyses.

347

DÉCOMPOSITION EN ÉLÉMENTS

Dans les systèmes de normes de temps prédéterminées, la décomposition de l'opération en éléments de travail obéit aux mêmes principes que dans une étude des temps. Toutefois, s'il le faut, la décomposition peut être considérablement affinée, car on ne se heurte pas à la difficulté que pose le chronométrage des temps extrêmement courts. En cas de besoin, on peut changer facilement les tops, sans avoir à rechronométrer tout le cycle. Cette souplesse ressort du tableau 21, qui décrit un cycle de travail courant — ajuster une rondelle et un écrou sur un boulon prisonnier. Si, par exemple, un changement de mode opératoire supprime la nécessité de la rondelle, les mouvements (GC 30, PC 30, PA 5) et le temps (56 tmu) correspondants peuvent être facilement éliminés de l'analyse. De même, les mouvements circulaires des doigts peuvent être facilement séparés des tours de clé plate et donc des opérations d'ajustement et des rotations qu'elles entraînent.

Tableau 21. Ajuster une rondelle et un écrou sur un boulon prisonnier

Elément	tmu	Code	Description
Ajuster la rondelle	23	GC 30	Rondelle
	30	PC 30	Vers boulon
	3	PA 5	Sur boulon
Ajuster l'écrou et visser à la main	10	GB 15	Ecrou
	26	PC 15	Vers boulon
	6	2 PA 5	Engager le pas de vis
	42	6 GB 5	Visser écrou
	18	6 PA 5	
Bloquer l'écrou avec une clé plate	23	GB 30	Clé plate
	30	PC 30	Vers écrou
	6	PA 15	Visser écrou
	14	A	
	231		

MAJORATIONS ET TEMPS ALLOUÉS

Il n'y a pas de problème de jugement d'allure lorsqu'on utilise un système de normes de temps prédéterminées comme le MTM-2, puisque les temps ont été évalués une fois pour toutes. Il ne reste donc plus à l'analyste qu'à additionner les temps de mouvements et à reporter les totaux sur la feuille de récapitulation. Si les temps doivent être exprimés au niveau 100 dans l'échelle BSI et non au niveau 100 dans l'échelle MTM, le nombre total de tmu mentionné sur la feuille de récapitulation devra être multiplié par 0,83. (Cela signifie que, si les temps sont publiés en minutes standards, le nombre total de tmu doit être divisé par 2 000.) Il est important de se rendre compte que les facteurs de conversion entre les échelles ne s'appliquent qu'aux temps totaux, à l'exclusion absolue des temps de mouvements distincts qu'indiquent les cartes MTM. La conversion des temps de mouvements distincts est tout à fait contre-indiquée, car ces temps ne diminuent pas uniformément en fonction directe de l'accélération de la cadence d'un cycle de travail.

Les temps de mouvements simples (tels que GA et PA) ne sont que légèrement améliorés en comparaison des temps de mouvements très complexes (comme GC et PC). Le problème est en fait plus compliqué, parce qu'il faudrait utiliser une autre série de combinaisons de mouvements lorsqu'on étudie une cadence de travail différente.

Pour obtenir le temps total que demande la tâche, on ajoute les majorations de repos et autres exactement de la même façon que lors d'une étude des temps.

VISUALISATION

Lorsque l'agent d'étude n'a pas la possibilité d'observer le cycle, par exemple lorsqu'il met au point un nouveau mode opératoire ou qu'il construit des méthodes de remplacement au cours de l'étude des méthodes d'une tâche existante, il doit se représenter mentalement les mouvements nécessaires. Les figures 108 et 109 nous montrent l'exemple d'un problème de normes de temps prédéterminées qui peut être résolu par la visualisation, représentée graphiquement, des différents mouvements nécessaires, ainsi que l'indique la figure 110.

La faculté de se représenter mentalement des mouvements dépend de l'intelligence de l'agent d'étude et de son expérience. Plus il sera au courant de l'étude du travail, plus il lui sera facile d'imaginer les mouvements nécessaires pour prendre des pièces et les assembler et de voir mentalement quels mouvements peuvent être accomplis facilement en même temps et quels mouvements ne le seront que difficilement.

Lors de la conception des méthodes de travail, il peut être utile d'utiliser un laboratoire des méthodes (voir chap. 11, section 14). Néanmoins, lorsqu'on entreprend une analyse de mouvements, il faut être prudent, comme pour les normes de temps. L'expérimentation de nouvelles méthodes est généralement effectuée par l'agent d'étude lui-même ou par ses collègues, et l'expérimentateur ne doit pas oublier que sa cadence d'exécution sera souvent très inférieure à celle des ouvriers habituels de l'atelier. Même lorsqu'un travailleur de l'atelier étudié collabore aux recherches en laboratoire, la cadence qu'il adopte sur un nouveau cycle de travail est inférieure à ce qu'elle sera dans ses conditions de travail habituelles, avec suffisamment de pratique.

Dans l'un et l'autre cas, si l'on veut construire une méthode de travail correcte, il faut suivre les règles qui président à la conception d'un mode opératoire et en particulier celles qui visent les combinaisons de mouvements que l'on attend de l'exécutant expérimenté moyen.

C'est au stade de la conception d'un mode opératoire que l'agent d'étude du travail qui choisit d'utiliser, par exemple, le système MTM-2 recueillera le bénéfice d'une formation complète et approfondie sur le système MTM-1 dont dérive le MTM-2. Toutefois, un agent d'étude devra connaître au moins la classification du MTM-1 dans ses détails, les mouvements de base qui constituent les mouvements MTM-2 et les règles qui s'appliquent aux possibilités de combinaisons des mouvements fondamentaux, considérés en particulier du point de vue de la possibilité d'acquérir la pratique d'une opération, du champ de vision normal et de la difficulté de manipulation. Avec ces connaissances, il saura, par exemple, que, s'il conçoit le poste de travail de manière que les pièces détachées soient entreposées dans des chariots, le cycle de travail comprendra obligatoirement un GC séparé pour chaque main. Il saura en outre que même des opérateurs expérimentés ne pourront pas accomplir ces

349

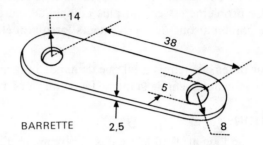

Figure 108. Assemblage d'un socle

Dimensions en millimètres

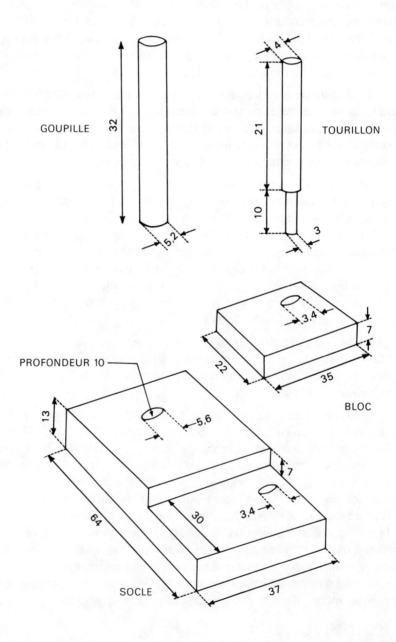

BARRETTE

GOUPILLE

TOURILLON

BLOC

PROFONDEUR 10

SOCLE

Figure 109.   Implantation du poste d'assemblage d'un socle

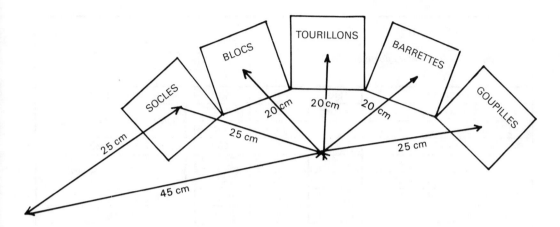

mouvements simultanément, parce que chaque mouvement implique une activité de recherche et de sélection minutieuse du fait que les objets sont réunis pêle-mêle. De même, il saura que mettre en place des goupilles rondes dans des trous circulaires un peu larges peut se faire avec l'une et l'autre main en même temps, pour autant qu'il ait conçu le poste de travail de telle manière que tous les objets à manipuler soient dans le champ de vision normal de l'exécutant (voir section *MOUVEMENTS DES YEUX*). Ces quelques exemples montrent le genre d'indications que l'on peut tirer des règles des systèmes MTM.

LES SYSTÈMES DE NORMES DE TEMPS PRÉDÉTERMINÉES ET LES TECHNIQUES GÉNÉRALES

A ce point de l'exposé, le lecteur conçoit sans doute clairement la nature et la valeur des systèmes de normes de temps prédéterminées. Lorsqu'un agent d'étude du travail veut, par exemple, devenir un spécialiste du MTM, il devra suivre une formation complète sur le MTM-1 et le MTM-2, et il devra assimiler toutes les techniques avancées qui sont brièvement décrites dans le présent ouvrage. Toutefois, comme, dans la grande majorité des cas, il devra à la fois s'occuper de l'étude du travail et assumer d'autres fonctions (comme le planning et le contrôle de la production, combinaison souvent rencontrée dans les petites entreprises, tout particulièrement dans les pays en voie de développement), il pourra se contenter d'une formation sur le système MTM-2.

Néanmoins, il est essentiel que l'agent d'étude du travail n'oublie jamais que la technique des normes de temps prédéterminées est un outil de haute précision. Avant de s'attacher aux détails minutieux, il devra d'abord examiner les possibilités offertes par des techniques plus générales et plus simples. Dans les entreprises où l'on n'a pas encore introduit la pratique de l'étude du travail, un examen global intelligent de la situation ouvre habituellement des perspectives de grandes améliorations initiales de la productivité.

351

Figure 110. Feuille d'analyse MTM-2, assemblage d'un socle

DÉSIGNATION OPÉRATION:			RÉF.:	
Assembler un socle (voir croquis des pièces et du poste de travail)			FEUILLE n° *1* de *1*	
			ANALYSTE:	
			DATE:	
MAIN GAUCHE	MG	TMU	MD	MAIN DROITE
Obtenir socle dans casier	GC30	23	G—	Obtenir goupille dans casier
		14	GC5	
Placer socle sur banc	PA30	30	PC30	Positionner goupille dans socle
Obtenir bloc dans casier	GC30	23	G—	Obtenir tourillon dans casier
		14	GC5	
Mouvoir bloc vers tourillon	P—	30	PC30	Positionner tourillon dans bloc
Assister position	P—	26	PC15	Ajuster assemblage au socle
		23	GC30	Obtenir barrette dans casier
Assister position	GB—	30	PC30	Positionner sur tourillon
Positionner sur goupille	PC5	21		
Saisir assemblage	GB15	10		
Placer sur transporteuse	PA80	20		
		264		

Tableau 22. Système MTM: Tables MTM-1
Reproduites avec l'aimable autorisation de
l'Association française MTM

ASSOCIATION FRANCAISE

119, rue de Lille
75007 Paris ©

TABLES
M.T.M. 1

ATTENTION : Sans une formation solide , garantie par le diplôme
de l'Association Française **M.T.M.** , l'usage de cette
table conduit à de graves mécomptes .

Note: *Les temps des tables correspondent à des mouvements effectués à
l'allure normale (Système de jugement H.B. Maynard).
ils sont exprimés en centmillièmes d'heure*
1 cmh = 1 T M U (Time Measurement Unit): 0,00001 heure = 0,0006 minute = 0,036 seconde

				ATTEINDRE R				MOUVOIR M			SAISIR G				POSITIONNER P			DESENGAGER D	
MOUVEMENTS SIMULTANÉS				A E	B	C D	A Bm	B	C	G1A G2 G5	G1B G1C	G4	P1S	P1SS P2S	P1SS P2SS P2NS	D1E D1D	D2
DÉSENGAG.	D	D2	E														
			D														
		D1E - D1D															
POSITIONNER	P	P1NS P2SS P2NS	E														
			D														
		P1SS P2S	E														
			D														
		P1S	E														
			D														
SAISIR	G	G4	I														
			H														
		G1B G1C	I														
			H														
		G1A, G2, G5															
MOUVOIR	M	C	I														
			H														
		B	I														
			H														
		A, Bm	I														
			H														
ATTEINDRE	R	C, D	I														
			H														
		B	I ou H														
		A, E	I ou H														

☐ Facile

▨ Peut être réalisé avec pratique

■ Difficile

I Intérieur au champ de vision

H Hors du champ de vision

— Mouvements non inclus dans la table
T Tourner : *Facile avec tous les mouvements
sauf : s'il est contrôlé
s'il y a "désengager" simultané*
AP Appliquer pression : *Chaque cas doit être
étudié*
P3 Positionner classe 3 —⎫
D3 Désengager classe 3 —⎭ *Toujours difficile*
RL Lâcher- *Toujours facile*
D Désengager - *Difficile pour toutes les
classes lorsqu'il y a soin
de manipulation*

353

MOUVEMENTS DES MEMBRES SUPÉRIEURS

ATTEINDRE - R - (Reach)

Distance en cm	R_A	R_B	R_C R_D	R_E	m R_A R_Am	m R_B R_Bm	m (B)	DESCRIPTION DES CAS
≤ 2	2,0	2,0	2,0	2,0	1,6	1,6	0,4	A Atteindre un objet toujours placé
4	3,3	3,3	5,2	3,3	3,0	2,5	0,8	au même endroit, un objet dans
6	4,5	4,5	6,5	4,5	3,9	3,0	1,5	l'autre main, un objet sur lequel
8	5,4	5,6	7,5	5,5	4,5	3,6	2,0	l'autre main repose.
10	6,0	6,6	8,4	6,4	4,9	4,2	2,4	
12	6,4	7,4	9,1	7,1	5,2	4,8	2,6	B Atteindre un objet isolé dont
14	6,7	8,2	9,7	7,7	5,5	5,3	2,9	l'emplacement peut varier
16	7,1	8,8	10,3	8,2	5,8	5,9	2,9	légèrement d'un cycle à l'autre.
18	7,4	9,4	10,8	8,7	6,1	6,5	2,9	
20	7,8	9,9	11,4	9,2	6,4	7,1	2,8	
22	8,1	10,5	11,9	9,7	6,8	7,6	2,9	
24	8,5	11,1	12,5	10,2	7,1	8,2	2,9	C Atteindre un objet mêlé à d'autres
26	8,8	11,6	13,0	10,6	7,4	8,8	2,8	de telle sorte qu'il y ait recherche
28	9,2	12,2	13,6	11,1	7,7	9,4	2,8	et sélection. (ou option).
30	9,5	12,8	14,1	11,6	8,0	9,9	2,9	
35	10,4	14,2	15,5	12,8	8,8	11,4	2,8	D Atteindre un objet très petit ou
40	11,3	15,6	16,8	14,1	9,6	12,8	2,8	un objet à saisir avec précision
45	12,1	17,0	18,2	15,3	10,4	14,2	2,8	ou précaution.
50	13,0	18,4	19,6	16,5	11,2	15,7	2,7	
55	13,9	19,9	20,9	17,7	12,0	17,1	2,8	
60	14,7	21,3	22,3	19,0	12,7	18,5	2,8	E Déplacer la main vers une position
65	15,6	22,7	23,7	20,2	13,5	20,0	2,7	indéfinie soit pour assurer l'équi-
70	16,5	24,1	25,0	21,4	14,3	21,4	2,7	libre du corps, soit pour préparer
75	17,3	25,5	26,4	22,6	15,1	22,8	2,7	le mouvement suivant, soit pour
80	18,2	26,9	27,8	23,9	15,9	24,3	2,6	dégager la zone de travail.
par 5 en sus	0,9	1,4	1,4	1,2	0,8	1,4		

MOUVOIR - M - (Move)

Distance en cm	M_A	M_B	M_C	m M_B M_Bm	m (B)	AVEC EFFORT kg	Const. stat.	Coeff. dyna.	DESCRIPTION DES CAS
≤ 2	2,0	2,0	2,0	1,7	0,3	de 0 à 1,25	0	1	A
4	3,1	3,8	4,5	2,6	1,2				
6	4,1	5,0	5,8	3,1	1,9	>1,25 à 2,5	1,9	1,04	Mouvoir un objet jusqu'à l'autre
8	5,1	6,0	7,0	3,7	2,3				main ou contre une butée.
10	6,1	6,9	8,0	4,2	2,7				
12	7,0	7,7	8,9	4,8	2,9	>2,5 à 5	3,3	1,09	
14	7,7	8,5	9,6	5,4	3,1				
16	8,3	9,2	10,3	5,9	3,3				
18	8,9	9,9	11,0	6,5	3,4	>5 à 7,5	5,2	1,15	
20	9,6	10,5	11,7	7,0	3,5				B
22	10,2	11,1	12,3	7,6	3,5				
24	10,8	11,7	13,0	8,2	3,5	>7,5 à 10	7,1	1,21	Mouvoir un objet jusqu'à un
26	11,4	12,2	13,7	8,7	3,5				
28	12,1	12,7	14,4	9,3	3,4				emplacement approximatif
30	12,7	13,2	15,1	9,8	3,4	>10 à 12,5	9,0	1,27	
35	14,2	14,4	16,8	11,2	3,2				ou indéfini.
40	15,8	15,6	18,4	12,6	3,0	>12,5 à 15	10,9	1,34	
45	17,4	16,8	20,1	14,0	2,8				
50	18,9	18,0	21,8	15,4	2,6				C
55	20,5	19,2	23,5	16,8	2,4	>15 à 17,5	12,8	1,40	
60	22,1	20,4	25,2	18,1	2,3				Mouvoir un objet jusqu'à un
65	23,6	21,6	26,9	19,5	2,1				
70	25,2	22,8	28,6	20,9	1,9	>17,5 à 20	14,7	1,46	emplacement précis ou avec
75	26,8	24,0	30,3	22,3	1,7				
80	28,3	25,2	32,0	23,7	1,5	>20 à 22,5	16,6	1,52	précaution.
par 5 en sus	1,6	1,2	1,7	1,4					

TOURNER - T - (Turn)

Avec effort			Angle de rotation en degrés										
kg.		Symbole	30	45	60	75	90	105	120	135	150	165	180
de 0 à 1	S	Faible	2,8	3,5	4,1	4,8	5,4	6,1	6,8	7,4	8,1	8,7	9,4
>1 à 5	M	Moyen	4,4	5,5	6,5	7,5	8,5	9,6	10,6	11,6	12,7	13,7	14,8
>5 à 16	L	Grand	8,4	10,5	12,3	14,4	16,2	18,3	20,4	22,2	24,3	26,1	28,2

MOUVEMENTS DE MANIVELLE - C - (Crank)

Diamètre en cm	2	4	6	8	10	12	14	16	18	20	22	24	26	28	30	35	40
Premier tour (ou tour isolé)	13,4	14,4	15,2	15,9	16,5	17,1	17,6	18,0	18,4	18,8	19,1	19,4	19,7	19,9	20,2	20,7	21,1
Par tour supplémentaire	8,2	9,2	10	10,7	11,3	11,9	12,4	12,8	13,2	13,6	13,9	14,2	14,5	14,7	15	15,5	15,9

APPLIQUER PRESSION -AP- (Apply pressure)

APA	10,6	Ne comprend pas de ressaisir
APB	16,2	Comprend un ressaisir

SAISIR -G- (Grasp)

CAS	cmh	DESCRIPTION DES CAS
G1A	2	Saisir un objet facile à prendre
G1B	3,5	Saisir un objet très petit ⎱ Saisir un objet plat ⎰ sur une surface plane
G1C1	7,3	Diamètre > 12 mm ⎱ Saisir un objet à peu près cylin-
G1C2	8,7	6mm < Diamètre ⩽ 12 mm ⎰ drique que des obstacles empêchent
G1C3	10,8	Diamètre ⩽ 6 mm ⎰ d'être saisi par dessous et sur le côté
G2	5,6	Ressaisir. Modifier la préhension sans lâcher l'objet
G3	5,6	Passer un objet d'une main à l'autre
G4A	7,3	Dimensions > 25 x 25 x 25mm ⎱ Saisir un objet mêlé à d'au-
G4B	9,1	Dimensions { ⩽ 25 x 25 x 25mm / > 6 x 6 x 3 } tres de telle sorte qu'il y ait recherche et sélection
G4C	12,9	Dimensions ⩽ 6 x 6 x 3 ⎰ (ou option)
G5	0	Saisir un objet par contact ou lorsque les doigts exercent un contrôle partiel de l'objet.

LACHER -RL- (Release)

RL1	2	Lâcher par ouverture des doigts
RL2	0	Lâcher de contact

POSITIONNER -P- (Position)

CLASSE D'AJUSTEMENT		Symétrie	Manipulation	
			E: Facile	D: Difficile
P1	*Libre*	S	5,6	11,2
		S S	9,1	14,7
	Aucune pression nécessaire	N S	10,4	16,0
P2	*Doux*	S	16,2	21,8
		S S	19,7	25,3
	Légère pression nécessaire	N S	21,0	26,6
P3	*Dur*	S	43,0	48,6
		S S	46,5	52,1
	Forte pression nécessaire	N S	47,8	53,4

La profondeur d'engagement est de 25 mm au plus.

DESENGAGER -D-   (Disengage)

CLASSE D´AJUSTEMENT		Manipulation	
		E : Facile	D:Difficile
D1	_Libre_ _ Effort très léger_ On ne discerne pas de recul.	4,0	5,7
D2	_Doux_ _ Effort moyen _ Léger recul.	7,5	11,8
D3	_Dur_ _ Effort important_ Recul marqué de la main.	22,9	34,7

MOUVEMENTS VISUELS
DÉPLACER LE REGARD -ET- (Eye Travel)
(Sans rotation de la tête)

Temps
$$\begin{cases} \text{Exact} = 0,285 \times \text{angle de rotation des yeux, en degrés} \\ \text{Approché} = 15,2 \dfrac{T}{D} \begin{cases} T = \text{distance entre les 2 points regardés.} \\ D = \text{distance de l'œil à la droite joignant ces points} \end{cases} \\ \text{avec une valeur maximale de 20 cmh.} \end{cases}$$

EXAMINER -EF-   (Eye Focus)
(Sans déplacement de l´axe oculaire)

Temps: 7,3

MOUVEMENTS DU CORPS ET DES MEMBRES INFERIEURS

DESCRIPTION	Symbole	Distance	cmh
Déplacer le pied autour de la cheville	F M	Jusqu´à 10cm	8,5
avec forte pression.	F M P		19,1
Déplacer la jambe ou le mollet.	L M_	Jusqu´à 15cm	7,1
		chaque cm en plus	0,5
Marcher, par pas, libre .	W_P		15,0
gêné.	W_PO		17,0
en déplaçant un chariot.	W_PL		17,0
Effectuer un pas de côté.		Moins de 30cm	Masqué par R ou M
Cas I : Terminé lorsque la jambe levée atteint le sol.	SS_C1	30 cm	17,0
		chaque cm en plus	0,2
CasII: Terminé lorsque la 2ᵉᵐᵉ jambe levée atteint le sol.	SS_C2	30 cm	34,1
		chaque cm en plus	0,4
Tourner le corps de 45°a 90°.			
CasI : Terminé lorsque la jambe levée atteint le sol.	T BC1		18,6
CasII: Terminé lorsque la 2ᵉᵐᵉ jambe levée atteint le sol.	T BC2		37,2
S´asseoir.	S1T	_ _ _ _ _ _ _	34,7
Se lever.	STD	_ _ _ _ _ _ _	43,4
S´incliner.	B		
Se baisser.	S KOK	_ _ _ _ _ _ _	29,0
Mettre un genou à terre.	AB		
Se redresser, se relever respectivement.	AS AKOK	_ _ _ _ _ _	31,9
S´agenouiller complètement.	K B K	_ _ _ _ _ _	69,4
Se relever.	A K B K	_ _ _ _ _ _	76,7

Chapitre 22
Les données de référence

Les opérations qu'ont à effectuer les ouvriers d'une usine présentent souvent plusieurs éléments communs. L'élément « marcher », par exemple, intervient dans un grand nombre de travaux différents. Des activités diverses telles que peindre, manutentionner ou travailler sur un chantier impliquent toujours un élément « marcher ». Au cours de l'étude des temps de ces activités, on chronomètre en fait plusieurs fois le même élément commun. La tâche de l'agent d'étude du travail serait donc considérablement facilitée s'il avait à sa disposition un ensemble de données dont il serait possible de tirer les temps normaux de ces éléments de travail communs sans devoir obligatoirement les chronométrer séparément. Si, par exemple, on peut obtenir directement le temps normal de l'élément « marcher » en consultant une table, non seulement on réduit le travail d'étude et son coût, mais, en outre, on améliore la cohérence des mesures des temps.

On comprend donc qu'il y a intérêt à dresser des catalogues de **données de références** ou **catalogues de temps élémentaires** pour divers éléments qui se reproduisent fréquemment aux postes de travail. Si l'on disposait de ce genre de données pour une grande variété d'éléments, et pour autant que ces données soient fiables, il ne serait plus nécessaire de procéder à l'étude des temps pour une nouvelle tâche. Il suffirait de décomposer la tâche en éléments et de se référer au catalogue de données pour calculer les temps normaux pour chaque élément, d'additionner ces temps pour obtenir le temps total nécessaire à l'exécution de la nouvelle tâche et de déterminer le temps normal correspondant en ajoutant les majorations appropriées selon la méthode habituelle. En France, relevons-le, de tels catalogues ont été diffusés par le Bureau des temps élémentaires (BTE).

1. Considérations générales

Il est difficile d'imaginer une situation où l'on pourrait chronométrer tous les éléments susceptibles de se présenter dans n'importe quelle opération et les mettre en mémoire (stocker) pour les extraire plus tard. Dans la pratique, il est donc préférable de **limiter le nombre des tâches** pour lesquelles il est intéressant d'établir des données de référence ; généralement, on se borne à étudier un ou plusieurs services d'une même usine ou l'ensemble des processus intervenant dans la fabrication d'un produit déterminé. De cette manière, le champ couvert reste dans des proportions maniables.

La **fiabilité des données** peut être améliorée si l'on regroupe lors de l'analyse le plus grand nombre possible d'éléments communs effectués de la même manière et si un agent d'étude expérimenté analyse une masse suffisante de données préalablement accumulées ou recueillies pour chaque élément.

On augmente encore la fiabilité en s'assurant que tous les facteurs influant sur le temps d'exécution d'un élément donné ont été pris en considération. Par exemple, le temps nécessaire pour déplacer une feuille de dimensions données varie selon la consistance de la feuille: rigide (métal, par exemple) ou souple (caoutchouc, par exemple). Le poids sera également un facteur important. A dimensions égales, le temps nécessaire pour déplacer une plaque de tôle diffère du temps nécessaire pour déplacer une plaque de mousse ou une feuille de carton. L'épaisseur influe également sur le temps de déplacement. Par conséquent, la description de l'élément devra être aussi précise que possible et il faudra en outre indiquer les facteurs influant sur le temps d'exécution (pour notre exemple, la nature de la matière, l'épaisseur et le poids).

Un autre aspect fondamental est la **source des données.** Faut-il utiliser des temps observés, qui se fondent sur les lectures du chronomètre, ou vaut-il mieux employer des systèmes de normes de temps prédéterminées? La première formule est parfois moins coûteuse et, dans certains cas, peut être plus facilement acceptée par le personnel de l'usine. Toutefois, pour certains éléments, il n'est pas toujours possible de disposer du nombre d'observations qui permettra de calculer des données fiables. Il faut parfois plusieurs mois, voire un an ou davantage, pour accumuler suffisamment d'informations. En revanche, le choix d'un système comme le MTM peut faciliter l'étude des opérations, mais ce système ne s'applique pas à toutes les situations et il est indispensable que l'utilisateur en ait acquis une expérience suffisante. Si l'on opte pour cette solution, il faudra en outre choisir entre les systèmes d'analyse très détaillés comme le MTM-1 (plus précis mais d'un emploi coûteux) et les systèmes plus simples comme le MTM-2 et le MTM-3 (moins coûteux, mais moins précis).

Il apparaît donc que les données de référence doivent être établies en tenant compte des **besoins des utilisateurs.** Ces données sont d'une grande utilité pour toute une série d'opérations, dont le planning, l'estimation des coûts, la rémunération au rendement et le contrôle budgétaire. Toutefois, le «degré de confiance» dans la base de données établie que peuvent admettre ceux qui utilisent les données de référence pour ces travaux varie considérablement selon l'usage auquel on les destine: par exemple, le planning laisse beaucoup plus de latitude dans les normes que la fixation des primes individuelles. Comme il n'est pas possible de dresser un catalogue différent pour chaque utilisateur, on s'efforcera d'élaborer un système de données fournissant un maximum de renseignements à tous les utilisateurs.

2. Etablissement de données de référence

L'établissement de données de référence doit passer par les étapes suivantes:

1. **Décider du champ d'application.** Ainsi que nous l'avons indiqué, il faut se limiter à un ou plusieurs services ou groupes d'emplois, ou encore à une gamme limitée de processus (par exemple l'ensemble des processus intervenant dans la fabrication

d'un produit déterminé d'une même usine) dans lesquels plusieurs éléments similaires, exécutés selon la même méthode, interviennent pour l'exécution des tâches.

2. **Décomposer les tâches en éléments,** au moyen de l'analyse des tâches. On s'efforcera d'identifier le plus grand nombre possible d'éléments communs aux différentes tâches. Supposons par exemple que nous étudions le cas d'un travailleur d'une usine d'emballage de fruits, dont le poste se situe à la fin des opérations. Sa tâche consiste à enlever un carton de fruits de la bande transporteuse, à indiquer au pochoir le nom du client sur le carton et à transporter le carton jusqu'à un poulain tout proche. Cette opération peut être décomposée en éléments de différentes manières; mais, si l'agent d'étude procède de la façon indiquée ci-dessous, il découvrira probablement que plusieurs des éléments de la tâche interviennent ailleurs dans l'usine. Voici la décomposition suggérée:

a) soulever le carton de la transporteuse et le positionner sur la table;

b) positionner un pochoir sur le carton;

c) appliquer une brosse à goudronner large de 10 cm pour indiquer le nom et l'adresse du client;

d) soulever le carton;

e) marcher avec le carton;

f) le placer sur le poulain.

Les éléments «soulever et positionner un carton» et «marcher avec un carton» peuvent intervenir pour d'autres tâches, en d'autres endroits de l'usine, éventuellement sous une autre forme. Selon la taille et le type de fruits, les dimensions et le poids des cartons peuvent varier. Ce sont là des facteurs importants qui influeront sur les temps d'exécution de ces éléments. En outre, l'élément «marcher avec un carton» peut revenir à d'autres points de l'opération, mais la distance parcourue sera peut-être différente. Toutefois, ces variations ne doivent pas empêcher l'agent d'étude du travail de recueillir les informations nécessaires à la construction de ses données de référence, ainsi que le démontrera la suite de notre exposé détaillé des étapes.

3. **Choisir le type de relevés,** c'est-à-dire opter soit pour des données qui se fondent sur le chronométrage direct, soit pour des données tirées de systèmes de normes de temps prédéterminées, tels que le MTM. Ainsi que nous l'avons expliqué, la nature du travail étudié et le coût d'utilisation du système d'analyse seront les grands facteurs déterminants de ce choix. Si l'on opte pour une étude des temps par chronométrage direct, il faudra passer suffisamment de temps à recueillir les observations dont on a besoin pour obtenir des données statistiquement fiables.

4. **Déterminer les facteurs** susceptibles d'influer sur le temps de chaque élément et classer ces facteurs selon leur importance majeure ou mineure. Considérons un exemple simple: le cas d'un travailleur qui marche. Les lectures obtenues en chronométrant cet élément présenteront toujours de légères variations. Ces fluctuations sont dues à plusieurs facteurs, dont certains sont majeurs et d'autres peuvent être considérés comme mineurs. Dans ce cas particulier, les facteurs peuvent être répertoriés comme suit:

359

Activité

Marche contrainte avec départ immobile et arrêt complet à l'arrivée, sans transport de charge.

Facteurs d'influence

Majeurs	*Mineurs*
Distance parcourue	Constitution physique du travailleur
	Température
	Humidité
	Eclairage
	Sujet d'intérêt extérieur
	Variation due à l'agent d'étude des temps

Il est clair, dans ce cas, que le temps d'exécution de la marche sera affecté surtout par la distance parcourue; néamoins, d'autres facteurs mineurs exerceront de leur côté une petite influence et pourront entraîner de légères variations d'un relevé de chronométrage à un autre.

Tableau 23.　Marche contrainte

Distance (m)	Temps réel (min)	Facteur d'allure	Temps de base (min) $(a \times r =)$	Moyenne (min)
x	a	r	t	y
10	0,13	85	0,1105	
	0,13	90	0,1170	
	0,13	85	0,1105	
	0,11	95	0,1045	
	0,12	90	0,1080	
	0,15	80	0,1200	0,1118
20	0,21	105	0,2205	
	0,21	105	0,2205	
	0,22	95	0,2090	
	0,22	100	0,2200	
	0,26	80	0,2080	
	0,22	90	0,1980	0,2127
30	0,29	110	0,3190	
	0,30	100	0,3000	
	0,32	90	0,2880	
	0,30	100	0,3000	
	0,30	100	0,3000	
	0,33	95	0,3135	0,3034
40	0,38	110	0,4180	
	0,37	110	0,4070	
	0,38	110	0,4180	
	0,43	90	0,3870	
	0,42	90	0,3780	
	0,37	110	0,4070	0,4025

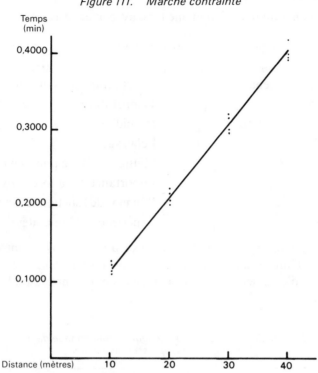

Figure 111.   Marche contrainte

5. Si l'on procède par chronométrage direct, **mesurer le temps d'exécution d'une opération à partir de l'observation de situations réelles.** Dans l'exemple de la marche, l'agent d'étude peut choisir arbitrairement les distances et chronométrer le travailleur sur chaque distance. S'il constate que, dans la plupart des cas, la distance parcourue est de 10, 20, 30 ou 40 mètres, les résultats des chronométrages correspondant à ces distances peuvent être inscrits directement dans des tables de données de référence. Mais, dans la plupart des cas, les travailleurs parcourent des distances très variables, comprises entre 10 et 40 mètres. Il sera alors préférable de tracer une courbe représentant la relation entre le temps passé et la distance parcourue. Supposons que l'agent d'étude ait enregistré les résultats de chronométrages du tableau 23.

Il est maintenant possible de porter sur un graphique les temps de base en regard de la distance. La figure 111 donne la courbe du meilleur ajustement obtenu avec les points ainsi reportés. Pour améliorer la précision de l'analyse, on peut également utiliser la méthode de la droite des moindres carrés. A partir du graphique, on pourra calculer les temps normaux pour des distances quelconques comprises entre 10 et 40 mètres. Il pourra arriver que la relation entre les deux variables ne soit pas linéaire; si elle est représentée par une hyperbole, il faut utiliser du papier à coordonnées logarithmiques.

L'agent d'étude du travail pourra cependant se trouver, à diverses reprises, confronté à des situations où plusieurs facteurs majeurs affectent le temps d'exécution d'une opération. Considérons, par exemple, le cas de l'utilisation d'une scie circulaire à moteur pour tronçonner du bois (d'un même type). En analysant les facteurs d'influence majeurs et mineurs comme dans l'exemple précédent, nous arriverons probablement à un tableau de ce genre:

361

Activité

Tronçonner du bois d'un même type avec avance à la main.

Facteurs d'influence

Majeurs	*Mineurs*
Variation de l'épaisseur du bois	Constitution physique du travailleur
	Température
Variation de la largeur du bois	Humidité
	Eclairage
	Méthode utilisée pour tenir le bois
	Importance de la force physique appliquée
	Bon état de fonctionnement de la scie
	Expérience de l'opérateur

Nous supposons ici que tous les exécutants étudiés sont des travailleurs qualifiés. Au bout d'un certain temps, il est possible de calculer les temps de base pour un certain nombre d'épaisseurs et de largeurs, mais non pour toutes. Les résultats sont indiqués au tableau 24.

Tableau 24. Temps de base pour le tronçonnage de bois de largeur et d'épaisseur variables

Épaisseur (cm)							
2		4		6		8	
Largeur (cm)	Temps (min)	Largeur (cm)	Temps (min)	Largeur (cm)	Temps (min)	Largeur (cm)	Temps (min)
6	0,064	6	0,074	6	0,081	6	0,093
12	0,088	12		12	0,126	12	0,146
16	0,104	16	0,130	16		16	0,181
20	0,120	20	0,160	20	0,180	20	

La première étape de l'analyse consiste à porter sur un graphique les temps de base en regard des diverses épaisseurs (2, 4, 6, 8 cm) (voir fig. 112). Les courbes obtenues permettent de tirer les valeurs qui manquent dans le tableau 24 (par exemple le temps nécessaire pour tronçonner une pièce de bois de 4 cm d'épaisseur et de 12 cm de largeur).

Toutefois, cette méthode ne nous permet pas de fixer des temps normaux pour d'autres épaisseurs et d'autres largeurs, par exemple pour une pièce de 3 cm d'épaisseur et de 8 cm de largeur, dimensions qui ne figurent pas dans la table. Ce problème peut être résolu de deux façons:

1. Par le **calcul.** Au point correspondant à la largeur désirée (dans ce cas 8 cm), on élève une perpendiculaire à l'axe des abscisses. Cette droite coupe les courbes d'épaisseur appropriées en deux points que nous appellerons a_1 et a_2 (fig. 112). Par «appropriées», il faut entendre les courbes d'épaisseur représentant les valeurs (inférieure et supérieure) entre lesquelles est comprise l'épaisseur désirée. Dans notre exemple, celle-ci est de 3 cm; par conséquent, les deux courbes

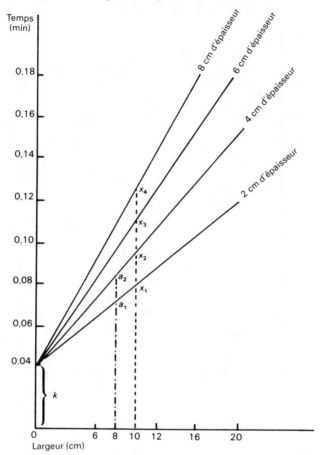

Figure 112.   Temps de base pour le tronçonnage de bois
de largeur et d'épaisseur variables

appropriées sont celles qui correspondent à des épaisseurs de 2 et de 4 cm respectivement.

On applique ensuite la formule suivante:

$$T = a_1 + f(a_2 - a_1)$$

où

T = temps à calculer;

a_1 = temps correspondant à une épaisseur de 2 cm (courbe inférieure) (dans ce cas, $a_1 = 0,072$);

a_2 = temps correspondant à une épaisseur de 4 cm (courbe supérieure) (dans ce cas, $a_2 = 0,086$);

f = fraction décimale représentant le rapport entre, d'une part, la différence entre les épaisseurs 3 cm et 2 cm, et, d'autre part, la différence entre les épaisseurs 4 cm et 2 cm, soit:

$$f = \frac{3-2}{4-2} = 0,5.$$

363

Figure 113. Courbe de base pour le tronçonnage de bois
de 2 cm d'épaisseur et de largeur variable

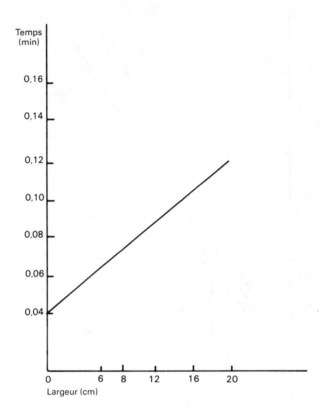

En appliquant cette formule, on obtient le résultat suivant :

$$T = 0,072 + 0,5 \, (0,086 - 0,072) = 0,079 \text{ min.}$$

2. Par **comparaison graphique.** Avec cette méthode, la première étape consiste à construire les quatre courbes correspondant aux différentes épaisseurs de bois, la largeur étant la variable indépendante et le temps la variable dépendante. On obtient aussi les courbes de la figure 112.

Si nous nous reportons de nouveau au tableau 24, nous constatons que, pour une épaisseur de 2 cm, nous possédons toutes les données de temps et de largeur, et que les points correspondant à ces indications s'adaptent bien à la courbe tracée sur la figure 112 pour cette épaisseur. Cette courbe est alors reproduite séparément et constitue ce que l'on appelle une **courbe de base** (voir fig. 113).

La deuxième étape consiste, en se reportant à la figure 112, à choisir arbitrairement sur l'axe des abscisses un point représentant une largeur quelconque comprise entre 6 et 20 cm. Supposons que nous ayons choisi un point représentant une largeur de 10 cm. A partir de ce point, nous traçons une perpendiculaire à l'axe des abscisses qui coupe les quatre courbes en quatre points dont les ordonnées seront respectivement x_1, x_2, x_3 et x_4.

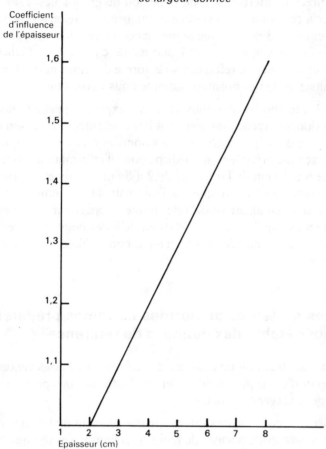

Figure 114. *Courbe d'influence de l'épaisseur pour le tronçonnage de bois de largeur donnée*

La troisième étape consiste à construire une **courbe d'influence** de l'épaisseur à partir des points calculés de la façon suivante:

Epaisseur	2	4	6	8
Coefficient	$\dfrac{x_1}{x_1} = 1$	$\dfrac{x_2}{x_1} = \dfrac{96}{80} = 1{,}2$	$\dfrac{x_3}{x_1} = \dfrac{112}{80} = 1{,}4$	$\dfrac{x_4}{x_1} = \dfrac{128}{80} = 1{,}6$

A partir de ces chiffres, on construit la courbe représentée à la figure 114. Le temps cherché peut être ensuite calculé aisément à partir de la courbe de base et de la courbe d'influence de l'épaisseur en utilisant la formule suivante:

temps total = temps de base × coefficient d'influence

Exemple: calcul du temps nécessaire pour scier une pièce de 8 cm de large et de 3 cm d'épaisseur:

$$T = 0{,}072 \times 1{,}1 = 0{,}079 \text{ min.}$$

Dans ce cas, le temps nécessaire pour une largeur de 8 cm (tiré de la courbe de base) est multiplié par le coefficient d'influence correspondant à une épaisseur de 3 cm (tiré de la courbe d'influence).

365

Nous constatons donc que les données nécessaires au calcul des temps normaux peuvent être tirées indifféremment de tables ou de graphiques. L'agent d'étude devra ensuite ajouter à ces données d'éventuelles majorations selon les méthodes habituelles. Lorsqu'une entreprise décrète que le même coefficient de majoration est applicable à toutes les opérations appartenant à une même catégorie de tâches, il lui est possible d'exprimer les données de référence sous forme de temps normal pour chaque élément au lieu d'utiliser les temps normaux comme nous l'avons fait.

L'emploi des méthodes que nous venons d'exposer appelle toutefois certaines restrictions. Les données recueillies couvrent habituellement un certain éventail de valeurs. Il est préférable de ne pas extrapoler ces données à des valeurs qui sortent de cet éventail. Dans l'exemple précédent, nous disposions d'informations concernant des morceaux de bois de 6 à 20 cm de largeur et de 2 à 8 cm d'épaisseur. Nous avons pu analyser toutes les combinaisons possibles à l'intérieur de ces limites, mais il n'y a aucun moyen de savoir si, en allant au-delà des limites d'épaisseur et de largeur effectivement étudiées et en extrapolant nos courbes au-delà des points pour lesquels nous avons les informations issues de l'étude des temps, nous trouverons encore le même type de relation linéaire.

3. Utilisation des systèmes de normes de temps prédéterminées pour établir des données de référence

La méthode d'obtention de données de référence que nous venons d'esquisser suppose que l'agent d'étude disposait au départ d'informations provenant de chronométrages directs pour étayer ses calculs.

Mais, ainsi que nous l'avons dit, on peut également établir des données de référence à l'aide de systèmes de normes de temps prédéterminées tels que le MTM ou le *Work Factor*. Dans ce cas, les données obtenues pour chaque élément tiennent automatiquement compte des variations normales susceptibles de se produire au cours de l'exécution d'une tâche lorsqu'il y a changement de produit, de processus, de matériel ou de matières. Ces variations sont liées à la taille, à la capacité, au mode opératoire, au type d'outillage (outils simples ou perfectionnés, en petit nombre ou très nombreux) et à la nature du travail (qui peut aller du travail à la commande ou du travail par petites séries à la production quasi continue).

C'est ce qui ressort du tableau 25, où figure la liste des éléments les plus communément rencontrés dans les travaux d'assemblage et de mécanique légère, avec leurs variations possibles. On a ajouté à cette liste la définition de chaque élément.

La figure 115 illustre une opération typique des usines de mécanique légère. Cette opération et beaucoup d'autres contiennent l'une ou l'autre des séquences d'éléments ci-après:

a) obtenir matière; positionner dans outil; actionner machine; enlever pièce; évacuer; ou

b) obtenir matière; positionner dans outil; positionner support dans machine; actionner machine; enlever support; enlever pièce; évacuer.

366   (Il faut noter que ces éléments peuvent parfois s'enchaîner différemment.)

*Tableau 25.   Eléments des travaux d'assemblage et de mécanique légère:
données de référence*

Eléments généraux (peuvent être utilisés dans plusieurs services)	Variations possibles	Code
OBTENIR	Niveau du sol à banc	GSB
	Banc à outil	GBT
	Niveau du sol à outil	GST
	Majoration pour recherche (objet mêlés à d'autres)	GTA
	Petites pièces jusqu'à récipient	GSP
POSITIONNER DANS OUTIL	Facile	PE
	Moyen	PM
	Difficile	PD
	Complexe	PC
SERRER ET DESSERRER	Doigts	CF
	Clé de serrage	CT
	Glissière	CS
	Actionné par air comprimé	CA
ACTIONNER	Fermer et ouvrir dispositif de protection	OCG
	Pédale	OP
	Levier	OL
	Boutons de sécurité	OSB
	Presse à vis manuelle	OFP
	Mécanique	OMT
ENLEVER DE L'OUTIL	Automatique	RA
	Facile	RE
	Moyen	RM
	Difficile	RD
	Complexe	RC
	Utilisation d'un levier	RLC
TOURNER (DANS) OUTIL	Tourner dans outil	TIT
	Tourner outil	TT
ÉVACUER	Automatique	AA
	Outil à banc	ATB
	Banc à niveau du sol	ABS
	Outil à niveau du sol	ATS
DIVERS	Compter pièces	MCP
	Marquer pièces	MSP
	Zone de travail jusqu'à outil	WAT
CONTRÔLER OU VÉRIFIER	Pièce dans support ou calibre	CCF

Définition des éléments

OBTENIR	Saisir et déplacer un objet ou un ensemble d'objets jusqu'à destination.
POSITIONNER DANS OUTIL	Positionner un objet ou en ensemble d'objets dans le support d'un outil, etc., ou entre des électrodes.
SERRER ET DESSERRER	Couvre tous les mouvements nécessaires pour fermer et, ultérieurement, ouvrir un dispositif de serrage qui fonctionne par pression sur l'objet à maintenir; ou pour tenir un objet dans un outil ou un support par pression des doigts.
ACTIONNER	Couvre le temps et tous les gestes nécessaires pour:

ACTIONNER — Couvre le temps et tous les gestes nécessaires pour:

— fermer et, ultérieurement, ouvrir un dispositif de protection (OCG);

— saisir ou toucher un dispositif de commande et, ultérieurement, replacer la main dans la zone de travail (ou reposer le pied sur le sol);

— actionner les commandes et mettre en route le cycle machine (OMT).

367

ENLEVER DE L'OUTIL	Enlever un objet d'un outil, d'un support, etc.; ou enlever une pièce, un composant ou un support qui était placé sous une perceuse; ou retirer un objet qui était placé entre des électrodes.
TOURNER (DANS) OUTIL	Se produit lorsque deux *ACTIONNER* se suivent *et* que l'objet doit être enlevé de l'outil, tourné autrement et repositionné dans l'outil *ou* que le support ou le montage doit être tourné ou déplacé dans ou sous l'outil.
ÉVACUER	Déplacer et poser un objet ou un ensemble d'objets que l'on tenait déjà en main.

Définition des termes utilisés

Objet	Tout objet manipulé, tel que pièce, outil à main, assemblage partiel, travail terminé, ou tout montage, support ou autre dispositif de fixation.
Ensemble d'objets	Nombre idéal d'objets qui peuvent être convenablement saisis, déplacés et disposés selon le mode opératoire prévu.
Banc	Table, établi, chariot de pièces détachées ou d'outillage ou tout autre dispositif adapté aux outils ou au poste de travail.
Stockage au niveau du sol	Boîte de stockage ou récipient monté sur pieds pouvant être soulevé par un dispositif manuel ou avec un chariot élévateur. Ce terme peut également désigner une palette, le sol ou tout autre dispositif de stockage placé au niveau du sol.
Outil	Terme général pouvant désigner un support, un montage, une électrode, ou une presse ou tout autre outil utilisé pour tenir ou usiner un ou plusieurs objets. Un outil peut être positionné dans un autre; par exemple, un support peut être placé sous une perceuse ou une électrode de soudage.

La figure 116 représente la séquence *a)* appliquée au travail à la presse mécanique tandis que la figure 117 montre l'analyse détaillée de l'élément *TRANSPORTER,* y compris les indications de distances.

Pour élaborer des données de référence à partir d'un système de normes de temps prédéterminées, il faut ensuite analyser chaque séquence d'éléments, à l'aide, par exemple, du MTM-2. On peut également utiliser le MTM-2 ou d'autres systèmes de normes de temps prédéterminées pour construire des **catalogues de données** pour certaines opérations normalisées, en incluant toutes les variations possibles. Des données de ce genre peuvent être présentées sous forme de table (voir fig. 118) ou sous forme d'algorithme (voir fig. 119). La figure 120 donne un exemple de formule utilisable pour récapituler les temps applicables à une activité déterminée, obtenus à partir des données de la figure 118 ou de la figure 119.

Figure 115.   Séquence d'éléments

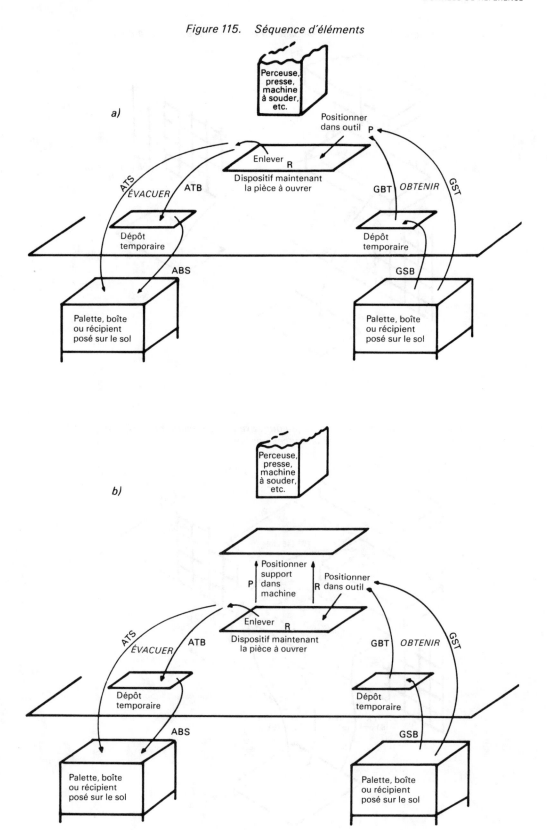

Figure 116.   Eléments de base du travail à la presse mécanique

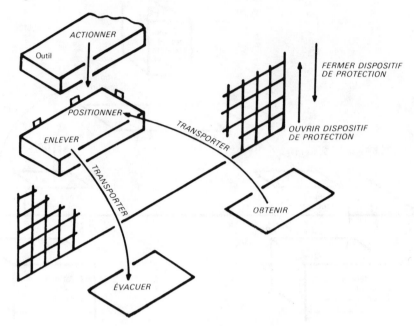

Figure 117.   Travail à la presse mécanique: exemples d'éléments TRANSPORTER
et distances parcourues

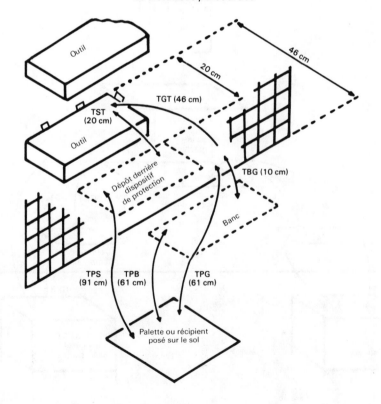

*Figure 118.   Travail à la presse mécanique : exemples de données obtenues
à l'aide du MTM-2 (présentation sous forme de table)*

Elément	Code	tmu	Elément	Code	tmu	Elément	Code	tmu
OBTENIR pièce			Dispositif			*ENLEVER de l'outil*		
Plate	GF1	21	de protection	TPG1	18	Ejection		
	GF2	31		TPG2	18	automatique	RA-	0
En utilisant			*Poids*	PW	—	Facile	RE1	17
un outil	GTS	15					RE2	17
Profilée	GS1	19	*POSITIONNER dans outil*			Moyen	RM1	36
	GS2	28	*Pièce plate*				RM2	52
Recherche,			Butées	PFS1	27	Difficile	RD1	50
ajouter	GTA	20		PFS2	30		RD2	50
Poids	GTW	—	Ergots	PFP1	31	*Poids*	GW	—
				PFP2	33			
TRANSPORTER			*Pièce profilée*			*TRANSPORTER*		
			Moulée	PSM1	31	(voir plus haut)		
A partir de ou				PSM2	39			
jusqu'à dispositif de			Butées	PSS1	38	*ÉVACUER*		
protection et				PSS2	41			
Banc	TBG1	4	Ergots	PSP1	31	Automatique	AA-	0
	TBG2	4		PSP2	35	Jeter	AT1	7
Palette, etc.	TPG1	18	*Poids*	PW	—		AT2	7
	TPG2	18				Poser	AL1	10
Outil	TGT1	18	*ACTIONNER PRESSE*				AL2	10
	TGT2	18	*Fermer dispositif*			Empiler	AS1	11
Se pencher, ajouter	TB-	61	*de protection*				AS2	19
Pas, ajouter	TS-	18	Automatique	OCGA	0	*Poids*	—	—
			Une main	OCG1	21			
A partir de ou			Deux mains	OCG2	30			
jusqu'à outil et			*Actionner presse*					
Dispositif de			Automatique	OPA	*			
protection	TGT1	18	Pédale	OPF	*			
	TGT2	18	Touches	OPB	*			
Dépôt	TST1	11	Cycle machine	OMC	*			
	TST2	11	* Pour chaque presse, utiliser					
Main	THT1	4	les données du dossier tech-					
Deuxième outil	TTT1	14	nique de la machine ou pro-					
	TTT2	14	céder à une étude des					
			temps.					
A partir de ou			*Ouvrir dispositif*					
jusqu'à palette et			*de protection*					
Banc	TPB1	32	Automatique	OOGA	0			
	TPB2	32	Une main	OOG1	22			
Dépôt	TPS1	42	Deux mains	OOG2	31			
	TPS2	42						

Note : Signification du dernier chiffre du code : 1 : avec une main ; 2 : avec les deux mains.

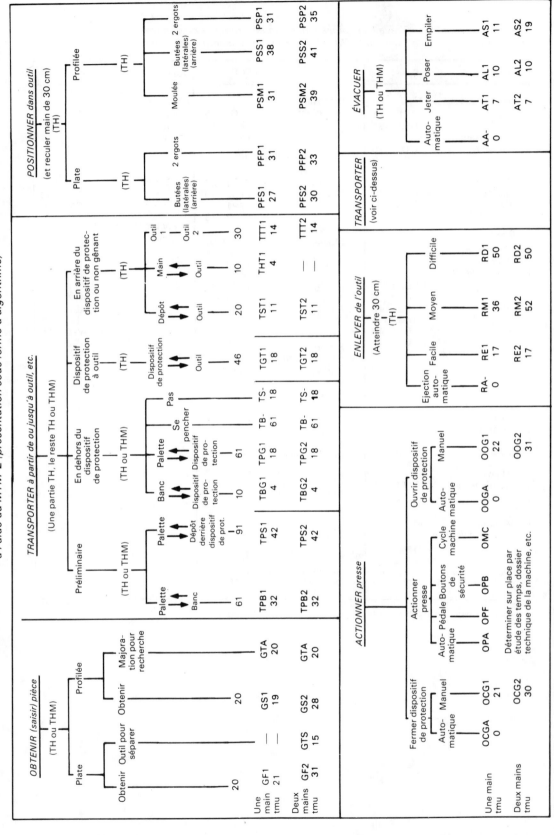

Figure 19. Travail à la presse mécanique: exemples de données de référence obtenues à l'aide du MTM-2 (présentation sous forme d'algorithme)

Note: TH = travail humain; THM = travail homme-machine.

*Figure 120. Travail à la presse mécanique: formule de présentation
des données de référence*

Type de presse:						Préparé par:		
Pièce:						Date:		
Opération:						Minutes standards:		

Séq. n°	Description des mouvements (mouvements simultanés sur la même ligne)	Machine		Main gauche		Main droite		Charge
		Code	tmu	Code	tmu	Code	tmu	tmu

Observations:	Total tmu	Machine		MG		MD	
		Minutes de base (÷ 2000)					
		Nombre total de minutes de base					
		Majoration de repos et majoration auxiliaire (%)					
		Minutes standards					

373

4. Utilisation de calculatrices électroniques pour l'établissement des normes de temps

Il ressort clairement des chapitres précédents que l'élaboration des données de référence et l'étude des temps en général demandent beaucoup de calculs. Pour se faciliter la tâche, on a maintenant recours de plus en plus aux calculatrices électroniques. Dans ce domaine, les calculatrices programmables de poche et les mini-ordinateurs (voir fig. 121, 122 et 123) rendent d'immenses services et permettent de gagner un temps considérable. Plusieurs programmes pouvant être introduits dans ces calculatrices ont été mis au point, par exemple pour le dépouillement des études des temps, l'analyse et le contrôle des erreurs et le contrôle de la tendance des temps.

Dans un cas typique d'utilisation d'un «Programme pour l'analyse d'une étude des temps», la première étape (celle aussi qui demande le plus de temps) consiste, comme d'habitude, à multiplier chaque temps observé par le facteur d'allure pertinent (voir fig. 124). Le programme fournit maintenant un histogramme des observations pour chacun des trois éléments de la figure 124. C'est propablement là le point essentiel du programme; en effet, grâce à des histogrammes, l'agent d'étude du travail peut immédiatement se rendre compte si l'élément qu'il a choisi fournit, par exemple, une distribution normale (comme dans le cas de l'élément 1 — voir fig. 125), ou dissymétrique (comme dans le cas de l'élément 2 — voir fig. 126), auquel cas il faudra éventuellement procéder à des lectures supplémentaires, ou bimodale (comme dans le cas de l'élément 3 — voir fig. 127), ce qui montre que l'élément a été mal choisi et que de nouveaux tops doivent être fixés puisqu'il y a chevauchement de deux activités. La calculatrice fournit automatiquement la valeur la plus élevée de l'histogramme (le mode), sa valeur la plus faible, ainsi que les intervalles et les fréquences pour chaque colonne.

Après avoir calculé les temps de base et les temps normaux pour chaque élément, la calculatrice fournit une série de données qui peuvent servir à déterminer si l'étude est fiable. Tout d'abord, la machine calcule le **temps normal total** et le **temps productif total.** Puis on introduit le **temps improductif total** et les **temps de contrôle,** ce qui permet à la calculatrice de déterminer le **temps enregistré total.** Enfin, la machine compare ce temps à la **durée totale** et calcule le **pourcentage d'erreur** ainsi que le **nombre normal d'opérations par heure.** On trouvera dans le tableau 26 la définition de tous ces termes. La figure 128 représente la séquence des calculs effectués par la machine. D'après le pourcentage d'erreur, l'agent d'étude du travail peut alors décider d'accepter ou de refuser l'étude.

Des programmes de ce genre permettent donc de calculer une gamme étendue de valeurs en très peu de temps. Ces programmes sont fournis sur cartes magnétiques ou cassettes accompagnées d'un listage complet et de consignes d'exploitation. Par conséquent, leur emploi ne nécessite qu'un minimum de formation.

*Figure 121.   Une calculatrice programmable de poche, la Hewlett-Packard 67,
et ses cartes-programmes.
Plusieurs autres constructeurs présentent des machines similaires*

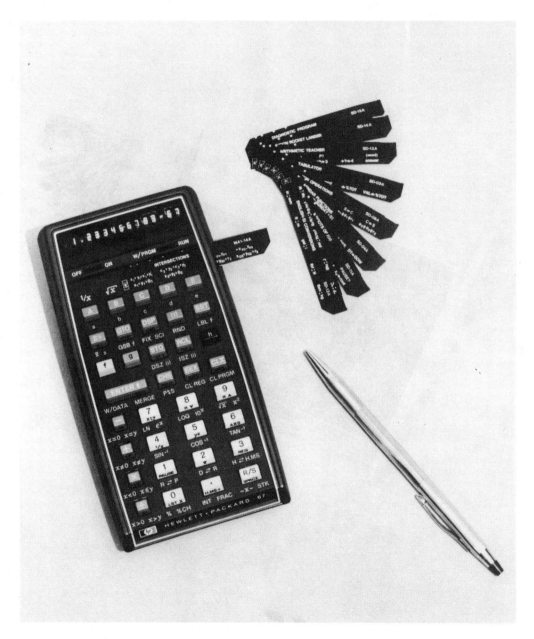

*Figure 122. Une petite calculatrice programmable imprimante, la Hewlett-Packard 97.
Plusieurs autres constructeurs présentent des machines similaires*

*Figure 123. Un mini-ordinateur pouvant être utilisé pour le calcul
des données de référence, l'IBM 5110.
Plusieurs autres constructeurs présentent des appareils similaires*

Figure 124. Programme d'analyse d'une étude des temps

OBSERVATIONS - ÉLÉMENT 1

Lecture du chronomètre (centiminutes[1])	20,50	1,00	8,50	12,40	12,50	2,50	4,00	6,00	8,80
Facteur d'allure 0-100	75	100	95	85	100	120	110	115	85
Lecture du chronomètre (centiminutes)	10,40	15,70	7,60	7,20	6,40	15,30	8,80	5,20	8,40
Facteur d'allure 0-100	95	75	65	100	75	75	95	105	110
Lecture du chronomètre (centiminutes)	9,00	10,50	9,90	9,40	10,80	14,90	6,60		
Facteur d'allure 0-100	65	85	110	75	85	65	110		

OBSERVATIONS - ÉLÉMENT 2

Lecture du chronomètre (centiminutes)	20,80	1,00	14,60	2,91	4,30	7,10	13,00	13,10	6,92
Facteur d'allure 0-100	75	100	95	110	120	100	75	95	65
Lecture du chronomètre (centiminutes)	13,60	9,52	7,70	8,42	8,46	7,56	3,78	10,20	10,94
Facteur d'allure 0-100	85	105	100	95	65	75	95	100	95
Lecture du chronomètre (centiminutes)	8,52	8,47	6,50	5,16	5,18				
Facteur d'allure 0-100	95	105	100	120	110				

OBSERVATIONS - ÉLÉMENT 3

Lecture du chronomètre (centiminutes)	26,10	1,00	3,36	16,30	3,42	9,50	6,00	5,42	14,80
Facteur d'allure 0-100	65	100	95	80	105	100	120	70	75
Lecture du chronomètre (centiminutes)	14,60	17,20	21,60	5,10	14,20	17,00	13,30	5,57	8,90
Facteur d'allure 0-100	95	70	65	100	100	90	60	95	100
Lecture du chronomètre (centiminutes)	6,00	6,10	5,90						
Facteur d'allure 0-100	90	100	110						

[1] 1 centiminute = 1 centième de minute.

Figure 125.   Programme d'analyse de l'étude des temps pour l'élément 1

```
AUTO START
ENTER FILE NO.
TIME STUDY
PROGRAM
XXXXXXXXXXXXXXXX
DO YOU WANT TO          7.200
ENTER-                    100
2)TIME(CMS) R/S         0.072
   RATING R/S
1)BASIC(CMS) R/S        0.400
XXXXXXXXXXXXXXXX           75
ELEMENT       1         0.048

    20.500              15.300
       75                  75
    0.154               0.115

     1.000               8.800
      100                  95
     0.010               0.084

     8.500               5.200
       95                 105
     0.081               0.055

    12.400               8.400
       85                 110
     0.105               0.092

    12.500               9.000
      100                  65
     0.125               0.059

     2.500              10.500
      120                  85
     0.030               0.089

     4.000               9.900
      110                 110
     0.044               0.109

     6.000               9.400
      115                  75
     0.069               0.071

     8.800              10.800
       85                  85
     0.075               0.092

    10.400              14.900
       95                  65
     0.099               0.097

    15.700               6.600
       75                 110
     0.118               0.073

     7.600              ENTER
       65              1 ERRORS
     0.049             0 NONE
```

Traduction du langage ordinateur
AUTO START: Départ automatique
ENTER FILE NO: Introduire n° dossier
TIME STUDY PROGRAM: Programme d'étude des
temps
DO YOU WANT TO ENTER: Voulez-vous introduire:
2) TIME (CMS): Temps (centiminutes)
   RATING: Facteur d'allure
1) BASIC (CMS): Temps de base (centiminutes)

Opérateur: Temps (cms) $\times \dfrac{FA}{100} \times 10^{-2} =$ temps de base

L'histogramme montre que la distribution des temps de base est normale pour cet élément.

↓

```
---------  --  ---  -------
+X
+XX
+XXXX
+XXXXXX
+XXXXXX
+XXXX
+X
+X
OS 5%
BT=              0.080

FRQ2
                    1
                    1
REST ALLOW
                   12
OTHER ALLOW
                    3
STD TIME=    0.093

MORE ELEMENTS
1 YES
2 NO
```

↑

Le temps normal de l'élément est automatiquement déterminé à partir du temps de base, de la majoration de repos et des autres majorations.

Figure 126. Programme d'analyse de l'étude des temps pour l'élément 2

```
XXXXXX/XXXXXXXX
ELEMENT       2

    22.800
       75
     0.171

     1.000
      100
     0.010

    14.600                        10.200
       95                           100
     0.139                         0.102

     2.910                        10.940
      110                            95
     0.032                         0.104

     4.300                         8.520
      120                            95
     0.052                         0.081

     7.100                         8.470
      100                           105
     0.071                         0.089

    13.000                         6.500
       75                           105
     0.098                         0.068

    13.100                         5.160
       95                           120
     0.124                         0.062

     6.920                         5.180
       65                           110
     0.045                         0.057

    13.600            ENTER
       85            1 ERRORS
     0.116            0 NONE
                     -----------------
     9.520            +X
      105            +XX
     0.100            +XXXXXX
                      +XXXXX
     7.700            +XXXX
      100            +XX
     0.077            +X
                      +X
     8.420            OS 5%
       95            BT=          0.079
     0.080
                     FRQ2
     8.460                            1
       65                            1
     0.055            REST ALLOW
                                   12
     7.060            OTHER ALLOW
       75                          3
     0.053            STD TIME=  0.091

     3.780            MORE ELEMENTS
       95            1 YES
     0.036            2 NO
```

Traduction du langage ordinateur
ENTER : Introduire
1 ERRORS : Erreurs
0 NONE : Pas d'erreurs
OS : Pourcentage d'erreur
BT : TB (temps de base)
FRQZ : Fréquences
REST ALLOW : Majoration de repos
OTHER ALLOW : Autres majorations
STD TIME : Temps normal
MORE ELEMENTS : Eléments supplémentaires
    1 OUI
    2 NON

← L'histogramme indique que la distribution est légèrement dissymétrique.

Des observations supplémentaires pourraient être nécessaires.

Figure 127.   Programme d'analyse de l'étude des temps pour l'élément 3

```
ELEMENT          X
                 3

     26.100
         65
      0.170

      1.000
        100
      0.010

      3.360
         95
      0.032

     16.300
         80
      0.130

      3.420
        105
      0.036

      9.500
        100
      0.095

      6.000
        120
      0.072

      5.420
         70
      0.038

     14.800
         75
      0.111

     14.600
         95
      0.139

     17.200
         70
      0.120

     21.600
         65
      0.140

      5.100
        100
      0.051

     14.200
        100
      0.142

     17.000
         70
      0.119
```

```
     13.300
         60
      0.080

      5.570
         95
      0.053

      8.900
        100
      0.089

      6.000
         90
      0.054

      6.100
        100
      0.061

      5.900
        110
      0.065

ENTER
1 ERRORS
0 NONE
-------------------
+X
+XXX
+XXXXX
+XXX
+X
+XXX
+XXXX
+X
DUAL MAX
OS 5%
BT=            0.086

FRQ2
                 1
                 3
REST ALLOW
                12
OTHER ALLOW
                 3
STD TIME=    0.033

MORE ELEMENTS
1 YES
2 NO
```

Traduction du langage ordinateur

DUAL MAX: Sommet de la distribution dédoublé

← Cet élément a été mal choisi, ce qui provoque une distribution bimodale.

Il faut modifier les tops de cet élément. Il convient de noter qu'on ne s'en serait probablement pas aperçu en calculant la moyenne arithmétique des données selon la méthode classique.

*Figure 128.   Programme d'analyse d'une étude des temps
(calcul de différents temps et des pourcentages d'erreur)*

```
XXXXXXXXXXXXXXXX
TOT STD MIN
          0.217

EFF TIME=  6.529
INEFF TIME?
          0.125
          0.146
          0.255
          0.178
          0.198
TOT       0.902
CHK TIME?
          1.250
          2.690
TOT       3.940
TOT REC TIME=
          11.371
START FIN ?
          12.12
          12.12

          12.12
          12.00

ELAPSED TIME=
          12.00
ERROR=      5%
NO./STD HOUR=
          276.16
```

Traduction du langage ordinateur

TOT STD MIN: Temps normal total en minutes standards
EFF TIME: Temps productif total
INEFF TIME: Temps improductif
CHK TIME: Temps de contrôle
TOT REC TIME: Temps enregistré total
START FIN: Début et fin
ELAPSED TIME: Durée
ERROR: Erreur
NO./STD HOUR: Nombre normal d'opérations par heure (ce nombre est obtenu en
divisant la minute standard par le temps normal total, soit dans
ce cas 1/0,217, et en multipliant le résultat par 60, nombre de
minutes que contient une heure)

*Tableau 26.   Programme d'analyse d'une étude des temps: définition des termes employés
(d'après la British Standards Institution, note 3138/1959)*

Terme	Définition
TEMPS DE CONTRÔLE	Somme des intervalles de temps s'écoulant d'une part entre le début d'une étude des temps et le début du premier élément chronométré (= TEAC: «Temps écoulé avant de commencer») et d'autre part entre la fin du dernier élément chronométré et la fin de l'étude (= TEAF: «Temps écoulé après la fin des observations»).
TEMPS DE BASE RETENU	Temps de base choisi comme étant représentatif d'un groupe de temps correspondant à un élément ou à un groupe d'éléments.
TEMPS PRODUCTIF	Temps inclus dans la durée de l'étude, à l'exclusion du temps de contrôle, pendant lequel le travailleur se consacre effectivement à l'exécution d'une tâche déterminée en utilisant la méthode prescrite.
TEMPS IMPRODUCTIF	Temps inclus dans la durée de l'étude, à l'exclusion du temps de contrôle, et consacré à des activités diverses non spécifiées dans le mode opératoire prévu pour la tâche à exécuter.
DURÉE	Temps total écoulé entre le début et la fin d'une étude des temps.
TEMPS NON COMPTABILISÉ (ou temps auxiliaire)	Différence entre la durée et la somme des différents temps enregistrés au cours d'une étude des temps, y compris les temps de contrôle.
POURCENTAGE D'ERREUR	Différence entre la durée et le temps total enregistré, exprimée en pourcentage de la durée.

Chapitre 23
Emploi
des normes de temps

1. Définition du travail auquel s'appliquent les normes de temps

Une fois le dépouillement et l'analyse des études terminés, il importe d'enregistrer de façon détaillée la méthode, l'outillage et le matériel employés, ainsi que chacun des aspects de l'opération de nature à exercer une influence sur le temps d'exécution. Cette «stabilisation» est nécessaire, car toute modification du contenu de travail d'une opération influant sur le temps d'exécution aura également un effet sur le planning et la prévision des coûts de la fabrication; mais elle devient doublement indispensable lorsque, les travailleurs étant rémunérés au rendement, la norme de temps sert à fixer les taux de salaire. C'est une règle fondamentale de tout système de rémunération au rendement fondé sur l'étude des temps que les normes de temps ne doivent être modifiées qu'en cas de changement du contenu de travail de l'opération ou de réorganisation des méthodes de travail, ou encore pour corriger une erreur matérielle d'évaluation [1].

Lorsque les normes de temps doivent servir de base à un système de rémunération au rendement, on rédige habituellement deux documents pour décrire et définir de façon complète la manière dont on a élaboré ces normes et les conditions de travail auxquelles elles s'appliquent. Ces documents sont d'une part le **dossier technique** et d'autre part la **spécification du travail.**

Le dossier technique est avant tout un document d'étude du travail; on n'y aborde pas les questions de taux de rémunération, de contrôle de la main-d'œuvre et autres éléments contractuels. Ce dossier récapitule, sous forme de tableaux et de graphiques, les résultats essentiels des études effectuées dans la section. On y fait figurer les normes de temps en vigueur et la manière dont on les a construites. Il contient en outre toutes les informations nécessaires au calcul de nouvelles normes, au cas où un changement interviendrait dans les tâches ou dans les conditions de travail, dans la mesure où il est possible de calculer de nouvelles normes sur la base de l'étude qui a eu lieu. Le dossier technique est donc un véritable manuel où se trouvent toutes les informations nécessaires à la détermination de normes de temps.

Il faudra établir des dossiers distincts pour toutes les sections d'une entreprise qui diffèrent quant aux moyens techniques utilisés, car les méthodes d'obtention des normes varient d'une section à une autre. Par exemple, dans un atelier d'émaillage,

---

[1] BIT: *La rémunération au rendement, op. cit.*, p. 205.

il faudra probablement constituer un dossier pour les opérations de préparation des surfaces, un autre pour les opérations de pulvérisation, un autre pour les opérations de cuisson, etc.

On joint au dossier technique, sous forme condensée, toutes les données de base qui ont servi à l'établir, y compris:

les graphiques de déroulement montrant la mise au point des méthodes améliorées;

les feuilles d'analyse des études;

les feuilles de calcul des majorations de repos;

les données tirées du système de normes de temps prédéterminées;

les courbes et les graphiques relatifs aux données de référence.

On conservera avec le plus grand soin le dossier technique et tous les documents originaux qui y sont joints, parce que ces pièces constituent une preuve essentielle en cas de contestation. Ces documents sont en outre très précieux lorsqu'on doit ultérieurement construire des normes de temps pour des travaux similaires. Les dossiers techniques sont habituellement conservés dans le service d'étude du travail, où ils sont tenus à la disposition de la direction ou des représentants des travailleurs chaque fois qu'il est nécessaire de les consulter.

2. La spécification du travail

Une spécification du travail est un document fixant les détails d'une opération ou d'une tâche, son mode opératoire, l'implantation du poste de travail, les particularités des machines, des outils et des accessoires à utiliser, ainsi que les obligations et les responsabilités du travailleur. Le temps normal ou le temps alloué pour la tâche y figure généralement

La spécification du travail rassemble les données de base sur lesquelles repose le contrat entre l'employeur et le salarié dans le cadre d'un système de rémunération au rendement[1].

La spécification du travail devra être plus ou moins détaillée suivant la nature de l'opération dont il s'agit. Pour les travaux sur machines-outils, dans l'industrie mécanique, où une grande variété d'opérations sont effectuées sur des machines dont la conduite est assez semblable, il suffira de fixer des conditions générales applicables à toutes les tâches effectuées dans les ateliers, en n'enregistrant séparément que les variations de détail.

---

[1] Il est clair qu'elle ne constitue pas la base du contrat lorsque d'autres systèmes de rémunération sont appliqués (soit salaire fixe, soit primes de rendement attribuées à une équipe, un atelier ou une usine).

En revanche, lorsqu'une opération met en jeu tout un atelier ou service et doit s'effectuer sans grands changements pendant une période indéterminée — c'est le cas par exemple de certaines opérations de l'industrie textile —, la spécification devra parfois être longue et très détaillée. C'est ainsi que, dans une filature, la spécification du travail concernant la conduite des bancs d'étirage occupe quelque dix-huit pages et comporte des indications différentes selon que la matière première est le coton ou une fibre artificielle.

D'une manière générale, la spécification du travail, qui doit naturellement indiquer la technique mise au point à la suite d'une étude des méthodes, doit préciser les points suivants:

A. **La description détaillée des pièces à travailler ou des produits, notamment:**

le numéro et le titre du dessin, de la spécification ou du produit;

la spécification de la matière première;

le cas échéant, une esquisse des parties ou des surfaces à traiter.

B. **La description détaillée de la machine ou de l'appareil sur lequel l'opération est effectuée, notamment:**

la marque, les dimensions ou le type de la machine et le numéro d'inscription au registre du matériel;

la vitesse et l'avance, les dimensions des poulies et autres données techniques du même ordre;

les montages, outils et supports;

autre matériel utilisé;

un schéma de l'implantation du poste de travail (lorsque la feuille d'étude des méthodes n'en comporte pas).

C. **Le numéro de l'opération et la description générale du travail.**

D. **Les normes de qualité, notamment:**

le degré de qualité;

le fini exigé et/ou la tolérance admise, le cas échéant;

les opérations de calibrage et de vérification à effectuer, les calibres et autres appareils de contrôle employés;

la fréquence des contrôles.

E. **La classification et le sexe de la main-d'œuvre utilisée, notamment:**

la main-d'œuvre directe et indirecte;

l'assistance occasionnelle des techniciens ou des agents de maîtrise.

F. **La description détaillée de toutes les opérations à effectuer, notamment:**

les éléments répétitifs — constants ou variables;

les éléments occasionnels;

les travaux indirects (mise en train, arrêts, rangements, nettoyage, graissage, etc.) et la fréquence de ces travaux.

G. **L'indication détaillée des normes de temps, notamment:**

le temps normal pour chaque élément, tâche ou opération, selon le cas;

le temps alloué pour tous les travaux indirects, avec une note précisant comment le temps a été évalué;

la majoration de repos comprise dans chaque temps élémentaire;

autres majorations.

H. **Les renseignements que l'exécutant doit fournir par écrit** (enregistrement de la production, des temps d'attente, etc.).

I. **Les conditions dans lesquelles la norme de temps est applicable, et toutes autres dispositions spéciales.**

Des copies de la spécification du travail devront, dans certains cas, être adressées à la direction et aux chefs de service ou d'atelier et, également, lorsque la spécification intéresse un grand nombre d'ouvriers, aux représentants des travailleurs.

La manière dont les normes de temps sont portées à la connaissance des travailleurs dépend en grande partie de la nature du travail. S'il s'agit d'un travail effectué par un seul ouvrier — celui qui a été chronométré —, il suffit généralement que l'agent d'étude du travail lui fournisse directement les informations utiles. Lorsqu'ils ont accepté le principe de l'étude du travail, les travailleurs n'exigent généralement pas de longues explications; ce qui les intéresse surtout, c'est de savoir quelles normes de production ils doivent atteindre pour gagner une prime raisonnable. Les ouvriers comprendront beaucoup mieux quelles normes de temps ils devront suivre si on les leur indique en disant: «Vous devez faire douze pièces à l'heure pour gagner une prime d'un tiers» ou «Il faut dix-sept écheveaux par équipe pour faire la prime d'un tiers», que si on leur dit qu'ils devront «fabriquer une pièce en 13 minutes standards». Les demandes d'explications ne tarderont pas à arriver si la norme de temps fixée paraît mal calculée. Lorsque l'ensemble d'un atelier effectue le même genre de travail — le cas est fréquent dans certaines industries à processus de fabrication continu, comme les filatures, par exemple —, un résumé des normes devra être apposé sur le tableau d'affichage du service. Il y aura également intérêt, dans certains cas, à lire les parties les plus importantes de la spécification du travail à l'ensemble de la main-d'œuvre au cours d'une réunion du personnel de l'atelier ou du service. Ce mode d'information s'imposera dans les endroits où une partie des travailleurs intéressés ne savent pas lire. Dans les fabrications par série, le temps normal est généralement écrit ou imprimé sur la fiche de travail ou la feuille de route.

3. L'unité standard de travail

Les temps normaux sont généralement indiqués sous l'une des formes suivantes:

x minutes par pièce;

y minutes par 100 (ou par 1 000) pièces;

z minutes par tonne, mètre, mètre carré, etc.

Ils sont parfois calculés ou convertis en heures. Ces valeurs de temps représentent la production au rendement normal, c'est-à-dire à l'allure 100.

Les heures ou minutes allouées pour un travail donné ne sont pas des heures ou minutes de travail continu. Chaque unité de temps comporte un élément de repos.

Les proportions relatives de repos et de travail contenues dans la minute standard varieront selon le caractère plus ou moins pénible du travail. Pour de durs travaux de force effectués dans des conditions de température pénibles, comme l'alimentation de fours par exemple, le temps de repos pourra atteindre ou même dépasser 50 pour cent de la minute standard.

La minute standard étant un étalon de production, elle peut servir à mesurer et à comparer la productivité du travail, qui sera représentée par le rapport :

$$\text{Rendement} = \frac{\textbf{Production en minutes standards}}{\textbf{Temps homme ou temps machine en minutes d'horloge}} \times 100$$

La minute standard présente l'avantage particulier de permettre de mesurer et de comparer la production de types de travaux différents, l'exactitude de la comparaison dépendant uniquement de l'homogénéité des normes de temps utilisées.

4. Planning et utilisation de la main-d'œuvre et des installations

Au chapitre 3, nous avons mentionné, parmi les causes des temps improductifs imputables aux insuffisances de la direction, le fait que celle-ci peut être « incapable d'assurer un courant continu de commandes et de travail ; il en résulte que l'exécution d'une commande ne suit pas immédiatement l'achèvement de la précédente et que les installations et la main-d'œuvre ne sont pas utilisées de façon continue ».

Pour organiser convenablement un programme de travail, il est indispensable de connaître exactement :

1) le travail à réaliser ;

2) la quantité à produire ;

3) les opérations nécessaires à l'exécution du travail ;

4) les installations, les machines et l'outillage nécessaires ;

5) les catégories de main-d'œuvre nécessaires ;

6) la durée probable de chaque opération ;

7) le nombre de machines et d'appareils nécessaires qui sont disponibles ;

8) le nombre de travailleurs des catégories requises dont on peut disposer.

Les données 1 et 2 sont fournies généralement par le service des ventes ou le service commercial.

Les données 3, 4 et 5 sont tirées de la préparation du travail et de l'étude des méthodes.

La **mesure du travail** renseignera sur le point 6.

Les dossiers du service des installations ou du service intéressé fourniront les données relatives au point 7.

Les dossiers du service du personnel ou du service intéressé fourniront les données concernant le point 8.

Une fois ces renseignements obtenus, un simple travail d'arithmétique permet de faire concorder besoins et moyens disponibles. Il faut formuler en termes de temps à la fois les travaux à accomplir et les moyens disponibles affectés à leur exécution.

Les besoins (travaux à accomplir) seront exprimés comme suit :

nombre d'opérations de chaque type à exécuter × temps prévu pour chaque opération.

Il faudra alors faire concorder le produit de cette multiplication avec le temps total de travail que pourront effectuer, pour les tâches en question, les machines de divers types et les différentes catégories de travailleurs affectés à leur exécution.

Seuls les temps réels que doit prendre l'exécution des opérations entrent en ligne de compte lors de l'établissement du programme. Ces temps réels dépendent de divers facteurs, notamment de la mesure dans laquelle les conditions générales de travail dans l'entreprise, y compris l'état des relations professionnelles et le système de rémunération en vigueur, sont telles que les ouvriers travaillent à leur efficacité maximum. Lorsqu'il en est ainsi et que les résultats de l'étude du travail sont stabilisés depuis assez longtemps dans l'entreprise, ces temps devraient se rapprocher du rendement moyen de l'atelier ou du service, tel qu'il ressort des chiffres de production réalisés pendant une certaine période. Un tel système de prévision peut même s'appliquer à une seule machine ou à un processus de production particulier. Il constitue la seule base réaliste de calcul. Les temps réels sont calculés en multipliant les temps normaux par le rapport

$$\frac{100}{\text{Rendement moyen}}$$

Les disponibilités en équipement et en main-d'œuvre sont exprimées en minutes-homme ou en minutes-machine, en tenant compte du temps qu'il peut être nécessaire d'allouer au nettoyage, à la mise en route, au démontage, aux changements, aux réparations, etc.

Ce travail de concordance des besoins et de la capacité disponible permet :

a) de déceler toute insuffisance de machines ou de personnel susceptible d'arrêter l'exécution du programme ou de créer des goulets d'étranglement en cours de production, et de connaître l'importance de cette insuffisance ;

b) de faire ressortir tout excédent de capacité (main-d'œuvre ou machines) et son importance ;

c) de prévoir avec exactitude les délais de livraison.

Si la direction peut rassembler tous ces renseignements, calculés sur la base de normes de rendement réalistes, assez longtemps avant le lancement de la production, elle pourra prendre les mesures nécessaires pour prévenir tout blocage imprévu de la fabrication ou, inversement, elle pourra s'efforcer d'obtenir de nouvelles commandes pour occuper la capacité de production excédentaire. Mais elle n'aura aucune base solide pour prendre ces dispositions préventives si elle ne dispose pas de ces normes.

5. Estimation des coûts de production

Le succès ou l'échec d'une entreprise, en face de la concurrence, peut dépendre de l'exactitude avec laquelle la direction fixe le prix de ses produits. Si elle ne connaît pas avec précision le temps de fabrication du produit, elle ne pourra estimer ni le coût de la main-d'œuvre ni de nombreux coûts indirects influencés par le facteur temps, comme l'amortissement des machines et des installations, la consommation de combustible et d'électricité, les frais de loyers et la rémunération du personnel.

Au contraire, un chef d'entreprise sûr de l'exactitude des estimations en matière de coûts de production peut fixer avec certitude le prix de ses produits. Si ces prix sont inférieurs à ceux de la concurrence, il pourra se féliciter de vendre moins cher en toute sécurité; dans le cas contraire, il pourra s'efforcer de réduire ses coûts en toute connaissance de cause, puisqu'il connaîtra les marges d'économie possibles.

Les coûts effectifs et les coûts standards de la main-d'œuvre par 100 ou par 1 000 minutes standards de production sont habituellement calculés chaque semaine sur la base des feuilles hebdomadaires de contrôle du rendement. Etant donné que le coût effectif de la main-d'œuvre par 100 minutes standards tient compte des coûts directs et indirects, c'est ce chiffre qui est le plus utile pour estimer les coûts de production.

6. Calcul des coûts standards et contrôle budgétaire

La mesure du travail fournit les données de base servant à la fixation des coûts standards de la main-d'œuvre, ainsi que le moyen de contrôler ces coûts. Ceux-ci peuvent servir également, au service du **contrôle budgétaire,** à établir les budgets de main-d'œuvre; enfin, ces coûts standards fournissent certains des éléments d'information nécessaires à l'établissement des budgets de production et des budgets de frais indirects, et, avec les données du budget-ventes, ils permettent d'estimer la capacité des machines et de la main-d'œuvre qui sera disponible pendant la période couverte par le budget.

En plus de ces coûts standards, la mesure du travail permet de calculer exactement les rendements effectifs. On ne saurait surestimer la nécessité de chiffrer exactement ces divers éléments. L'origine de la mauvaise gestion et de l'insuccès de maintes entreprises peut être trouvée dans l'absence d'informations complètes en matière de coûts. Comme d'habitude, les coûts de main-d'œuvre seront calculés sur la base des temps normaux, compte tenu des écarts par rapport au rendement normal.

7. Systèmes de rémunération au rendement

L'application de la mesure du travail n'est pas toujours nécessairement suivie de l'introduction d'un système de rémunération au rendement. Beaucoup d'établissements font procéder à des études de temps sans appliquer un tel système. Mais si, dans des chapitres précédents, les aspects de l'étude des temps qui concernent tout particulièrement son application au calcul des primes de rendement ont été mis en

389

relief, c'est parce qu'on ne saurait négliger cette utilisation possible de l'étude des temps et que, dans la pratique, l'un de ses principaux objectifs est généralement la mise en application d'un système de rémunération au rendement.

Les raisons qui font de la mesure du travail une excellente base de départ pour l'application d'un système de rémunération au rendement résident dans certaines caractéristiques de cette technique, que l'on peut résumer comme suit:

1. Dans la mesure du travail, les temps sont relevés par observation directe et à l'aide des moyens les plus précis que l'on puisse utiliser.

2. Cette technique oblige à faire suffisamment d'observations de tous les éléments de travail, répétitifs ou occasionnels, pour que l'on ait la certitude que les temps finalement choisis pour calculer le temps normal sont vraiment représentatifs et tiennent compte des circonstances aléatoires.

3. Une documentation complète est rassemblée et classée, de sorte qu'il est facile à la direction ou aux travailleurs de s'y reporter en cas de besoin.

4. Les temps enregistrés et les autres données de la mesure du travail fournissent une base concrète et objective aux négociations engagées entre employeurs et travailleurs au sujet des normes de rendement. Cette base de négociation est supérieure aux données plus ou moins subjectives sur lesquelles se fondent les négociateurs lorsque les temps, au lieu d'être calculés exactement, sont seulement estimés.

5. La mesure du travail effectuée à la suite d'une bonne étude des méthodes permet à la direction de garantir les normes de temps, sans s'exposer au risque d'avoir à maintenir des taux de rémunération non justifiés du point de vue économique.

Il est important pour le bon fonctionnement d'un système de rémunération au rendement que les travailleurs sachent aussi rapidement que possible, de préférence dès le lendemain, le montant de la prime qu'ils ont gagnée. Ce montant peut être exprimé en unités monétaires, en pourcentage du rendement normal ou en nombre moyen de minutes standards de production par heure. Dans ces derniers cas, les chiffres peuvent être indiqués sur le tableau d'affichage sans que les ouvriers sachent exactement ce qu'ont gagné leurs collègues (cet affichage n'est pas pratiqué dans tous les pays). Dans plusieurs usines, c'est le contremaître qui indique son rendement à chaque ouvrier, lequel peut, dans ce cas, demander immédiatement des explications. Lorsque les travailleurs se sont accoutumés à évaluer leur rendement en minutes standards, ils peuvent calculer eux-mêmes, à la fin de chaque journée de travail, le salaire qu'ils ont gagné, et ils ne consultent ensuite les chiffres affichés quotidiennement qu'à titre de confirmation.

L'affichage quotidien des rendements présente les avantages suivants:

1. Le rapport direct entre l'activité de l'ouvrier et ses gains lui est clairement montré alors que ses souvenirs de la journée de travail sont encore tout frais.

2. Toute réclamation concernant le montant de la prime peut être reçue, et les corrections nécessaires effectuées le cas échéant, **avant** le calcul du salaire.

3. L'affichage quotidien des chiffres de rendement — qui ne doit toutefois être opéré qu'avec le consentement des travailleurs et de leurs représentants — éveille l'intérêt du personnel et peut susciter dans l'entreprise une certaine émulation.

4. La confiance des travailleurs dans l'équité du système de rémunération au rendement est renforcée lorsque leurs propres évaluations sont confirmées jour après
jour par les chiffres publiés ou lorsqu'ils reçoivent, en cas de désaccord, des explications satisfaisantes. (Inversement, cette confiance disparaîtra rapidement si le
bureau des salaires commet des erreurs trop fréquentes.)

8. Organisation du système d'enregistrement associé à la mesure du travail et au contrôle de la main-d'œuvre

La mesure du travail, lorsqu'elle s'accompagne de l'application d'un régime
de rémunération au rendement, doit s'appuyer sur un système d'enregistrement des
temps et de la production de chaque travailleur. Ces chiffres doivent être centralisés
par un service — c'est généralement le service de la comptabilité, lorsque les premiers
stades de l'application de l'étude du travail ont été dépassés — où ils sont dépouillés et
classés de façon à permettre le calcul des primes gagnées par chaque travailleur et à
fournir à la direction des statistiques bien coordonnées et compréhensibles qui lui facilitent le contrôle du rendement et des coûts de l'entreprise.

La tâche d'organiser un tel système incombe généralement à l'agent d'étude
du travail. Tout système de ce genre doit satisfaire aux conditions suivantes:

a) il doit fournir des informations précises et complètes;

b) il doit être conçu de manière que toutes les informations nécessaires soient enregistrées quasi automatiquement et transmises dans le plus bref délai au bureau cen-
tralisateur;

c) il doit être **facile à comprendre et à faire fonctionner** et, autant que possible, éviter
toute occasion d'erreur, de façon que les opérations et calculs de routine puissent
être effectués par un personnel de bureau relativement peu qualifié;

d) il doit exiger l'intervention d'un minimum de personnel;

e) il doit éviter la paperasserie.

Concevoir un système répondant à toutes ces conditions n'est pas facile, à
moins qu'il ne s'agisse d'entreprises très petites ayant des activités extrêmement simples. La question mériterait un chapitre entier, qu'il est impossible de lui consacrer ici.
Au surplus, il peut exister une telle variété de systèmes, correspondant à la grande
diversité des conditions d'application existant dans l'industrie, qu'à vouloir donner des
exemples précis on courrait le risque qu'ils soient trop complexes pour certaines entreprises et trop simplistes pour d'autres. Nous nous bornerons donc à présenter quelques généralités et à indiquer les données essentielles à recueillir, avec leur source
probable.

Les feuilles utilisées pour communiquer à la direction, sous une forme condensée, les renseignements concernant la production et le rendement sont appelées
feuilles de contrôle du rendement. Lorsque le système de contrôle de la main-d'œuvre
est très élaboré, il existe en général trois types de feuilles de contrôle du rendement qui
sont remplies à des intervalles de temps différents et dans des buts distincts. Chaque
matin, on remplit une feuille journalière pour chaque section de l'entreprise. Cette
feuille fournira au contremaître ou au surveillant les résultats de la journée de travail

391

Tableau 27.   Données indispensables pour l'enregistrement de la mesure du travail et du contrôle de la main-d'œuvre

Informations à obtenir	Source
1. Heures de présence de chaque travailleur	Fiche horodateuse ou feuille de présence
2. Temps normal pour chaque opération	Bon de travail ou bureau d'étude du travail
3. Heures de début et de fin de chaque opération	Bon de travail ou fiche suiveuse (par le bureau d'atelier)
4. Quantité produite	Bon de travail ou fiche suiveuse (par le vérificateur)
5. Travaux rejetés ou à reprendre et temps passés	Feuille de rebuts et fiche de rectification (par le contrôleur et le bureau d'atelier)
6. Temps d'attente et temps non productif	Fiche de temps d'attente ou feuille de travail journalière (par le bureau d'atelier)

précédente, en ce qui concerne sa section. En outre, une fois par semaine, on établit, généralement pour chaque service et non pour chaque section, un relevé hebdomadaire qui sera communiqué aux contremaîtres et aux chefs de service. On utilise souvent à cet effet des formules qui permettent de couvrir sur une seule feuille treize semaines de travail (une ligne par semaine). On peut ainsi comparer, tout au long d'un trimestre, le rendement de la semaine en cours à celui des semaines précédentes. Enfin, la feuille de contrôle que l'on transmet à la direction est généralement établie chaque mois, soit à l'échelon d'un service, soit pour l'ensemble de l'entreprise.

Quel que soit le système d'enregistrement associé à la mesure du travail et à un système de rémunération au rendement, il faut au minimum enregistrer toutes les données figurant dans le tableau 27 (la plupart des calculs pouvant être faits par ordinateur), et les transmettre par la suite au bureau des salaires et au service de comptabilité.

Il est à noter que l'application, dans une entreprise, de la mesure du travail entraîne presque inéluctablement une augmentation du personnel de bureau. Cette perspective effraie plus d'un chef d'entreprise, qui, dans la crainte de voir s'accroître ses frais généraux, oublie que cette augmentation a toutes chances d'être négligeable en comparaison des économies que l'étude du travail peut apporter à l'ensemble des coûts de production ou de fonctionnement.

La forme des feuilles de contrôle de la main-d'œuvre varie suivant les besoins de l'entreprise, mais ils comprennent d'ordinaire deux parties. Dans la première, l'«utilisation ouvrière» et l'efficacité de la main-d'œuvre sont exprimées en temps et, dans la deuxième, les temps sont convertis en coûts. Outre la production (en minutes standards) et le nombre de minutes d'horloge ouvrées, qui permettent de calculer la productivité du service concerné, la feuille indique les temps d'attente et les autres majorations, qui sont ventilés d'après leurs causes, de sorte que la direction peut immédiatement se rendre compte du coût des temps d'attente anormaux et prendre toutes mesures nécessaires pour les éliminer. Ici s'achève la partie de cet ouvrage consacrée à la mesure du travail.

Quatrième partie

De l'analyse à la synthèse: les nouvelles formes d'organisation du travail

Chapitre 24
Les nouvelles formes d'organisation du travail

1. L'étude des méthodes et la mesure du travail, instruments de base de l'aménagement des tâches

Dans les chapitres qui précèdent, nous avons examiné à fond les techniques modernes appliquées à l'étude du travail qui, depuis l'époque où elles furent introduites, c'est-à-dire au début du XXe siècle, ont fait de cette étude un instrument d'une grande efficacité pour l'amélioration du rendement des entreprises. Peu d'autres progrès ont contribué autant qu'elles à la réalisation de cet objectif. Qui plus est, les principes sur lesquels reposent ces techniques auront encore, dans un avenir prévisible, une importance énorme pour les entreprises, dans leur immense majorité et indépendamment de leur dimension ou du secteur économique dans lequel s'exerce leur activité.

Voyons rapidement ce qu'il en est du rôle essentiel que l'étude du travail, menée **rationnellement,** peut jouer dans l'élaboration de meilleures méthodes de travail.

LES MÉTHODES : SYSTÉMATIQUES OU INCERTAINES

Analyser systématiquement chaque tâche par avance et étudier à fond les diverses façons de l'exécuter, telle est la première règle de l'étude du travail. Il est possible, si la tâche en question ne doit être accomplie qu'une seule fois, que cette analyse préliminaire ne soit pas d'une grande importance, et qu'il soit même superflu de s'y attarder. Par contre, si la même tâche doit être exécutée à maintes reprises, il est facile de comprendre que nous avons tout intérêt à examiner de très près la façon dont elle le sera. Chaque mouvement qui pourra être supprimé ou amélioré, chaque laps de temps qui pourra être abrégé sera synonyme d'économies et, si chacune des tâches se répète de nombreuses fois, comme c'est le cas dans la production de masse ou la fabrication de grandes séries, économiser, par-ci, par-là, de menus gestes ou quelques secondes pourra être d'une importance économique cruciale.

Il va donc de soi qu'à défaut d'une telle analyse systématique, faite de préférence avant que la production démarre, l'exécution du travail sera entachée d'inefficacité durable.

L'ANALYSE DU TRAVAIL : EXAMINER PAS À PAS

L'analyse systématique du travail, c'est-à-dire la subdivision de la tâche à exécuter en ses divers éléments constitutifs, suivie d'un examen et d'une discussion approfondis de chacun de ces éléments, est donc une importante facette de l'étude du travail. En décomposant ainsi un problème complexe en ses éléments, on peut se faire une idée plus précise et plus intelligible de la tâche et en déduire une bonne méthode d'exécution.

Au chapitre 8, nous avons étudié diverses techniques qui permettent de décomposer les processus de travail en petits éléments. Dans le même chapitre, nous avons exposé la méthode interrogative, qui consiste à se poser des questions sur toutes les activités et à ne rien considérer comme admis, le but étant de trouver de nouvelles solutions, de nouvelles combinaisons et de nouvelles idées.

DURÉE PRÉDÉTERMINÉE DE DIVERS MOUVEMENTS

Grâce à l'étude du travail, et c'est là une de ses caractéristiques les plus importantes, il est possible de déterminer par avance, avec des marges d'erreur limitées, le temps que demande l'exécution de différents mouvements. Bien des méthodes distinctes, allant d'évaluations sommaires à des sytèmes extrêmement perfectionnés de normes de travail, permettent de le faire. Malgré leur diversité, ces méthodes ont ceci de commun qu'elles reposent toutes sur un système plus ou moins établi de détermination, sur la base des caractéristiques du travail considéré, du temps «normal» que nécessitera une tâche.

Pouvoir déterminer ainsi à l'avance le temps d'exécution de diverses tâches est de la plus haute importance pour l'organisation de la production. Cela permet, ce qui est essentiel, d'expérimenter diverses méthodes et combinaisons de méthodes pour l'exécution d'une tâche et de voir celle qui économise le plus de temps. En outre, ainsi guidé par ces formules systématiques de détermination des temps, on est en mesure de répartir le travail entre différents individus et groupes de manière à assurer plus efficacement la production et de poser les bases de la discussion des salaires liés à la production et autres incitations du même genre.

Cet élément de l'étude du travail est, lui aussi, virtuellement indissociable de toute activité industrielle normale. Sans les méthodes d'étude du travail et les formules systématiques de détermination des temps, l'élaboration de principes directeurs se ferait à l'aveuglette.

LE TOUT DERNIER RÔLE DE L'ÉTUDE DU TRAVAIL: DE L'ANALYSE À LA SYNTHÈSE

Jusqu'ici, nous n'avons analysé que le rôle essentiel de l'étude du travail dans la conception des tâches individuelles et de l'organisation du travail. Avant d'entrer dans le détail, il faut souligner que l'étude des méthodes et la mesure du travail n'ont cessé de se perfectionner, au point que toutes les activités, quelle qu'en soit la nature, en sont désormais justiciables. De leur côté, les travailleurs, qui ont rapidement saisi tout l'intérêt qu'offre l'étude du travail, y participent plus activement.

Passons, maintenant que ce point est bien établi, à une autre question: comment assembler, comme dans un jeu de construction, les «cubes» de base que fournissent l'étude des méthodes et la mesure du travail pour bâtir les tâches, et comment façonner au mieux, à d'autres égards, l'organisation du travail? Nous procéderons ici en trois phases, qui correspondent à autant de niveaux d'organisation:

1. Aménagement des tâches individuelles.

2. Aménagement du travail par groupes dans la production.

3. Aménagement d'organisations axées sur le produit.

Ce serait déborder le cadre de cet ouvrage d'initiation que de vouloir étudier ces questions dans le détail. Nous nous contenterons donc d'en examiner certains éléments essentiels.

2. Aménagement des tâches individuelles

PRINCIPES RÉGISSANT L'ÉTUDE DES POSTES : QUELQUES EXEMPLES

Pour construire une tâche individuelle à l'aide des «cubes» de base dont nous venons de parler (c'est-à-dire les éléments dont se compose chaque tâche et la description des méthodes), nous pouvons adopter un certain nombre de critères qui nous aideront à parvenir à un résultat satisfaisant.

Les aspects économiques l'emportent en importance sur les autres. Dans cet ordre d'idées, l'étude systématique du travail nous permet d'associer les composants d'une tâche donnée de manière telle qu'on puisse réduire au minimum le temps d'exécution. C'est à l'examen de cette question que nous nous sommes bornés jusqu'à présent dans ce manuel.

Toutefois, concevoir le rôle de l'individu au travail est chose trop complexe pour se faire à l'aide d'un seul critère, c'est-à-dire ce qui, en théorie, semble être le temps d'exécution le plus court. En réalité, il faut tenir compte de facteurs nombreux et divers.

Certains de ces facteurs, tels que la nécessité de disposer de machines de différents types, la nature des divers composants de chaque tâche, etc., se ramènent à des considérations d'ordre pratique. Par exemple, s'il faut dix minutes pour mener à bien tel ou tel élément constitutif de la tâche considérée, et si cet élément est répété mille fois dans un groupe de cinquante travailleurs, il est évident que les résultats de cette étude devront, pour que nous puissions répartir rationnellement cette tâche entre les divers membres du groupe, être complétés par d'autres informations sur les particularités du travail à effectuer. Cet exemple est destiné simplement à indiquer ce qu'est le problème, que nous n'examinerons pas ici. Il existe pourtant un ensemble particulier de facteurs qu'il nous faut examiner de plus près, à savoir les besoins et les préférences du travailleur, son expérience du travail en question et ses réactions à différents types d'organisation du travail. Il s'agit là d'une dimension nouvelle et importante, car elle signifie qu'il faut adapter la conception du travail aux aspirations et aux aptitudes de l'individu, créer dans l'industrie des postes qui sollicitent raisonnablement les facultés humaines, et donner au travailleur la possibilité d'œuvrer dans une ambiance qui offre quelque satisfaction. Le lecteur se rappellera certainement que nous avons déjà évoqué cette question au chapitre 5. Nous sommes en mesure de préciser ici trois facteurs importants propres à accroître la satisfaction au travail :

1) un certain degré de diversité dans le travail effectué ;

2) la dissociation du couple homme-machine, c'est-à-dire la libération du travailleur afin qu'il ne soit plus asservi à la machine pendant toute la journée de travail ;

3) la possibilité d'intégrer divers services et tâches auxiliaires dans le travail de production.

Ces trois thèmes seront examinés séparément dans les paragraphes qui suivent.

La diversité au travail

Pour qu'un travail puisse être bien exécuté, il faut une corrélation raisonnable entre la tâche et l'exécutant. Une tâche qui ne consiste qu'en quelques gestes simples et qui ne prend que quelques secondes est assurément facile à apprendre. On pourrait croire, à première vue, qu'il s'agit là d'un moyen efficace d'organiser le travail; mais, envisagée dans une optique plus pratique, une tâche de ce genre n'est guère efficace. Elle devient rapidement monotone et lassante, et une spécialisation aussi poussée exige des séries importantes, ainsi qu'une stabilité structurelle et un volume de production qui sont assez rares dans la réalité. Il vaut bien mieux organiser des tâches qui comportent une diversité raisonnable, qui exigent du travailleur qu'il s'instruise quelque peu et qui soient adaptées à la réalité pour ce qui est de l'importance effective des séries, de la stabilité de l'assortiment des produits et de la rareté des perturbations de la production.

Il est impossible de répondre de façon nette et complète à la question de savoir comment un cycle de travail comportant exactement le degré voulu de diversité devrait être conçu.

Un étude des facteurs ci-dessous permet cependant de se faire une idée de la façon de procéder pour améliorer la situation:

la structure fondamentale du système technique;

la répartition de la charge physique;

le contenu informationnel de la tâche;

l'équilibre entre les composants physiques et intellectuels de la tâche;

le besoin d'apprendre et la nécessité d'offrir à l'individu des possibilités de s'épanouir.

La structure fondamentale du système technique est, dans bien des techniques de production, le facteur déterminant. Ainsi, sur une chaîne de montage de voitures, par exemple, la durée et le contenu du cycle de travail sont entièrement dictés par le système technique. S'il faut «sortir» 500 voitures en 500 minutes, chaque travailleur disposera — et personne ne pourra rien y changer — d'une minute pour faire sa part du travail. Autrement dit, le cycle de travail ne peut être modifié que dans la mesure où le concept même du système technique (la chaîne de montage constituant le cadre de l'organisation du travail) l'est aussi. Nous reviendrons plus loin sur cette question de la conception du système de montage.

La chaîne de montage à cadence fixe n'est cependant pas le seul système technique qui interdise l'adoption d'un cycle chronologique d'une durée raisonnable. Les opérations à cycle court réalisées par le couple homme-machine, comme celles qui se font sur les presses à excentrique, illustrent également la nécessité de remodeler le système technique tout entier afin de pouvoir le subordonner à des cycles chronologiques d'une durée convenant au travailleur. Nous y reviendrons également plus loin.

Soulignons que la diversité dans le cycle chronologique est avant tout une notion subjective et que, de ce fait, elle ne peut être définie avec précision ni techniquement, ni mathématiquement. Toutefois, elle est plus ou moins étroitement liée à d'autres facteurs tels que:

la durée du cycle chronologique;

l'importance de la série;

la fréquence de répétition du produit (c'est-à-dire le laps de temps qui s'écoule avant qu'il faille de nouveau travailler sur ce produit);

l'ampleur et la répartition, dans les travaux répétitifs, des tâches non répétitives;

les différences que présentent, d'une série à une autre, la structure du travail et le contenu de la tâche.

Exemple. Dans une entreprise fabriquant des disjoncteurs, deux formules ont pu être déterminées en matière d'organisation du travail. Si l'on avait appliqué la première, le montage aurait été subdivisé en quatre tranches distinctes pour l'exécution de chacune desquelles il aurait fallu prévoir un poste de travail spécialement construit et équipé, et c'est au dernier de ces postes que le montage aurait été achevé et contrôlé. Avec ce type d'organisation, la durée des cycles, qui n'admettent pour ainsi dire aucune variation, est d'une dizaine de secondes.

Dans la seconde formule, l'assemblage des disjoncteurs doit se faire en entier à chacun des postes de travail (donc, un travail complet à chaque poste), mais il faut alors réorganiser entièrement le système d'approvisionnement en matières et admettre que la durée du cycle soit portée à 40 secondes. En outre, la possibilité de varier les cycles est nettement plus grande.

C'est à la seconde de ces formules que l'on s'est rallié après avoir analysé les conséquences pratiques, sur le lieu de travail, des deux options offertes. Cette décision est révélatrice des efforts déployés ces dernières années pour limiter la monotonie de certains travaux et arriver à un équilibre pratique des conditions de travail.

Dans une analyse de ce genre, il ne faut pas oublier le fait que les hommes sont différents les uns des autres et que, à un moment donné, ceux qui se trouvent réunis en un même lieu de travail présentent des caractéristiques fort dissemblables. Qui plus est, si nous étudions la même personne à des moments distincts de sa vie active, nous constaterons que son rendement varie sensiblement. Il s'agit là d'un élément important, fondamental même, pour la conception des tâches individuelles. Il faut des emplois différents, de difficulté variable, de manière que chaque individu puisse trouver au travail un rôle à jouer et un degré de difficulté qui correspondent à ses aptitudes et préférences personnelles. En outre, l'individu peut commencer par effectuer un travail auquel s'attache tel ou tel degré donné de difficulté, puis, à mesure qu'il se perfectionne, s'attaquer à des tâches plus exigeantes.

Dissociation du couple homme-machine

La rigidité des liens qui asservissent le travailleur dans un système homme-machine peut être due à plusieurs facteurs. Ainsi, il se peut que l'intéressé soit attaché au sens géographique à son lieu de travail, s'il lui est impossible de s'absenter de son poste, fût-ce peu de temps. Il peut également y être lié par la méthode appliquée, s'il est impossible de modifier l'ordre dans lequel les opérations s'effectuent. Il peut encore y être assujetti par le temps, s'il est tenu d'accomplir certaines opérations à des moments précis.

Le degré de rigidité de ces liens peut être «planifié» — autrement dit, l'homme et la machine sont consciemment et délibérément liés l'un à l'autre —, mais le plus souvent cette rigidité est tout à fait «involontaire». Dans certains cas, cette rigidité imposée involontairement découle d'un défaut du système technique; par exemple, il se peut que la stabilité du fonctionnement des machines laisse tellement à désirer qu'il faille constamment s'occuper des machines, les mouvements nécessaires étant généralement d'une grande simplicité. Il est cependant possible de remédier à cette rigidité involontaire en recourant à des techniques plus fiables.

Ce problème de la rigidité des liens entre l'homme et la machine peut être résolu de trois manières:

1) par une mécanisation accrue qui en consomme la rupture;

2) par le recours à un matériel auxiliaire technique qui libère le conducteur de la machine;

3) par l'instauration de contacts et d'une coopération entre les conducteurs de machines qui dissocient le couple homme-machine.

Examinons de plus près chacune de ces trois options.

Dissociation totale par la mécanisation

Une dissociation totale nécessite d'importants investissements. C'est pourquoi cette solution ne peut être retenue que pour des procédés de production en grande série, qui se caractérisent par des cycles extrêmement courts et par une rigidité et une monotonie extrêmes. En pareil cas, mécaniser revient à éliminer toute intervention humaine.

Moyens techniques auxiliaires au service du travailleur

Pour appliquer ce principe, il faut intercaler dans le système intégré homme-machine des **stocks tampons** ou des **dispositifs de stockage et d'alimentation** (tels que des magasins ou des chargeurs) grâce auxquels les liens de dépendance entre les hommes et les machines peuvent se relâcher (par stock tampon, il faut entendre un stock d'attente établi entre deux opérations consécutives du circuit de production; le dispositif de stockage et d'alimentation est disposé en amont d'une opération: il reçoit les pièces et alimente automatiquement une machine). Le tout est d'arriver à mettre sur pied des procédés dans lesquels les différentes parties de la chaîne peuvent travailler à des vitesses variables.

Les stocks tampons et les dispositifs de stockage et d'alimentation permettent une accumulation de produits à transformer en continu, dont la conception technique peut être strictement identique.

Les stocks tampons et les dispositifs de stockage et d'alimentation étant placés en différents points du système homme-machine, leur rôle de régulateurs de temps dépend des temps morts du processus.

Le stock tampon permet d'absorber:

a) les temps d'attente imputables au fait que les deux exécutants placés de chaque côté du stock travaillent à des vitesses différentes;

b) les temps d'attente qui se produisent du fait que la quantité de travail effectuée à deux postes distincts n'est pas absolument identique.

Le dispositif de stockage et d'alimentation permet d'absorber:

a) les temps d'attente dus au fait que l'un des exécutants travaille à un rythme différent de la cadence générale du processus technique;

b) les temps d'attente qui se créent lorsqu'un travailleur est forcé d'attendre que la machine ait fait sa part du travail.

Dissociation par le contact et la coopération

Enfin, la rupture du lien entre l'homme et la machine peut être réalisée par la rotation des tâches et la coopération, les travailleurs étant alors en mesure, avec l'accord de la direction, d'échanger leurs tâches et affectations.

Intégration de la production et des tâches auxiliaires

Il peut souvent être avantageux, lorsqu'on détermine les tâches individuelles, d'introduire dans les fonctions de production diverses tâches de service et tâches auxiliaires, et de diversifier ainsi le travail de l'individu.

Les tâches auxiliaires ainsi combinées sont le plus souvent les suivantes:

entretien des machines et des outils;

préparation des machines;

manutention des matières à proximité du poste de travail;

suivi des stocks;

contrôle de la qualité.

Voyons de plus près ce qu'il en est de certaines de ces tâches auxiliaires.

En parlant d'entretien aux postes de production, nous pensons aux mesures qui peuvent être prises pour diminuer le nombre des erreurs dans la production et en limiter l'importance. L'entretien peut consister en un contrôle du système, auquel il est procédé régulièrement pour déceler les écarts et apporter les correctifs nécessaires. Il peut aussi s'étendre à la réparation des pièces et éléments afin que les normes de précision exigées de la production puissent être respectées. A cela peut encore s'ajouter un relevé statistique qui permettra de mieux exploiter la capacité du matériel.

La possibilité d'adjoindre à la tâche normalement dévolue au travailleur la préparation des machines et autres fonctions de réglage analogues dépend d'un certain nombre de facteurs, parmi lesquels figurent les suivants:

degré de difficulté et temps disponible pour l'opération de préparation;

fréquence des opérations de préparation;

degré de rigidité des autres tâches de production;

nécessité d'un matériel auxiliaire spécial pour entreprendre ce travail.

Exemple. Une entreprise de la métallurgie utilise pour régler ses fabrications un système de commande par ordinateur qui est très évolué. Dans un des services, le conducteur de machine a été formé à la programmation du matériel informatisé, ce qui lui permet de s'acquitter de sa tâche traditionnelle et, en outre, de programmer l'ordinateur qui commande la machine-outil. Ainsi, il est à la fois programmeur et conducteur de machine. Cet exemple montre que même des tâches moyennement difficiles et spécialisées peuvent parfois être intégrées dans une fonction normale de production.

En ce qui concerne l'intégration éventuelle de tâches de manutention effectuées à proximité du poste de travail, les facteurs ci-dessous comptent parmi les plus déterminants :

nature du produit ;

volume de matières à manutentionner ;

conception du système de manutention ;

degré de rigidité de l'opération de production.

Ces quelques exemples montrent comment des emplois en rapport direct avec la production peuvent être complétés par diverses tâches auxiliaires ou tâches de service. Dans ce domaine, il n'existe pas de solution simple et toute faite, et chaque cas doit être étudié en fonction de ses caractéristiques particulières. Toutefois, les principes dont il faut s'inspirer lorsqu'il s'agit de prendre une décision de ce genre sont les suivants : il doit être possible d'arriver à un arrangement pratique, fonctionnant sans à-coups ; les tâches doivent être suffisamment élargies pour s'accommoder de variations quotidiennes ; elles ne doivent pas être excessivement monotones.

3. Aménagement du travail par groupes dans la production

AVANTAGES DU TRAVAIL PAR GROUPES

Une fois que la tâche de chacun est définie, il faut, logiquement — et ce sera l'étape suivante — coordonner les différentes tâches. Une méthode de coordination qui suscite depuis quelques années un intérêt croissant consiste à lier entre elles des tâches individuelles pour les confier à des groupes de travail. L'organigramme d'un groupe de travail définit les tâches et les principes de coordination. Dans le domaine de la production, le travail par groupes peut offrir de multiples avantages, dont nous n'évoquerons que certains des plus importants.

La manière dont les objectifs peuvent être fixés, et les résultats mesurés, est le plus important de ces avantages. Rappelons-nous à ce propos qu'il est bien plus facile de formuler des objectifs appropriés pour tout un groupe que pour une tâche individuelle, et c'est là un précieux avantage.

Cette méthode est intéressante aussi du fait qu'elle permet de diversifier davantage les activités individuelles et qu'elle affermit chez chaque travailleur, mieux que s'il était astreint à une tâche individuelle limitée, le sentiment de participer à un processus plus vaste. Les membres d'un groupe ont de meilleures possibilités de coopérer en permanence pour améliorer les méthodes et supprimer tout travail inutile. L'attitude de chacun peut changer à mesure que l'esprit d'équipe s'affirme.

L'aménagement du travail par groupes se justifie en outre par le fait qu'il permet à l'entreprise de mieux s'adapter à l'évolution. Une entreprise est en perpétuelle mutation et sa direction ne peut pas, à elle seule, dominer, gérer et prolonger ce processus d'adaptation au changement; aussi faut-il que l'entreprise elle-même soit douée d'une puissante faculté interne d'auto-adaptation.

Telles sont certaines des raisons les plus importantes qui font que l'idée du travail de production par groupes ne cesse de gagner du terrain en matière de conception de l'organisation du travail. Toutefois, le travail par groupes ne convient pas dans tous les cas: méthode excellente pour certains systèmes de production, elle serait absolument inapplicable dans d'autres. Examinons certains modèles de systèmes de production et voyons comment le travail par groupes peut s'accorder avec certaines conditions de travail[1].

SEPT MODÈLES DE SYSTÈMES DE PRODUCTION: QUEL RÔLE Y RÉSERVER AU TRAVAIL PAR GROUPES?

Nous distinguerons schématiquement sept types principaux de systèmes de production, et nous nous servirons de cette classification pour examiner dans quels cas le concept organique de la production par groupes convient le mieux. Nous désignerons ces sept modèles comme suit:

1) la ligne à cadence imposée par la machine (chaîne);

2) la ligne à cadence imprimée par l'homme;

3) le processus automatisé;

4) les opérations regroupées par fonction (implantation fonctionnelle);

5) le groupe en ligne diversifié;

6) le groupe de services;

7) le groupe dans la construction.

Examinons brièvement les conditions qui peuvent justifier l'introduction du travail par groupes dans chacune de ces catégories.

La ligne à cadence imposée par la machine (chaîne)

Ce système est très souvent adopté lorsque la manutention des matières revêt une grande importance et qu'un rôle dominant est imparti à cette fonction. Le montage final des automobiles sur une chaîne à cadence fixe en est l'exemple classique.

Dans un système de production de ce type, où les manutentions sont fortement mécanisées, la circulation des matières et l'organisation du travail sont entièrement asservies au système technique. C'était, voici quelques années encore, le seul système de montage auquel on recourait lorsque les matières mises en œuvre atteignaient un volume considérable. Il a pour inconvénients de limiter strictement le rôle de chaque travailleur et de subordonner totalement la cadence de travail au système

---

[1] Ces modèles sont empruntés à Hans Lindestad et Jan-Peder Norstedt: *Autonomous groups and payment by result* (Stockholm, Confédération patronale suédoise, 1973).

Figure 129.   Chaîne à cadence imposée par la machine

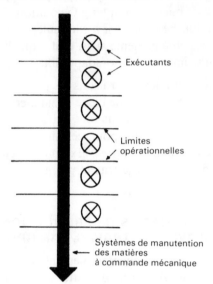

technique; chaque exécutant est strictement assujetti à un cycle de travail de courte durée et aucun véritable travail par groupes n'est possible. Le principal inconvénient d'un tel système de production est en conséquence la manière dont les exécutants ressentent leur travail. Mais il en existe d'autres, par exemple l'extrême sensibilité de ces chaînes de montage aux perturbations. En effet, la solidité de l'ensemble est celle du chaînon le plus faible, et il suffit, pour désorganiser le système, qu'une petite épidémie de grippe éclate dans la région où se trouve l'usine. Au surplus, il est difficile d'apporter des modifications à ces chaînes de production.

La brièveté des temps de passage, l'utilisation efficace de la place disponible, des machines et du matériel auxiliaire sont autant d'avantages qui se traduisent par une exploitation efficace, mais acquise au prix d'une spécialisation et d'une division du travail poussées à l'extrême. Ces avantages, pourtant, n'existent que tant que le système de production fonctionne.

Un nombre considérable de tentatives ont été faites ces dernières années pour « assouplir » la chaîne de montage par l'introduction de différentes innovations. Nous y reviendrons plus loin.

La ligne à cadence imprimée par l'homme

Imaginons une chaîne de montage dont la conduite et la vitesse de circulation ne sont pas mécanisées et sur laquelle on a intercalé quelques stocks entre les postes de travail; nous avons là un système fonctionnel qui est courant dans de nombreuses entreprises (dans l'industrie du vêtement et dans les industries métallurgiques, par exemple).

Dans un système de production de ce genre, l'asservissement est moins rigoureux et l'existence de stocks tampons permet d'adapter, d'une toute autre manière que sur une chaîne de montage, la cadence de travail de chacun. Une organisation du travail fondée sur les groupes de production représente dans un tel système une excellente solution. Les exécutants qui se répartissent les tâches dans un groupe de

Figure 130.   Ligne à cadence imprimée par l'homme

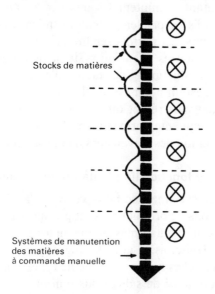

production peuvent s'entraider, remédier aux perturbations dans leur travail, égaliser les pointes et les creux dans la charge de travail et déployer des efforts pour obtenir en commun un bon résultat.

Le processus automatisé

S'il était possible de mécaniser toutes les tâches manuelles accomplies sur une chaîne de montage classique, on finirait par avoir une chaîne où la tâche des travailleurs consisterait pour l'essentiel en une fonction de contrôle et de régulation. Les chaînes de ce type sont très courantes, en particulier dans les aciéries, la chimie et l'industrie des papiers et pâtes à papier.

Figure 131.   Processus automatisé

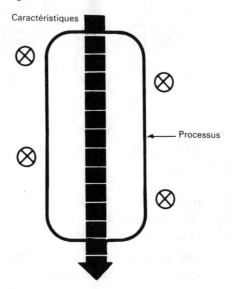

Une chaîne automatisée offre souvent d'excellentes possibilités de travail par groupes efficace. Les exécutants comptent les uns sur les autres et ont un but commun que, de toute évidence, ils ne peuvent atteindre qu'en travaillant ensemble. Cette coopération au sein du groupe est parfois rendue difficile du fait que ses membres sont trop éloignés les uns des autres. Dans un système de production de ce type, le rapport des tâches directes de production et des tâches d'entretien exécutées dans le cadre de l'organisation du travail est un point essentiel. Alors que l'effectif des travailleurs à la production est d'autant plus réduit que la mécanisation est plus poussée, celui des travailleurs d'entretien augmente normalement dans une proportion sensiblement identique à celle de la diminution des travailleurs à la production.

Regroupement des opérations par fonction (implantation fonctionnelle)

Dans les trois types de système que nous venons d'analyser, nous retrouvons une constante: les installations de production sont groupées le long du circuit de fabrication de telle sorte que les différents types de machines se suivent dans l'ordre voulu et dans le sens du circuit. Toutefois, si nous les regroupions de façon à rassembler dans une seule section toutes celles qui sont du même type, dans une autre toutes les machines d'un type différent et ainsi de suite, nous finirions par concentrer en un seul endroit chaque genre d'opération, et nous aboutirions à cette «implantation fonctionnelle» dont nous avons déjà parlé dans le présent manuel. Le produit à usiner passerait alors à tour de rôle dans les diverses sections: perçage, travail au tour, fraisage, etc.

Figure 132. *Implantation fonctionnelle*

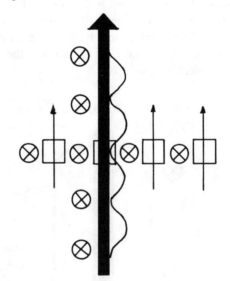

On trouve souvent ce genre d'implantation fonctionnelle (ou implantation par sections homogènes de machines) dans la production par lots, lorsqu'il s'agit de petites séries et de produits divers.

Avec ce système de production, il est extrêmement difficile d'organiser rationnellement le travail par groupes, car chaque individu est attaché dans la réalité quotidienne à sa propre tâche et à son propre poste de travail. Il est donc pour ainsi dire impossible d'instituer un véritable travail par groupes comportant l'interaction spontanée des différents emplois et des différents exécutants.

Le groupe en ligne diversifié

Dans bien des cas, la production se fait dans des conditions telles que ni un groupement en ligne très évolué, ni un groupement par opération très poussé ne sauraient convenir. Il faut donc se rabattre sur une solution intermédiaire — sur ce que nous pourrions appeler le «groupe en ligne diversifié» — dans laquelle la production est concentrée en un système axé avant tout sur la circulation des matières, mais où certains stades opérationnels critiques se répètent deux fois ou plus pour permettre des combinaisons de tâches très diverses. Le système ainsi réalisé peut allier avec beaucoup d'efficacité, d'une part, l'aptitude d'une organisation fondée sur le circuit de production à recevoir et à canaliser un volume considérable de matières et, d'autre part, la capacité de l'implantation fonctionnelle d'exécuter toutes les tâches de production imaginables.

Dans un système de production de ce genre, le concept organique du travail par groupes est souvent excellent. Si on l'adopte, la division du travail entre diverses personnes doit être constamment adaptée pour suivre l'évolution de la situation. La direction ne peut se charger entièrement de cela et ce sont les membres du groupe qui doivent l'en décharger pour une bonne part en prenant spontanément les initiatives voulues. Dans une organisation par groupes, cette faculté d'auto-adaptation spontanée peut se créer progressivement.

Le groupe de services

Dans une entreprise de prestation de services, la situation est différente, à plusieurs égards, de celle qui caractérise les types d'activités dont nous venons de parler. De grands secteurs comme le commerce, les transports, l'hôtellerie et les cafés et

Figure 133.   Groupe de services

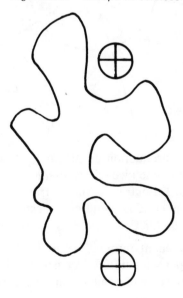

restaurants, les ateliers de réparation des véhicules à moteur, fournissent diverses formes de services, mais l'industrie de transformation n'est pas étrangère à la prestation de services, dont les activités de réparation et d'entretien constituent un bon exemple.

Les fonctions de service d'une unité de production doivent pouvoir se modeler parfaitement sur des demandes très variables. En règle générale, les tâches à exécuter sont de nature diverse, le volume de travail est irrégulier et il est difficile de planifier dans le détail les travaux à exécuter.

L'organisation par groupes est également à recommander dans ce genre de situation, car le groupe de travail peut absorber lui-même bon nombre des fluctuations qui se produisent dans le volume de travail reçu, dans la programmation du travail courant et dans d'autres circonstances qui sont souvent variables.

L'organisation par groupes dans la construction

En ce qui concerne le septième et dernier type de notre classification, voyons comment s'effectuent les opérations de construction. En l'occurrence, le produit lui-même constitue le pivot de toute l'organisation, et celle-ci s'édifie autour de l'objet à réaliser. On trouve également des systèmes d'organisation du travail de ce type dans l'industrie, par exemple dans la fabrication de produits de très grandes dimensions (turbines, navires, unités de production complexes).

Figure 134.   Groupe de la construction

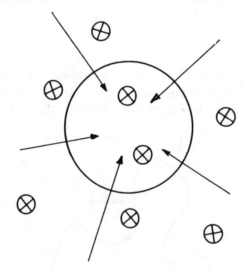

Dans un travail de production de ce genre, le recours au système des groupes n'est pas seulement une bonne idée, c'est aussi le seul type d'organisation du travail qui puisse se concevoir. En outre, comme le travail est varié, l'adaptation spontanée de la division du travail et de la planification est un tel impératif que l'organisation par groupes représente, du fait de sa souplesse, la seule solution possible.

Nous avons maintenant terminé notre rapide examen des possibilités de recours au travail par groupes dans différents systèmes de production, et nous avons pu constater que cette formule convient mieux dans certains cas que dans d'autres.

Jusqu'à quel point les groupes peuvent-ils être organisés **le long** et dans le sens du circuit de fabrication? C'est là un facteur concourant au succès de cette formule qui a été tout particulièrement mis en relief dans les discussions consacrées au travail par groupes dans la production. Ce genre de groupement permet de faire converger les intérêts et les efforts du groupe vers la réalisation d'un objectif commun en matière de production. Il serait donc indiqué d'examiner de plus près les possibilités d'organisation de tels groupes, soit pour les travaux de montage, soit dans les ateliers mécaniques. Notre intention, en étudiant plus spécialement les exemples ci-après, n'est pas de proposer des solutions toutes faites; nous nous contentons de mettre en relief une tendance qui revêt à l'heure actuelle une importance toute particulière.

LES GROUPES AXÉS SUR LA CIRCULATION DANS LE TRAVAIL DE MONTAGE: QUELQUES TENDANCES ET EXEMPLES

Dans le travail de montage, les groupes axés sur la circulation représentent depuis toujours le système qui s'impose le plus naturellement. Prenons, par exemple, le montage d'un moteur d'automobile à son dernier stade. A l'époque où ce système avait été conçu, il était tout naturel de faire passer la chaîne de montage le long d'un stock de pièces, les différents éléments étant assemblés sur la voiture à mesure qu'elle avançait sur la chaîne. Il s'agit là d'un exemple poussé à l'extrême d'agencement du travail de montage totalement subordonné à la circulation des matières.

Un système de ce genre n'est toutefois pas exempt d'inconvénients: le travail est strictement réglé et le cycle est normalement de très courte durée.

Par la suite, à mesure que le système se développait, on s'efforça d'intercaler dans la chaîne de production des stocks tampons qui donnaient plus de souplesse à différents éléments du système de production, mais qui imposaient aussi de nouvelles servitudes au système. Diverses solutions techniques ont été préconisées pour que les éléments de la chaîne soient indépendants les uns des autres.

Pour en revenir aux différents modèles de systèmes de production que nous avons examinés, disons que l'introduction de dispositifs tampons dans une chaîne de montage d'automobiles a pour conséquence de transformer le système de production, dont la cadence est imposée, non plus par la machine, mais par l'homme. L'exemple que nous allons voir est celui d'une usine de construction récente qui fabrique des moteurs d'automobile.

Montage de moteurs d'automobile

L'opération de montage peut se résumer ainsi: le long d'une ligne de transfert automatique sont échelonnés sept groupes de montage dont chacun, si l'on fait abstraction de certaines opérations exécutées en amont de la boucle, effectue un assemblage complet de moteurs.

Chaque groupe de production peut monter simultanément jusqu'à six moteurs. Contrairement à ce qui se passe sur une chaîne de montage mobile, aucun organe mécanique ne règle l'avancement des moteurs, qui sont déplacés manuellement pendant leur montage.

Dès que l'un ou l'autre des groupes a fini de monter un moteur, celui-ci est acheminé automatiquement vers une station d'essai commune à tous les groupes. En

Figure 135. Montage de moteurs d'automobile

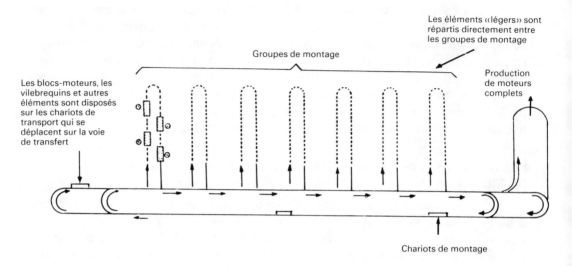

même temps, le départ de ce moteur est automatiquement enregistré, et un autre chariot de montage circulant sur la voie de transfert s'approche du groupe.

Par rapport à une chaîne de montage traditionnelle, les avantages et les inconvénients de cette méthode de montage sont les suivants :

1. Le système est plus souple et les interruptions et les fluctuations dans le débit sont moins à craindre.

2. Il est favorable à l'élargissement des tâches et à la création d'un travail par groupes plus stimulant. Il y a, dans chacune des petites boucles, un groupe de production, une équipe, dont les membres s'acquittent en collaboration étroite de leurs tâches journalières et se chargent eux-mêmes de travaux quotidiens tels que l'adaptation du travail à l'évolution de la situation. L'un des sept groupes sert à la formation; la répartition des tâches, qui obéit à des instructions détaillées, y est passablement stricte et poussée. Dans les autres groupes, la division du travail est fonction des aptitudes de chacun des membres, ce qui donne la possibilité d'adapter au sein du groupe la composition des tâches aux connaissances et à l'expérience des travailleurs.

3. Il n'est pas nécessaire de procéder à un remaniement considérable et coûteux de la chaîne chaque fois qu'il faut augmenter ou diminuer le volume de production. Dans une certaine mesure, il est possible d'augmenter la capacité en modifiant l'effectif des groupes, mais sans dépasser le chiffre de six membres. Au-delà de ces limites, on peut encore l'accroître en augmentant le nombre des groupes.

4. L'aménagement des tâches, mieux adapté à l'individu, devrait permettre d'améliorer les possibilités de recrutement, de limiter la rotation du personnel et de réduire l'absentéisme.

5. Par rapport à une chaîne de montage mobile, ce nouveau système est d'un encombrement supérieur au sol et exige des stocks d'en-cours plus importants.

6. Les investissements nécessaires sont également quelque peu supérieurs.

410

7. Le rendement (en ce qui concerne surtout la vitesse d'avancement) est inférieur à celui d'une chaîne de montage mobile en raison d'une spécialisation moins poussée.

Cet exemple montre non seulement comment des dispositifs tampons peuvent être intercalés entre des tâches différentes ou des capacités de travail différentes, mais aussi comment les divers éléments d'une chaîne de montage — ou d'une ligne entière — peuvent être réaménagés en parallèle. Le montage des moteurs s'effectue en un certain nombre de points et, à chaque point, il est procédé à un assemblage complet.

La nature des opérations de production en parallèle est illustrée par la figure 136.

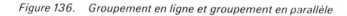

Figure 136.   Groupement en ligne et groupement en parallèle

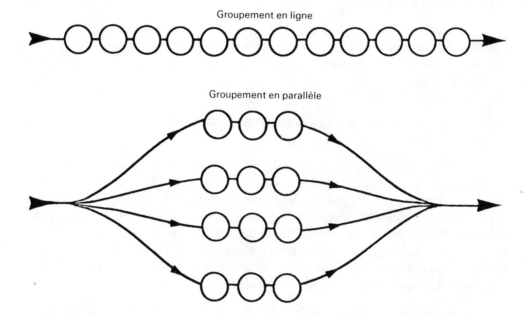

Les grands avantages de la disposition en parallèle d'une opération de montage (ou de certains de ses éléments) sont les suivants :

1. La fiabilité de la production, car plusieurs sous-systèmes risquent évidemment moins qu'un seul grand système d'être affectés simultanément par des perturbations.

2. La souplesse, car, avec un système en parallèle, il est plus facile de passer d'un type de produit à un autre et de modifier le volume de production.

3. Le contenu et l'organisation du travail, car la possibilité d'enrichir les tâches et de trouver des lignes de partage naturelles entre les groupes est nettement plus grande, comme le sont aussi les possibilités offertes aux groupes de production d'assumer, par exemple, la responsabilité de la qualité et de la division du travail.

411

Les groupes de machines axés sur le circuit de production dans la fabrication par lots

Dans l'implantation traditionnelle de la production par lots, les machines et le personnel sont groupés en sections dont chacune s'acquitte d'une fonction distincte, l'une pouvant par exemple se charger du travail au tour, une autre du perçage, une troisième du fraisage, et ainsi de suite. Ce système a l'avantage de présenter une grande souplesse et de permettre un degré élevé d'utilisation de la capacité des machines. Son grand inconvénient tient à ce que le volume des en-cours et, partant, le capital d'exploitation immobilisé dans ces derniers sont toujours considérables. De plus, dans une installation de ce genre, le travail est fortement parcellisé, et un individu ou un groupe d'individus ne voit que difficilement le lien entre son propre travail et l'activité globale de l'entreprise. Il est donc difficile pour les individus et pour les groupes de participer activement à la planification du travail et à la réalisation des objectifs que l'entreprise s'est fixés.

Depuis quelques années, on s'intéresse de plus en plus aux moyens de rassembler, dans la production par lots, les machines et l'équipement autour de groupes axés sur le circuit de production, c'est-à-dire de groupes constitués en fonction de la fabrication de produits entiers ou d'éléments de produits complexes. Voyons rapidement ce qu'il en est de ces tendances.

Qu'est-ce qu'un **groupe axé sur le circuit de production?** Le principe fondamental en est illustré par la figure 137.

Après avoir choisi, en nous aidant d'une méthode de classification type, un assortiment de composants divers tels que des essieux et des brides, nous constatons qu'il existe dans chacun des groupes ainsi constitués des sous-groupes qui, considérés sous l'angle de la nature du travail nécessaire, présentent des analogies. Les machines, le personnel et les autres ressources entrant dans la fabrication de ces composants — depuis le stade de l'approvisionnement en métaux jusqu'à celui des pièces ouvrées — sont réunis en une seule unité. On peut alors arriver à une configuration d'écoulement simple si l'on choisit bien les composants, les méthodes et le matériel.

La fabrication étant organisée selon ce système, nous pouvons diminuer les temps de passage et, du même coup, le capital d'exploitation immobilisé. La production peut s'effectuer avec un approvisionnement minimum en matières sur place, notamment aux postes de travail mêmes. Or les temps de passage sont d'autant plus brefs et sûrs que l'approvisionnement en matières sur place est plus faible.

Dans une organisation fonctionnelle, la tâche de chaque conducteur sur «sa» machine et le travail prévu pour celle-ci sont fixés par avance. Un groupe de machines axé sur le circuit de production a pour vocation de fabriquer un assortiment de composants finis. Il compte plus de machines ou de postes de travail que de conducteurs, dont chacun doit de préférence maîtriser plusieurs types de tâches, ce qui revient à dire que tous les membres du groupe doivent être à même de travailler de façon assez autonome. C'est à eux qu'il incombe de se diviser le travail et de veiller à ce que les matières circulent comme il le faut à l'intérieur du groupe. Il s'ensuit que le groupe est fortement tributaire de l'esprit d'équipe et de coopération dans l'exécution du travail.

Figure 137.   Schéma d'un groupe axé sur le circuit de production

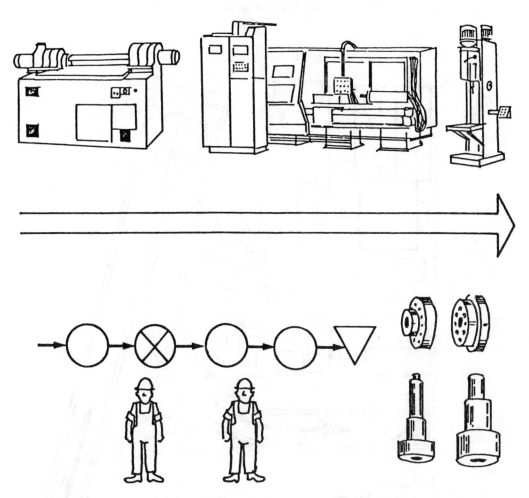

Contrairement à ce qui se passe dans le cas du groupement fonctionnel des machines, un groupe axé sur le circuit de production exige beaucoup de chacun de ses membres, mais ce système permet aussi de rendre plus attrayantes les tâches individuelles, car les membres du groupe:

1) peuvent se faire une meilleure idée générale de leur apport à l'ensemble du processus de production;

2) trouvent plus de diversité dans leur travail du fait qu'ils peuvent passer d'une tâche à une autre;

3) ont la possibilité d'être formés à de nouvelles tâches;

4) ont plus de contacts avec leurs camarades de travail et avec la direction.

Exemple. Le groupe représenté à la figure 138 a été constitué dans une entreprise métallurgique pour fabriquer des axes de pompe. Il en produit quelque cent cinquante types, qui font intervenir une dizaine de méthodes générales dont les plus couramment utilisées servent à la production de soixante-cinq articles environ.

413

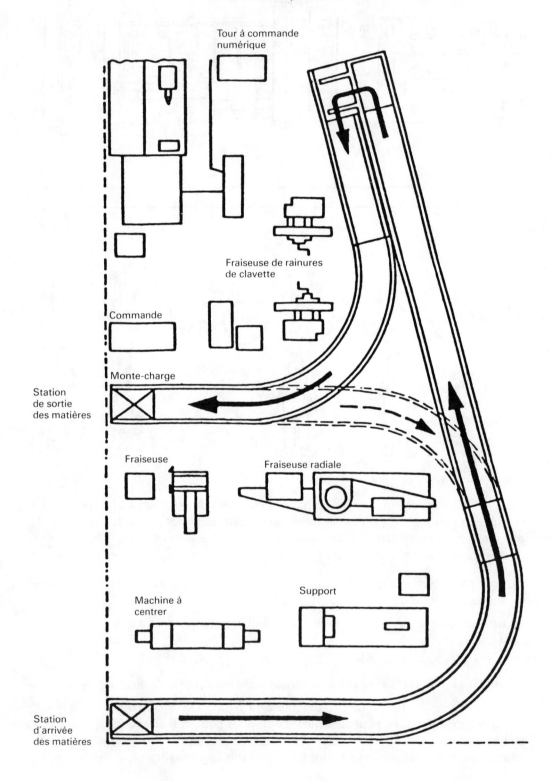

*Figure 138.   Fabrication d'axes de pompe par un groupe axé
sur le circuit de production*

Les composants les plus simples sont fabriqués au cours d'un seul passage dans le groupe, à partir de pièces métalliques prédécoupées, alors qu'il faut trois passages pour les composants les plus complexes. Les pièces peuvent être facilement renvoyées au poste de départ grâce à des tapis roulants dont l'agencement dicte les tâches des deux hommes qui constituent ce groupe.

La fabrication en petites séries selon le système axé sur le circuit de production ne s'adapte cependant pas à toutes les situations et n'est utilisable que dans des conditions bien définies. Il faut, par exemple, structurer systématiquement l'assortiment de produits pour être en mesure de canaliser en une circulation homogène les principaux d'entre eux. En outre, la production doit être de nature à permettre d'appliquer le «principe de la circulation ininterrompue». S'il devait se révéler nécessaire d'interrompre à un certain stade des opérations la circulation des matières et de faire usiner des composants en dehors du groupe, la planification en serait naturellement rendue bien plus compliquée.

Le coefficient d'utilisation du matériel auquel on peut parvenir est, surtout s'il s'agit de machines coûteuses, un facteur essentiel dont il faut tenir compte pour la constitution de groupes axés sur le circuit de production. A cet égard, il est indispensable de mettre en parallèle le coût des machines et celui du capital immobilisé dans le travail quotidien. Depuis quelque temps, on a nettement tendance à reconnaître que les immobilisations en stocks d'en-cours ont atteint des proportions telles qu'il a fallu modifier l'ordre des priorités et donner la préférence aux groupes axés sur le circuit de production.

Il va de soi que la stabilité de l'assortiment de produits est également un facteur d'une importance décisive. Le groupement des machines en fonction du circuit de production doit se fonder sur l'hypothèse que l'on peut prévoir qu'un certain produit ou composant de produit sera fabriqué sous une certaine forme et selon certaines méthodes. S'il y a quelque incertitude quant à ces facteurs, ce type de groupement ne sera pas possible.

Soulignons une fois de plus, en matière de conclusion, que d'excellentes raisons militent souvent, pour ce qui est de la production par lots, en faveur du groupement des machines et des travailleurs axé sur le circuit de production, de préférence au groupement fonctionnel. Les principales sont les suivantes: dans la pratique, le groupement fonctionnel est difficile à manier du point de vue administratif; l'importance des en-cours a pour effet d'immobiliser un capital d'exploitation considérable; les travailleurs d'un atelier fonctionnel trouvent souvent leurs tâches ennuyeuses et monotones.

4. Aménagement d'organisations axées sur le produit

UNE ENTREPRISE DANS L'ENTREPRISE

La notion d'organisation axée sur le produit est, dans la fabrication par lots, un moyen de structuration de la production qui se répand de plus en plus.

La méthode traditionnellement appliquée à l'organisation de ce type de fabrication consiste en l'établissement d'ateliers ou de services fonctionnels regroupant les machines dont les fonctions sont semblables.

415

La nouvelle forme d'organisation va en sens contraire de l'ancienne. Elle peut se définir dans son application comme une unité de production organisée et équipée de manière à pouvoir fabriquer en toute autonomie un certain produit fini ou une certaine famille de produits. Autrement dit, il s'agit de regrouper, aussi bien administrativement que matériellement, toute la chaîne de production d'un certain produit ou d'un certain groupe de produits.

Si nous voulions établir une comparaison entre le système axé sur le circuit de production dans la fabrication par lots et le système axé sur le produit, nous dirions que celui-ci obéit aux mêmes principes en ce qui concerne non seulement la production, mais encore le niveau d'organisation. L'organisation axée sur le produit est plus poussée que la formule du groupe axé sur le circuit de production. Elle fabrique des produits ou composants de produit plus complexes et elle peut comprendre plusieurs de ces groupes.

Une organisation axée sur le produit devrait pouvoir fonctionner comme une entreprise dans l'entreprise, ce qui revient à dire qu'elle devrait être indépendante de son environnement et disposer de toutes les ressources nécessaires afin d'être totalement responsable, du début jusqu'à la fin, de la chaîne de fabrication de tel ou tel produit ou composant de produit. Elle devrait également être pourvue de ses propres ressources administratives et de ses propres services auxiliaires tels que l'entretien, la manutention des matières, etc.

L'ensemble des ressources nécessaires à la fabrication étant concentré dans la même installation, et toute la chaîne de production étant ainsi réunie au même endroit, une telle unité n'est guère dans la dépendance des autres et peut se charger elle-même de la coordination des produits, d'où la possibilité de simplifier le processus de planification et d'abréger les temps de passage. Cette même unité peut aussi se rendre effectivement indépendante des autres zones de travail qui se trouvent à proximité immédiate.

Pour que ce système puisse fonctionner convenablement, il faut cependant que l'unité soit équipée de toutes les machines nécessaires à l'exécution de la totalité des opérations de fabrication. La capacité d'utilisation de la plupart des machines est inférieure, en général, à ce qu'elle serait dans un atelier fonctionnel, et c'est un des principaux facteurs dont il faut tenir compte lorsqu'on étudie la possibilité d'application de ce concept organique, en le mettant en balance avec les divers avantages, parmi lesquels il faut citer en particulier la simplification de la fonction administrative et la réduction des immobilisations en stocks.

CONFIGURATION DE LA CIRCULATION DANS UNE ORGANISATION AXÉE SUR LE PRODUIT: UN EXEMPLE

Une organisation axée sur le produit se rattache par définition à un certain circuit de fabrication, lequel peut toutefois être plus ou moins ramifié au sein de l'unité de production. La disposition des machines peut être réalisée selon diverses formules allant d'un groupement en ligne très marqué à un arrangement plus fonctionnel. Prenons deux exemples d'organisation d'un atelier de fabrication.

Dans le premier exemple, celui d'une unité produisant des échangeurs de chaleur, on s'est employé méthodiquement à créer une structure de production reposant sur le système des groupes axés sur le circuit de fabrication, ce qui s'est révélé

Figure 139. Implantation d'une unité fabriquant des échangeurs de chaleur

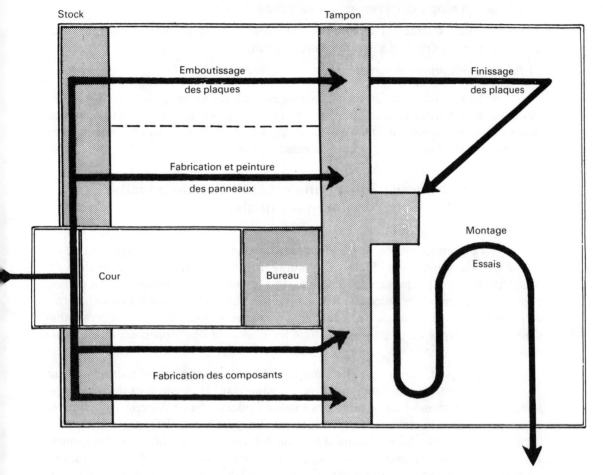

possible grâce, surtout, au procédé de fabrication utilisé, encore qu'il soit fortement influencé par les commandes des clients et que les lots soient peu importants. Comme le montre la figure 139, on s'est efforcé de se rapprocher autant que possible d'une disposition «rectiligne». Les manutentions s'en trouvent simplifiées, et tous les travailleurs ont une bonne vue d'ensemble du processus de fabrication.

Toutefois, comme on peut le constater, la circulation se partage sur la chaîne de fabrication en deux zones distinctes, auxquelles correspondent deux stocks tampons, l'un pour le montage, l'autre entre l'emboutissage des plaques et le finissage (voir fig. 139), qui ont pour fonction de maintenir le volume des lots en fabrication dans des limites raisonnables et d'abréger les délais de changement de marche ou d'opération.

Pour ce qui est du second exemple concernant la fabrication de moteurs électriques, la figure 141 illustre schématiquement une unité axée sur le produit qui se compose d'un certain nombre de groupes, disposés en fonction du circuit, auxquels incombe la fabrication des différents composants. Parmi les principes sur lesquels se fonde cette organisation, figurent les suivants:

1) fabrication des éléments dans les unités, à partir des matières premières, chacun au sein de son propre circuit ou groupe rattaché à celui-ci;

2) coordination directe du circuit des composants avec le circuit principal, sans stocks tampons ni stocks intermédiaires intercalés;

3) fin du circuit principal marqué par la remise des moteurs finis.

Le fait que le circuit de production est ainsi organisé signifie que la quantité des en-cours est très faible et que le temps de passage, depuis la première opération jusqu'à la sortie du moteur fini, n'est que de deux ou trois jours. En outre, aucun stock intermédiaire n'est nécessaire pour le montage.

5. Critères d'une bonne organisation du travail: remarques finales

EFFICIENCE

Le premier critère, le plus fondamental aussi, d'une bonne organisation du travail est évidemment son efficience, ce qui revient à dire que les ressources disponibles doivent être exploitées au maximum et qu'à un minimum d'«entrées» doit correspondre un maximum de «sorties». S'il en est autant question dans les divers chapitres du présent ouvrage, c'est que ce facteur sera encore et toujours d'un intérêt primordial dans tous les types de technologie, à tous les stades du développement et à chaque poste de travail.

Il se peut, certes, que des considérations qui ne sont pas d'ordre purement économique soient de première importance, comme dans le cas de lieux de travail présentant pour la sécurité ou la santé des risques évidents qui ne peuvent être éliminés qu'au prix d'investissements supplémentaires. En pareil cas, il faudra évidemment prendre les mesures voulues, même si elles ne doivent pas se traduire par des avantages économiques perceptibles. Cet exemple montre comment les considérations économiques doivent céder (du moins à court terme) devant d'autres facteurs.

Abstraction faite des cas particuliers de ce genre, qui s'entourent de circonstances spéciales, on est fatalement amené, lorsqu'il faut choisir une forme appropriée d'organisation du travail, à accorder une importance primordiale aux considérations économiques. Les préférences doivent tout naturellement aller aux principes d'organisation et aux solutions propres à assurer à la fois une augmentation de l'efficience **et** une amélioration des emplois offerts aux travailleurs.

AUTONOMIE DES PETITES UNITÉS

Les facteurs économiques ont certes une importance fondamentale et doivent donc être analysés avec soin dans chaque cas particulier; mais il existe aussi des règles empiriques ou des raisonnements de portée générale dont on peut s'inspirer dans la création d'un bon système de production, des principes directeurs qui, depuis quelques années, jouent un rôle de plus en plus important dans l'élaboration de nouvelles formes d'organisation du travail, mais dont il est difficile, sinon impossible, de se servir pour calculer avec précision la rentabilité à court terme. Ces principes directeurs n'en ont pas moins été tellement mis en exergue qu'il nous faut en tenir particulièrement compte ici; nous devons toutefois signaler qu'ils sont quelque peu étrangers aux facteurs économiques de base.

*Figure 140.   Exemples de constitution de stocks tampons
dans les opérations de fabrication*

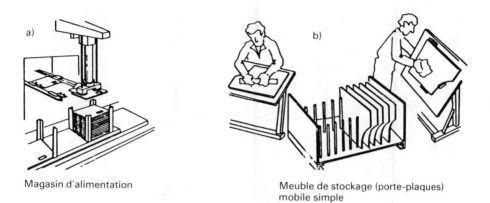

a)

Magasin d'alimentation

b)

Meuble de stockage (porte-plaques)
mobile simple

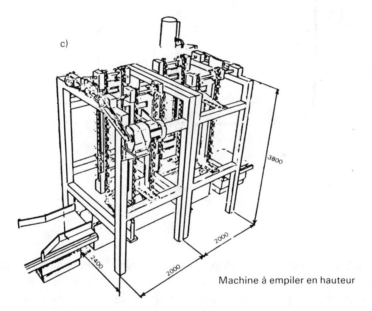

c)

3800

2000

2400

2000

Machine à empiler en hauteur

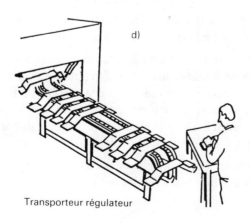

d)

Transporteur régulateur

419

Figure 141. Fabrication de moteurs électriques

Matières premières

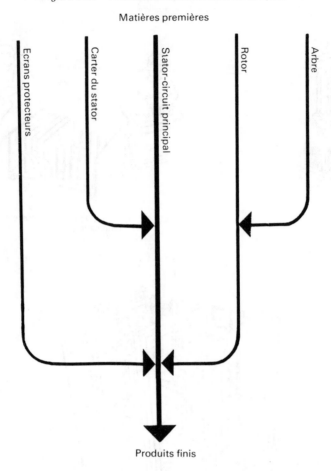

Ecrans protecteurs

Carter du stator

Stator-circuit principal

Rotor

Arbre

Produits finis

S'efforcer de rendre les petites unités plus indépendantes dans l'entreprise, tel est le premier critère à respecter dans l'élaboration d'un bon système de production. Nous entendons par là un système composé d'unités de production assez importantes et pouvant fonctionner, dans le cadre de l'entreprise, avec un degré d'autonomie relativement élevé, l'intention sous-jacente étant d'organiser la production de manière à privilégier l'indépendance locale au sein des petites unités. Dans une entreprise ainsi fragmentée en petites unités, la coordination est moins nécessaire, ce qui, par voie de conséquence, simplifie les problèmes de direction.

La décentralisation dont s'accompagne ce type d'organisation de la production contribue aussi beaucoup à stimuler l'esprit d'initiative sur place et à renforcer la faculté d'adaptation à l'évolution de la situation et des besoins dans différentes parties de l'entreprise. On a pu constater également que les travailleurs sont souvent plus satisfaits et se donnent davantage à leur travail lorsqu'ils appartiennent à des unités de production plus petites et plus indépendantes.

Si nous voulons créer des systèmes de production reposant sur ce principe, les quatre points importants dont il nous faudra tenir particulièrement compte sont les

suivants:

1) possibilité de fractionner de grands systèmes en petites unités;

2) possibilité d'organiser les unités de fabrication de produits finis en unités plus petites ayant moins besoin de contacts avec leurs homologues voisines;

3) possibilité de donner l'autonomie pour ce qui est des ressources nécessaires à la
   production, des services auxiliaires, etc.;

4) possibilité de faire en sorte que la haute direction ait moins à intervenir directement, de manière que les contrôles exercés par les échelons supérieurs de la hiérarchie n'entament pas trop l'indépendance des petites unités.

STABILITÉ DU SYSTÈME DE PRODUCTION

Il est une autre règle empirique, ou critère, pour l'appréciation de la qualité
d'un système de production qui suscite depuis quelques années un intérêt croissant, à
savoir le désir d'arriver à la stabilité dans les activités de production, avec le moins de
perturbations possible. Pour y parvenir, il faut notamment que les conditions suivantes soient remplies:

1) une configuration de circulation simple, de façon que les travailleurs puissent avoir
   autant que possible une vue d'ensemble de ce qui se passe et que la planification du
   travail devienne plus facile;

2) une technologie fiable à l'usage, avec un degré de mécanisation optimal, de
   manière que les perturbations techniques soient maintenues dans des limites raisonnables;

3) un aménagement du travail à l'épreuve des perturbations, de façon que tous les
   stades de la production d'importance critique pour celle-ci soient organisés en
   parallèle et que ceux qui sont particulièrement sensibles aux perturbations soient
   entourés de zones tampons de divers types.

INTÉRÊT DU TRAVAIL

Il est important de pouvoir offrir à chacun un travail intéressant et dont on
se sent personnellement responsable. Les aspirations personnelles varient d'une personne à une autre et selon la situation; elles dépendent non seulement des ambitions et
des désirs de l'individu, mais aussi de ses aptitudes, de ses connaissances et de sa
faculté de perfectionnement. Il faut donc que le système de production offre toutes
sortes d'emplois afin de répondre aux souhaits du plus grand nombre possible de personnes et de donner à chacun la possibilité de progresser en passant de tâches simples
à des fonctions plus complexes.

Parmi les facteurs dont il faut tenir compte lorsqu'on s'efforce de créer des
postes suffisamment attrayants, nous citerons les suivants:

1) création d'emplois qui présenteront divers degrés de difficulté en les axant sur le
   circuit de fabrication et en instituant divers degrés de subdivision du travail et d'intégration des tâches auxiliaires. Ce genre de diversification permet de proposer à
   diverses personnes, à différentes périodes, des travaux qui correspondent à leurs
   aptitudes et à leurs aspirations;

2) création d'emplois individuels et de groupes qui donnent une certaine indépendance dans le travail, en introduisant la fabrication intégrale de produits finis,

421

l'autonomie des fonctions de service dans la production et la constitution de stocks tampons entre un système et les systèmes voisins. Une telle autonomie se justifie du point de vue tant des résultats obtenus en matière de production que de la perception du travail par les membres du groupe;

3) conception d'une organisation du travail qui se prête au travail en équipe, en axant les groupes sur le circuit de production et en prenant des mesures analogues qui soient compatibles non seulement avec l'intérêt accru des tâches et des situations de travail, mais aussi avec une plus grande efficacité;

4) assurance que chacun aura une vue d'ensemble du système. Pour que l'exécutant trouve de l'intérêt à son travail, il faut aussi qu'il soit en mesure de se représenter le contexte général et d'y situer sa tâche. Il importe également qu'il soit autant que possible associé à l'aménagement de son travail et qu'il ait le sentiment de son «appartenance» à un groupe de camarades de travail et au processus global de production au sein duquel il remplit sa fonction.

QUALITÉ DU MILIEU DE TRAVAIL

La qualité du milieu de travail est un important critère pour l'appréciation de sa tâche. Nous avons indiqué au chapitre 6 les facteurs essentiels dont il faut se préoccuper pour que la sécurité soit assurée sur le lieu de travail.

Cependant, il faut aussi qu'on trouve plaisir à travailler dans le milieu de travail, ce qui revient à dire que tout doit être conçu de telle sorte qu'il soit facile d'adopter des positions de travail conformes aux principes de l'ergonomie.

CONCLUSION

Nous avons brièvement évoqué certaines des tendances qui conduisent à l'instauration de nouvelles formes d'organisation du travail. Nous avons indiqué des principes et des lignes directrices de portée générale. Nous avons fourni quelques exemples et mis en lumière certaines des orientations de l'évolution actuelle. Enfin, nous avons énuméré quelques critères dont il faut tenir compte lorsqu'on veut aménager un milieu de travail satisfaisant.

Il nous faut cependant bien insister sur le fait qu'il n'existe pas, pour résoudre ces problèmes, de **solution passe-partout.** Notre propos était simplement de mettre en évidence quelques idées et tendances et des esquisses de solutions. N'oublions pas que le meilleur moyen, pour résoudre un problème, c'est de se concentrer sur les données propres au cas d'espèce et que, pour cela, il faut connaître les circonstances réelles, prendre en considération les valeurs qui ont cours sur le plan local, mais qu'il faut aussi que les intéressés soient capables de trouver la solution qui leur convient.

Cinquième partie

Annexes

I. Glossaire des termes utilisés

A. Etude du travail

Analyse de film *(chap. 11)*

Examen image par image de l'enregistrement cinématographique d'une opération afin de déterminer l'état de l'activité du sujet durant chaque vue.

Analyse statistique de l'activité *(chap. 14)*

Voir *Mesure du travail par sondage*.

Capacité d'une machine *(chap. 19)*

Volume potentiel de production d'une machine, généralement exprimé sous la forme des unités de production réalisables pendant telle ou telle unité de temps, par exemple tant de tonnes par semaine, tant de pièces par heure, etc.

Catalogues de temps élémentaires *(chap. 22)*

Voir *Données de référence*.

Charge de travail *(chap. 19)*

Voir *Facteur de charge*.

Chronocyclographe *(chap. 11)*

Forme particulière de cyclographe dans laquelle le courant d'alimentation de la source lumineuse est interrompu régulièrement de sorte que la trajectoire se présente comme une succession de tirets piriformes, dont les extrémités effilées indiquent la direction du mouvement tandis que leur espacement représente sa vitesse.

Chronométrage *(chap. 16)*

Pratique consistant à observer et à enregistrer, au moyen d'un chronomètre ou d'un autre appareil, le temps mis pour exécuter chaque élément de travail. Lorsqu'on utilise un chronomètre, trois méthodes sont possibles:

Chronométrage cumulatif ou *à la volée*

Avec cette méthode, les aiguilles du chronomètre courent sans arrêt et ne sont pas ramenées à zéro à la fin de chaque élément, les temps élémentaires étant obtenus ensuite par soustraction.

Chronométrage différentiel

Méthode utilisée pour obtenir le temps d'exécution d'un ou de plusieurs éléments très courts. Les éléments sont chronométrés par groupes, en incluant puis en excluant chaque micro-élément, le temps correspondant à chaque élément étant obtenu ensuite par soustraction.

425

Chronométrage répétitif ou **avec retour à zéro**

Avec cette méthode, les aiguilles du chronomètre sont ramenées à zéro à la fin de chaque élément et repartent immédiatement, ce qui permet de lire directement le temps de l'élément.

Contenu de travail *(chap. 18)*

Temps de base + majoration de repos + toute majoration pour travail additionnel (par exemple la partie d'une majoration auxiliaire qui représente un travail).

Contrôle de l'installation et des machines *(chap. 19)*

Procédés et moyens employés pour planifier et contrôler l'utilisation et l'efficacité des machines et des unités de production.

Cycle de travail *(chap. 16)*

Série des éléments nécessaires à l'accomplissement d'une tâche ou à l'obtention d'une unité de production. La série comprend parfois des éléments occasionnels.

Cyclographe *(chap. 11)*

Enregistrement de la trajectoire d'un mouvement, généralement réalisé en fixant sur une pellicule photographique, de préférence stéréoscopique, les déplacements d'une source lumineuse continue.

Décomposition du travail en éléments *(chap. 16)*

Enumération par éléments du contenu d'une tâche.

Déséquilibre du cycle de travail ou **Problèmes d'interférence des machines** *(chap. 19)*

Phénomène se produisant lorsque plusieurs machines (ou processus) attendent simultanément l'intervention de l'opérateur, par exemple lorsqu'un travailleur est chargé de surveiller deux ou plusieurs machines. Des phénomènes semblables se produisent dans le travail en équipe, où des retards aléatoires en un point quelconque peuvent affecter la production de l'équipe.

Diagramme de circulation *(chap. 17)*

Diagramme ou maquette, construit approximativement à l'échelle, qui représente les emplacements où s'effectuent des activités déterminées et les trajets suivis par les travailleurs, les matières ou le matériel lors de l'accomplissement de ces activités.

Diagramme à ficelles *(chap. 10)*

Plan ou modèle à l'échelle sur lequel on suit et on mesure, au moyen d'un fil ou d'une ficelle, les déplacements effectués par des ouvriers, des matières ou du matériel pendant une série précise d'opérations.

Données de référence ou **Catalogues de temps élémentaires** *(chap. 22)*

Tables et formules tirées de l'analyse des données fournies par la mesure du travail. Ces tables et formules sont présentées sous une forme permettant de synthétiser les normes de temps, les temps de fonctionnement des machines, etc.

Durée *(chap. 16)*

Temps total qui s'écoule du début jusqu'à la fin d'une étude des temps.

Durée du cycle *(chap. 20)*

Temps total nécessaire pour exécuter tous les éléments qui constituent le cycle de travail.

Echantillonnage

Voir *Mesure du travail par sondage.*

Echelle d'évaluation *(chap. 17)*

Série de facteurs numériques représentant différentes allures de travail. Cette échelle est linéaire.

Elément *(chap. 16)*

Toute partie distincte d'un travail donné, choisie parce qu'elle se prête à l'observation, à la mesure et à l'analyse.

Elément constant

Elément dont le temps de base reste constant chaque fois qu'il intervient dans le même cycle.

Elément étranger

Elément observé au cours d'une étude mais qui, à l'analyse, ne se révèle pas être une partie indispensable du travail.

Elément «machine»

Elément accompli automatiquement par une machine mue par un moteur ou un processus physicochimique.

Elément manuel

Elément accompli par un travailleur.

Elément occasionnel

Elément qui ne se retrouve pas à chaque cycle de travail, mais qui peut intervenir à des intervalles réguliers ou irréguliers.

Elément prépondérant

Elément qui s'étale sur une durée plus longue que tous les autres éléments concomitants.

Elément répétitif

Elément qui se retrouve à chaque cycle de travail.

Elément variable

Elément dont le temps de base varie en fonction de certaines caractéristiques du produit, du matériel ou du processus (telles que les dimensions, le poids, la qualité, etc.).

Etude des méthodes de travail *(chap. 4 et 7)*

Consiste à enregistrer et à examiner, de façon critique et systématique, les méthodes existantes et envisagées d'exécution d'un travail, afin de mettre au point et de faire appliquer des méthodes d'exécution plus commodes et plus efficaces et de réduire les coûts.

Etude des micromouvements *(chap. 11)*

Examen critique du simogramme obtenu par analyse image par image de l'enregistrement cinématographique d'une opération.

Etude des temps *(chap. 15)*

Technique de mesure du travail qui permet d'enregistrer les temps et les facteurs d'allure pour les éléments d'une tâche donnée, exécutée dans des conditions déterminées, et d'analyser les données recueillies afin d'obtenir le temps nécessaire pour exécuter cette tâche à un niveau de rendement bien défini.

Etude du travail *(chap. 4)*

Terme générique désignant les techniques, en particulier l'étude des méthodes et la mesure du travail, qui sont utilisées lors de l'examen du travail effectué par l'homme, quel qu'en soit le contexte, et qui impliquent systématiquement l'analyse de tous les facteurs affectant l'efficacité et l'économie de la situation étudiée, afin d'obtenir une amélioration.

Facteur de charge *(chap. 19)*

Proportion de la durée totale du cycle qu'occupe l'intervention du travailleur, pour un rendement normal, pendant un cycle comprenant un temps machine (ou processus).

Graphique d'activités multiples *(chap. 10)*

Graphique sur lequel on enregistre les activités de plus d'un sujet (exécutant, machine ou élément de matériel) en regard d'une même graduation de temps pour en faire ressortir la relation d'interdépendance.

Graphique d'analyse *(chap. 8)*

Ces graphiques représentent une suite d'événements au moyen d'une série de symboles correspondant à différents types d'activités afin d'aider l'observateur à visualiser un processus pour l'analyser et l'améliorer.

Graphique d'analyse de processus *(chap. 8)*

Graphique d'analyse qui donne une vue d'ensemble en indiquant seulement la suite des opérations et des principaux contrôles.

Graphique de cheminement *(chap. 10)*

Présente sous forme de tableau des données quantitatives concernant le mouvement de travailleurs, de matières ou de matériel entre un nombre quelconque de points dans un intervalle de temps déterminé.

Graphique de déroulement *(chap. 8)*

Graphique d'analyse indiquant dans l'ordre les étapes du circuit effectué par un produit ou un procédé, toutes les activités en question étant enregistrées à l'aide des symboles appropriés du graphique d'analyse.

Graphique de déroulement-exécutant

Graphique de déroulement qui enregistre ce que fait l'ouvrier.

Graphique de déroulement-matériel

Graphique de déroulement qui enregistre comment le matériel est utilisé.

Graphique de déroulement-matière

Graphique de déroulement qui enregistre comment la matière est manutentionnée ou transformée.

Graphique des mouvements simultanés des deux mains *(chap. 11)*

Graphique d'analyse qui enregistre les mouvements des mains (ou des membres) d'un exécutant dans leurs rapports réciproques.

Heure-homme *(chap. 2)*

Travail produit par un homme en une heure.

Heure-machine *(chap. 2)*

Fonctionnement d'une machine ou d'une partie de l'installation pendant une heure.

Jugement d'allure *(chap. 17)*

1. Evaluation de la cadence de travail d'un exécutant par rapport à l'idée que l'observateur se fait de la cadence correspondant à l'allure normale d'exécution.

2. Valeur numérique ou symbole utilisé pour noter l'allure de travail:

   a) jugement d'allure large: jugement d'allure inexact et trop élevé;

   b) jugement d'allure serré: jugement d'allure inexact et trop bas;

   c) jugements d'allure incohérents: mélange de jugements d'allure exacts, larges et serrés;

d) jugements d'allure plats: série de jugements d'allure obtenue lorsque l'observateur a sous-estimé les variations de l'allure de travail de l'exécutant;

e) jugements d'allure en dents de scie: série de jugements d'allure obtenue lorsque l'observateur a surestimé les variations de l'allure de travail de l'exécutant.

Majoration auxiliaire *(chap. 18)*

Faible majoration que l'on peut inclure dans un temps normal pour tenir compte d'un travail ou d'un retard qui est justifié et prévisible, mais dont la mesure est économiquement peu judicieuse parce qu'il se produit trop rarement ou trop irrégulièrement.

Majoration pour besoins personnels *(chap. 18)*

Fraction de la majoration de repos destinée à permettre aux travailleurs de s'occuper de leurs besoins personnels.

Majoration de fatigue *(chap. 18)*

Fraction de la majoration de repos destinée à compenser les effets physiologiques et psychologiques de l'accomplissement d'une tâche déterminée dans des conditions données.

Majoration d'outillage *(chap. 18)*

Majoration du temps normal qui peut être allouée pour le réglage et l'entretien des outils.

Majoration de repos *(chap. 18)*

Complément ajouté au temps de base afin de donner au travailleur la possibilité de se remettre des effets physiologiques et psychologiques de l'accomplissement d'une tâche déterminée dans des conditions données et afin de tenir compte de ses besoins personnels. L'ampleur de cette majoration dépend de la nature du travail.

Majoration supplémentaire *(chap. 18)*

Augmentation du temps normal (ou d'une de ses parties, par exemple le contenu de travail) permettant d'obtenir un niveau de rémunération satisfaisant pour un seuil de rendement déterminé dans des circonstances exceptionnelles. Les augmentations du temps normal accordées à titre de prime de rendement sont exclues de cette définition.

Majoration pour temps d'inactivité (ou **temps résiduel**) *(chap. 19)*

Majoration accordée à l'exécutant lorsque le temps machine (ou processus) comporte un temps d'inactivité.

Mémo-film (ou **photographie des mémo-mouvements**) *(chap. 11)*

Méthode de prise de vues au ralenti qui permet d'enregistrer les activités des travailleurs à l'aide d'une caméra réglée pour prendre des photographies instantanées à des intervalles de temps plus longs que la normale. Les intervalles sont habituellement de ½ seconde à 4 secondes.

Mesure du travail *(chap. 4 et 13)*

Application de certaines techniques visant à déterminer le temps que demande à un ouvrier qualifié l'exécution d'une tâche donnée, à un niveau de rendement bien défini.

Mesure du travail par sondage *(chap. 14)*

Méthode qui consiste à trouver la fréquence en pourcentage d'une opération déterminée au moyen d'un échantillonnage statistique et d'observations faites au hasard. (On dit aussi méthode des observations instantanées.)

Méthode interrogative *(chap. 8)*

Moyen d'examen critique qui consiste à poser une série de questions sur chaque activité, l'une après l'autre, en procédant systématiquement et progressivement.

Méthode des observations instantanées *(chap. 14)*

Voir *Mesure du travail par sondage.*

Methods-Time Measurement (MTM) (chap. 21)

(= Méthodes de travail et tables de temps.)

Un système de normes de temps prédéterminées (voir ce terme).

Mouvements simultanés

Voir *Simogramme.*

Normes de temps prédéterminées *(chap. 21)*

Technique de mesure du travail qui utilise des temps préétablis pour chaque mouvement fondamental du corps humain (classé selon la nature du mouvement et les conditions dans lesquelles il s'accomplit) afin de construire le temps que demande l'exécution d'une tâche à un niveau de rendement bien défini.

Photographie des mémo-mouvements

Voir *Mémo-film.*

Principes de l'économie des mouvements *(chap. 11)*

Règles générales qui, incorporées dans les méthodes adoptées, facilitent le travail.

Questions fondamentales *(chap. 8)*

Premier stade de la méthode interrogative, où l'on demande quelle est la nécessité fondamentale, pour chaque activité enregistrée, de l'exécution, de l'endroit, du moment, de la personne et des moyens et où l'on cherche la raison de chacune des réponses.

Questions secondaires *(chap. 8)*

Deuxième étape de la méthode interrogative, pendant laquelle les réponses aux questions fondamentales font l'objet d'une nouvelle interrogation afin de déterminer si d'éventuelles solutions de rechange quant au choix de l'endroit, du moment, de la personne et/ou des moyens sont utilisables et préférables pour améliorer la méthode d'exécution existante.

Rendement normal *(chap. 17)*

Cadence de production que soutiennent en moyenne, naturellement et sans surmenage, des travailleurs qualifiés pendant la journée de travail ou le poste, à condition qu'ils connaissent et appliquent la méthode spécifiée et qu'ils soient suffisamment motivés pour se donner à leur tâche. On donne à ce rendement la valeur 100 sur les échelles d'évaluation.

Simogramme *(chap. 11)*

Graphique, souvent établi à partir de l'analyse d'un film, qui sert à enregistrer simultanément et par rapport à une même échelle des temps les therbligs ou les groupes de therbligs effectués par différentes parties du corps d'un ou de plusieurs ouvriers. Le simogramme peut aussi être employé pour analyser le travail simultané d'un opérateur et d'une ou de plusieurs machines.

Spécification du travail *(chap. 23)*

Document fixant les détails d'une opération ou d'une tâche, son mode opératoire, l'implantation du poste de travail, les particularités des machines, des outils et des accessoires à utiliser, ainsi que les obligations et les responsabilités du travailleur. Le temps normal ou le temps alloué pour la tâche y figure généralement.

Taux d'efficience de la machine *(chap. 19)*

Rapport du temps de fonctionnement normal de la machine à son temps de fonctionnement réel.

Taux d'occupation de la machine *(chap. 19)*

Rapport du temps de fonctionnement de la machine au temps machine disponible.

Taux d'utilisation efficace de la machine *(chap. 19)*

Rapport du temps de fonctionnement normal de la machine au temps machine disponible.

Temps d'arrêt *(chap. 2)*

Fraction du temps de présence obligatoire durant laquelle l'exécutant a un travail à exécuter mais ne l'exécute pas pour une raison ou pour une autre.

Temps de base *(chap. 18)*

Temps d'exécution d'un élément de travail à l'allure de référence. Ce temps est égal à :

$$\frac{\text{Temps observé} \times \text{allure observée}}{\text{Allure de référence}}$$

Temps de contrôle *(chap. 16)*

Temps s'écoulant, d'une part, entre le début d'une étude des temps et le début du premier élément observé et, d'autre part, entre la fin du dernier élément observé et la fin de l'étude.

Temps d'équilibrage *(chap. 19)*

Majoration de temps correspondant aux pertes inévitables de production dues à la coïncidence de l'arrêt de deux ou plusieurs machines (ou processus) que surveille un seul travailleur. Des phénomènes semblables se produisent dans le travail en équipe.

Temps de fonctionnement de la machine *(chap. 19)*

Temps de fonctionnement réel de la machine, c'est-à-dire le temps machine disponible moins le temps de mise hors service de la machine, le temps d'inactivité de la machine ou le temps machine accessoire.

Temps de fonctionnement normal de la machine *(chap. 19)*

Temps de fonctionnement nécessaire pour obtenir une production donnée lorsque la machine travaille dans des conditions optimales.

Temps d'inactivité ou **temps résiduel** *(chap. 19)*

Périodes de temps machine (ou processus) pendant lesquelles l'exécutant n'est pas occupé lui-même à un travail et ne prend pas un repos autorisé, le temps d'exécution du travail étant calculé pour un niveau de rendement bien défini.

Temps d'inactivité de la machine *(chap. 19)*

Temps pendant lequel une machine est disponible pour la production ou pour des travaux accessoires mais n'est pas utilisée parce qu'il n'y a pas de travail à faire, pas de matières ou pas de personnel. Ce temps comprend les périodes d'arrêt dues à une panne d'autres machines provoquant un goulet d'étranglement dans l'usine.

Temps machine *(chap. 19)*

Temps nécessaire pour exécuter la partie du cycle de travail qui est conditionnée exclusivement par les caractéristiques techniques de la machine.

Temps machine accessoire *(chap. 19)*

Temps pendant lequel une machine ne peut être employée à la production en raison d'un changement de travail, d'un réglage, d'un nettoyage, etc.

Temps machine disponible *(chap. 19)*

Temps pendant lequel on peut utiliser une machine, calculé d'après le temps de présence des exécutants (c'est-à-dire la journée ou la semaine de travail plus les heures supplémentaires).

431

Temps machine maximum *(chap. 19)*

Temps possible maximum d'utilisation d'une machine ou d'un groupe de machines au cours d'une période déterminée, par exemple les 168 heures d'une semaine ou les 24 heures d'une journée.

Temps de mise hors service de la machine *(chap. 19)*

Temps pendant lequel on ne peut employer une machine à la production ou à un travail accessoire en raison d'une panne, d'exigences d'entretien ou d'autres circonstances analogues.

Temps normal *(chap. 18)*

Temps total que doit prendre l'exécution complète d'une tâche pour un rendement normal, c'est-à-dire le contenu de travail, la majoration auxiliaire pour retards ou attente, le temps d'inactivité et la majoration d'équilibrage.

Temps observé *(chap. 17)*

Le temps que prend l'exécution d'un élément ou d'une combinaison d'éléments, obtenu au moyen de la mesure directe.

Temps de préparation *(chap. 19)*

Temps nécessaire pour préparer une machine avant d'entamer le travail. Comprend le temps nécessaire pour enlever les outils ayant servi lors de l'opération précédente, pour nettoyer la machine et pour fixer les outils et les supports qui seront utilisés au cours de l'opération suivante.

Temps de processus *(chap. 19)*

Temps nécessaire pour exécuter la partie du cycle de travail qui est conditionnée exclusivement par les caractéristiques techniques du processus.

Temps retenu *(chap. 18)*

Temps choisi comme représentatif d'un groupe de temps correspondant à un élément ou à un groupe d'éléments. Ces temps peuvent être soit des temps observés soit des temps de base et doivent être désignés sous le nom de temps observés retenus ou de temps de base retenus.

Therblig *(chap. 11)*

Nom donné par Frank B. Gilbreth à chacun des groupes de mouvements classés d'après leur objet. Les therbligs correspondent à des mouvements ou aux raisons de l'absence de mouvement. Chaque therblig peut être représenté sur un enregistrement par une couleur, une abréviation ou un symbole.

Top *(chap. 16)*

Instant où finit un élément d'un cycle de travail et où commence l'élément suivant.

Travail à allure limitée *(chap. 19)*

Situation dans laquelle la production de l'exécutant est limitée par des facteurs indépendants de sa volonté.

Travail homme-machine *(chap. 19)*

Eléments qui peuvent être effectués pendant le temps machine (ou processus).

Travail humain *(chap. 19)*

Eléments qui doivent nécessairement être effectués par l'exécutant en dehors du temps machine (ou processus).

Travail libre *(chap. 19)*

Travail dans lequel la production de l'exécutant n'est limitée que par des facteurs qu'il peut contrôler.

Travail sur plusieurs machines *(chap. 19)*

Travail qui oblige l'exécutant à conduire deux ou plusieurs machines (analogues ou de genres différents) fonctionnant simultanément.

Travailleur qualifié *(chap. 16)*

Celui qui est reconnu comme ayant les qualités physiques nécessaires, qui possède l'intelligence et l'instruction voulues et qui a acquis l'habileté et les connaissances requises pour exécuter le travail selon des normes satisfaisantes de sécurité, de quantité et de qualité.

Travailleur représentatif *(chap. 17)*

Travailleur dont l'habileté et le rendement représentent la moyenne du groupe étudié. Un travailleur représentatif n'est pas nécessairement un travailleur qualifié.

B. Implantation des installations

Analyse de la chaîne

Partie de l'analyse de la production (voir ce terme). Technique utilisée pour étudier la circulation des matières entre les machines d'un même groupe afin de déterminer la meilleure implantation possible de ces machines.

Analyse de la circulation

Partie de l'analyse de la production (voir ce terme). Technique utilisant des modèles réduits de réseaux pour étudier et simplifier la circulation des matières entre les différents services de l'usine.

Analyse des groupes

Partie de l'analyse de la production (voir ce terme). Technique utilisée pour déterminer la meilleure répartition des machines d'un atelier en groupes de production et la meilleure répartition des pièces fabriquées en groupes de produits.

Analyse de l'outillage

Partie de l'analyse de la production (voir ce terme). Technique utilisée pour mettre au point l'ordre dans lequel il faut placer les pièces sur une machine afin de réduire le temps de préparation au minimum.

Analyse de la production

Technique utilisée pour étudier la circulation des matières dans une usine et pour mettre au point la meilleure répartition des installations et des produits en groupes en vue d'établir une implantation par groupe (voir ce terme).

Chaîne

Voir *Implantation en ligne.*

Implantation par groupe

Implantation dans laquelle des machines, dont l'ensemble permet d'effectuer intégralement le processus de fabrication d'un type de produits déterminé, sont réunies dans une même zone de travail.

Implantation des installations

Disposition des machines et du matériel nécessaires au fonctionnement d'une usine existante ou en projet, de façon à obtenir une circulation aussi aisée que possible des matières, au coût le plus bas et avec un minimum de manutention, pour le traitement du produit, de la réception des matières jusqu'à l'expédition du produit fini.

433

Implantation en ligne

Implantation dans laquelle les machines sont disposées en ligne, dans l'ordre des étapes du processus de fabrication, les matières circulant le long de cette ligne.

Implantation du poste de travail

Terme couramment employé pour décrire l'espace, la disposition des installations et les conditions de travail dans lesquelles l'exécutant accomplit une tâche déterminée.

Implantation axée sur le processus

Implantation dans laquelle on groupe toutes les machines ou tous les processus de fabrication du même type.

Implantation axée sur le produit

Implantation dans laquelle on groupe toutes les machines ou tous les processus utilisés pour la fabrication du même produit ou de la même catégorie de produits.

Montage

Dispositif qui sert à maintenir en position la pièce à travailler et à guider l'outil.

Support

Dispositif servant à maintenir des pièces qui, autrement, devraient être tenues par une main pendant que l'autre travaille.

C. Techniques de direction

Analyse de la valeur

Etude systématisée du produit et de sa fabrication en vue d'en réduire le coût et d'en augmenter la valeur.

Contrôle

Voir *Inspection*.

Contrôle de l'approvisionnement-matières

Ensemble des moyens et des procédures qui permettent de fournir la quantité et la qualité voulues de matières et de pièces pour respecter les programmes de production.

Contrôle budgétaire

Moyen utilisé pour contrôler les activités d'une entreprise, en établissant soigneusement des prévisions pour chaque activité et en traduisant ces prévisions en termes monétaires. Les recettes et les coûts effectifs de chaque activité sont ensuite comparés aux prévisions.

Contrôle de la fabrication

Planification, direction et contrôle de l'approvisionnement en matières et des activités de fabrication d'une entreprise.

Contrôle de la qualité

Fonction consistant à contrôler la qualité des produits. Comprend la mesure des caractéristiques physiques et les autres procédures et moyens (y compris les méthodes d'échantillonnage fondées sur les principes de la statistique) qui sont utilisés pour maintenir la qualité des produits.

Contrôle séquentiel

Procédures de contrôle systématiques dont l'objet est de s'assurer que les programmes et les ordres émis par le contrôle de la fabrication sont exécutés.

Coûts standards

Voir *Méthode des coûts standards.*

Développement d'un produit

Phase d'un programme de production qui se situe généralement entre la conception du produit et le lancement de la fabrication, au cours de laquelle les prototypes du produit sont mis à l'essai et étudiés en vue d'en améliorer les caractéristiques, les procédés de fabrication et le potentiel commercial.

Entretien et entretien préventif (dans l'optique de la gestion)

Contrôle, maintien en bon état et réparation des installations, du matériel et des bâtiments en vue de prévenir les pannes de fonctionnement.

Etude de marché

Consiste à rassembler, à enregistrer et à analyser toutes les données intéressant le transfert et la commercialisation de biens ou de services spécifiés du producteur au consommateur.

Etude des procédés de fabrication

Ensemble des recherches portant sur la nature et les caractéristiques de procédés de fabrication donnés.

Etude des produits

Ensemble des recherches portant sur la nature et les caractéristiques de produits, existants ou projetés, par rapport aux fonctions qu'ils ont ou qu'ils peuvent avoir à remplir.

Formation des exécutants

Formation systématique des ouvriers pour leur donner une habileté manuelle qui permettra d'appliquer des méthodes de travail correctes et uniformes.

Inspection ou contrôle aux mesures

Consiste à effectuer des essais, à l'aide d'appareils de mesure, en vue de déterminer si les caractéristiques d'un produit donné ne dépassent pas les limites de variabilité spécifiées.

Limitation de l'assortiment

Réduction systématique du nombre de variétés de produits fabriqués et de matières, pièces et outils utilisés dans une usine.

Méthode des coûts standards

Système de contrôle budgétaire consistant à établir des prévisions de coûts standards, à comparer ensuite ces prévisions aux coûts réels et à analyser les différences constatées pour en rechercher les causes.

Normalisation

Mise au point et maintien d'une norme pour un produit, un type de pièce, une gamme de produits ou de pièces ou un processus donné.

Planification de la fabrication

Planification détaillée, avant leur lancement, des processus de fabrication nécessaires à la transformation des matières premières en produits finis. Ce terme a été utilisé pour la première fois dans ce sens dans les industries mécaniques.

Planning

Planification des moyens matériels de la production. Ce terme englobe la planification des opérations de production, la conception de l'outillage, l'implantation des installations et du matériel, la manutention des matières et des outils dans les ateliers. L'étude du travail est une technique fondamen-

435

tale de planning. Note. – En France, on distingue les fonctions méthodes, ordonnancement, planning. Ce dernier terme est donc plus restrictif.

Politique de commercialisation

Principes d'action d'une entreprise concernant la mise sur le marché de ses produits ou de ses services. La politique de commercialisation englobe des questions telles que l'éventail des biens ou des services à offrir, les marchés à atteindre, les gammes de prix, les méthodes de vente, la distribution et la promotion des ventes, et le dosage approprié des décisions que la direction doit prendre en ce qui concerne la commercialisation de ses produits.

Politique du personnel

Politique d'une entreprise à l'égard de ses salariés. La politique du personnel englobe les méthodes de sélection, le recrutement, la formation, les systèmes de rémunération, les services sociaux, les méthodes de consultation, les relations avec les syndicats, la sécurité sociale et toutes autres questions pour lesquelles l'attitude de l'employeur peut influer sur la qualité de la vie de travail et sur le bien-être du personnel.

Productivité

Rapport du produit obtenu aux ressources utilisées.

Rémunération au rendement

Tout système de rémunération dans lequel le montant des gains est fonction des résultats obtenus, et qui encourage ainsi les travailleurs à améliorer leur rendement.

2. Liste de questions à se poser lorsqu'on applique la méthode interrogative lors d'une étude des méthodes

La plupart des questions énumérées ci-dessous conviennent d'une façon générale à l'étude des méthodes. Elles développent la méthode interrogative décrite au chapitre 8 et peuvent contribuer à attirer l'attention des agents d'étude sur certains aspects de la méthode de travail qui auraient pu leur échapper. Les questions sont classées sous les rubriques suivantes :

- A. Opérations
- B. Conception
- C. Exigences du contrôle de fabrication
- D. Manutention des matières
- E. Analyse de processus
- F. Matières
- G. Organisation du travail
- H. Implantation du poste de travail
- I. Outillage et matériel
- J. Conditions de travail
- K. Intérêt du travail

A. Opérations

1. Quel est le but de l'opération ?

2. Le résultat de l'opération est-il vraiment nécessaire ? Dans l'affirmative, pourquoi est-il nécessaire ?

3. L'opération est-elle nécessaire parce que l'opération précédente n'a pas été exécutée correctement ?

4. L'opération a-t-elle été initialement mise au point pour rectifier quelque chose qui est actuellement corrigé d'une autre manière ?

5. Si le but de l'opération est l'amélioration de l'aspect du produit, le coût additionnel donne-t-il une valeur marchande supplémentaire ?

6. Le but de l'opération pourrait-il être atteint d'une autre façon ?

7. Le fournisseur de la matière pourrait-il exécuter l'opération lui-même de manière plus économique ?

8. L'opération est-elle exécutée pour satisfaire les exigences de tous les utilisateurs du produit ou est-elle rendue nécessaire par les exigences d'un ou deux clients seulement ?

9. Une opération ultérieure élimine-t-elle la nécessité de cette opération ?

10. Cette opération est-elle effectuée uniquement par habitude ?

11. L'opération a-t-elle été introduite dans le processus pour réduire le coût d'une opération antérieure, ou ultérieure ?

12. L'opération a-t-elle été ajoutée au processus à la demande du service des ventes en tant que spécialité ?

13. Pourrait-on acheter la pièce à un moindre coût?

14. L'introduction d'une opération supplémentaire rendrait-elle d'autres opérations plus faciles à effectuer?

15. Y aurait-il une autre façon d'exécuter l'opération tout en obtenant les mêmes résultats?

16. Si l'opération a été décidée pour remédier à une difficulté qui intervient dans la suite du processus, serait-il possible que cette opération corrective soit plus coûteuse que la difficulté elle-même?

17. Les conditions ont-elles changé depuis que l'opération a été ajoutée au processus?

18. L'opération pourrait-elle être combinée avec une opération intervenant avant ou après dans le processus de fabrication?

B. Conception

1. Pourrait-on modifier la conception de façon à simplifier ou à éliminer l'opération?

2. La conception de la pièce permet-elle de la fabriquer dans de bonnes conditions?

3. Pourrait-on obtenir des résultats équivalents en changeant la conception et en réduisant ainsi le coût?

4. Pourrait-on remplacer la pièce par une pièce normalisée?

5. Une modification de la conception augmenterait-elle la valeur marchande du produit et les débouchés?

6. Pourrait-on se contenter de transformer une pièce normalisée?

7. Est-il possible d'améliorer l'aspect de l'article sans nuire à son utilité?

8. Un coût additionnel entraîné par une amélioration de l'aspect et des possibilités d'utilisation du produit serait-il contrebalancé par une augmentation des ventes?

9. Dans cette gamme de prix, l'article occupe-t-il la première place sur le marché, tant au point de vue des possibilités d'utilisation qu'au point de vue de l'aspect?

10. A-t-on procédé à une analyse de la valeur?

C. Exigences du contrôle de fabrication

1. Quelles sont les exigences du contrôle de fabrication pour cette opération?

2. Toutes les personnes concernées connaissent-elles la nature exacte de ces exigences?

3. Quels sont les points contrôlés au cours des opérations précédentes et au cours des opérations suivantes?

4. Un changement des exigences fixées pour cette opération la rendrait-elle plus facile à exécuter?

5. Un changement des exigences fixées pour l'opération précédente rendrait-il cette opération plus facile à exécuter?

6. Les tolérances, les majorations, le degré de fini exigé et les autres normes imposées sont-elles réellement nécessaires?

7. Pourrait-on élever les normes de qualité sans pour autant entraîner des coûts inutiles?

8. L'abaissement des normes entraînerait-il une importante réduction des coûts?

9. Peut-on améliorer la qualité de fini du produit d'une manière quelconque par rapport à la norme actuelle?

10. Comment les normes fixées pour ce produit ou pour ce processus se situent-elles par rapport aux normes fixées pour des produits ou des processus analogues?

11. Pourrait-on améliorer la qualité en utilisant de nouveaux processus?

12. Tous les clients exigent-ils les mêmes normes de fabrication?

13. Une modification des normes de fabrication et des exigences du contrôle ferait-elle augmenter ou diminuer la proportion de pièces défectueuses et des frais pour l'opération, l'atelier ou le secteur?

14. Les tolérances permises dans la pratique sont-elles identiques à celles qui sont prévues sur le dessin?

15. Toutes les parties intéressées se sont-elles mises d'accord sur ce qui constitue une qualité acceptable?

16. Quelles sont, pour cette pièce, les principales causes de rejet?

17. La norme de qualité a-t-elle été fixée avec précision ou est-ce une question d'appréciation individuelle?

D. Manutention des matières

1. Le temps consacré à amener les matières au poste de travail et à enlever les pièces terminées est-il relativement important par rapport au temps nécessaire pour traiter ces matières au poste de travail?

2. Dans la négative, la manutention des matières pourrait-elle être effectuée par les exécutants eux-mêmes, ce qui leur permettrait de se reposer en changeant d'activité?

3. Serait-il souhaitable d'utiliser des chariots à main, des chariots électriques ou des chariots élévateurs à fourche?

4. Serait-il souhaitable de fabriquer spécialement des rayonnages, des conteneurs ou des palettes pour pouvoir manutentionner les matières facilement et sans les endommager?

5. Où faudrait-il situer l'arrivée et la sortie des matières sur la zone de travail?

6. L'emploi d'un convoyeur se justifie-t-il? Dans l'affirmative, quel type de convoyeur conviendrait le mieux pour ce travail?

7. Les postes de travail où se déroulent les différentes étapes de l'opération pourraient-ils être rapprochés les uns des autres et pourrait-on résoudre le problème de la manutention des matières par des systèmes d'alimentation et d'évacuation par gravité?

8. Pourrait-on faire passer les matières sur le plan de travail d'un exécutant au suivant?

9. Pourrait-on répartir les matières entre les différents postes à l'aide d'un convoyeur partant d'un point central?

10. Les dimensions du conteneur sont-elles adaptées à la quantité de matière transportée?

11. Pourrait-on faire converger les matières vers un point de contrôle central à l'aide d'un convoyeur?

12. L'exécutant pourrait-il contrôler son propre travail?

13. Pourrait-on concevoir un conteneur qui rendrait plus aisé l'accès aux matières?

14. Pourrait-on placer un conteneur au poste de travail sans enlever les matières?

15. Y aurait-il avantage à utiliser un palan électrique ou pneumatique ou tout autre dispositif de levage?

16. En cas d'utilisation d'un pont roulant, son fonctionnement est-il rapide et précis?

17. Pourrait-on utiliser un train de wagonnets tiré par un tracteur électrique ou un chemin de fer intérieur? Pourrait-on ainsi remplacer un convoyeur?

18. Pourrait-on exploiter la gravité en commençant l'opération à un niveau plus élevé?

19. Pourrait-on utiliser des toboggans pour recueillir les matières et les transporter jusqu'aux conteneurs?

20. Des graphiques de déroulement aideraient-ils à résoudre le problème de circulation et de manutention?

21. L'entrepôt est-il situé de façon rationnelle?

22. Les points de chargement et de déchargement des camions sont-ils situés au centre de l'entreprise?

23. Pourrait-on utiliser des convoyeurs pour effectuer les transports d'un étage à un autre?

24. Pourrait-on utiliser aux postes de travail des conteneurs de matières portatifs arrivant au niveau de la taille des exécutants?

25. Peut-on facilement évacuer les pièces terminées?

26. Pourrait-on supprimer les déplacements en installant une table pivotante?

27. Pourrait-on livrer les matières premières venant de l'extérieur directement au premier poste de travail, afin d'éviter une double manutention?

439

28. Pourrait-on combiner deux opérations au même poste de travail pour éviter une double manutention?

29. Pourrait-on éliminer les pesées en utilisant des conteneurs de dimensions standards?

30. Un élévateur hydraulique éliminerait-il l'utilisation d'une grue?

31. L'exécutant pourrait-il amener lui-même les pièces au poste suivant une fois qu'il a terminé son travail?

32. A-t-on uniformisé les dimensions des conteneurs afin de pouvoir les empiler et de réduire ainsi la surface au sol utilisée?

33. Pourrait-on acheter les matières sous un autre conditionnement de dimensions plus commodes pour la manutention?

34. Pourrait-on éviter des temps d'attente en installant des signaux (voyants lumineux, sonneries, etc.) pour indiquer aux ouvriers qu'un supplément de matière est nécessaire?

35. Un meilleur enchaînement des opérations permettrait-il d'éliminer les goulets d'étranglement?

36. Une meilleure planification éliminerait-elle les goulets d'étranglement au niveau des grues?

37. Pourrait-on modifier l'emplacement des magasins et des stocks de matières afin de réduire les manutentions et les transports?

E. Analyse de processus

1. Pourrait-on combiner l'opération analysée avec une autre opération? Pourrait-on l'éliminer?

2. Pourrait-on la décomposer en plusieurs parties, que l'on pourrait ensuite combiner à d'autres opérations?

3. Pourrait-on exécuter une partie de l'opération plus efficacement en en faisant une opération distincte?

4. La suite des opérations est-elle optimale, ou améliorerait-on l'opération considérée en modifiant cette séquence?

5. Pourrait-on effectuer l'opération dans un autre service afin d'éviter des coûts de manutention?

6. Devrait-on procéder à une étude sommaire de l'opération à l'aide d'un graphique de déroulement?

7. Si l'opération était modifiée, quelles en seraient les répercussions sur les autres opérations? Sur le produit fini?

8. Si la pièce peut être fabriquée selon une autre méthode, les résultats obtenus avec cette méthode justifieront-ils tout le travail que cela implique?

9. Pourrait-on combiner l'opération et le contrôle?

10. La tâche est-elle contrôlée au point le plus critique de l'opération ou lorsqu'elle est terminée?

11. Un système de contrôle volant pourrait-il éliminer les déchets, les rebuts et les frais?

12. Existe-t-il d'autres pièces analogues qui pourraient être fabriquées en utilisant la même méthode, le même outillage et les mêmes dispositifs?

F. Matières

1. Les matières utilisées conviennent-elles réellement au travail à effectuer?

2. Pourrait-on les remplacer par une matière moins coûteuse qui permettrait cependant tout aussi bien de réaliser le travail?

3. Pourrait-on utiliser une matière plus légère?

4. La matière est-elle achetée dans un état adapté à l'usage qu'on en fait?

5. Le fournisseur pourrait-il exécuter un travail supplémentaire sur la matière de façon à en améliorer l'utilisation et à réduire les déchets?

6. La matière est-elle suffisamment propre?

7. La matière est-elle achetée par quantités et dimensions qui permettent une utilisation maximum et limitent les déchets, les chutes et les découpes inutilisables?

8. La matière est-elle utilisée au mieux des possibilités lors de la coupe et lors du traitement?

9. L'énergie et les matières consommées accessoirement par le processus de fabrication (lubrifiants, eau, acides, peintures, gaz, air comprimé, électricité) conviennent-elles au processus, leur utilisation est-elle contrôlée, et les économise-t-on?

10. Que représente le coût des matières par rapport au coût de la main-d'œuvre?

11. Pourrait-on modifier la conception de la pièce pour éliminer des pertes et des déchets excessifs?

12. Le nombre des matières utilisées pourrait-il être réduit grâce à la normalisation?

13. Pourrait-on fabriquer la pièce avec des déchets ou avec des chutes?

14. Pourrait-on utiliser des matières de conception nouvelle (des plastiques, des agglomérés, etc.)?

15. Le fournisseur fait-il subir à la matière des traitements qui sont inutiles pour le processus considéré?

16. Pourrait-on utiliser des matières filées ou extrudées?

17. Si les matières avaient des caractéristiques plus uniformes, pourrait-on mieux contrôler le processus?

18. Pourrait-on remplacer une pièce qui est moulée en cours d'opération par une pièce manufacturée pour éviter les coûts de moulage?

19. Le nombre de pièces produites est-il assez faible pour justifier la suppression du moulage?

20. La matière est-elle exempte d'arêtes vives, de barbes, etc.?

21. Quels sont les effets du stockage sur les matières?

22. Un contrôle plus soigneux des matières à l'entrée diminuerait-il les difficultés que connaît actuellement l'atelier?

23. Un contrôle par sondage combiné avec un système d'évaluation des fournisseurs permettrait-il de réduire les coûts et les retards entraînés par le contrôle?

24. La pièce pourrait-elle être fabriquée à un moindre coût à partir des chutes si l'on utilisait une matière d'épaisseur différente?

G. Organisation du travail

1. Comment attribue-t-on la tâche à l'exécutant?

2. L'organisation des opérations est-elle si bonne que l'exécutant ne se trouve jamais sans travail?

3. De quelle façon l'exécutant reçoit-il ses instructions?

4. De quelle façon obtient-il les matières?

5. Comment distribue-t-on les dessins et les outils?

6. Le temps de travail fait-il l'objet d'un contrôle? Dans l'affirmative, comment détermine-t-on l'heure du début et de la fin d'une tâche?

7. Y a-t-il de nombreuses possibilités de retard à la salle des dessins, au magasin d'outillage, au stockage ou au bureau d'atelier?

8. L'implantation de la zone de travail est-elle rationnelle? Pourrait-on l'améliorer?

9. Les matières sont-elles bien disposées?

10. Si l'opération est effectuée en continu, combien de temps perd-on au début et à la fin de chaque poste pour les travaux préliminaires et le nettoyage?

11. Comment mesure-t-on la quantité de matière traitée?

12. Compare-t-on vraiment le nombre des pièces payées aux relevés de production?

13. Pourrait-on utiliser des compteurs automatiques?

14. Quel travail administratif exige-t-on des exécutants pour remplir les cartes de présence, les bons de commande de matière, etc.?

15.   Que fait-on du travail défectueux?

16.   Comment la distribution et l'entretien de l'outillage sont-ils organisés?

17.   Procède-t-on à des relevés appropriés du rendement des exécutants?

18.   Prend-on les mesures nécessaires pour que les nouveaux ouvriers puissent s'adapter aux conditions de travail? Reçoivent-ils une formation suffisante?

19.   Lorsque des travailleurs n'atteignent pas la norme de rendement, cherche-t-on à en établir les raisons avec précision?

20.   Encourage-t-on les travailleurs à exposer leurs suggestions?

21.   Les travailleurs comprennent-ils vraiment le système de rémunération au rendement qui leur est appliqué?

H. Implantation du poste de travail

1.   L'implantation de l'usine facilite-t-elle une manutention rationnelle des matières?

2.   L'implantation de l'usine permet-elle d'entretenir efficacement les installations?

3.   L'implantation de l'usine permet-elle de travailler dans de bonnes conditions de sécurité?

4.   L'implantation de l'usine est-elle adaptée à la préparation du travail?

5.   L'implantation de l'usine favorise-t-elle les contacts entre les exécutants?

6.   Les matières sont-elles disposées commodément au poste de travail?

7.   Les outils sont-ils prépositionnés de manière à éviter les hésitations?

8.   Y a-t-il des plans de travail suffisants pour les opérations accessoires comme le contrôle et l'ébarbage?

9.   Y a-t-il une installation permettant d'enlever et de mettre de côté la limaille et les déchets?

10.   A-t-on pris les dispositions nécessaires pour assurer le confort de l'exécutant (ventilateur, caillebotis, chaises, etc.)?

11.   L'éclairage est-il suffisant pour le travail à effectuer?

12.   A-t-on prévu des emplacements pour entreposer les outils et les calibres?

13.   A-t-on prévu un endroit où les exécutants peuvent déposer leurs effets personnels?

I. Outillage et matériel

1.   Pourrait-on construire un montage qui puisse servir à plus d'une tâche?

2.   Le volume des matières traitées justifie-t-il l'emploi d'outils et de montages extrêmement spécialisés?

3.   Pourrait-on utiliser un chargeur automatique?

4.   Le montage pourrait-il être fabriqué avec des matériaux plus légers ou être conçu en utilisant moins de matière de façon à être plus facile à manipuler?

5.   Existe-t-il d'autres supports que l'on pourrait adapter pour cette opération?

6.   Le montage est-il bien conçu?

7.   Nuirait-on à la qualité du produit en utilisant un outillage moins coûteux?

8.   Le montage est-il conçu pour permettre une économie maximum des mouvements?

9.   Peut-on introduire rapidement la pièce dans le montage et la retirer rapidement?

10.   Serait-il souhaitable d'utiliser un mécanisme à came pour serrer rapidement le montage, le serre-joint ou l'étau?

11.   Pourrait-on installer sur le support des éjecteurs qui enlèveraient automatiquement la pièce dès l'ouverture du support?

12.   Tous les opérateurs disposent-ils des mêmes outils?

13.   S'il faut effectuer un travail de précision, les exécutants diposent-ils des calibres et autres instruments de mesure appropriés?

14.   Le matériel en bois que l'on utilise est-il en bon état? Les surfaces des établis ou bancs de travail sont-elles exemptes d'éclats de bois?

15. Une table ou un banc de travail conçu pour éviter de se baisser, de s'incliner ou de se pencher réduirait-il la fatigue?

16. Le préréglage est-il possible?

17. Pourrait-on utiliser un outillage normalisé?

18. Pourrait-on réduire le temps de réglage?

19. Comment s'opère le réapprovisionnement en matières?

20. Pourrait-on fournir à l'exécutant une lance à air comprimé commandée à la main ou au pied et tirer profit de son utilisation?

21. Pourrait-on utiliser des montages?

22. Pourrait-on utiliser des guides ou des goupilles coniques pour positionner la pièce?

23. Que faut-il faire pour achever l'opération et ranger tout le matériel?

J. Conditions de travail

1. Les conditions d'éclairage varient-elles au cours de la journée de travail? L'éclairage est-il toujours suffisant?

2. A-t-on éliminé les causes d'éblouissement au poste de travail?

3. Des conditions de confort thermique sont-elles assurées à tout moment? Dans le cas contraire, pourrait-on installer des ventilateurs ou des radiateurs?

4. L'installation d'un système de climatisation se justifierait-elle?

5. Peut-on réduire le niveau de bruit?

6. Peut-on évacuer les fumées, les vapeurs et la saleté par des systèmes d'aspiration?

7. S'il y a des sols de ciment, a-t-on installé des nattes ou des caillebotis pour rendre plus confortable la station debout?

8. Peut-on mettre un siège à la disposition de l'exécutant?

9. Des postes de distribution d'eau potable réfrigérée sont-ils mis à la disposition des travailleurs et sont-ils situés à proximité?

10. A-t-on bien tenu compte des exigences de sécurité?

11. Le revêtement du sol est-il uni? Présente-t-il des dangers de chute ou de glissade?

12. L'exécutant a-t-il reçu les consignes de sécurité appropriées pour son travail?

13. La tenue de travail est-elle appropriée du point de vue de la sécurité?

14. L'usine présente-t-elle en permanence un aspect propre et ordonné?

15. Le poste de travail est-il nettoyé à fond?

16. Les locaux sont-ils anormalement froids en hiver ou anormalement chauds en été, en particulier le premier matin de la semaine?

17. Les processus dangereux font-ils l'objet de mesures de sécurité suffisantes?

K. Intérêt du travail

1. Le travail est-il ennuyeux ou monotone?

2. Pourrait-on rendre l'opération plus intéressante?

3. Pourrait-on combiner l'opération avec les opérations précédentes ou suivantes afin de l'enrichir?

4. Quelle est la durée du cycle?

5. L'exécutant peut-il effectuer les réglages lui-même?

6. Peut-il contrôler son travail lui-même?

7. Peut-il faire lui-même les opérations de finition?

8. Peut-il entretenir ses outils lui-même?

9. Peut-on lui confier une série de tâches et lui laisser le soin d'établir lui-même son plan de travail?

10. Peut-il exécuter la pièce complète?

443

11. La rotation des tâches est-elle possible et souhaitable?

12. Peut-on utiliser l'implantation par groupe?

13. Des horaires de travail «à la carte» sont-ils possibles et souhaitables?

14. La cadence de l'opération est-elle imposée par la machine?

15. Pourrait-on disposer des stocks tampons pour tenir compte des variations de l'allure de travail?

16. L'exécutant est-il régulièrement informé de son rendement?

3. Exemples de tables utilisées pour le calcul des majorations de repos

Cette annexe est établie sur la base d'informations fournies par Peter Steele and Partners (Royaume-Uni). Des tables analogues ont été mises au point par divers instituts de recherche comme le REFA (République fédérale d'Allemagne) et par des bureaux de consultants. L'annexe 4 donne les tables utilisées par le Bureau des temps élémentaires (France).

On peut déterminer les majorations de repos à l'aide des tables comparatives des efforts et de la table de conversion des points qui sont reproduites ci-après. La marche à suivre est la suivante:

1. On passe en revue les différentes subdivisions de la table I et, pour chacune d'entre elles, on détermine l'importance de l'effort imposé lors de l'accomplissement de l'élément considéré en se référant aux tables comparatives des efforts.

2. On alloue pour chaque type d'effort le nombre de points indiqué par les tables et on calcule le total des points attribués à l'exécution de l'élément de travail.

3. A partir de ce total, on calcule la majoration de repos en utilisant la table de conversion.

Table I.   Points attribués à différents types d'efforts: tableau récapitulatif

Type d'effort	Intensité		
	Basse	Moyenne	Haute
A. *Effort physique résultant de la nature du travail*			
1. Force développée moyenne	0-85	0-113	0-149
2. Position	0-5	6-11	12-16
3. Vibrations	0-4	5-10	11-15
4. Cycle court	0-3	4-6	7-10
5. Tenue de travail gênante	0-4	5-12	13-20
B. *Tension mentale*			
1. Concentration/anxiété	0-4	5-10	11-16
2. Monotonie	0-2	3-7	8-10
3. Efforts visuels	0-5	6-11	12-20
4. Bruit	0-2	3-7	8-10
C. *Effort physique ou tension mentale résultant de la nature des conditions de travail*			
1. Température			
Faible degré hygrométrique	0-5	6-11	12-16
Degré hygrométrique moyen	0-5	6-14	15-26
Degré hygrométrique élevé	0-6	7-17	18-36

Type d'effort	Intensité		
	Basse	Moyenne	Haute
2. Ventilation	0-3	4-9	10-15
3. Fumées et vapeurs	0-3	4-8	9-12
4. Poussière	0-3	4-8	9-12
5. Saleté	0-2	3-6	7-10
6. Humidité	0-2	3-6	7-10

Note: Lorsqu'on attribue les points, il faut traiter chaque effort séparément, sans tenir compte des points alloués aux autres efforts. Si un effort n'intervient que pendant une fraction du temps d'exécution, les points sont attribués proportionnellement.

Exemple: concentration intense (H): 16 points, 25 pour cent du temps d'exécution
faible concentration (B): 4 points, 75 pour cent du temps d'exécution.

On alloue: $16 \times 0{,}25 = 4$ points, plus $4 \times 0{,}75 = 3$ points, soit, au total, $4 + 3 = 7$ points.

TABLES COMPARATIVES DES EFFORTS

A. Effort physique résultant de la nature du travail

1. FORCE DÉVELOPPÉE MOYENNE (FACTEUR A.1)

On prend en considération l'intégralité de l'élément de travail ou de l'intervalle de temps pour lequel il faut fixer une majoration de repos et on détermine la force développée **moyenne**:

Exemple:

Soulever et transporter un poids de 40 lb (temps d'exécution: 12 secondes) et revenir les mains vides (temps d'exécution: 8 secondes). Dans cet exemple, si l'on doit appliquer une majoration de repos au «temps total» (20 secondes), la «force moyenne développée» devra être calculée comme suit:

$$\left(40 \times \frac{12}{20}\right) + \left(0 \times \frac{8}{20}\right) = 24 \text{ lb.}$$

Le nombre de points attribués à la force développée moyenne varie selon le type d'effort produit par l'opération. Cet effort peut appartenir à l'une des catégories suivantes:

a) Effort moyen

Le travail implique essentiellement des efforts consistant à:

1) transporter ou supporter des fardeaux;

2) pelleter, marteler et accomplir d'autres mouvements rythmiques.

Cette catégorie englobe la plupart des opérations.

b) Effort faible

Le travail implique essentiellement des efforts consistant à:

1) transférer le poids du corps pour exercer une force; exemples: actionner une pédale, peser de tout son corps sur un objet contre un tampon;

2) supporter ou transporter des charges bien équilibrées fixées au corps par une courroie ou suspendues aux épaules, les bras et les mains restant libres.

c) Effort élevé

Le travail implique essentiellement des efforts consistant à:

1) soulever des fardeaux;

2) exercer une force en utilisant continuellement certains muscles des doigts ou des bras;

3) soulever ou supporter des charges dans des positions incommodes ou à manipuler des poids importants dans des positions inconfortables;

4) effectuer des opérations à des températures élevées (travail à chaud des métaux, etc.).

Les majorations de repos ne devraient être attribuées dans cette catégorie que lorsqu'on s'est efforcé par tous les moyens d'améliorer les installations afin d'alléger l'engagement physique.

On doit procéder à une étude des éléments pour déterminer à quelle catégorie d'effort ils correspondent. Les points à attribuer en fonction du type d'effort et de la force développée moyenne figurent dans les tables II à IV.

Note. — 1 livre (lb) = 0,454 kg; 1 kg = 2,205 lb.

Table II.   Effort moyen: points attribués à la force développée moyenne

lb	0	1	2	3	4	5	6	7	8	9
0	0	0	0	0	3	6	8	10	12	14
10	15	16	17	18	19	20	21	22	23	24
20	25	26	27	28	29	30	31	32	32	33
30	34	35	36	37	38	39	39	40	41	41
40	42	43	44	45	46	46	47	48	49	50
50	50	51	51	52	53	54	54	55	56	56
60	57	58	59	59	60	61	61	62	63	64
70	64	65	65	66	67	68	69	70	70	71
80	72	72	72	73	73	74	74	75	76	76
90	77	78	79	79	80	80	81	82	82	83
100	84	85	86	86	87	88	88	88	89	90
110	91	92	93	94	95	95	96	96	97	97
120	97	98	98	98	99	99	99	100	100	100
130	101	101	102	102	103	104	105	106	107	108
140	109	109	109	110	110	111	112	112	112	113

Table III.   Effort faible: points attribués à la force développée moyenne

lb	0	1	2	3	4	5	6	7	8	9
0	0	0	0	0	3	6	7	8	9	10
10	11	12	13	14	14	15	16	16	17	18
20	19	19	20	21	22	22	23	23	24	25
30	26	26	27	27	28	28	29	30	31	31
40	32	32	33	34	34	35	35	36	36	37
50	38	38	39	39	40	41	41	42	42	43
60	43	43	44	44	45	46	46	47	47	48
70	48	49	50	50	50	51	51	52	52	53
80	54	54	54	55	55	56	56	57	58	58
90	58	59	59	60	60	60	61	62	62	63
100	63	63	64	65	65	66	66	66	67	67
110	68	68	68	69	69	70	71	71	71	72
120	72	73	73	73	74	74	75	75	76	76
130	77	77	77	78	78	78	79	80	80	81
140	81	82	82	82	83	83	84	84	84	85

Table IV. *Effort élevé: points attribués à la force développée moyenne*

lb	0	1	2	3	3-4	4	5	6	7	8	9
0	0	0	0	3	6	8	11	13	15	17	18
10	20	21	22	24		25	27	28	29	30	32
20	33	34	35	37		38	39	40	41	43	44
30	45	46	47	48		49	50	51	52	54	55
40	56	57	58	59		60	61	62	63	64	65
50	66	67	68	69		70	71	72	73	74	75
60	76	76	77	78		79	80	81	82	83	84
70	85	86	87	88		88	89	90	91	92	93
80	94	94	95	96		97	98	99	100	101	101
90	102	103	104	105		105	106	107	108	109	110
100	110	111	112	113		114	115	115	116	117	118
110	119	119	120	121		122	123	124	124	125	126
120	127	128	128	129		130	130	131	132	133	134
130	135	136	136	137		137	138	139	140	141	142
140	142	143	143	144		145	146	147	148	148	149

Exemple: Si la charge transportée pèse 25 livres:

1) on détermine le type d'effort produit (moyen, faible ou élevé);
2) dans la colonne de gauche de la table correspondant au type d'effort retenu (table II, III ou IV), on sélectionne la rangée horizontale correspondant à 20 lb;
3) on parcourt cette rangée de gauche à droite en s'arrêtant à la colonne 5;
4) on lit le nombre de points correspondant au transport d'une charge de 25 lb, soit:

table II, effort moyen: 30 points

table III, effort faible: 22 points

table IV, effort élevé: 39 points.

2. POSITION (FACTEUR A.2)

Critères d'attribution des points: le travailleur est-il assis, debout, penché ou recroquevillé sur lui-même? Peut-il manipuler sa charge aisément ou de façon incommode?

	Points
Commodément assis	0
Assis de façon incommode ou mi-assis, mi-debout	2
Debout ou marchant sans entraves	4
Monte ou descend un escalier sans porter de charge	5
Debout ou marchant avec une charge	6
Monte ou descend sur une échelle, ou se penche, soulève, s'étire pour atteindre ou lance des objets de temps à autre	8
Soulève de façon incommode, pellette du gravier dans une benne	10
Se penche, soulève, s'étire pour atteindre ou lance constamment	12
Extrait du charbon au pic, couché dans une veine étroite	16

3. VIBRATIONS (FACTEUR A.3)

Critères d'attribution des points: impact des vibrations ou d'une série de chocs ou de secousses sur le corps, les membres ou les mains, effort mental supplémentaire provoqué par les vibrations.

	Points
Pelleter des matières légères	1
Machine à coudre électrique	
Presse hydraulique ou cisaille, si l'opérateur tient la matière à couper ou à emboutir	2
Tronçonner	
Pelleter du gravier	
Foreuse électrique portative actionnée par une main	4
Piocher	6
Foreuse électrique (actionnée avec les deux mains)	8
Défoncer une chaussée de béton au marteau-piqueur	15

4. CYCLE COURT (TRAVAIL TRÈS RÉPÉTITIF) (FACTEUR A. 4)

Dans les travaux très répétitifs, si une série d'éléments très courts forme un cycle qui se répète continuellement durant une période relativement longue, on attribue des points selon le barème ci-dessous, pour compenser le manque de possibilités de varier l'éventail des muscles utilisés.

Temps moyen du cycle (centiminutes)	Points
16-17	1
15	2
13-14	3
12	4
10-11	5
8-9	6
7	7
6	8
5	9
Moins de 5	10

5. TENUE DE TRAVAIL GÊNANTE (FACTEUR A. 5)

Critères d'attribution des points : influence du poids de la tenue de protection sur l'effort et le mouvement, réduction éventuelle de la ventilation et de la capacité respiratoire du travailleur.

	Points
Gants en caoutchouc mince (gants chirurgicaux)	1
Gants de ménage en caoutchouc	
Bottes en caoutchouc	2
Lunettes de rectifieur	3
Gants industriels en caoutchouc ou en cuir	5
Masque facial (par exemple pour la peinture au pistolet)	8
Tenue de protection en amiante ou manteau en toile cirée	15
Combinaison de protection entravant les mouvements et appareil respiratoire	20

449

B. Tension mentale

1. CONCENTRATION/ANXIÉTÉ (FACTEUR B.1)

Critères d'attribution des points: qu'arriverait-il si l'opérateur relâchait son attention, responsabilité confiée à l'exécutant, nécessité de respecter des exigences de temps pour chaque mouvement, précision ou exactitude requise.

	Points
Travaux simples et courants d'assemblage / Pelleter du gravier	0
Travaux d'emballage courants, laveur de véhicules / Conduire un chariot le long des allées dégagées	1
Alimenter une presse en gardant la main à l'écart de la presse / Reniveler une batterie d'accumulateurs	2
Peindre des murs	3
Réunir des objets pour former des lots simples et de faible importance, sans devoir beaucoup réfléchir / Coudre avec une machine à guidage automatique	4
Préparer des commandes dans un entrepôt avec un chariot / Contrôle simple	5
Charger et décharger une presse à la main / Peinture des métaux au pistolet	6
Additionner des chiffres / Contrôler de petites pièces détachées	7
Emeuler et polir	8
Guider à la main la pièce sur une machine à coudre / Emballer un assortiment de chocolats, selon une disposition que l'exécutant doit mémoriser et choisir les chocolats en fonction de cette disposition / Travail d'assemblage trop complexe pour permettre à l'exécutant d'acquérir des automatismes / Souder des pièces maintenues dans un montage	10
Conduire un autobus dans un épais brouillard ou lorsque la circulation est intense / Marquage détaillé et très précis	15

2. MONOTONIE (FACTEUR B.2)

Critères d'attribution des points: degré de stimulation mentale, existence éventuelle de liens de camaraderie, d'un esprit de compétition, d'un fond musical, etc.

	Points
Deux ouvriers travaillant à façon	0
Nettoyer ses chaussures pendant une demi-heure	3
Opérateur exécutant un travail répétitif / Opérateur exécutant seul un travail non répétitif	5
Contrôle de routine	6
Additionner des colonnes de chiffres semblables	8
Opérateur exécutant seul un travail hautement répétitif	11

3. EFFORTS VISUELS (FACTEUR B.3)

Critères d'attribution des points: conditions d'éclairage, éblouissement, lumières clignotantes, niveau d'éclairement, couleur et proximité de la pièce à usiner, durée de l'effort visuel subi.

	Points
Travail industriel normal	0
Contrôle: détection de défauts facilement discernables Assortir par teinte des objets de couleurs distinctes Travail industriel dans de mauvaises conditions d'éclairage	2
Contrôle à différents intervalles: détection de petits défauts Trier des pommes	4
Lire un journal dans un autobus en mouvement	8
Souder à l'arc avec utilisation d'un masque Contrôle visuel continu, par exemple du tissu sortant d'un métier	10
Graver en utilisant une loupe	14

4. BRUIT (FACTEUR B.4)

Critères d'attribution des points: le bruit affecte-t-il la concentration, s'agit-il d'un bourdonnement continu ou d'un bruit de fond, se produit-il régulièrement ou à l'improviste, est-il irritant ou au contraire apaisant? (Le bruit a été défini comme «un son de forte intensité produit par quelqu'un d'autre».)

	Points
Travail dans un bureau calme, pas de bruit dispersant l'attention Usine de montage d'éléments légers	0
Travail dans un bureau en ville avec le vacarme continu de la circulation extérieure en bruit de fond	1
Atelier de petite mécanique Bureau ou atelier d'assemblage où le bruit constitue une source de distraction	2
Atelier de menuiserie industrielle	4
Actionner un marteau-pilon dans une forge	5
Riveter dans un chantier de construction navale	9
Défoncer une chaussée au marteau-piqueur	10

C. Effort physique ou tension mentale résultant de la nature des conditions de travail

1. TEMPÉRATURE ET DEGRÉ HYGROMÉTRIQUE (FACTEUR C.1.)

Critères d'attribution des points: conditions atmosphériques générales de température et d'humidité, que l'on classe dans une des catégories du tableau ci-dessous. Choisir les points selon la température moyenne de la catégorie.

Degré hygrométrique (pour cent)	Température		
	Jusqu'à 24 °C	25 à 32 °C	Plus de 32 °C
Jusqu'à 75	0	6-9	12-16
De 76 à 85	1-3	8-12	15-26
Plus de 85	4-6	12-17	20-36

2. VENTILATION (FACTEUR C.2)

Critères d'attribution des points: qualité et fraîcheur de l'air, circulation d'air par climatisation ou par ventilation naturelle.

	Points
Bureaux	
Usines avec conditions de travail analogues à celles des bureaux	0
Atelier où la ventilation est convenable, mais quelques courants d'air	1
Ateliers exposés à de forts courants d'air	3
Travailler dans les égouts	14

3. FUMÉES ET VAPEURS (FACTEUR C.3)

Critères d'attribution des points: nature et concentration des fumées et vapeurs: sont-elles toxiques ou nocives pour la santé; sont-elles irritantes pour les yeux, le nez, la gorge, la peau; ont-elles une odeur désagréable?

	Points
Travail au tour avec arrosage	0
Peinture émulsionnée	
Découper au chalumeau	1
Collage avec des résines	
Gaz d'échappement d'un moteur de véhicule tournant dans un petit atelier de réparation	5
Application de peinture cellulosique	6
Mouleur remplissant un moule de métal en fusion	10

4. POUSSIÈRE (FACTEUR C.4)

Critères d'attribution des points: volume et nature de la poussière.

	Points
Bureau	
Opérations normales d'assemblage d'éléments légers	0
Atelier des presses	
Opérations de meulage ou de polissage avec une bonne aspiration des poussières	1
Scier du bois	2
Vider des cendres	4
Meuler des soudures	6
Verser dans des wagonnets ou des bennes du coke contenu dans des trémies	10
Décharger du ciment	11
Démolir un immeuble	12

5. SALETÉ (FACTEUR C.5)

Critères d'attribution des points: nature du travail et désagréments provoqués par sa nature salissante. Cette majoration couvre le «temps de lavage» lorsqu'il est payé (c'est-à-dire lorsqu'on octroie aux exécutants 3 ou 5 minutes pour se laver, etc.). **Ne pas** allouer simultanément un temps et des points.

	Points
Travail de bureau } Opérations normales d'assemblage }	0
Travail au duplicateur	1
Balayer	2
Démonter un moteur à combustion interne	4
Travail sous une vieille voiture	5
Décharger des sacs de ciment	7
Travail de mineur } Ramoner une cheminée avec des brosses }	10

6. HUMIDITÉ (FACTEUR C.6)

Critères d'attribution des points: effet cumulatif de l'exposition à ce facteur pendant une longue période.

	Points
Opérations industrielles normales	0
Travail à l'extérieur, par exemple préposé des postes	1
Travail permanent en milieu humide	2
Poncer à l'eau des surfaces murales	4
Manipulation continuelle d'objets mouillés	5
Buanderie, travail dans la vapeur, dans l'humidité, sur un sol couvert d'eau, avec les mains mouillées	10

TABLE DE CONVERSION DES POINTS

Table V. Pourcentage de majoration de repos correspondant au total des points attribués

Points	0	1	2	3	4	5	6	7	8	9
0	10	10	10	10	10	10	10	11	11	11
10	11	11	11	11	11	12	12	12	12	12
20	13	13	13	13	14	14	14	14	15	15
30	15	16	16	16	17	17	17	18	18	18
40	19	19	20	20	21	21	22	22	23	23
50	24	24	25	26	26	27	27	28	28	29
60	30	30	31	32	32	33	34	34	35	36
70	37	37	38	39	40	40	41	42	43	44
80	45	46	47	48	48	49	50	51	52	53
90	54	55	56	57	58	59	60	61	62	63
100	64	65	66	68	69	70	71	72	73	74
110	75	77	78	79	80	82	83	84	85	87
120	88	89	91	92	93	95	96	97	99	100
130	101	103	105	106	107	109	110	112	113	115
140	116	118	119	121	122	123	125	126	128	130

Exemple: Si le total des points alloués aux différents efforts s'élève à 37:

1) dans la colonne située à l'extrême gauche de la table V, repérer la ligne du chiffre 30;
2) parcourir cette ligne de gauche à droite et s'arrêter à la colonne 7;
3) lire la majoration de repos correspondant à 37 points, soit 18 pour cent.

EXEMPLES DE CALCUL DE MAJORATIONS DE REPOS

1. *Actionner une presse hydraulique.* Lorsque le dispositif de protection de la presse s'ouvre automatiquement, atteindre la pièce avec la main gauche, la saisir et la retirer de la presse. Avec la main gauche, mouvoir la pièce vers un casier pendant que la main droite place une nouvelle pièce à emboutir dans la presse. Retirer la main droite pendant que la main gauche ferme le dispositif de protection. Actionner la presse avec le pied. Simultanément, avec la main droite, atteindre le casier, saisir une nouvelle pièce à emboutir, l'orienter dans la main, la mouvoir près du dispositif de protection et attendre que le dispositif s'ouvre.

Conditions d'exécution: presse de 20 tonnes, distance maximale à parcourir pour atteindre les pièces: 50 cm; position de travail légèrement incommode; travail assis devant la machine; service bruyant; éclairage suffisant.

2. *Monter un escalier en portant un sac de 50 lb (23 kg).* Soulever le sac sur un banc de 90 cm de hauteur, charger sur l'épaule, monter l'escalier, laisser tomber le sac sur le sol. Conditions d'exécution: poussière.

3. *Emballer des chocolats* en les disposant sur trois couches superposées (1,8 kg) selon une disposition fixée à l'avance pour chaque couche. Nombre moyen de chocolats: 160. L'opérateur est assis en face d'étagères sur lesquelles on a disposé 11 variétés de chocolats dans des plateaux ou des boîtes métalliques; il doit emballer les chocolats en respectant une disposition qu'il a dû mémoriser et qui est différente pour chaque couche. Conditions d'exécution: air climatisé, bon éclairage.

Table VI.   Calcul des majorations de repos: exemples

Type d'effort	Tâche					
	Actionner une presse		Transporter un sac de 50 lb		Emballer des chocolats	
	Points d'effort		Points d'effort		Points d'effort	
A. *Effort physique*						
1. Force développée moyenne (lb)	—	—	M	50	—	—
2. Position	B	4	M	6	B	2
3. Vibrations	B	2	B	—	—	—
4. Cycle court	H	10	B	—	—	—
5. Tenue de travail gênante	—	—	—	—	—	—
B. *Tension mentale*						
1. Concentration/anxiété	M	6	B	1	H	10
2. Monotonie	M	6	B	1	B	2
3. Efforts visuels	B	3	—	—	B	2
4. Bruit	M	4	B	—	B	1
C. *Conditions de travail*						
1. Température/degré hygrométrique	—	—	B/B	1	B/B	3
2. Ventilation	—	—	—	—	—	—
3. Fumées et vapeurs	—	—	—	—	—	—
4. Poussière	—	—	H	9	—	—
5. Saleté	M	3	B	—	—	—
6. Humidité	—	—	B	—	—	—
Total des points		38		68		20
Majoration de repos, y compris les pauses-café (pour cent)		18		35		13

4. La détermination des temps par la méthode BTE (Bureau des temps élémentaires, France)

Au BTE, **l'allure de référence,** ou allure 100, est l'allure modale, c'est-à-dire l'allure la plus fréquente (courbe de Laplace-Gauss). On ne définit ni ne préconise une allure maximale ou minimale.

Les temps relevés (T), de quinze à vingt environ, sont corrigés en fonction du jugement d'allure (JA) et donnent des **temps de référence** (To), c'est-à-dire, à l'allure 100 :

$$To = \frac{JA \times T}{100}$$

Dans la pratique, on obtient les temps de référence par dépouillement logarithmique (voir la feuille de dépouillement reproduite plus loin).

On applique ensuite, fraction par fraction, les coefficients physiologiques d'effort (D), de position (P) et de monotonie musculaire (M) pour obtenir le **temps théorique** (Th) :

$$Th = To\,(D \times P \times M).$$

Un tableau à double entrée donne les coefficients d'effort et de position $D \times P$ applicables pratiquement, sur la base de nombreuses études.

Le coefficient de monotonie musculaire M applicable pratiquement est fourni par une courbe en fonction du pourcentage de monotonie. Ce pourcentage s'obtient lui-même en faisant le rapport de la fraction monotone au temps total du cycle de travail[1].

Le coefficient d'ambiance anormale A (température et degré hygrométrique) vient multiplier le supplément de temps obtenu par l'application des coefficients D, P et M. On obtient ainsi le **temps théorique adapté** Th_A :

$$Th_A = (Th - To) \times A + To$$

Les temps technologiques et les temps fréquentiels sont ensuite ajoutés au temps théorique adapté pour donner le **temps prévu** (Tp).

Le **temps alloué** calculé à partir des temps précédents comprend le temps nécessaire à la préparation du poste : équiper, régler, déséquiper le poste. Dans certaines entreprises, il comprend également une majoration fixée de telle sorte que les travailleurs puissent percevoir une prime de rendement déterminée.

Quant au **temps prévisionnel,** il est majoré pour tenir compte du niveau général de la main-d'œuvre.

De nombreux autres facteurs doivent être pris en considération : bruit, éclairage, courants d'air, vibrations, facteurs psychosociologiques. Le BTE estime cependant, d'une part, qu'il est très délicat d'additionner purement et simplement ces facteurs, qui ne constituent pas un ensemble homogène ;

---

[1] Pour qu'il y ait lieu d'appliquer le coefficient M de monotonie musculaire, il faut que le temps cumulé des fractions monotones effectuées au cours des cycles consécutifs soit supérieur à 8 minutes et que le pourcentage de monotonie au cours de ces cycles successifs soit supérieur à 50 pour cent.

Il faut préciser que le coefficient M n'est applicable qu'aux fractions monotones. Il est toujours préférable d'organiser les tâches de sorte qu'il n'y ait pas lieu d'appliquer ce coefficient, d'un emploi délicat.

d'autre part, qu'en leur attribuant un coefficient correcteur on risque de voir se perpétuer ces nuisances, alors qu'il est de beaucoup préférable d'y remédier.

Il est vraisemblable que les coefficients *D, P* et *M* sont appelés à disparaître un jour pour se fondre dans un système prenant en compte tous les facteurs de nuisance.

On trouvera ci-après un tableau synoptique des temps, la reproduction de la feuille de dépouillement donnant les temps de référence (allure 100) en fonction des temps relevés et du jugement d'allure, le tableau des coefficients d'effort et de position *D* × *P*, la courbe de détermination du coefficient de monotonie musculaire *M* et le tableau des coefficients d'ambiance *A*.

TABLEAU SYNOPTIQUE DES TEMPS CLASSÉS EN FONCTION DE LEUR PROGRESSION, DE LEUR NATURE, DE LEUR FRÉQUENCE ET DE LEUR POSITION DANS LE CYCLE

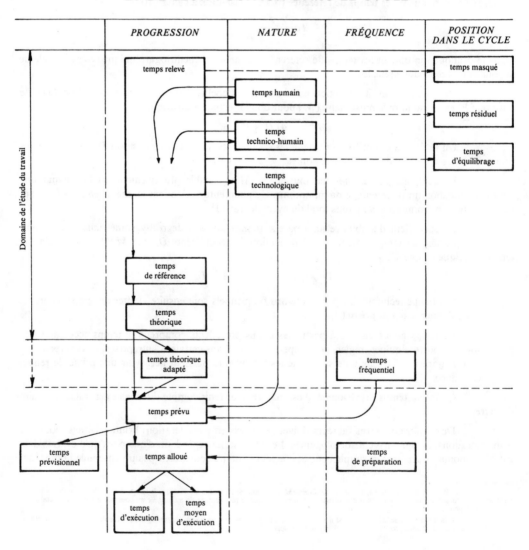

FEUILLE DE DÉPOUILLEMENT - FEUILLE SIMPLE BTEM le 107

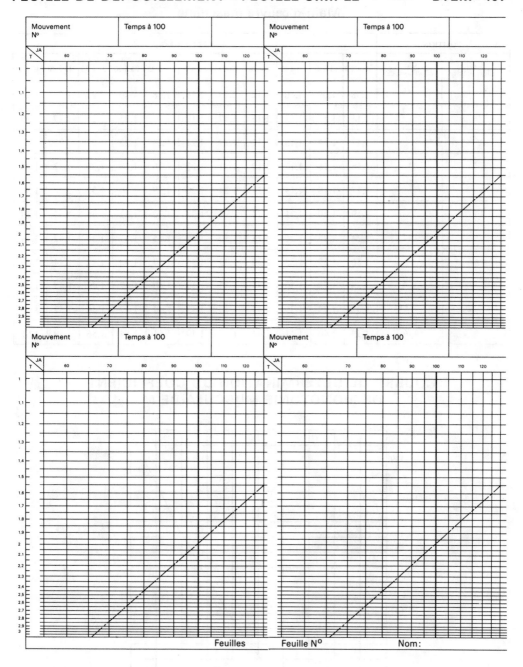

TABLEAU DES COEFFICIENTS D'EFFORT ET DE POSITION D × P
Main-d'œuvre masculine

POSITION		EFFORT EN KG										
Cas: effort simple	Cas: effort combiné	0 à 1	1 à 3	3 à 6	6 à 10	10 à 15	15 à 20	20 à 25	25 à 30	30 à 35	35 à 40	40 à 45
ⵥ		1,08	1,09	1,10	1,12	1,14	1,16	1,18	1,20	1,22	1,24	1,26
	ⵥ	1,11	1,12	1,13	1,15	1,17	1,19	1,21	1,23	1,25	1,27	1,29
ⵥ		1,13	1,14	1,15	1,17	1,19	1,21	1,23	1,25	1,27	1,29	1,31
ⵥ	ⵥ	1,15	1,16	1,17	1,19	1,21	1,23	1,26	1,28	1,30	1,32	1,34
	ⵥ	1,17	1,18	1,19	1,21	1,24	1,26	1,28	1,30	1,32	1,34	1,36
ⵥ		1,19	1,20	1,21	1,24	1,26	1,28	1,30	1,32	1,35	1,37	1,39
ⵥ	ⵥ	1,24	1,25	1,26	1,28	1,30	1,32	1,35	1,37	1,39	1,42	1,44
ⵥ		1,26	1,27	1,28	1,30	1,33	1,35	1,37	1,40	1,42	1,44	1,46
	ⵥ	1,28	1,29	1,30	1,33	1,35	1,37	1,40	1,42	1,44	1,47	1,49
ⵥ	ⵥ	1,32	1,33	1,35	1,37	1,40	1,42	1,44	1,47	1,49	1,52	1,54
	ⵥ	1,39	1,40	1,41	1,44	1,46	1,49	1,51	1,54	1,56	1,59	1,61

COURBE DE DÉTERMINATION DU COEFFICIENT
DE MONOTONIE MUSCULAIRE M

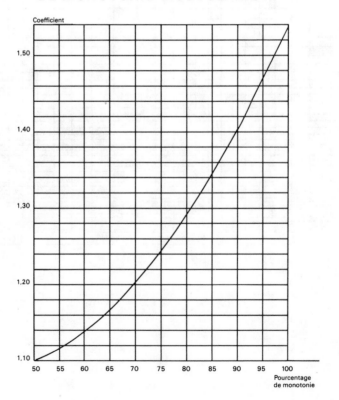

TABLEAU DES COEFFICIENTS D'AMBIANCE A
(température et degré hygrométrique de l'atmosphère)

Degré hygr. / Temp.[1]	0%	10%	20%	30%	40%	50%	60%	70%	80%	90%	100%
22°					1	1	1	1	1,04	1,07	1,10
24°				1	1	1,04	1,07	1,10	1,17	1,23	1,30
26°				1,04	1,07	1,10	1,17	1,25	1,37	1,45	1,60
28°		1,04	1,07	1,10	1,19	1,25	1,37	1,50	1,65	1,75	1,90
30°	1,04	1,07	1,15	1,25	1,37	1,50	1,65	1,75	1,90	2,06	2,30
32°	1,10	1,19	1,30	1,41	1,55	1,70	1,83	2	2,20	2,47	2,80
34°	1,22	1,30	1,45	1,60	1,75	1,90	2,10	2,36	2,62	3	3,35
36°	1,33	1,45	1,60	1,75	1,98	2,20	2,47	2,80	3,12	3,50	3,90
38°	1,45	1,60	1,75	1,90	2,20	2,55	2,90	3,35	3,66	4	4,50
40°	1,55	1,70	1,90	2,15	2,55	2,94	3,35	3,90	4,20	4,60	5,30
42°	1,65	1,83	2,10	2,39	2,90	3,40	3,80	4,30	4,70	5,10	
44°	1,75	1,98	2,30	2,75	3,35	3,90	4,20	4,90	5,40		
46°	1,83	2,15	2,62	3,12	3,73	4,20	4,70	5,60			
48°	1,95	2,30	2,94	3,50	4,12	4,60	5,40				
50°	2,05	2,62	3,28	3,90	4,50	5,30					

[1] Thermomètre sec.

5. Unités de mesure: facteurs de conversion[1]

1	2	Pour convertir les unités de la colonne 1 en unités de la colonne 2 multiplier par:
Longueur		
Inch	Foot	0,083
Inch	Centimètre	2,540
Foot	Yard	0,333
Foot	Mètre	0,305
Yard	Foot	3
Yard	Mètre	0,914
Pole	Yard	5,502
Pole	Mètre	5,029
Furlong	Mile	0,125
Furlong	Kilomètre	0,201
Mile	Yard	1 760
Mile	Kilomètre	1,609
Fathom	Foot	6
Fathom	Mètre	1,829
Centimètre	Inch	0,394
Mètre	Foot	3,281
Mètre	Yard	1,094
Mètre	Pole	0,199
Mètre	Fathom	0,547
Kilomètre	Mile	0,621
Superficie		
Square inch	Square foot	0,0069
Square inch	Centimètre carré	6,452
Square foot	Square yard	0,111
Square foot	Mètre carré	0,093
Square yard	Square foot	9
Square yard	Mètre carré	0,836

[1] Voir norme française NF-X-02-050: *Principales unités de mesure américaines et britanniques.*

1	2	Pour convertir les unités de la colonne 1 en unités de la colonne 2 multiplier par :
Acre	Square foot	43 560
Acre	Square mile	0,0016
Acre	Mètre carré	4 047
Acre	Hectare	0,405
Square mile	Square foot	27 878 400
Square mile	Kilomètre carré	2,590
Square mile	Hectare	259,2
Square mile	Acre	640
Centimètre carré	Square inch	0,155
Mètre carré	Square foot	10,764
Mètre carré	Square yard	1,196
Kilomètre carré	Hectare	100
Kilomètre carré	Acre	247,105
Kilomètre carré	Square mile	0,386
Hectare	Acre	2,471
Hectare	Square mile	0,0039

Volume

1	2	
Cubic inch	Cubic foot	$5,787 \times 10^{-4}$
Cubic inch	Centimètre cube	16,387
Cubic foot	Cubic yard	0,037
Cubic foot	Mètre cube	0,028
Cubic foot	Décimètre cube (litre)	28,317
Cubic yard	Cubic foot	27
Cubic yard	Mètre cube	0,765
Centimètre cube	Cubic foot	$3,53 \times 10^{-5}$
Centimètre cube	Cubic inch	0,061
Décimètre cube (litre)	Cubic foot	0,035
Mètre cube	Cubic yard	1,308
Mètre cube	Cubic foot	35,315

Capacité

1	2	
Fluid ounce (mesure britannique) (Imperial fluid ounce)	Fluid ounce (mesure américaine) (US fluid ounce)	0,961
Fluid ounce (mesure britannique)	Millilitres	28,413
Fluid ounce (mesure américaine)	Fluid ounce (mesure britannique)	1,041
Fluid ounce (mesure américaine)	Millilitres	29,574
Pint (mesure britannique) (Imperial pint)	Pint (mesure américaine) (US pint)	1,201
Pint	Quart	0,5
Pint	Gallon	0,125
Pint (mesure britannique)	Litre	0,568
Pint (mesure américaine)	Pint (mesure britannique)	0,833
Pint (mesure américaine)	Litre	0,473
Gill	Pint	0,25
Gallon (mesure britannique) (Imperial gallon)	Gallon (mesure américaine) (US gallon)	1,201

1	2	Pour convertir les unités de la colonne 1 en unités de la colonne 2 multiplier par :
Gallon (mesure britannique)	Litre	4,546
Gallon (mesure américaine)	Gallon (mesure britannique)	0,833
Gallon (mesure américaine)	Litre	3,785
Barrel (mesure américaine)	Litre	158,987
Centimètre cube	Litre (décimètre cube)	10^{-3}
Litre	Pint (mesure britannique)	1,760
Litre	Pint (mesure américaine)	2,113
Poids		
Grain (avoirdupois)	Milligramme	64,799
Ounce (avdp.)	Ounce (troy)	0,912
	Pound (avdp.)	0,0625
	Gramme	28,350
Ounce (troy)	Ounce (avdp.)	1,097
	Gramme	31,104
Pound (avdp.)	Pound (troy)	1,215
	Ounce (avdp.)	16
	Kilogramme	0,454
Pound (troy)	Pounds (avdp.)	0,823
	Ounce (troy)	12
	Kilogramme	0,373
Stone	Pound (avdp.)	14
	Kilogramme	6,350
Short ton	Pound (avdp.)	2 000
	Kilogramme	907,185
Long ton	Pound (avdp.)	2 240
	Kilogramme	1 016,047
Gramme	Ounce (avdp.)	0,035
	Ounce (troy)	0,032
Kilogramme	Pound (avdp.)	2,205
Tonne	Short ton	1,102
	Long ton	0,984

6. Bibliographie

ÉTUDE ET MESURE DU TRAVAIL

Barnes, R. M.: *Etude des mouvements et des temps* (Paris, Editions d'organisation, 4ᵉ édition, 1958).

— *Pratique des observations instantanées* (Paris, Editions d'organisation, 1958).

Bureau international du Travail: *La mesure de la productivité du travail,* Etudes et documents, nouvelle série, n° 75 (Genève, 1969).

BTE (Bureau des temps élémentaires, Paris):

— *Habileté professionnelle et diminution du temps de tâche,* par I. de Jong, collection Cahiers du BTE, n° 201-02.

— *L'accoutumance, ses causes, ses lois, ses conséquences pratiques,* collection Cahiers du BTE, n° 201-03.

— *Décroissance des temps de fabrication en série,* par J. V. Lazard, collection Cahiers du BTE, n° 201-04.

— «La préparation scientifique des décisions (recherche opérationnelle)», *Etude du travail* (revue du BTE), déc. 1960, pp. 5-10.

— Hodson, W.: «Universal Maintenance Standards», *Etude du travail* (revue du BTE), janv. 1961, pp. 29-41.

— Chantal, R. de: «Etude du travail et théorie des attentes», *Etude du travail* (revue du BTE), juin 1957, pp. 14-20.

— *Vocabulaire technique concernant l'étude du travail* (en réimpression).

Dagallier, D., et Alary, M.: *Guide des techniques d'implantation et de manutention dans l'entreprise* (Paris, Compagnie française d'édition, 1961).

Delfosse, M. G.: *Manuel de l'agent technique* (Paris, Entreprise moderne d'édition), 5 tomes:

Tome I: *Le service des méthodes et l'étude des postes de travail,* 1971.

Tome II: *Les implantations, les manutentions et les stocks,* 1974.

Tome III: *Le planning,* 1970.

Tome IV: *Les stocks et les magasins,* 1974.

Tome V: *Applications d'organisation et de méthodes,* 1967.

François, A. R.: *Manuel d'organisation* (Paris, Editions d'organisation, 1977 et 1978), 2 tomes:

Tome I: *Organisation du travail,* 1978.

Tome II: *Organisation de l'entreprise,* 1977.

Gerbier, J.: *Organisation, méthodes et techniques fondamentales,* collection Aide-mémoire Dunod (Paris, Dunod, 1975).

Gogue, J. M.: *Le défi de la qualité dans la société industrielle* (Paris, Editions d'organisation, 1978).

Husson, J.: *Le contrôle statistique de qualité. Principes, mise en œuvre, applications* (Paris, Editions Pyc & Desforges, 1979).

Jabot, R.: *Implantation et manutentions dans les ateliers* (Suresnes, Editions Hommes et techniques, 1977)..

Karger, D. W., et Bayha, F. H.: *La mesure rationnelle du travail MTM et systèmes de temps prédéterminés* (Paris, Gauthier-Villars, Editions d'organisation, 1975).

Lehmann, J. T.: *La mesure des temps alloués* (Louvain, Librairie universitaire, Editions d'organisation, 1965).

Louzoun, D.: *La méthode des observations instantanées* (Paris, Editions d'organisation, 1974).

Lubert, G.: *La préparation du travail* (Paris, Chotard & Associés, 1972).

Mallet, G.: *Etude de la mesure des temps* (Paris, Editions d'organisation, 1971).

Michel, P.: *Implantations et manutentions rationnelles. Réduire les prix de revient en organisant les manutentions,* collection Dunod-Entreprise (Paris, Dunod, 1975).

Soumagnac, M. R.: *Initiation au MTM (enseignement programmé)* (Paris, Editions d'organisation, 1971).

L'AFNOR (Association française de normalisation) publie chaque année un recueil de l'ensemble des normes françaises et étrangères.

ORGANISATION DE LA PRODUCTION

Boyer, L.: *Mémento d'organisation et de gestion de la production,* collection Tables EO (Paris, Editions d'organisation, 1978).

Brown, G.: *Le diagnostic d'entreprise* (Paris, Entreprise moderne d'édition, 1970).

Bureau international du Travail: *Gestion et productivité,* répertoire international d'institutions et de sources d'informations (Genève, 1976).

— *Les nouvelles formes d'organisation du travail:*
> Vol. 1: Danemark, Norvège, Suède, République fédérale d'Allemagne, France, Royaume-Uni, Etats-Unis (Genève, 1979).
>
> Vol. 2: Italie, Inde, République démocratique allemande, URSS. Evaluation de l'intérêt économique des nouvelles formes d'organisation du travail (Genève, 1979).

Crolais, M.: *Gestion intégrée de la production et ordonnancement* (Paris, Dunod, 1968).

Jouineau, C.: *L'analyse de la valeur et ses nouvelles applications industrielles. De la réduction des coûts à la création du produit* (Paris, Entreprise moderne d'édition, 1968).

Lambert P., Bissada J., et Schmitt J. P.: *La fonction méthodes* (Paris, Eyrolles, 1974).

Lambert, P.: *La fonction ordonnancement* (Paris, Editions d'organisation, 1975).

CONDITIONS DE TRAVAIL

Association pour la prévention et l'amélioration des conditions de travail, Régie nationale des usines Renault: *Réception des postes de travail. Aide-mémoire d'ergonomie — conditions de travail* (Paris, APACT, 1974).

AVISEM: *Techniques d'amélioration des conditions de travail dans l'entreprise* (Suresnes, Editions Hommes et techniques, 1977).

Boeri, D.: *Le nouveau travail manuel. Enrichissement des tâches et groupes autonomes* (Paris, Editions d'organisation, 1977).

Bureau international du Travail: *L'aménagement du temps de travail. Le facteur temps dans le nouveau concept des conditions de travail,* par D. Maric (Genève, 1977).

— *L'horaire variable,* par Heinz Allenspach (Genève, 1975).

— *L'organisation du temps de travail dans les pays industrialisés* (Genève, 1978).

— *Le travail de nuit. Effets sur la santé et la vie sociale du travailleur,* par J. Carpentier et P. Cazamian (Genève, 1977).

— *Le travail par équipes. Avantages économiques et coûts sociaux,* par Marc Maurice (Genève, 1976).

Centre d'études et de recherche sur les qualifications: *L'organisation du travail et ses formes nouvelles* (Paris, Documentation française, 1976).

Guelaud, F., Beauchesne, M. N., Gautrat, J., et Roustang G.: *Pour une analyse des conditions du travail ouvrier dans l'entreprise,* recherche du Laboratoire d'économie et de sociologie du travail (Paris, Armand Colin, 2ᵉ édition, 1978).

Jardillier, P.: *Les conditions de travail,* collection Que sais-je? (Paris, Presses universitaires de France, 1979).

Mary, J. A.: *L'expérience Guillet* (Paris, Union des industries métallurgiques et minières — UIMM, 1975).

Savall, H.: *Reconstruire l'entreprise. Analyse socio-économique des conditions de travail* (Paris, Dunod, 1980).

Thietart, R. A.: *La dynamique de l'homme au travail. Une nouvelle approche par l'analyse de systèmes* (Paris, Editions d'organisation, 1977).

HYGIÈNE ET SÉCURITÉ

Boisselier, J.: *Prévention et gestion des risques industriels dans l'entreprise* (Paris, Editions d'organisation, 1979).

Bureau international du Travail: *Encyclopédie de médecine, d'hygiène et de sécurité du travail.* 2 vol. (Genève, 1973-1974).

— *L'exposition professionnelle à des substances nocives en suspension dans l'air,* Recueil de directives pratiques (Genève, 1980).

— *La protection des travailleurs contre le bruit et les vibrations sur les lieux de travail,* Recueil de directives pratiques (Genève, 1977).

Centre international d'informations de sécurité et d'hygiène du travail (CIS): *Bulletin CIS* (bulletin d'analyses bibliographiques) (Genève).

— *Les facteurs humains et la sécurité,* Notes documentaires CIS, n° 15 (Genève, s. d.).

— *Protection des machines et ergonomie,* Notes documentaires CIS, n° 10 (Genève, s. d.).

Institut national de recherche et de sécurité: *Bilan des méthodes d'analyse d'accidents du travail,* Rapport d'étude n° 456/RE (Paris, INRS, avril 1979).

— *Textes relatifs aux comités d'hygiène et de sécurité* (Paris, INRS, 1978).

Lanneree, S.: *Comment remplir vos obligations sur l'hygiène et la sécurité des travailleurs,* collection Ce qu'il vous faut savoir... (Paris, Delmas, 1972).

Leplat, J., et Cuny X.: *Les accidents du travail,* collection Que sais-je? (Paris, Presses universitaires de France, 1974).

Pluyette, J.: *Hygiène et sécurité, conditions de travail. Lois et textes réglementaires* (Paris, Technique et documentation, 1977).

ERGONOMIE

BTE, Spitzer, H., et Hettinger, T.: *Tables donnant la dépense énergétique en calories pour le travail physique,* collection Cahiers du BTE, n° 302-04.

Cazamian, P.: *Leçons d'ergonomie industrielle. Une approche globale* (Paris, Editions Cujas, 1974).

Cazamian, P., et Andlauer, P.: *Ergonomie du travail de nuit et des horaires alternants* (Paris, Editions Cujas, 1977).

Centre international d'informations de sécurité et d'hygiène du travail: *Le transport des charges à bras,* Notes documentaires CIS, n° 3 (Genève, 1961).

Grandjean, E.: *Précis d'ergonomie. Organisation physiologique du travail* (Paris, Dunod, 1969).

Guelaud, F.: *Eléments d'analyse des conditions de travail* (Paris, Centre national de la recherche scientifique, 1977 et 1978), 5 vol.

    Vol. 1: *Le bruit* (1977).

    Vol. 2: *L'ambiance thermique* (1978).

    Vol. 3: *L'éclairage* (1978).

    Vol. 4: *La charge mentale* (à paraître).

    Vol. 5: *Certains facteurs psychosociologiques* (à paraître).

Organisation mondiale de la santé: *Introduction à l'ergonomie,* par W. T. Singleton (Genève, 1974).

Société française de psychologie du travail: *L'ergonomie au service de l'homme au travail* (Paris, Entreprise moderne d'édition, 1978).

Woodson, W. E., et Conover, D. W.: *Guide d'ergonomie. Adaptation de la machine à l'homme* (Paris, Editions d'organisation, 1978).

QUALIFICATIONS ET RÉMUNÉRATION — INTÉRESSEMENT

Bureau international du Travail: *Série principes et méthodes de détermination des salaires. Références relatives aux différentes branches d'activité* (Genève).

— *La rémunération au rendement,* Etudes et documents, nouvelle série, n° 27 (Genève, 2e édition, 1961).

— *La qualification du travail,* Etudes et documents, nouvelle série, n° 56 (Genève, 1964).

Cliquet, M., et Dumont, J.: *Les salaires* (Paris, Editions Sirey, 1979).

Organisation de coopération et de développement économiques: *Détermination des salaires* (Paris, OCDE, 1974).

Postel, G.: *Améliorer la gestion des rémunérations* (Paris, Editions d'organisation, 1978).

Vitet, C.: *Evaluation des emplois et des salaires. Méthodes pratiques. Objectifs nouveaux* (Paris, Editions d'organisation, 1975).